NEIL STRAUSS

FAMA & LOUCURA

Tradução
Joana Faro

1ª edição

Rio de Janeiro | 20

OBITUARY.

Lowell.—On the 12th August, the hon. James Russell Lowell, aged 72.

Raikes.—A home telegram of 24th inst. records the death of the hon. Cecil Raikes, Postmaster-General, aged 53.

Wesley.—In May, Mr William Wesley, the well-known bookseller and publisher of Essex-st., Strand, aged 77.

Dean.—On 13th May, at Southsea, Mr George Alfred Henry Dean, head of the well-known publishing firm of Dean & Sons, aged 69.

Turner.—In June, in London. Dr. Turner, missionary, aged 73. He was the author of *Samoa a Hundred Years Ago* and *Nineteen Years in Polynesia.*

Cunliffe.—On 20th June, Mr Thomas Cunliffe, proprietor of the Bolton *Guardian.* Mr Cunliffe was one of the best-known men in Bolton, and a prominent temperance worker.

Henderson.—On 22nd May, at Ipswich, Mr William Henderson, senior partner in the music-printing firm of Henderson & Spalding, (formerly Henderson, Rait, & Fenton), aged 60.

Salmon.—In June, at Stockport, at the age of 71, Mr James Salmon, head of the firm of James Salmon & Son, and one of the best-known members of the printers' engineering trade.

Reed.—On 9th June, aged 73, Margaret, widow of the late Sir Charles Reed. Lady Reed was the youngest daughter of Mr Edward Baines, founder of the Leeds *Mercury* and for many years member for Leeds, and was younger sister of the late Sir Edward Baines, who died last year.

Byles.—On 17th June, in his 84th year, Mr William Byles, senior proprietor of the Bradford *Observer*, with which paper he had been connected from the issue of its first number on the 6th February, 1834. He was one of the best known and most respected men in Bradford, and is said to have «made his mark on its religion, its philanthropy, on its educational character, on its politics, and on its commercial reputation.»

Fothergill.—A home telegram of 1st August reports the death of Miss Jessie Fothergill, whose works—*Probation*, *The First Violin*, and others—are among the best English novels of the past decade. She was born in Manchester, where her father was engaged in the cotton trade. He belonged to the Society of Friends, but had to withdraw from that body on account of his marriage with a member of the Church of England. He died in 1864, and Mrs Fothergill removed with her family to Littleborough, near Rochdale. In this country home, in the wide wind-swept moors, and in the quaint rustic population, the future novelist took delight, and while hating lessons, she developed a passion for knowledge. Always delicate in health, the free country life strengthened and revived her. Like another Lancashire authoress, Frances Hodgson, she exhibited rare powers of observation and memory, and developed the story-telling faculty in early childhood. From the first, her published works were a success. Of late years she has lived in a pretty home in Manchester, but has had to winter abroad.

An English telegram of 23rd Sept. records the death of Wilkie Collins, the well-known novelist and dramatist, in his 66th year.

A cable message dated 23rd September, notes the death of Mr Henry Farnie, one of the most facile and industrious librettists of the century. He possessed a marvellous facility for rhyming, and could set words to anything in the way of music. His opera librettos are innumerable, and among other feats he adapted words to all of Dan Godfrey's waltzes. His name came prominently before the public in a divorce suit a few years ago, and since that time not much has been heard of him.

Mr Henry Samuel Ward, one of the oldest members of the Craft in Melbourne, died on the 14th July. He was born in 1824 at Clapham, and learned the business in his father's office. He afterwards obtained a situation on *The Times*, and in 1857 came to Australia in the *King of Algeria* as one of «the Forty» who came out under engagement to the *Argus.* He worked subsequently on the *Herald* and the *Age*, and held a frame on the latter paper to within three months of his death. He leaves a widow and two sons, one of whom is on the staff of the *Age.*

Bassett.—On 14th December, 1892, John Bassett, proprietor and editor of the *Printing World*, aged 29.

Sherrin.—On 9th January, at Auckland, R. A. A. Sherrin, an old journalist and parliamentary correspondent.

Smart.—A London telegram of 10th inst, records the death of Hawley Smart, a well-known novelist.

Higinbotham.—On 31st December, George Higinbotham, Chief Justice of Victoria, aged 65. He was associated with the London press prior to his call to the bar in 1853; and after emigrating to Victoria, joined in 1856 the staff of the Melbourne *Argus*, which paper he edited for several years.

Alabaster.—On 18th November, at Richmond, Surrey, aged 86, James Alabaster, of Passmore & Alabaster, printers and publishers. The firm was established in 1853, and its business consists entirely of printing and publishing the sermons and other works of the late Rev. Thomas Spurgeon.

Kemble. On the 16th January, at London, aged 83, Frances Anne Kemble, the famous actress, and author of interesting books of reminiscences. She belonged to an illustrious family of actors, being grand-daughter of Roger Kemble, daughter of Charles Kemble, niece of John Philip Kemble and of Mrs Siddons, and sister of Adelaide Kemble.

Jackson.—On 1st January, at Nelson, Mr H. D. Jackson, a well-known bookseller, in his 66th year. Mr Jackson was a native of Leeds, and arrived in Nelson with his parents in the barque *Phœbe*, in March, 1843. The family had their full share of the heavy pioneer work which fell to the lot of the early settlers. Mr Jackson was on the staff of the Nelson *Examiner* in its earlier years. He was promently connected with public institutions and local bodies. He married in 1854, and has left a widow and seven children.

A telegram from New York, dated 12th September, records the death, from yellow fever, of Professor R. A. Proctor, at the age of 51.

La Typologie-Tucker records the death on the 6th July, at the age of 64, of M. Pierre Alexander Chapelle, Paris,—a notable type-founder and designer of many popular ornamental styles of letter.

We regret to see by the Rangitikei papers that Mr Isaac Down, a half-caste, who was apprenticed to the printing business in the same office in which the writer served his time, has been found drowned. The meagre paragraph before us does not give us the date or any particulars of the accident nor the name of the locality; we gather that an inquest was held on the 17th inst., and an open verdict returned. Deceased, who was a son of the late Mr. Down, of Wairoa, was at the early age of seven years placed at the printing business with the late Mr H. L. Yates, in Napier, late in 1861 or early in 1862, and was subsequently apprenticed. His career in after life was somewhat chequered. He acted as telegraph lineman, native interpreter, and occasionally as compositor. In the latter capacity he was employed for some time at the Government printing office, where his knowledge of the Maori language was of value. Some years ago, having married, he took a small farm at Kaikoura, Hawke's Bay, but did not find the venture a success. He leaves a widow and two children.

The *Printers' Register* records the death of the oldest member of the craft in the United Kingdom—Mr William Scott, who died on the 29th June, at the age of 95. At the age of eleven he entered into the service of Messrs Eyre & Strahan, afterwards Eyre & Spottiswoode, of which firm he had been a pensioner for thirty years—thus furnishing an instance, probably unique, of a printer eighty-four years in the pay of a single firm.

American papers record the death by suicide in Kansas of Howard R. Hetrick, a reporter who has done some of the best newspaper work in the county. He had given way to drink, and all efforts to reclaim him were fruitless.

Mr Henry Anderson, who has been suffering for some months from cancer in the throat, died in Wellington on the 20th July at the age of 50. Mr Anderson was a trenchant and able writer, and at times fiercely personal. In the course of his chequered career he has been connected with nearly every newspaper in Wellington. He leaves a widow and family.

M. Louis Alauzet, a noted manufacturer of printing machines, died at Paris on the 12th May, in his 36th year.

In Dublin, on 5th March, was buried Mr Pattison Jolly, aged 104, probably the oldest printer in the world. He served his time at Ballantyne's in Edinburgh, and pulled the first sheet of the *Edinburgh Journal* over seventy years ago.

An English telegram records the death of Mr Justice Johnston, of the Supreme Court of New Zealand. Judge Johnston was the author of certain legal works, one of which, the *New Zealand Justice of the Peace*, is a standard text-book, and has passed through several editions.

Mrs Proctor, wife of «Barry Cornwall,» and mother of Adelaide Anne Proctor, died on the 5th March, at an advanced age, having been born about the beginning of the century. Mrs Proctor was a brillant conversationalist, and was on intimate terms with three generations of leading English authors.

Mr Arthur Stewart Ramsay, late of the Government Lithographic Office, died on the 15th inst., from the effects of a severe cold. Mr Ramsay, who had been 17½ years in the Government employ, had to retire last February, on account of retrenchment. He had latterly been in a very depressed state, being unable to obtain other employment. He leaves a widow and three young children.

A correspondent writes: Frederick William Cooke died at Auckland early in this month. He served his term in the office of the *Illustrated London News*, and arrived in the Auckland district early in the 40's. He was a well-read man, and many regrets are expressed at his decease. He worked for many years at the *N. Z. Herald*, and died in harness. He was a bachelor. «Death has locked up his mortal form.»

Mr Robert Savage, a regular contributor to the *Argus* and *Australasian*, and a graceful writer, died last month in Melbourne.

Dr. Johan H. Zukertort, a well-known chess-player, and editor of the *Chess Monthly*, died in Charing-Cross Hospital on 20th June, aged 46. As a player he had few superiors, and as a chess-writer, none.

An English telegram of the 8th May, reports the death of the celebrated statistician, Professor Leone Levi, at the age of 67.

Mr George Toulmin, an able and conscientious journalist, for many years proprietor of the *Preston Guardian* and other papers, died on the 17th February, in his 75th year.

Oscar Pletsch, the unrivalled German artist of child-life, has recently died, in his 37th year. His drawings have been a feature of all the children's magazines for the past fifteen or sixteen years.

Mr David Payne, of the firm of Payne & Sons, printers' engineers, Otley, died in November last.

An English telegram of 7th January, records the death of Mr Halliwell Phillips, Shakspearean critic.

An English telegram of 24th January, records the death of Pellegrini, the caricaturist of *Vanity Fair.*

We regret to have to record the death, on the 5th January, of Mr T. G. Smith, youngest son of Mr J. T. Smith, printer, Christchurch, aged 33 years.

We regret to note the death, on 23rd December, at the age of 59, after a painful illness, of Mr Lawrence Oliphant, diplomatist, and author of works chiefly of a philosophical and mystical character.

Mr Charles Hardwick, the historian of Preston, (in his youth apprenticed in the Preston *Chronicle* office), died on 9th July, at the age of 71.

Mr R. K. Burt, senior partner in the printing firm of R. K. Burt & Co., Fetter Lane, London, died on 10th July, aged 62.

Eneas Dawson, until lately senior partner in the firm of Dawson & Sons, stationers, Cannon-st., London, died on 24th July, aged 70.

Australian papers record the death, in her twenty-eighth year, of Mrs Boon, *nee* Dumas, a well known writer and essayist, whose domestic stories under the name of «Louise,» were marked by originality and pathos, and were an attractive feature in more than one Australian serial. She had been only one year married.

Mr Samuel Raynor, paper-maker, New York, died 8th May, in his 78th year.

Miller.—At Dublin, on 10th September, Mr Robert Miller, of the firm of William Miller & Sons, typefounders, Dublin.

Virtue.—On 24th September, at Bayswater, Mr John Virtue, aged 67, and for more than half-a-century connected with the *Art Journal* office.

Morton.—On 14th August, at Launceston, from injuries received in a trap accident, Mr John Morton, editor of the *Tasmanian*. He was a native of Berwickshire, and only 29 years of age. He went out to Tasmania in 1882. He leaves a widow and two children.

Miller.—On 14th September, at Islington, Mr W. Haig Miller, aged 79. His wife had died on the preceding day, and he passed away in his sleep. He had for many years retired from business, and devoted himself entirely to Christian work. He assisted in the foundation of the *Leisure Hour* and the *Sunday at Home*, and was the first editor of the former journal.

Sands.—At Baltimore, on 21st July, in his 92nd year, Samuel Sands, the oldest printer in the United States, and probably in the world. He was apprenticed in 1811 at the Baltimore *American* office, and in his long and active life was connected with many and various public institutions. In 1814 he set up from the freshly-written manuscript the national song of «The Star-Spangled Banner.»

Lytton.—On 24th November, at Paris, Lord Lytton, G.C.B, G.C.S.I., C.I.E., LL.D., British Ambassador, aged 60. He was the only son of the late E. B. Lytton, the most versatile literary man of the century, and no man of the present generation has had a more distinguished career. He entered the diplomatic service of the Crown at the age of 18, as attaché at Washington, and after long and honorable service as ambassador in various European capitals, was in 1876 appointed Viceroy of India. On resigning this office in 1880, he was appointed Ambassador in Paris. His published volumes, in prose and verse, under the pseudonym of Owen Meredith, indicate literary gifts of a high order, but never attained such wide popularity as the works of his late father.

Dr H. Monk, well known as the musical editor of *Hymns Ancient and Modern*, died on the 1st March.

A cable message of 7th May reports the death of Count Tolstoi, the celebrated Russian novelist, and a man of mark as a social reformer.

A London telegram of 10th inst. records the death of the Rev. Lord Sidney Godolphin Osborne, at the age of 81. The deceased has for many years past been a contributor to *The Times*, on social and philanthropic questions, under the signature of «S.G.O.»

Mr William F. Jackson, the oldest printer in Manchester, died on the 12th March, aged 89. He went into business on his own account in 1832, and remained in business as printer and stationer until his death. He had been three-quarters of a century at the trade.

Mr W. F. Tillotson, founder of the Bolton *Evening News* and the *Journal*, died at Bolton on 19th February, at the age of 44, after four days' illness, from inflammation of the lungs. He was remarkable for his business energy and methodical habits. He had established a «Fiction Bureau,» and induced many prominent novelists to publish their stories in the first place through newspaper columns. He had recently extended his operations to America and the European continent.

Glanville.—On 9th August, Dr. Doyle Glanville, F.R.G.S., a noted traveller, artist, and press correspondent, who had seen service in South Africa, Mexico, South America, the West Indies, China, Egypt, and New Guinea. He was correspondent of the *Graphic* throughout the Zulu War, and afterwards in the Soudan, whither he had accompanied the Australian contingent.

Bradlaugh.—On 30th January, Charles Bradlaugh, M.P. for Northampton, aged 57.

Plumptre.—On the 2nd February, Dr Plumptre, Dean of Wells, a celebrated theological writer, aged 69.

Carlile.—Accidentally drowned at Woodville, on the 30th January, Mrs Carlile, wife of Mr W. W. Carlile, formerly editor and part proprietor of the Hawke's Bay *Herald*.

Jarrold.—In November, at Norwich, in his 43rd year, Mr Samuel J. J. Jarrold, of the publishing house of Jarrold and Sons, Norwich and London.

Selous.—In October, at the age of 87, H. C. Selous, a Royal Academician of many years' standing. He was an able and vigorous artist in black and white, one of his best known works being a series of twenty fine plates illustrative of Charles Kingsley's «Hereward,» issued by the Art Union of London in 1870.

Reynolds.—On the 31st January, at Wellington, Ernest Reynolds, of the lithographic department of the *Press*, aged 18. He had taken a three weeks' trip to his parents' home at Clareville, Wairarapa, for the holidays. He was not very well on his return to work, and a week afterwards, becoming seriously ill with typhoid fever, was removed to the hospital, where he died. Mr Reynolds was a clever and efficient workman, and in private life was highly esteemed.

Meissonier.—A home telegram of 2nd February records the death of Jean Meissonier, the famous painter, who was born at Lyons in 1812. Of West, a contemporary epigrammatist wrote: «He knows that bulk is not a jest, and gives us painting by the acre.» As West might have painted for Brobdignag, so Meissonier might have been artist for Lilliput. His works were in miniature, finished with photographic delicacy and minuteness, and were so highly esteemed that they realized higher prices than were ever before paid for the productions of a living artist.

Nicholson.—On 18th December, at Fielding, John Nicholson, of Christchurch, aged 24. Deceased was formerly employed as compositor on the Christchurch *Press*, but had to relinquish his duties on account of failing health.

Knowles.—On 3rd December, at Wellington, John Knowles, aged 68, a very old New Zealand journalist. He was born in London on 4th December, 1823, and arrived in Wellington in the *Gertrude* in October, 1841, at once entering into the service of the New Zealand Company. He took an active part in the pioneer work of colonization, and filled several important and responsible public offices. He edited the Wellington *Independent* from 1855 to 1864, and contributed largely to other leading New Zealand papers. From 1864 to 1869 he was New Zealand correspondent of *The Times*. He took an active interest in religious and educational matters; and was, in the early days, on the Wesleyan preachers' plan. For over 35 years he was an office-bearer of the Congregational Church, and for over 50 years Sabbath School teacher and superintendent. He leaves a widow and a grown-up son and daughter. No resident of Wellington was held in more general respect or esteem. The immediate cause of death was weakness of the heart, complicated with a cold taken a few days before his death.

M. Alkan, sen., a bibliographer, died near Paris on the 18th June, aged 84. It is not many months since he published his last work, *Les quatre Doyens de la Typographie Parisienne*. He was a frequent contributor to the trade journals, and as far back as 1838 started a periodical, *Les Annales de la Typographie*, which did not long survive.

Mr John Heywood, the well-known printer, publisher, and typefounder, died on the 10th May, after a fortnight's illness, at Stretford, near Manchester, aged 56.

Mr T. H. Potts, an old Christchurch resident, died suddenly on the 27th July, aged 60. Mr Potts was a prominent citizen and an enthusiastic naturalist, and was widely known by his series of papers entitled «Out in the Open.»

Mr Henry Littleton, head of the music-publishing firm of Novello, Ewer, & Co., died at Sydenham on May 11th, aged 66. He entered the business in 1841 as office-boy, and in 1866 became sole proprietor. Having made a considerable fortune, he retired last year from active participation in the business.

Field.—Home exchanges record the death of Mr Abraham Field, of the late firm of Field & Tuer, now trading as the Leadenhall Press.

Collier.—On 14th May, Mr T. Collier, R.I., one of the most prominent members of the Royal Institute of Painters in Water-Colors. In landscape he was unrivalled. [Owing to a misreading of the cable message, colonial papers in May—our own among the number—erroneously reported the death of the hon. John Collier, the celebrated portrait-painter.]

Weld.—A home telegram records the death of Sir F. A. Weld, G.C.M.G., aged 68. He came to New Zealand in 1844; filled many responsible offices, and in 1864 became Premier. It was a time of great difficulty, and he ably filled his post, initiating what was known as the «self-reliant policy.» Since leaving New Zealand he has held several colonial governorships.

Manley.—On 5th July, at Wellington, Mr B. N. Manley. For about ten years he was manager of the Wanganui *Herald*. Removing to Wellington, he joined Mr Ffrost in the rubber stamp business. He took great interest in chess, and in 1887 started the *Chess Chronicle*, which had a very brief existence. He was twice married, and leaves two children by his first wife.

Johnston.—We regret to note the death, in his 68th year, of Mr S. Reed Johnston, superintendent of the house of J. Eichbaum & Co., Pittsburg, Pennsylvania, and one of the best printers in America. He was best known through his skill in color-work and as the inventor of the «Owltype» process; but like all really artistic printers, he excelled in plain work, which he considered the true test of skill.

Munson.—At Honolulu, on 9th May, Mr John Munson. He arrived at Hokitika in 1865, and went into business there with his brother, Mr Job Munson, the present proprietor of the Buller *Miner*. When the Westport *Times* was started by Mr Job Munson and Mr John Tyrrell (the present proprietor), deceased joined the staff. He afterwards went into the stationery business, and later occupied the position of mining reporter to the Inangahua *Times*, fulfilling the duties very efficiently. Having been successful in mining ventures, he retired. A few months ago he went on a visit to America, and was his way back to New Zealand when he died.

FAMA E LOUCURA

ENTREVISTAS CENSURADAS COM OS MAIORES ARTISTAS DO PLANETA

de **NEIL STRAUSS**

Sayers.—On the 31st August, at Melbourne, Mr J. N. Sayers, one of the early Victorian printers. He was born at Essex in 1808, served his time in London, and coming out to Melbourne in 1851 with a good printing plant, established himself in business in Little Collins-st., where he remained until his retirement in 1880.

Williams.—On October 7th, at Kensington, Mr John Williams, M.A., aged 52. He was principal editor in Cassell's publishing-house, with which he had been associated for 23 years. Besides the general supervision of the editorial department, he found time to edit many important works, including the *Encyclopædic Dictionary*.

The Rev. Horatius Bonar, D.D., best known as a hymn-writer, died at his residence, Edinburgh, on the 31st July, in his 81st year.

An English telegram of 26th September records the death of Eliza Cook, the well-known poet, at the age of 71.

CIP-BRASIL. CATALOGAÇÃO NA PUBLICAÇÃO
SINDICATO NACIONAL DOS EDITORES DE LIVROS, RJ.

S893f

Strauss, Neil, 1973-
Fama e loucura: entrevistas censuradas com os maiores artistas do planeta / Neil Strauss; tradução Joana Faro. - 1. ed. - Rio de Janeiro: Best*Seller*, 2014.
il.

Tradução de: Everyone Loves You When You're Dead
ISBN 978-85-7684-603-1

1. Músicos de rock - Entrevista. 2. Celebridades - Entrevistas. I. Título.

14-09607

CDD: 782.42166
CDU: 7.071.2

Texto revisado segundo o novo Acordo Ortográfico da Língua Portuguesa.

Título original
Everyone loves you when you're dead

Publicado mediante acordo com Harper Collins Publishers.
Ilustrações: Siân Superman
Design sobre ilustrações: Bernard Chang (com Gonzalo Montesdeoca) e Meat and Potatoes.
Capa: Túlio Cerquize
Editoração eletrônica: Renata Vidal da Cunha

Este livro foi composto nas tipologias Adobe Wood Type Ornaments 1, Bodoni Std, Folio Std, ITC Century Ultra, Impact, Ironwood Std, Knockout, Madrone, Memphis, Minion Pro, Shadowed Germanica, Thorowgood, Times, Wood Block, e impresso em papel Offwhite soft 80 g/m^2.
Impressão e acabamento Markgraph.

Direitos exclusivos de publicação em língua portuguesa para o Brasil adquiridos pela
EDITORA BEST SELLER LTDA.
Rua Argentina, 171, parte, São Cristóvão
Rio de Janeiro, RJ — 20921-380
que se reserva a propriedade literária desta tradução

Impresso no Brasil

ISBN 978-85-7684-603-1

Em memória de Johnny Cash, Curtis Mayfield, Alex Chilton, Nusrat Fateh Ali Khan, Ike Turner, Lucia Pamela, Ernie K-Doe, Antoinette K-Doe, Arthur Lee, Mark Linkous, Timothy Leary, Jimmy Martin, John Hartford, Otha Turner, Rick James, Raymond Scott, Patrick Miller, Josh Clayton-Felt, Chet Atkins, Rick Wright, Ali Farka Touré, Roger Troutman e Bo Diddley, que morreram no período entre suas entrevistas e a publicação deste livro.

E para todos aqueles que vão morrer depois.

As through this world I've wandered,
I've seen lots of funny men;
Some will rob you with a six gun,
And some with a fountain pen.

—Woody Guthrie, "Pretty Boy Floyd"

FAMA E LOUCURA

[UMA COMÉDIA EM DEZ ATOS]

PRE ÂMBULO

Atirei com Ludacris, fui sequestrado por Courtney Love, fiz Lady Gaga chorar, comprei Pampers com Snoop Dogg, saí para beber com Bruce Springsteen, tentei impedir o Mötley Crüe de ser preso, recebi lições sobre cientologia de Tom Cruise, andei de helicóptero com Madonna, aprendi a ler mentes com a CIA, entrei em uma hidromassagem com Marilyn Manson, fui repreendido por Prince e coloquei Christina Aguilera para dormir.

Esse é meu trabalho.

Desde os 18 anos, revistas e jornais me enviam para entrar na vida de músicos, atores e artistas, e descobrir quem eles realmente são sob a máscara que apresentam ao público.

Mas por duas décadas fiz isso da maneira errada. Jornais e revistas são indústrias de serviços, focadas nas necessidades diárias ou mensais de um público que quer ser informado das novidades e do que deve saber e pensar sobre o assunto. E, ao suprir essa necessidade, eu não fazia justiça à realidade. Porque, independente do que aconteça durante uma entrevista, quando ela termina, a lealdade de um escritor é com a pressão de um prazo urgente, com o estilo e o tom da publicação e com as prioridades de um editor. E a lealdade de um editor é com a editora, e a lealdade da editora é com acionistas, números de circulação e lucros de propaganda. Em algum lugar no meio disso tudo, o entrevistado se perde.

Então, para escrever este livro, retornei a meus registros originais de entrevistas, notas e transcrições e selecionei os melhores momentos dos cerca de três mil e poucos artigos que escrevi ao longo dos anos. Mas, em vez de procurar matérias que foram furos de reportagem, que venderam mais revistas ou receberam as melhores críticas, procurei a verdade ou a essência de cada pessoa, história ou experiência. Muitas vezes, encontrei essa essência em algo que tinha ignorado anteriormente: um silêncio desconfortável, um pequeno mal-entendido ou um pensamento solto que fora comprimido em uma frase de efeito. Outras, em algo mais dramático, como uma confissão emocional, um problema com a polícia ou uma psicose induzida por drogas.*

Embora tenha passado semanas trabalhando em algumas dessas matérias, o que percebi é que na maior parte do tempo eu estava apenas esperando um momento de verdade ou de autenticidade. Afinal de contas, é possível saber muito sobre uma pessoa ou uma situação em um minuto. Mas só se escolhermos o minuto certo.

Aqui estão 228 desses minutos.

---

* Todas as citações em notas de rodapé, salvo quando indicado o contrário, também vêm dessas entrevistas.

ATO UM

OU

A PIOR ENTREVISTA DE TODOS OS TEMPOS

SINOPSE

ENTRAM OS STROKES, *que não querem ser gravados,* EMBORA SNOOP DOGG QUEIRA SER PIRATEADO, APESAR DE TER FICADO ALTO COM A MADONNA, que alega que ninguém morre, EMBORA JOHNNY CASH DISCORDE PORQUE SE LEMBRA VIVIDAMENTE DE TER OLHADO A MORTE NOS OLHOS E GOSTADO DO QUE VIU ETC.

[THE STROKES
CENA 1]

Quando conheci o vocalista do Strokes, Julian Casablancas, no 19th Hole, uma espelunca perto de seu apartamento em Manhattan, ele estava com a mesma roupa que tinha usado a semana inteira: uma blusa verde com as palavras "U.S. Garbage Company" escritas no bolso e calças pretas desbotadas. Em seu pulso havia três pulseiras velhas de papel colorido: uma de um show do Kings of Leon de uma semana antes, outra de um show dos Stooges de duas semanas antes, e uma terceira de um show do Vines de sabe Deus quando.

Enquanto pedia duas cervejas para si mesmo, ele anunciou com evidente orgulho que enfim tinha arranjando uma resposta para a imprensa sobre "a questão Nigel Godrich". (A banda tinha contratado o produtor do Radiohead, Nigel Godrich para trabalhar em seu último CD, mas logo se separou dele). Ao ser perguntado qual era sua grande declaração, Casablancas disse que me contaria quando começássemos a entrevista. O gravador foi obedientemente ligado. E assim começou... a pior entrevista de todos os tempos.

JULIAN CASABLANCAS: Vou voltar à ativa, bebendo.

Percebi que as pessoas tendem a achar que você está bêbado e fora de si. Mas a verdade é que você está ultraconsciente de tudo o que está acontecendo e da motivação de todos...
CASABLANCAS: Essa é a sua opinião.

E qual é a sua?
CASABLANCAS: Eu não me vejo dessa maneira. Se você me vê, tudo bem, obrigado.

Então, como você vê as coisas?
CASABLANCAS: Eu me vejo com meus próprios olhos, o que significa que não faço ideia de como os outros me veem. Só acho que tento ser uma boa pessoa... e fracasso.

Casablancas estica a mão e para o gravador. Depois, imediatamente, o reinicia.

CASABLANCAS: Desculpe.

Eu não me importo. Faça o que quiser.

ATTENTION PLEASE, BEER DRINKERS

NO *HARSH BITTERNESS*

"Just the Kiss of the Strokes"

$1.20 SPECIAL • 5 HALF QUARTS (16 OUNCES)

Ele desliga o gravador; eu o ligo de novo.

Então vamos falar sobre música.
CASABLANCAS: Foda-se a música.

Tudo bem. Então vamos falar sobre a sua camisa. Você tem um closet inteiro cheio de...

Ele desliga outra vez o gravador. Eu olho para ele. Ele olha para mim. Então eu volto a ligá-lo.

CASABLANCAS: Fale comigo.

OK, então qual é a sua resposta pronta para a questão do Nigel Godrich?
CASABLANCAS: Vá se foder. Não vou responder a essa pergunta.

Como assim?
CASABLANCAS: Próxima pergunta.

É interessante. A verdadeira personalidade das pessoas aparece quando elas estão bêbadas...
CASABLANCAS: Você é muito legal, cara.
MULHER DESCONHECIDA DA MESA AO LADO: Como ele é quando está sóbrio?
CASABLANCAS: Ele é um escroto do caralho quando está sóbrio.
MULHER DESCONHECIDA: Então como ele está agora?

Meio sóbrio, meio bêbado.
CASABLANCAS: E, quando está cansado, ele é um estuprador. (Olha ressabiado para o gravador, depois fala no microfone:) Estupro é ruim. Muito, muito ruim.

Sinceramente, acho que esta é a pior...
CASABLANCAS: ...a pior entrevista de todos os tempos?

Ah, cara, bons tempos.
CASABLANCAS: Bons tempos. "Whoa-oh-oh-oh, for the longest time." (*Começa a cantar a música de Billy Joel no ritmo de "Spanish Bombs" do Clash, que está tocando no jukebox.*) É exatamente a mesma melodia.

Ele se inclina e desliga o gravador de novo, depois volta a se sentar, oscilando com os olhos fixos.

[*Continua...*]

[SNOOP DOGG *CENA 1*]

Apesar dos rumores de que Suge Knight o queria morto por deixar a Death Row Records meses antes, não havia portões de segurança, guardas armados ou cercas elétricas na casa de Snoop Dogg em Claremont, perto de Los Angeles. Havia apenas um Snoop de moletom que me puxou para a sala de estar e me empurrou para dentro de seu estúdio caseiro. Acima da porta, uma placa dizia: "Home Honey, I'm High".

SNOOP DOGG: Quero que você ouça umas músicas antes. (*Aperta o play em um gravador e sai da sala enquanto 13 músicas que ele acabou de finalizar saem no volume máximo dos alto-falantes do estúdio. Assim que a última música termina, ele entra pela porta de repente.*) Então, gravou algumas?

Claro que não.
SNOOP DOGG: Devia ter gravado.

O quê?
SNOOP DOGG: Ontem não falamos de gravar partes do álbum para vazar na internet?

Sim, mas a maioria dos rappers tenta evitar que suas músicas vazem, porque depois ninguém compra quando são lançadas.
SNOOP DOGG: Foda-se, pirateie essa porra. Vamos lá, cara. Eu mostro as que você tem de gravar.

Eu devo vazar só na internet ou você quer no rádio também?
SNOOP DOGG: Em todo canto, cara. É para isso que você está aqui. Eu nunca fiz essa merda antes. (*Ele toca três músicas, observando atentamente para ter certeza de que gravei.*) Ótimo. Podemos usar seu carro? Tenho de ir comprar Pampers.

Sério?
SNOOP DOGG: É tranquilo. Podemos ir fazendo a entrevista no caminho. Sempre dou entrevistas em carros e tal. Eu lembro que andava com armas e tudo comigo no carro, entrando nessa palhaçada de gangue.

Vamos tentar evitar as gangues.
SNOOP DOGG: Mas era legal. (*Acende um baseado e traga*). Esta vida é fodida.

É verdade que você ficou chapado com a Madonna?
SNOOP DOGG: Eu a conheci com o Tupac. Isso foi antes de ele ir para a cadeia, antes de ser baleado e tudo. Era a primeira vez que eu ia ao *Saturday Night Live*. Ele foi me ver porque era meu camarada na época. Ele levou um monte de maconha e todos nós relaxamos e fumamos. Mas o Pac era do caralho, cara. A Death Row o dispensou. Cara, eu fico mal.

[*Continua...*]

[MADONNA *CENA 1*]

Nós a conhecemos como Madonna. Mas sua equipe se refere a ela simplesmente como M. E M estava em um avião particular que acabara de decolar da base da Royal Air Force, ao sul de Londres. Ela ia para Frankfurt, na Alemanha, onde um helicóptero esperava para levá-la a uma apresentação na TV em Mannheim. Como mantimentos, M, sua empresária, Angela, e sua estilista, Shavawn, carregavam sacos de pipoca.

Quando foi a última vez que você andou de helicóptero?
MADONNA: Eu entrei em um helicóptero vagabundo no dia seguinte ao que caí do meu cavalo. Eu estava usando morfina, então não sabia o perigo que estava correndo. Mas como era meu aniversário, pensei: "Vou a Paris. Não importa se me machuquei". Só depois que o efeito da morfina passou, no dia seguinte — só usei por 24 horas, não se anime —, foi que percebi como o helicóptero era assustador.

Como foi a morfina?
MADONNA: Muito boa. Eu fico muito divertida com morfina. Pelo menos eu acho que fico. Mas não sou nada divertida com Vicodin.

ANGELA: Você conhece a história do Dr. Jekyll e do Mr. Hyde? Eu nunca vi uma transformação assim na minha vida.
MADONNA: Só usei Vicodin uma vez. Eu estava com muita dor, e nada adiantava. Nem morfina, para ser sincera. E todo mundo me dizia para experimentar Vicodin, mas diziam, "Cuidado. É maravilhoso, mas se você tomar por mais de dez dias vai ficar viciada". Então eu liguei para cinco pessoas e me aconselhei antes de tomar, e todas me disseram que eu ia adorar. Então eu tomei.
SHAVAWN: Ela foi caminhar comigo, e foi muito assustador.
MADONNA: Remédios causam um efeito estranho em mim. Eles fazem o oposto comigo. Eu mastiguei todo o interior da minha boca. Infernizei todo mundo. Fiquei com *mais* dor. Foi terrível: a pior experiência da minha vida.

Pelo menos você não ficou viciada.
MADONNA: Fico feliz em dizer que nenhum dos meus remédios — e já me deram muitos — me influenciou.

Eu não gosto mesmo de comprimidos. É uma questão de controle.
MADONNA: Eu só gosto da *ideia* dos comprimidos. Gosto de colecioná-los, mas não de tomá-los — só por precaução. Quando caí do meu cavalo, me deram muita coisa: Demerol e Vicodin, Xanax, Valium e OxyContin, que supostamente é parecido com a heroína. E tenho muito medo de tomá-los. Também sou muito controladora. E sempre que tomo alguma coisa, logo depois penso: "OK, quero isso fora do meu corpo." Começo a beber muita água. Quero eliminar aquilo, rápido.

Alguma vez você pensa em...
MADONNA: Se eu penso em morrer? É isso o que estava pensando em perguntar?

Não, mas essa pergunta é melhor do que a que eu ia fazer.
MADONNA: A morte verdadeira é a desconexão, mas a morte na qual seu corpo físico para de funcionar não é a morte verdadeira.

O que é, então?
MADONNA: A morte é quando você se desconecta de Deus... ou quando se desconecta do universo, porque Deus é o universo. Acho que todos os que estão desconectados vivem em um verdadeiro inferno. Podem tomar remédios ou viver em uma grave negação para convencer a si mesmos de que não estão no inferno, mas mais cedo ou mais tarde fica impossível fugir.

[*Continua...*]

[JOHNNY CASH
CENA 1]

Existem algumas entrevistas que relembramos depois que o artista morreu e nos deixam com lágrimas nos olhos. Lágrimas essas que, como a vida e a música de Johnny Cash, são tanto alegres quanto trágicas.

Eu percebo que quando você canta sobre pecado, ele normalmente é seguido por culpa e redenção. Acha que é sempre assim que funciona?
JOHNNY CASH: Acho que vejo isso com muito mais intensidade do que outras pessoas, porque passei por muita coisa — e com frequência andei leve e poeticamente pelo lado negro ao longo da vida. Mas o amor redentor e a graça de Deus estavam lá, sabe, para me puxar para o outro lado. E é onde estou agora. Redimido.

Isso é um grande...
CASH: Mas não fecho a porta nem ignoro aquele passado obscuro, porque aquele monstro está dentro de mim. E preciso mantê-lo enjaulado (*risada maliciosa*) ou ele vai me comer vivo.

Com frequência as pessoas pensam que a ideia do homem de preto é niilista, mas também existe um lado positivo.
CASH: Esse é o “x” da questão. Não sou obcecado pela morte. Sou obcecado pela vida. É a batalha contra o obscuro, que é o tema da minha vida, e o apego ao correto, mas sabe, eu, ãhn, em 1988, quando fiz a cirurgia de ponte de safena, cheguei tão perto da morte quanto é possível. Quer dizer, os médicos diziam que estavam me perdendo. E eu estava indo, e era na direção de uma luz maravilhosa. Foi incrível, indescritível — beleza e paz, amor e alegria —, e então, de repente, eu estava ali outra vez, acordado e com dor. Fiquei muito decepcionado.

Decepcionado?
CASH: Mais ou menos um dia depois, percebi a que ponto eu tinha chegado, e aí comecei a agradecer a Deus pela vida. Sabe, eu pensava apenas na vida, mas quando estive tão perto de perdê-la, percebi que não há nada com que se preocupar quando isso acontece.

WALK ON THE DARK SIDE

RENO CIRCUS

COME SEE

Beast in the CAGE

Então você sempre acreditou que quando morremos vamos para outro lugar?
CASH: Sim, mas não sabia que seria tão bonito. Quer dizer, o que quer que exista no fim da vida é indescritivelmente maravilhoso.

[*Continua...*]

[NOVA-IORQUINOS]

Às vezes, se ouvirmos com atenção, um bairro pode ter tanta personalidade quanto um indivíduo. Eu morava no East Village em Nova York, mas antes de ser descolado e estiloso — quando era apenas perigoso. Uma noite, ouvi um cara sendo mantido sob a mira de uma arma do outro lado da minha janela. Em outra, três caras me chutaram até não poder mais só por diversão. Essas experiências, assim como as outras coisas que ouvi na região naquela época, contribuíram para minha decisão de economizar e me mudar para um bairro com uma personalidade mais estável.

Entreouvido na Avenue B, dois homens conversando:
"Só porque matei uma pessoa não quer dizer que eu seja um especialista."

Entreouvido no mesmo quarteirão, um homem falando com uma mulher:
"Eu não sou um cara ciumento, sou só violento."

Entreouvido na East 7th Street, um homem conversando com um poste:
"Eu vou quebrar a sua cara, babaca."

Entreouvido no restaurante Odessa, perto do Tompkins Square Park, o proprietário falando com um posseiro anarquista:
"Acho que vocês deviam começar outro tumulto por mim. Preciso de clientes."

Entreouvido na Avenue A, dois homens brancos bem-vestidos conversando:
"Não sou racista nem nada, mas você já espancou um afro-americano?"

Entreouvido no bar 7B, duas mulheres conversando:
"Ele é lindo, então o amo. Mas ele não tem a mínima personalidade e não fala uma palavra de inglês."

Entreouvido na entrada de um prédio na East 6th Street, um homem falando com o zelador:
"Não é *sempre* que você pode chamar o legista dez horas depois."

Entreouvido no Tompkins Square Park, dois mendigos conversando:
"De que adianta continuar fingindo que sou são?"

Entreouvido na Avenue D, dois homens conversando, e não sei o que isso significa, mas é assustador pra caralho:
"Eu não tiro uma vida, eu enterro uma alma."

[SNOOP DOGG *CENA 2*]

Quando me dei conta da situação em que estava, era tarde demais, porque já estávamos na autoestrada com meu Pontiac barato e amassado. A situação era a seguinte: 16 meses antes, Tupac Shakur fora assassinado a tiros por um carro que passava enquanto ele estava no banco do carona de outro carro. Dez meses antes, Biggie Smalls tinha sido morto da mesma maneira. E, um mês antes, Snoop Dogg havia deixado a Death Row Records, enfurecendo o homem que provavelmente era o mais perigoso do rap, o presidente do selo, Suge Knight, que estava preso. Então, dirigir pelo Sul da Califórnia com Snoop Dogg no banco do carona era, bem, simplesmente uma idiotice. A não ser que você *quisesse* morrer.

Que selo você vai procurar para lançar esse disco novo?
SNOOP DOGG: Nenhum selo vai querer lançar. É por isso que vou ter de fazer isso por conta própria. Se conseguisse alguma distribuição, eu aceitaria. Mas esse disco é tão tenso que uma gravadora normal não vai querer lançar por causa de umas coisas que eu digo e do jeito que eu digo.

Snoop começa a apertar outro baseado no colo.

Você está falando daquela música "Death Row Killa"?
SNOOP DOGG: Ã-hã. (*Canta:*) Death Row, snitches wanna be gangstas / You niggas is bitches / Death Row, snitches wanna be gangstas / You niggas is bitches / Death Row killa / Death Row killa / Fuck all y'all.*

* Death Row, espiões querem ser gângsteres / Vocês são uns putos / Death Row, espiões querem ser gângsteres / Vocês são uns putos / Matador da Death Row / Matador da Death Row / Vão todos se foder. (*N. da T.*)

Ele se inclina para baixo até sua cabeça quase encostar nos joelhos, e acende discretamente o baseado.

O que você quer dizer com "espiões"?
SNOOP DOGG: Estou sabendo que existem espiões na Death Row. É por isso que tem caras na prisão. É por isso que o FBI está vigiando os pretos de um jeito muito estranho. Porque os pretos estão delatando os pretos. Eu estou pouco me lixando para os pretos me espionarem, porque não estou fazendo nada errado. Eu fumo meu bagulho, o que eles vão fazer? Me botar na cadeia por fumar bagulho? Eu topo ir para a cadeia por essa merda.*

O que você acha que vai acontecer quando a música for lançada?
SNOOP DOGG: Vou ganhar muito dinheiro com esse disco. Não preciso deles.

Você era a galinha dos ovos de ouro da Death Row, e eles não estão lutando nem tentando de alguma maneira impedi-lo de deixar o selo?
SNOOP DOGG: Não estão tentando me botar na justiça mas, como agora estou lançando discos sem a permissão deles, devem saber que não podem me derrotar no tribunal. Mas a questão não é essa. A questão é que eu pedi o que pedi, então me deixem seguir em frente. Não me segure porque está preso e sente que tudo está contra você. Eu não estou contra você, companheiro. Só tenho que cuidar da minha família e a Death Row não pode me ajudar agora.

O que você pediu à Death Row?
SNOOP DOGG: Uma porrada de coisas. Cara, nunca me pagaram. Mesmo. Desde que comecei a fazer rap para a Death Row Records, nunca me pagaram. Eu nunca recebi satisfações sobre o meu dinheiro nem nada do tipo, cara. Eles compravam presentes e coisas assim.

Que presentes eles compravam para você?
SNOOP DOGG: Um Rolls-Royce, uma cobertura na Wilshire, a porra de um Hummer, correntes de ouro, relógios Rolex, brincos de diamante, suítes de hotel, qualquer coisa que um preto quisesse. Qualquer coisa para manter sua mente longe do dinheiro. Eles me compravam isso e aquilo em vez de me dar a porra do meu dinheiro. [...]

---

* Quatro anos depois, Snoop Dogg não contestou a acusação de posse de maconha, e recebeu uma multa e um pena de prisão de trinta dias, que foi adiada.

A Death Row não congelou seus bens por causa disso?
SNOOP DOGG: Cara, eles não me pagavam desde outubro. É por isso que eu estou pouco me fodendo para a Death Row agora. Estou pouco me fodendo de falar isso oficialmente. Eu digo isso na TV e em público: "O que vocês vão fazer comigo? Eu fiz vocês. Cara, eu não quero mais usar sua jaqueta. Vocês deviam simplesmente me deixar ir. Se vocês tivessem me liberado, eu nunca teria dito 'Foda-se a Death Row'. Mas vocês não querem liberar um preto. Vocês querem me segurar como se eu fosse um escravo ou coisa parecida. Estamos em 1998. Não estamos em 1898." [...]

Quando o Dre saiu da Death Row, ele pediu para você ir com ele?
SNOOP DOGG: Não, ele não me pediu para sair. Ele não disse nada. Só pegou as coisas dele e foi embora. Se tivesse me pedido para sair, a coisa teria ficado violenta, porque sabe como a gente é. Mas, quer dizer, eu me divertia e tal na Death Row, cara. Não posso negar. Só odeio que tenha acabado assim, cara. Posso dizer sinceramente para todos os rappers que estão subindo: dinheiro é uma merda, e não acredite na cor, entenda o que estou falando. Você pode ver uma gravadora negra e pensar: "Eu vou assinar com esse selo porque eles não vão querer me ferrar e os selos brancos só querem ferrar a gente." Cara, os pretos te ferram mais rápido que os brancos.

Então, para todos os rappers novos que estão chegando, arranjem um advogado. Mesmo que você não tenha dinheiro, tem de arranjar um advogado que consiga ler aqueles contratos e saber o que você está assinando para você não ficar na mesma situação que eu, tendo que brigar com esses caras para recuperar minhas coisas.

Pare aqui, eu quero comprar fraldas.

Snoop sai do carro, e volta três minutos depois com um frasco de molho barbecue.

Não tinha?
SNOOP DOGG (*para o gravador*): Fui comprar fraldas. Precisava comprar fraldas para o meu filho. A loja não tinha; aquelas porras eram pequenas demais. Estamos só fumando essa porra de maconha laranja foda do meu amigo Chopper.

[*Continua...*]

[KENNY G
CENA 1]

Kenny G não chegou simplesmente na hora para sua entrevista: ele chegou trinta minutos mais cedo e ficou parado sozinho na extremidade de uma doca para hidroplanos no East River de Manhattan, com o cabelo preso em um rabo de cavalo encaracolado. A seus pés estava um saco de papel pardo amassado cheio de mapas de navegação que ele tinha comprado para a viagem que íamos fazer. Além de tocar jazz leve no saxofone, o piloto de aviões leves Kenny G me conduziu à cabine de um hidroplano e voou sobre a Estátua da Liberdade, a caminho de um almoço em Port Washington, Long Island.

Você já experimentou alguma droga?
KENNY G: Ah, eu não uso drogas de jeito nenhum.

Então você não experimentaria, mesmo tendo me falado há cinco minutos que é o primeiro a experimentar qualquer coisa nova?
KENNY G: Não estou nem um pouco interessado. Eu só experimentaria alguma coisa que me fizesse bem. Não, não estou interessado.

Nem mesmo curioso?
KENNY G: Não. Quer dizer, eu vou a um desses restaurantes de Seattle e compro um barril daqueles chopes. Depois de um, fico alegre. Tudo depende da quantidade que consigo tolerar. Para mim basta um. Não acho que drogas sejam necessárias. Se quiser ter uma experiência para expandir a mente, acho que existem várias maneiras diferentes de fazer isso. Se você ficar sozinho no topo de uma montanha por dois dias, acho que chega lá. Sei que é um pouco mais difícil do que injetar alguma coisa e ficar alto por umas horas.

Então as drogas são apenas uma iluminação preguiçosa?
KENNY G: Essa é a descrição perfeita. Para mim, se quero acessar minha espiritualidade, piloto meu hidroplano para algum lago na montanha, desligo o motor e fico sentado ali. É incrível. Não consigo descrever como é. Você fica totalmente sozinho e não há ninguém por perto. Está em um lugar que talvez um homem não devesse estar. Uau, é ótimo.

Você aprendeu alguma lição de vida importante com outras celebridades?
KENNY G: Sobre drogas?

[*Continua...*]

[CHRIS ROCK
CENA 1]

Chris Rock estava sozinho em seu quarto no Ritz-Carlton, na Filadélfia, onde se hospedara sob o pseudônimo Jimi Hendrix. A CNN estava no mudo na TV. Quando uma manchete sobre investigadores que tinham encontrado imagens de pornografia infantil na casa de Pee-wee Herman apareceu na tela, Rock balançou a cabeça. "Um dos homens mais engraçados que já existiram", suspirou ele.

Então, muitas das suas piadas e personagens giram em torno do crack.
CHRIS ROCK: Basicamente, o que quer que esteja acontecendo quando você começa a transar fica com você pelo resto da vida. Então, o crack é simplesmente uma grande parte da minha vida, desde meus amigos vendendo a garotas de que eu gostava se viciando. Os brancos tinham a internet; o gueto tinha o crack. E é estranho. O crack, o videocassete e a câmera portátil... todas essas coisas apareceram ao mesmo tempo.

E, para você, como elas estão conectadas?
ROCK: Isso de poder sair filmando as coisas apareceu mais ou menos na mesma época que o crack. Então você via um monte de vídeos estranhos da mãe dos caras pagando um boquete para conseguir um pouco de crack. Ou você ia na casa do seu amigo e tinha a fita pornô de uma ex-namorada sua chupando oito caras. Isso é o crack.

Eu me lembro de um garoto rico do ensino médio fumando crack em um motel barato e pagando prostitutas de rua para fumar com ele.
ROCK: Isso também é o crack. Eu nunca estive em uma guerra, mas sobrevivi a essa merda. Perdi amigos e parentes. Toda a vizinhança meio que usava crack — especialmente quem morava em Bed-Stuy [no Brooklyn], cara.
E, no final das contas, o que isso produz? O rap gangsta. O crack é um dos fatores da misoginia do rap. Você vê um monte de caras novos com uma visão estranha e distorcida das mulheres porque essas mulheres que eles colocavam em um pedestal agora estão fazendo um monte de coisas depravadas.
Especialmente em LA: é o lar das groupies, então também tem de ser o lugar onde os caras normais são deixados para trás. Aí você combina isso com o crack, e vê um monte de caras com uma visão totalmente ferrada das mulheres. É assim que aparece um N.W.A. É assim que aparece uma música como "A Bitch Iz A Bitch". É por isso que o Tupac diz aquelas loucuras.

Então, você já experimentou?

ROCK: O mais perto que eu cheguei do crack foi vender crack. Eu e um amigo aceitamos um trabalho em um acampamento só para arranjar dinheiro. Íamos receber mil ou 2 mil dólares no final do verão, e aí pegar esse dinheiro e comprar crack para vender. Mas é claro que ele ficou viciado antes de conseguirmos fazer isso. E logo depois Deus trouxe a comédia para a minha vida.

Eu me pergunto o que teria acontecido se você tivesse começado a vender crack.

ROCK: Quem sabe o que teria acontecido? Eu teria sido um idiota de ter feito isso. Não estou dizendo que se não fosse pela comédia, eu estaria vendendo crack, mas me lembro como se fosse ontem de sentar com os meus amigos, dividindo coca: cocaína, lactose, vitamina B12. Cozinhe e vira crack. Tenho muita sorte de nunca ter experimentado crack. O máximo que fiz foi colocar um pouco de coca na língua.

O que lhe deu a força e os recursos para evitar o crack?

ROCK: Não sei se foram força e recursos. Um dos meus irmãos é usuário de... coisas. Então ele meio que salvou minha vida, por seu exemplo. As pessoas sempre ficam zangadas quando os atletas se drogam. Eu fico feliz por todo mundo. Dwight Gooden salvou minha vida, Darryl Strawberry salvou minha vida... porque eles sempre são punidos. Eles não são pegos usando drogas e depois recebem um aumento.

O quer você quis dizer antes quando falou que Deus trouxe a comédia para a sua vida?

ROCK: A questão nem foi me levar para o stand-up. Foi só me tirar do Brooklyn, especialmente à noite. O Brooklyn era tranquilo durante o dia. Mas à noite, cara, eu eventualmente teria experimentado crack, só por tédio.

[*Continua...*]

[PATRICK MILLER]

Até onde eu sabia, Patrick Miller era uma lenda. Mais conhecido como Minimal Man, ele foi um pioneiro da música eletrônica e industrial, com pelo menos seis discos lançados, e tinha tocado com vários músicos experimentais e alternativos lendários dos anos 1980.

Mas quando o conheci, ele passara por um período difícil. Estava morando no Upper West Side de Manhattan e, com exceção dos traficantes dominicanos da vizinhança, aparentemente eu era a única pessoa que visitava seu apartamento no porão. Eu aparecia com frequência e ele me regalava com histórias de músicos punk, industriais e new wave.

Em sua parede, junto com pôsteres de Bruce Nauman e Dennis Oppenheim, ficavam suas próprias pinturas. Eu as reconhecia da capa de seus discos, que tocava regularmente em meu programa de rádio da faculdade na época. Eram todas variações de uma imagem: uma cabeça sem traços, normalmente enfaixada com bandagens meio soltas que revelavam um rosto descorado e decomposto.

Certa tarde, durante meu terceiro ano de faculdade, fui até lá para acompanhá-lo a uma convenção da indústria do rock, o New Music Seminar. Mas, depois de ficar enrolando por uma hora em casa, ele não estava pronto para ir.

PATRICK MILLER: Quero encontrar aquele cara da [gravadora] Play It Again Sam e fazê-lo me pagar. Sabe, o seminário é só isso: músicos procurando executivos de gravadoras que lhes devem dinheiro.

Já está pronto para ir?
MILLER: Estou pensando em construir uma fossa séptica aqui.

Para o seu gato?
MILLER: Não, para traficantes de drogas... parece que estou com formigas sob a pele. Preciso ficar alto se for lidar com isso.

Se você fizer isso, não vamos sair daqui.

Miller vai até a cozinha e continua falando enquanto raspa pó branco de uma panela na bancada.

MILLER: Por alguma razão, farmacêuticos, médicos e enfermeiras sempre são atraídos pela minha música. Foi assim que eu comecei. Eles convidavam o Minimal Man para tocar em várias festas e nos davam coca. (*Coloca o pó na extremidade de um cachimbo de vidro.*) Eu inventei o Minimal Man como uma pessoa louca, e depois o atualizei e usei todo tipo de droga e substância porque me sentia culpado por não corresponder a essa ficção. Por um tempo, eu injetava 3,5 gramas por dia. É como se fossem cem doses. A coisa ficou tão descontrolada que pensei em tomar alguma coisa para me acalmar, então comecei com a heroína, pensando que ia ajudar a me livrar das drogas. Sabe como a heroína funciona?

Mais ou menos.
MILLER: Seu corpo sente dor a cada segundo do dia. Cada molécula de ar que o atinge causa uma reação de dor. Mas como o corpo produz os próprios opiatos, eles bloqueiam a dor. Então, quando você usa heroína e arranja esses opiatos externamente, seu cérebro para de produzir os próprios analgésicos. É por isso que é tão difícil parar, porque, quando você para, você sente toda a dor que nunca sentiu.

Eu tento distraí-lo para impedir que fume o crack que está esquentando no cachimbo.

Já ouviu falar da banda Lights in a Fat City?
MILLER: Shh.

Ele dá um profundo trago no cachimbo. Segundos depois de soltar a fumaça, seus olhos começam a disparar para todos os lados como se houvesse algo se escondendo nas sombras da sala. Ele pega uma lanterna na escrivaninha e a liga, embora as luzes da casa já estejam acesas. Então ele começa a esquadrinhar o cômodo, procurando alguma coisa, enquanto recua para um canto. De repente, puxa uma cadeira, colocando-a diante de si, agacha-se atrás dela e pega o livro Rush *de Kim Wozencraft na escrivaninha.*

MILLER: Tem alguma mosca por aqui? Não suporto moscas. Eu sou propenso a ter alucinações. Assim que vejo uma coisinha zumbindo diante dos meus olhos, esqueça. Mate essas merdas.

Ele começa a bater no ar com o livro, como se moscas invisíveis estivessem tentando atacá-lo. Enquanto ele faz isso, eu olho para uma de suas pinturas — a cabeça decomposta e enfaixada que nos encara terrivelmente da capa de seus discos — e me dou conta: é um autorretrato.

No dia seguinte, Miller me vende a pintura por 40 dólares e vai para uma clínica de reabilitação. Várias semanas depois, ele volta, barbeado, bem-nutrido e com roupas novas. A primeira coisa que faz é comprar a pintura de volta. Sobre sua reação paranoica em nosso último encontro, ele explica...

MILLER: Tenho o pressentimento de que só encenei aquilo para não irmos.

Depois de ter uma recaída mais tarde naquele mesmo ano, Miller se mudou para perto da família em Los Angeles para se desintoxicar. Continuamos sendo amigos até ele morrer em 2003 de hepatite C, uma doença transmitida pelo sangue que muito provavelmente ele contraiu de uma agulha compartilhada.

[THE STROKES CENA 2]

Cara, o que você está fazendo? Se não quer dar esta entrevista...
JULIAN CASABLANCAS: Um dia talvez eu consiga me comunicar melhor. Mas agora estamos nesse ponto. Simplesmente não tenho nada profundo para dizer. Estou tentando. Sei lá.

Eu não espero nada profundo. Só quero que seja você mesmo.
CASABLANCAS: Eu não tenho nada a esconder. Mas o que eu quis dizer antes, se é que me lembro do que estava dizendo, é que há muito a fazer e muito pouco tempo. E tudo o que tenho a dizer não vai estar nesta única entrevista para a *Rolling Stone*.

Espero que não.
CASABLANCAS: Há muita coisa a fazer, e vai ser uma estrada longa e difícil. No mínimo, este é só o começo. E eu gostaria de meter nosso pé na porta e chegar a um ponto em que pudéssemos dizer alguma coisa significadora. Com certeza isso não é uma palavra, aliás. E estou ansioso pelo futuro, blá, blá, blá, blá. (*Ele para a fita; eu a recomeço.*) Digo, sério, ninguém quer ouvir o que eu tenho a dizer. Ninguém se importa.

Tudo bem. Vamos ter uma conversa normal, não uma entrevista, e deixar o gravador ligado.
CASABLANCAS: OK, é o seguinte, ainda não é a hora. Deus, ou seja lá quem controla as coisas, está me dizendo para não falar nada. As pessoas ainda não acreditam em nós. Não acham que somos sérios, verdadeiros ou sei lá o quê. E não posso dizer nada até termos feito algo inquestionável como banda.

Ryan Gentles, empresário dos Strokes, entra no bar.

RYAN GENTLES: Como está indo a entrevista?

Até agora temos sete minutos de fita.
GENTLES: Sete minutos é tudo o que você tem? (*Para Julian:*) Você precisa fazer isso.
CASABLANCAS: Para quem você trabalha, para mim ou para a *Rolling Stone*? É como se tivesse um anjo em um ombro, um diabo no outro e um empresário gay na manga.

Sua foto vai estar na capa. As pessoas que aparecem na capa falam na entrevista.

CASABLANCAS: Você reclama demais. Já tem o bastante. Trabalhe com o que conseguiu. Você é um profissional. Deus abençoe a América.

Casablancas pega a garrafa de cerveja, toma três quartos em um gole e a bate contra a mesa. Ele resmunga que Clive Davis, presidente da RCA Records, fala "como uma garota de coral gay", se levanta e vai até o vídeo game Golden Tee Golf. Ele se vira, dirigindo-se ao bar.

CASABLANCAS: Alguém quer jogar Golden Tee?

Como ninguém responde, ele joga sozinho. Quatro minutos depois, ele volta para a mesa.

CASABLANCAS: Nunca jogue Golden Tee quando estiver bêbado.

Então ele se senta no meu colo, beija meu pescoço sete vezes e tenta me beijar na boca três vezes, conseguindo uma. Antes que eu consiga me limpar, ele já saiu do bar e está indo para casa em uma cadeira de rodas que encontrou do lado de fora.

[*Continua...*]

[LEE GREENWOOD]

Se você encontrasse o homem que compôs uma das músicas mais patrióticas dos Estados Unidos, o que perguntaria a ele?

Em um domingo, durante o intervalo no Adelphia Coliseum, em Nashville, Tennessee, o cantor de country Lee Greenwood correu para cantar o hino que tinha escrito 18 anos antes, "God Bless the U.S.A.". O estádio ressoou com o som de dezenas de milhares de vozes cantando junto, "Tenho orgulho de ser americano".

Depois, quando Greenwood foi até a lateral do campo, um fotógrafo tirou uma bandeira norte-americana da mochila e lhe pediu para posar com ela. "Não quero parecer banal ou desonrar a bandeira", respondeu Greenwood, recusando. "Eu nem as assino mais".

Existe algum momento em que você não sinta orgulho de ser americano?
LEE GREENWOOD: Está perguntando se não acredito na letra da minha própria música?

Em certos momentos. Por exemplo, se você cantar "eu amo minha mulher" em uma música, em determinado momento não vai se sentir assim.
GREENWOOD: Não, isso não acontece. Quer dizer, temos problemas como todo mundo, mas muito poucos, e é isso o que mantém nossa união forte. Mas, não, quando estou cantando acredito em tudo o que canto.

E se um presidente tomar decisões com as quais você não concorda?
GREENWOOD: Eu não... Sabe, para começar, música não é política. E posso não concordar com um democrata que está no poder, mas, sabe, se me pedissem para cantar na Casa Branca, eu cantaria sem pensar duas vezes porque ele é o presidente. Reconheço e respeito qualquer um que tenha estado no serviço militar pelo que fez.

Algumas pessoas o criticaram por dizer nas músicas que defenderia os Estados Unidos, mas não ter servido na Guerra do Vietnã.
GREENWOOD: Quando ia me alistar nos anos 1960, eu tinha dois filhos. Então não fui convocado até chegarem ao meu número, e aí era tarde demais. Então foi por isso que não servi. Mas meu pai sentiu que era necessário ir para a guerra em 1943. Eu tinha 1 ano, e minha irmã, 3. Na época, acho que o governo não considerava o fato de alguém ter filhos um perigo ou uma responsabilidade. Mas minha mãe nunca o perdoou por ingressar na Marinha e se divorciou dele por causa disso. Então acho que esse é um problema para mim.

Mas deve existir alguma coisa que o incomode neste país.
GREENWOOD: Desde que... acho que é a pena de morte que me incomoda. Não queremos ser bárbaros, mas ao mesmo tempo antigamente era olho por olho, dente por dente. Você matava uma pessoa e ia para a cadeia ou para a cadeira elétrica. Mais tarde, precisava matar duas ou três pessoas para ir para a cadeira. E agora é assassinato em massa. Quantos você precisa matar antes de ter que desistir da sua vida? Isso diminui o valor da vida de uma pessoa. É por isso que a nossa visão da pena de morte, eu acho, nos enfraquece aos olhos das outras nações.

Então existem outros países que nos consideram bárbaros por sequer termos a pena de morte?
GREENWOOD: É, eu gosto do que os fuzileiros dizem.

Que é?
GREENWOOD: "Cabe a Deus julgar o Bin Laden. Cabe aos fuzileiros garantir que ele não falte ao julgamento."

[MADONNA *CENA 2*]

Depois de sua apresentação na televisão alemã, Madonna estava sentada em um sofá em seu camarim, usando uma jaqueta prateada acolchoada e botas combinando, discutindo por que gostava mais de morar no Reino Unido do que nos Estados Unidos. "Os ingleses não são loucos por Deus como os americanos", disse ela. "Se eu me tornasse uma renascida em Cristo, os ingleses não se sentiriam confortáveis, mas os americanos, sim." De repente, os integrantes do Green Day, que também estavam ali para a apresentação, entraram no camarim e o comportamento dela mudou.

Madonna tem uma forma incomum de se relacionar com estranhos. Ela faz perguntas — muitas perguntas. Presta muita atenção e faz boas perguntas após as respostas, mas causa a desconfortável sensação de que não está exatamente ouvindo, e sim deixando o desconhecido falar. E, enquanto você for interessante ou puder oferecer alguma coisa que ela queria aprender, poderá continuar falando. Mas assim que ela conseguir o que quer ou quando seu status de rainha for ameaçado, ela se tornará fria.

"Vocês têm filhos?", perguntou ela, bombardeando o Green Day com perguntas.

"Já viram *Napoleon Dynamite*?"

"O que gostam de fazer?"

"Gostam de dançar?"

Para esta última pergunta, o vocalista do Green Day, Billie Joe Armstrong, respondeu que a única dança que ele conhecia era a "dança do marinheiro bêbado".

"Como é isso?", perguntou Madonna.

Ele se levantou e demonstrou, curvando-se para a frente, deixando os braços pendentes e oscilando como um bêbado de um lado para o outro. Quando um filete de saliva começou a pingar de sua boca, Madonna avisou que tinha entendido.

Foi tudo muito divertido até Madonna decidir que estava na hora de voltar para Londres e um dos produtores do programa dizer: "O Green Day vai ter de sair antes de vocês." Instantaneamente, seu humor mudou.

"Por quê?", perguntou ela friamente. "Nós deveríamos ir antes."

"Os carros deles já estão aqui, e os de vocês estão esperando em outro lugar, porque vocês ficaram nos bastidores mais tempo do que disseram que ficariam", explicou o produtor.

"Bom, vou pegar o voo de volta com eles", disse ela, agitada.

"Mas eles vão de carro para Frankfurt."

"Ah", respondeu Madonna, repentinamente aliviada, com o status de rainha restaurado. "Estamos de helicóptero."

Eis Madonna, falando sobre a vida antes de ser rainha...

MADONNA: Quando cheguei a Nova York, eu já dançava havia anos, mas não sabia nada sobre a vida noturna. Não tinha amigos. Eu não tinha uma vida social nem nada do tipo, e era muito solitária. Só quando descobri as boates as coisas mudaram.

Como você foi apresentada a essa cena?

MADONNA: Simplesmente fui sozinha. Eu achava que tinha de ser convidada para ir a uma boate e que não podia dançar a não ser que alguém me chamasse para dançar junto. Mas em Nova York descobri que podia sair sozinha, ir a uma boate e dançar sozinha; não precisava de um convite, e para mim isso foi realmente libertador.

Então, qual foi sua primeira boate?

MADONNA: Eu era meio nerd quando me mudei para Nova York e adorava ler. Nunca se sabe quando vamos ficar presos em uma sala ou no metrô sem nada para fazer — e eu detesto perder tempo. Então eu sempre levava livros a todo lugar que ia para o caso de haver um atraso ou as coisas ficarem entediantes.

Então, a primeira boate que fui na vida se chamava Pete's Place. Era tipo um restaurante-bar-discoteca. Todos os ratos de boate estavam lá. E todo mundo era muito descolado. Todos os homens usavam ternos dos anos 1940 e chapéus porkpie. E as mulheres eram muito glamourosas: todas usavam batom vermelho, delineador preto e salto alto. E eu me senti muito sem graça. Como estava meio envergonhada, sentei no meu canto e fiquei lendo um livro.

Que livro era?

MADONNA: Era um livro de F. Scott Fitzgerald, *Seis contos da era do jazz*. Pensei: "OK, eu não me encaixo. Não sei o que fazer. Não estou vestida de acordo. Não há nada descolado em mim. Vou ler um livro." Então, é (*pausa*). Você leu *O poder do agora*?

Não.

MADONNA: Não leu? E *Os quatro compromissos*? Só consigo me lembrar de três: não leve as coisas para o lado pessoal, sempre faça o melhor possível e seja impecável com suas palavras. Adoro esse. Eu me lembro de que o quarto era uma repetição dos outros, e não fiquei muito impressionada com o quarto.

O editor do livro provavelmente não achou que três compromissos seriam tão bons para o marketing.

MADONNA: Você leu esse livro?

Não.

MADONNA: Então não leu *O poder do agora* e não leu *Os quatro compromissos*. Você deve ser muito ocupado.

[CHRIS ROCK *CENA 2*]

Quando o noticiário termina e começa um torneio de golfe, Chris Rock pega o controle-remoto da TV do hotel. "Para você não dizer que eu estava vendo golfe", explica ele.

Enquanto Rock troca de canais, discute as diferenças entre comediantes e rappers. "No final das contas", conclui, "comédia é uma coisa meio nerd."

CHRIS ROCK: Eu me lembro da última vez em que vi o Tupac. Foi depois do MTV Video Music Awards. Eu tinha acabado de fazer [o especial de comédia da HBO] *Bring the Pain*. E, no último minuto, a MTV me chamou para entregar um prêmio. Eu ainda não era famoso o bastante para ser o apresentador. Então subi ao palco, entreguei algum prêmio, tentei fazer algumas piadas e depois vi o Suge Knight na plateia. Eu disse: "Ei, Suge, não me mate."

E a plateia riu, não é? Houve uma espécie de tensão. E lembra que depois fizeram uma pós-festa no Bryant Park?

Eu nunca vou me esquecer daquela festa. O Tupac estava perambulando com um séquito de marginais com emblemas e pôsteres da Death Row. Foi muito agressivo.

ROCK: É, foi uma noite estranha. Primeiro o Eric B. chega para mim e fala: "E aí, cara, não sei se você devia ter feito aquela piada sobre o Suge, cara." Ele falou, tipo, "A chapa está quente agora".

Esse era o Eric B., cara, o legítimo marginal. Eric B. é do meu meio antigo. O Eric B. dirigia um Rolls-Royce antes de lançar um disco. Isso é tudo o que tenho a dizer. Com calotas esportivas. Ninguém nem falava ainda em calotas esportivas. O cara era um gangsta. E ele me disse aquilo.

Então o Hammer aparece e me diz a mesma coisa. "E aí, cara, não mexa com o Suge." E o Hammer é um gangsta, cara. Já andou com o Hammer?

Sério? O Hammer?

ROCK: O Hammer não é moleque, cara. O Hammer é mais gangsta do que todo esse pessoal. Ele anda com o pessoal mais barra-pesada, porque é uma combinação de condenados e militares, porque o Hammer foi da Marinha ou coisa assim. Quando aqueles caras apareciam, você escutava.

Então o Tupac vai até mim. E diz: "E aí, cara, o que você fez foi meio estranho." Ele apertou minha mão e estava com as mãos muito pegajosas. Como se as tivesse encharcado de Camay ou coisa parecida.

E ele disse: "Eu vi você na HBO, dizendo aquele negócio sobre 'pretos e negros'." Ele estava com um sorriso amarelo. Eu tinha o pressentimento de que o Pac estava a ponto de me socar — ou tentar me socar.

A voz dele tinha um tom de ameaça?

ROCK: É, mas o fato de ficar na minha e não usar ouro nem nada acaba me mantendo longe de um monte de problemas. Ao passo que, se eu andasse como o Eddie Murphy em 1988 — se usasse óculos escuros, jaquetas de couro e tivesse dez caras e um anel de diamante por cima da luva —, me meteria em brigas.

Exatamente três dias depois daquela festa da MTV, o Tupac foi baleado.

ROCK: O estranho é que uma semana depois daquilo eu tive de ir a LA para gravar vídeos. E em todo lugar que eu ia falavam, tipo, "E aí, cara, você não deveria ter dito aquela parada sobre o Suge". Eu nunca vi as pessoas temerem tanto um homem. Era como se o mundo inteiro tivesse virado o ensino médio. E eram gangstas, não eram apenas moleques como eu.

Mas aquele cara fez alguns grandes discos. O nome do Suge Knight está em alguns dos melhores discos de todos os tempos.

Eu me lembro de ter entrevistado o Snoop Dogg logo depois que ele saiu da Death Row, e ele não tinha guarda-costas, segurança, nada.

ROCK: Talvez fosse que nem o final de *Donnie Brasco*, quando o Al Pacino sabe que vai morrer. Mas ele não vacila. Só tira o relógio e todos os anéis e aceita sua morte.

Pode ser. O Snoop gravou músicas dizendo que o Suge Knight era culpado pela morte do Tupac. E ele não estava com medo.

ROCK: A coisa mais estranha de ser verdadeiramente bem-sucedido é que você fica meio que pronto para morrer. Especialmente agora que tive filhos. Digo, eu quero viver. Não me entenda mal. Mas não tenho medo de morrer. Eu deixei minha marca. A morte é a inimiga da minha família — da minha mulher e das minhas filhas. Mas para mim, como artista, na verdade é minha amiga.

(*Olha para o gravador.*) Espero que esteja ligado. Você está conseguindo umas coisas boas.

[SNOOP DOGG *CENA 3*]

SNOOP DOGG: Eu soube o que o Suge disse sobre mim na revista *The Source*. O que ele ia dizer, que o Tupac não gostava de mim ou coisa do tipo?

Não, ele disse que você e o Tupac tiveram uma briga depois do MTV Video Music Awards.

SNOOP DOGG: É, brigamos porque eu não achava certo ele envolver todo mundo na rixa dele. Se tinha um problema com o Biggie Smalls ou o Puffy Combs, ele era adulto. Deveria conseguir resolver aquela merda por conta própria. Não coloque todos nós no meio de alguma merda que você não consegue resolver sozinho. Pelo que eu estava vendo, aqueles garotos não queriam problemas. O Puffy e o Biggie nunca disseram: "Foda-se o Tupac, foda-se a Death Row, pode vir para cima." Eles sempre diziam: "Queremos paz, queremos fazer acontecer." E eu sou adulto. Se um cara não quer briga comigo ou não quer confusão comigo, por que vou forçar? Só vou dizer o seguinte: gangstas não falam, eles resolvem seus assuntos.
Cuidado com aquela curva para a esquerda ali.

O que aconteceu com seu relacionamento com o Tupac depois disso?

SNOOP DOGG: Não nos falamos depois que ele saiu de Nova York. Mas eu fui vê-lo quando ele estava no hospital baleado, porque eu adorava aquele negão e adoro até hoje. Eu me vejo como um verdadeiro amigo dele: um amigo fala a porra da verdade para você. Certas coisas que o Pac me disse me magoaram e me deixaram zangado, mas eu o amava porque ele era sincero e me dizia a porra da verdade. E o Suge Knight não pode falar de mim e do Pac, porque nossa amizade era genuína, assim como a dele com o Pac era. Como eu não posso falar que o Tupac estava no carro com ele fazendo idiotices de gangue em Vegas. Isso é com ele.

FULLY STATE LICENSED MARIJUANA CLINIC

FREE MEDICAL EVALUATIONS

DOCTOR ONSITE * RECEIVE SAME DAY PRESCRIPTION

OPEN MON – FRI

1PM-11PM

SAT – SUN

3PM-12AM

Snoop SLIMS

15519 CRENSHAW BLVD., SUITE 187

É o relacionamento deles. Se ele estivesse comigo, provavelmente estaria jogando vídeo game, fumando maconha e fodendo uma vadia ou coisa do tipo. Fazendo todas essas idiotices de mafioso.

Você acha que teria sido melhor para o Tupac se ele nunca tivesse entrado para a gravadora?
SNOOP DOGG: Talvez ele devesse ter feito música com a gente e andado com a gente, mas não assinado com a gente, porque a influência era grande demais. Você ficava fascinado demais por ela.

Vire à esquerda. Se eu entrar aqui, vou ter de assinar 8 mil autógrafos e tirar 18 fotos.

Paramos no estacionamento de um supermercado e Snoop me faz entrar para comprar Pampers enquanto ele espera no carro. Depois disso, voltamos para o estúdio dele.

O que aconteceu com a famosa van blindada que você comprou para se proteger?
SNOOP DOGG: Ela ficava na lateral da minha casa, mas me livrei dela. Minha van blindada é Deus, cara. Ele vai me fazer passar por tudo. Porque se ele quiser que eu vá, aquela van blindada é inútil. Eu poderia estar saindo da van blindada e tomar um tiro.

As pessoas acham que agora você está vivendo atrás de janelas com grades, cercado de seguranças armados...
SNOOP DOGG: Cara, você está aqui. Quando você chegou hoje de manhã, eu abri a porta. Fomos só nos dois à loja. Cara, estou tranquilo. As pessoas sabem onde eu estou. Não estou causando problemas a ninguém. Se você disser alguma coisa sobre mim, vou dizer alguma coisa sobre você. Se você roubar de mim, vou roubar de você. Se você me ferrar, eu também vou ferrar você. É assim que eu ajo. Fico na defensiva, cara. Não parto mais para o ataque. Não sou do tipo que vai lá e espanca um cara por nada. Só fico tranquilo observando para ver o que você está tentando fazer comigo.

Snoop reclama de Suge Knight e da Death Row por mais uma hora, certifica-se de que estou com a fita com suas músicas novas e depois me deixa ir. A caminho de casa, percebo que suas Pampers ainda estão no banco de trás, assim como seu frasco de molho barbecue. Volto e deixo tudo diante da porta dele.

[*Continua...*]

[JOHNNY CASH
CENA 2]

Eu queria perguntar o que você acha do rap gangsta.
JOHNNY CASH: Sabe, não sei. Eu estava entrando na cena musical na época que não filmavam o Elvis Presley da cintura para baixo no *Ed Sullivan Show*. E trabalhava com o Elvis quando um monte de gente mais velha dizia que ele estava levando nossos jovens para o inferno. Eu achava aquilo a coisa mais estranha que já tinha ouvido. Nasci e fui criado em uma região protestante. E o Elvis era uma ótima pessoa e adorava música gospel, um cristão. E isso o magoava. E eu achava horrível dizerem coisas como aquelas sobre ele. Depois passaram a dizer o mesmo sobre todos os artistas do rock que apareciam. Mas o rap gangsta não me incomoda. Talvez ele tenha alguma influência sobre as pessoas mais jovens, mas, cara, acho que o noticiário é a coisa mais violenta que ouvimos hoje em dia.

Perguntei isso porque muita gente diz que sua letra "I shot a man in Reno just to watch him die"*...
CASH: Fantasia.

Sim, e as pessoas dizem que foi a primeira letra de rap gangsta.
CASH: É um reflexo da (*tosse*) sociedade em que vivemos, assim como o filme *Assassinos por natureza*. Além de ser exagerado, é a coisa mais violenta que já assisti, mas não consegui parar de ver porque prende muito a atenção. E joga nossa violência bem na nossa cara. Você olha para o que está acontecendo com a criminalidade deste país: é hipocrisia culpar alguém de alguma violência por causa de uma letra de música. Não sei se é certo. Escrevi "I shot a man in Reno just to watch him die" há mais de quarenta anos, e não sei de ninguém que tenha feito isso só porque cantei sobre o assunto.

Eu só estava me perguntando porque você lida muito com isso em sua música, seu relacionamento com Deus mudou nesses quarenta anos?
CASH: Acho que está mais forte do que nunca. Sabe, houve épocas em que eu tomava remédios controlados e estava viciado. Meu vício estava crescendo muito e, ãhn, deixei Deus de lado. Porque, quando usava drogas, eu ficava com um ego enorme. E você se considera invencível a à prova de balas. Sempre fui crente, mas durante essas épocas eu simplesmente não me dava ao trabalho de dar a Deus crédito por nada ou de realmente tentar viver da maneira que sei que tenho de viver

---

* Atirei em um homem em Reno só para vê-lo morrer. (*N. da T.*)

para sobreviver. Eu só pensava que era invencível — até chegar novamente ao fundo do poço. E toda vez que eu chegava ao fundo do poço percebia quanto estava longe de Deus. Então começava a agir e tentar fazer o melhor possível ao máximo.

E como você faz isso?
CASH: Agora temos um pastor que viaja com nosso show. Ele vai conosco a todos os lugares. Ele me mantém longe das ruas e aconselha todo mundo que possa estar com algum problema, não importa o que seja, um problema espiritual, de família, casamento, drogas, álcool, qualquer coisa.

No final do show, quando eu o apresento como parte do grupo, ele sempre fica por perto para conversar com qualquer um que queira falar sobre os problemas que possa ter na vida. Ele é um alcóolico e viciado em drogas em recuperação, além de pastor. Sempre fica a apenas alguns quartos de distância no corredor caso precisemos falar com ele. Ele me mantém centrado e focado, sabe.

Para...
CASH: Para a sobrevivência.

Por que acha que as pessoas se sentem mais atraídas por suas músicas mais sombrias, pelo monstro enjaulado, como você diz?
CASH: Bom, esses temas são eternos. Quase todo mundo passa por isso uma vez na vida pelo menos. Sabe, "Delia's Gone" é uma música popular.

Embora você tenha reescrito algumas partes da letra...
CASH: Bem, um dos versos é original. Como, (*canta*) "First time I shot her / I shot her in the side / Hard to watch her suffer / But with the second shot she died."* A cultura musical norte-americana está imersa em músicas sobre violência e assassinato. Desastres, acidentes de trem, enchentes, ciclones. Ãhn, mas também existe o lado espiritual e gospel dos discos. Essa é uma grande parte de mim. Sabe, gratidão, agradecimento e louvor pela vida em si.

Em 2003, Johnny Cash morreu por causa de complicações da diabetes. Ele tinha 71 anos.

---

* Da primeira vez que atirei nela / atirei na lateral / difícil vê-la sofrer / Mas com o segundo tiro ela morreu. (*N. da T.*)

[KENNY G
CENA 2]

Enquanto Kenny G conversava alegremente durante o almoço, usando uma jaqueta de couro preta e um suéter de gola rulê off-white, eu me dei conta de que ele não era menos digno de crédito do que os artistas de jazz mais discrepantes que eu admirava. Assim como eles, Kenny G toca o que sente. E, talvez, se todos fossem tão gentis, agradáveis e tranquilos quanto ele, o mundo seria um lugar muito melhor. Mas o rádio seria uma droga.

Em algum momento você perde a cabeça ou fica de mau humor?
KENNY G: Bom, minha personalidade, ãhn, jovial, estava um pouco prejudicada ontem porque eu sabia que tinha de fazer uma coisa que não queria fazer de jeito nenhum. Sou muito mimado. Basicamente faço o que quero quando quero. Então, quando tenho de fazer alguma coisa que realmente não quero fazer, eu fico meio, ãhn, não muito feliz.

O que você tinha de fazer?
KENNY G: A última coisa que eu queria fazer ontem era voar para Nova York e acordar às 6 horas para fazer *Regis*. Eu estava tocando com o meu filho de manhã, e disse a ele que tinha de subir e arrumar a mala para ir a Nova York. Ele perguntou: "Pai, por que você tem de ir para lá?", e eu respondi: "Porque é o meu trabalho." Ele perguntou qual era o meu trabalho e eu tive de pensar. Eu disse: "Meu trabalho é tocar saxofone." Ele disse: "Bem, então qual é o meu trabalho?" Eu disse: "Aprender tudo o que puder e ser feliz. Esse é seu trabalho."

É um ótimo conselho.
KENNY G: A coisa mais importante que posso dar a alguém é o meu respeito. Amor também. Mas respeito ainda mais. No amor você pode ficar meio... sei lá.

Talvez o amor venha depois do respeito. Você precisa respeitar alguém para amá-lo.
KENNY G: Se você quer conservar o amor, precisa conservar o respeito. Se perde o respeito, o amor começa a desmoronar. É isso. Respeito primeiro, amor depois. Mas você precisa conservar o respeito para conservar o amor.

Acho que é isso mesmo.
KENNY G: Ei, Neil, eu e você deveríamos escrever um livro: *Amor e respeito*. Podia dar certo. Faríamos uma turnê para divulgar o livro. E dentro do livro haveria

HERE'S AMERICA'S FIRST

Scratch-N-Listen

BOOK.

REQUIRED READING FOR ALL PATRIOTS!

NOW ON SALE **EVERYWHERE**

Library edition (6 vols.), student's edition (4 vols.), and portable edition (2 vols.), half-bound Morocco or calf, available from Kenneth Gorelick Co. Ltd., Los Angeles & Seattle, and all booksellers um arranhe-e-ouça. Você arranha e ouve um saxofoninho tocando. Mas teríamos de mudar nossos nomes. Não pode ser Strauss e Gorelick. Teria de ser algo como Deepak Chopra. Algo místico.

Eu gosto de Strauss e Gorelick.
KENNY G: Strauss e Gorelick parecem nomes de médicos. "Dr. Gorelick, Dr. Strauss, vocês têm de estar na sala de cirurgia às 6 horas".

Na noite seguinte, Julian Casablancas ligou e prometeu se comportar para uma entrevista normal. Uma hora depois, ele estava esperando obedientemente no Gramercy Cafe. Você sabe que roupa ele estava usando; só o cheiro tinha mudado.

JULIAN CASABLANCAS: Prometo não tocar no seu gravador.

OK, só quero fazer algumas perguntas e me certificar de que peguei tudo.
CASABLANCAS: Sem problema, cara. Não me importo. Quer dizer, não tive a intenção de não falar com você ontem à noite.

Eu sei. Achei que você estava se pressionando demais para dizer alguma coisa interessante.
CASABLANCAS: Eu sabia que estava... Eu ia dizer alguma coisa da qual me arrependeria.

Agradeço por você vir de novo, porque sei que você detesta entrevistas.
CASABLANCAS: Não detesto dar entrevistas. Só chego a um ponto às vezes em que sinto que o que eu digo nunca é entendido. Eu só preciso treinar mais. Não sei se foi porque o gravador estava ligado, mas agi de maneira diferente.

Fiquei muito desencorajado depois de ontem.
CASABLANCAS: Eu estava com uma ressaca terrível ontem. Quer dizer, mais do que na noite em que ficamos acordados até as 10 horas da manhã. Foram dias e mais dias de fadiga. Eu só pensava: "O objetivo é só, tipo, não morrer." Estava me sentindo péssimo. Ah, Deus, várias más notícias na [nossa gravadora] RCA, e estávamos trabalhando demais.

É, você estava bem bêbado ontem à noite. Você estava dizendo...
CASABLANCAS: Eu estava dizendo que é inútil dar entrevistas enquanto...

... vocês ainda não fizeram nada inquestionável.
CASABLANCAS: Ã-hã. Só sinto que seria bom se as pessoas pensassem: "Uau, isso é muito especial", e então descobrissem mais sobre a banda a partir dali em vez de ler sobre um cara de quem elas nunca ouviram falar falando de várias coisas insanas, intensas e exageradas. Sempre fui ruim em promover a banda, sabe.

Mas ninguém espera isso de você.
CASABLANCAS: Ainda não acredito que você está fazendo uma matéria de capa sobre nós. Ainda estou esperando alguém dizer algo do tipo: "Primeiro de abril!" Tenho certeza de que muita gente vai olhar para a *Rolling Stone* e pensar: "Quem são esses caras, afinal?".

Você não me disse uma noite que treinava para as entrevistas da *Rolling Stone* no chuveiro?
CASABLANCAS: Era mais como um grande monólogo. Sabe, eu nunca pensava, tipo, "Então como está a pressão?" ou "O que aconteceu no Havaí?", porque ninguém estava ouvindo, sua mente fica muito melhor do que quando você está sendo entrevistado por alguém.

Então qual *era* a sua resposta pronta para a questão do Nigel Godrich?
CASABLANCAS: É, explicar isso me deixa enjoado. Não é nem boa. É como uma frase desconexa, em que uma coisa leva à outra. Então... é, nós simplesmente trabalhávamos de maneiras diferentes. Nos demos muito bem. Todos os nossos papéis precisam de, sabe, personalidades específicas, e a banda entra, toca ao vivo, e então ele faz a parte dele. E então tentamos fazer as coisas sem interferir, blá blá blá, e esse tipo de coisa.

É isso?
CASABLANCAS: Eu falei na ordem errada. Comecei com a parte de trabalhar de maneiras diferentes e deveria ter começado com isso. E a coisa toda é só uma frase desconexa.

Você se incomoda se eu sair dois segundos para fumar um cigarro?

*Alguns minutos depois, ele retorna. A conversa se volta para seu problema com a bebida...**

Você ficou afetado quando a sua namorada o deixou e as pessoas se afastaram por causa da bebida?
CASABLANCAS: Sim, com certeza, ainda mais quando você está de ressaca. É estranho, porque guardamos coisas e elas aparecem quando estamos bêbados. E depois você pensa: "É, talvez eu tenha sido um idiota, mas eu disse o que estava pensando e foi por isso que odiaram." Quero que os meus amigos sejam felizes, mas aí, obviamente, fico, tipo, bêbado e muito agressivo, então devo fazê-los sentir que... É, não é legal. Não dá para agir sempre assim.

Quando foi a primeira vez que você ficou bêbado?
CASABLANCAS: A primeira vez eu devia ter uns 10 anos e estava em um jantar. Havia drinques na mesa e acho que engoli todos, e pensei, tipo: "Uau. O que é isso? É ótimo." Meu corpo gostou imediatamente. Pensei, tipo: "A vida é maravilhosa em todos os sentidos."

Depois de quase três horas de conversa...

Se você tivesse filhos, ia querer que eles fossem músicos?
CASABLANCAS: Quando se é músico, provavelmente o medo é de que seu filho seja um músico ruim. Tipo, se você fosse o Bob Dylan: eu o imagino chegando e dizendo: "Abaixe essa música." E o filho dele: "Não, você não entende minha música, pai." E ele diz: "Entendo, sim. Eu sou o Bob Dylan, e isso é uma droga."

Meu telefone toca.

Alô?
ALBERT HAMMOND [guitarrista do Strokes]: É o Albert. O Julian está aí?

Está. Ele não tem telefone?
HAMMOND: Não. Estou na locadora. Pode perguntar se ele quer assistir *Assassinato por encomenda* hoje?

---

* Ozzy Osbourne sobre alcoolismo, em uma coletiva de imprensa em sua casa: "Vou dizer qual é o meu problema com a bebida: eu só tenho uma boca."

[PINK]

Eis uma simples lei da física do pop: uma entrevista com a Pink é tão boa quanto o número de Coronas Light que ela beber.

PINK DEPOIS DA PRIMEIRA CERVEJA: "Sempre fico nervosa antes de entrevistas porque não acho que a pessoa tenha de ser interessante para fazer música."

PINK DEPOIS DA SEGUNDA CERVEJA: "Eu achava que deviam distribuir ecstasy nos refeitórios escolares, para nós realmente aprendermos coisas úteis. O presidente Bush deveria experimentar ecstasy, isso é certo."

PINK DEPOIS DA TERCEIRA CERVEJA: "A [produtora] Linda Perry ouviu falar de mim, mas ela não me entendeu. Claro, eu também não me entendia. Ninguém entende." (*Ela deixa cair na coxa uma pipoca que está comendo. Então se abaixa, coloca a boca sobre a coxa e suga a pipoca perdida como um aspirador de pó*).

PINK DEPOIS DA QUARTA CERVEJA: "Eu mudo tanto de ideia que preciso de dois namorados e uma garota. Preciso de um cara da Costa Leste, um cara da Costa Oeste e uma garota."

PINK DEPOIS DA QUINTA CERVEJA: "Tire os sapatos!", ela me ordena. "Quero lamber seus dedos dos pés!"

PINK DEPOIS DA SEXTA CERVEJA: "Eu sei que as pessoas produzem muito mais quando estão drogadas do que quando estão sóbrias." (*A versão de Janis Joplin de "Me and Bobby McGee" começa a tocar no jukebox e ela se levanta, faz uma pose de rock no chão coberto de serragem e sai andando pelo bar, cantando a música inteira a plenos pulmões diante de uma dúzia de clientes perplexos*).

[SNOOP DOGG *CENA 4*]

No mês em que nossa entrevista apareceu na capa da revista *The Source*, Snoop Dogg apareceu no palco durante um show do rapper Master P, usando o uniforme e gritando os slogans do selo da Louisiana de Master P, o No Limit. Estava claro que ele tinha encontrado um novo lar para sua música — e um novo mentor.

Quando voltei à sua casa para fazer a matéria seguinte, um Snoop completamente diferente me recebeu na porta, usando um casaco cinza com capuz e um medalhão de ouro cravejado de diamantes da No Limit.

SNOOP DOGG: É o Neil cabecinha! Quer uma cerveja, Neil?

Claro, obrigado.
SNOOP DOGG: Não entenderam nada daquela entrevista que a gente fez para a *Source*. Os babacas não entenderam nada daquela merda.

Ah, merda, você teve problemas por causa disso?
SNOOP DOGG: Eu tive uma boa resposta, mas os babacas não entenderam por que eu estava tão puto. Nunca tinham me visto tão puto antes. O que você escreveu foi bom porque me fez detalhar por que estava puto etc. Uns babacas ficaram putos e não gostaram do que eu disse, mas eles vão aprender, eles vão viver, eles vão esquecer. Tudo faz parte da vida.

Você está parecendo normal de novo. O que o fez passar de zangado a tranquilo?
SNOOP DOGG: Se fortalecer mental e fisicamente é parte do crescimento, e chegar à conclusão de que eu tenho fé em Deus e que Deus faz tudo acontecer. Ele me colocou naquela situação com a Death Row e me tirou dela. Tudo o que tenho a dizer é que foi divertido. Foi tudo amor. Eu gostei daquilo e não trocaria por nada no mundo. É como um casamento. Quando vem o divórcio, você fica puto. Mas, depois do divórcio, você continua amando a mulher. Não suporta ver mais ninguém com ela, mas tem de aceitar.

Então agora que está em um novo relacionamento você está tranquilo?
SNOOP DOGG: É bem isso.

O telefone toca. Shante, sua esposa há um ano, atende e fala com dois rappers da No Limit, que lhe dizem que estão chegando de Oakland naquela noite para ficar na casa de Snoop.

Você foi até a No Limit ou eles o abordaram?
SNOOP DOGG: Eu fui. Quer ir para o estúdio? Traga a cerveja. (*Entra no estúdio, onde quatro produtores estão fumando um charuto de maconha e jogando o game de futebol americano Madden.*) Cara, esse bagulho tem um cheiro bom. Posso dar um tapa? Porra, me deixe dar um tapa. (*Canta:*) Me deixe dar um tapa.

Venha aqui, Neil cabecinha. De quem era aquele drinque, do Goldie? Quer um frango que eu fiz?

Claro.

SNOOP DOGG: Meu estúdio não é mais o mesmo. (*Ele sai e volta com uma coxa de frango.*) Posso dar outro tapa nesse charuto?

Na última vez em que conversamos, você disse que ia lançar sua música de forma independente a não ser que um selo estivesse disposto a lhe dar cinquenta por cento de tudo o que você ganhasse. Conseguiu isso com o Master P?

SNOOP DOGG: Estou cantando, não estou?

Não significa que você conseguiu.

SNOOP DOGG: O Master P me trata bem. A questão não são os cinquenta por cento. A questão é me tratar como eu devo ser tratado, me colocar no nível de superstar, promover minha música e fazer as pessoas ficarem ansiosas por ela. E me colocar de novo em uma posição que, no meu coração e na minha mente, eu me sinta o melhor rapper do mundo e ninguém possa me tocar. Essa confiança que ele me deu é algo que nenhum outro selo poderia ter me dado.

O que é necessário para lhe dar essa confiança?

SNOOP DOGG: Sabedoria. Respeito e sabedoria.

Respeito, sabedoria e publicidade.

SNOOP DOGG: Principalmente publicidade.

De que maneiras o Master P ajudou você?

SNOOP DOGG: De todas as maneiras. A mais importante foi a mental. Eu estava perdido. Estava basicamente ficando louco aqui: sozinho, sem apoio, por conta própria. Sentia que o selo já me considerava morto. Estava zangado com o Suge porque ele era minha inspiração e eu não contava mais com ele. E todo mundo falava: "É ele. Ele é o cara". E eu pensava: "Ah, merda, é ele." Mas olho para a situação agora e não era ele. Ele estava presente para mim; era eu. É por isso que eu queria ter uma conversa cara a cara com ele e dizer o que preciso dizer na cara dele, como um homem. Espero que com essas entrevistas ele veja o comportamento que estou tendo, leia nas entrelinhas e entenda que eu não estava falando sério, mas disse o que achava.

Você teme que o Master P faça as mesmas coisas que o Suge fez?
SNOOP DOGG: O Master P me salvou. Eu estava quebrado, a ponto de não conseguir pagar minhas contas. Ele é um gênio da porra e eu o amo, porque vejo que ele me ama. É uma expressão batida, mas o amor é foda. Um monte de gente pode dizer que ama você, mas só ama o que você faz por eles. Amar alguém é amá-lo por inteiro. (*Para os produtores:*) Qual é? Será que a maconha pode passar mais tempo neste lado do mundo? Cara, vocês a prenderam mesmo desse lado.

O Master P se encontrou com o Suge para tirar você do selo?
SNOOP DOGG: Não sei, e isso não me preocupa. Só sei que é oficial. Sou um soldado da No Limit, e é o começo de uma nova geração.*

Quem é seu empresário agora?
SNOOP DOGG: Eu sou meu próprio empresário.

O que aconteceu com todas aquelas músicas que você tocou para mim na sua casa?
SNOOP DOGG: Nem coloquei aquela merda no meu disco. Toda aquela merda desceu pelo ralo porque eu estava em um clima ruim na época. Tenho muita raiva dentro de mim. Eu e o P achamos que seria melhor não partir daquele clima, só começar do zero. Não tenho nada pessoal contra ninguém da Death Row. Eu é que não tinha noção ou não dedicava o tempo necessário para aprender sobre o negócio. Não foi culpa de ninguém, só minha, então não estou zangado com ninguém de lá. Não guardo rancores, nada negativo.

Que bom que eu não vazei as músicas.
SNOOP DOGG: Por que não?

Eu não quis me envolver no que estava acontecendo entre você e o Suge.
SNOOP DOGG: Mas fico feliz por ter feito aquelas músicas. Foi muito bom para mim desabafar aquilo porque eu queria conversar com alguém. Eu não tinha ninguém para conversar. Então conversei com a música.

Você soube que [o suposto assassino de Tupac] Orlando Anderson foi baleado?
SNOOP DOGG: É, soube.

Acha que isso teve alguma conexão com o Tupac?
SNOOP DOGG: Não sei, não me importo, não quero saber.

---

* Quatro anos depois desta entrevista, Snoop Dogg saiu da No Limit. No ano seguinte, a No Limit decretou falência.

Aquela noite no Universal Amphitheatre teve alguma coisa a ver com sua atitude em relação a tudo isso agora?*

SNOOP DOGG: Aquela foi uma noite louca, e a esqueci completamente (*ri, constrangido*).

Eu soube que alguém da Death Row o avisou para não falar mais sobre o assunto.

SNOOP DOGG: Isso eu não sei, mas estou aqui em casa fazendo uma entrevista com você.

O Master P teve de ensinar você a dizer "uhh" para gravar para ele?**

SNOOP DOGG: Não, ele não me ensinou isso. Ele não pode me vender isso. Eu o ensinei a dizer "va-diiiiaa".

Pode me ensinar?

SNOOP DOGG: Posso mostrar como se diz, "Woof motherfucker, woof motherfucker, bow wow wow yippie yo yippie yay".

Você aprimorou seu velho refrão.

SNOOP DOGG: Estou de volta, estou de volta (*traga*). Tem umas coisas boas aqui, cara.

[**CORTINA**]

---

* Um colega de trabalho de Suge Knight me contou que, após um show de Master P no Universal Amphitheatre, um dos capangas de Knight bateu em Snoop e o avisou para ficar de boca fechada. Quando Snoop foi à polícia, eles sentiram cheiro de maconha e o prenderam. A fonte disse que a prisão foi uma maneira de salvar a vida de Snoop.

** Referência à música "Make 'Em Say Uhh!", praticamente esquecida, de Master P, que chegou à 16ª posição na Billboard em 1998.

[ATO DOIS]

OU

DISCOS VOADORES, ESCRAVOS ZUMBIS e AUTÓPSIAS no TERCEIRO PALCO

SINOPSE

Entra Russell Targ da CIA com algo misterioso no bolso, que é usado para coagir Britney Spears a participar de um experimento psíquico, que não intimida um cara conhecido apenas como "?" porque ele insiste que é de Marte e totalmente são, o que Ben Stiller também alega, apesar de falar cautelosamente sobre terapia, algo que Bruce Springsteen admite sem problemas e Lady Gaga diz que vai destruí-la etc.

[ESPIÕES PSÍQUICOS *CENA 1*]

Russell Targ é o estereótipo do gênio nerd, com calças acima do umbigo, cabelo grisalho desgrenhado, óculos com grossas armações pretas e uma voz aguda. Nos anos 1950, ele construiu sua reputação ao ajudar a desenvolver o laser. Mas, em 1972, sua vida deu uma guinada para o surreal quando ele e outro físico se viram em um contrato com a CIA. Nas duas décadas seguintes, ele esteve à frente de um dos capítulos mais estranhos da Guerra Fria: a espionagem psíquica.

Esta não é uma teoria da conspiração como o rumor de que os militares encobriram o acidente com um OVNI em Roswell, Novo México. Este é um fato: durante 23 anos, o governo dos Estados Unidos financiou a pesquisa e o desenvolvimento de equipes de espiões psíquicos treinados em um tipo de percepção extrassensorial conhecida como visão remota, na qual, com caneta, papel e a mente, eles tentavam se conectar a eventos que estavam acontecendo em lugares e momentos que escapavam da percepção sensorial comum.

Esses espiões alegam ter penetrado psiquicamente em laboratórios nucleares russos, visitado reféns na embaixada norte-americana no Teerã e vasculhado o globo em busca de campos de treinamento secretos de terroristas. Quando deixou a presidência, ao ser perguntado sobre eventos incomuns durante seu mandato, Jimmy Carter relembrou de um incidente no qual um médium do programa encontrou a localização de um avião russo de espionagem que tinha caído.

Sentado com Targ, entre tantos lugares possíveis, em um cassino em Las Vegas, comecei a entrevistá-lo sobre o programa com uma saudável dose de ceticismo. Mas, de repente, ele perguntou...

RUSSELL TARG: Você já fez alguma coisa psíquica?

Não sei. Acho que não.

TARG: Posso tentar lhe mostrar algo psíquico. Você vai precisar usar sua caneta e seu bloco.

O que preciso fazer?

TARG: Eu tenho um objeto no bolso. Não é o tipo de coisa comum que normalmente se tem no bolso. E o que estou convidando você a fazer é tentar descrever as formas que lhe vierem à mente. Mas não tente adivinhar qual é o meu objeto.

Não sei. Talvez aqui seja barulhento demais para isso.
TARG: Se você fosse desenhar uma forma associada com esse objeto, o que desenharia? (*Eu desenho um círculo irregular no papel.*) Agora, que palavras você associaria a esse objeto?

Formato irregular? Lustroso em algumas partes?
TARG: Bom. Respire fundo.

Provavelmente estou pensando demais, não é?
TARG: Só quero que você volte para aquele clima. Se voltar para aquele objeto que viu, o que mais aparece?

Ãhn, as partes são cinzentas ou pretas. E talvez seja áspero por fora.
TARG: Pode anotar tudo isso. Você está em contato com o objeto. Agora só precisa desenhar o objeto que estou prestes a lhe mostrar.

Devo tentar colocar minha mente dentro do seu bolso ou simplesmente deixar que ele chegue até mim?
TARG: Só deixe que chegue a você. Você pode olhar seu futuro imediato, porque estou a ponto de colocá-lo diante de você. (*Encosto a caneta no papel e deixo minha mão relaxar. Começo a desenhar um círculo, mas na parte inferior esquerda, por alguma razão, desenho uma pequena forma saindo da lateral.*) O que você desenhou aí?

Senti que havia alguma coisa protuberante na lateral.
TARG: Você olhou para a coisa que está na sua mão? Como ela é?

Brilhante.
TARG: Pode anotar isso.

Você deve ter uma carteira ou um lápis no bolso.
TARG: Agora me diga, sem nomear o objeto, qual é a propriedade dominante? Sem nomear o objeto, quais são as coisas recorrentes que você está experimentando?

Bem, eu sinto que há um círculo com alguma coisa saindo pela lateral. E ainda sinto que é lustroso em algumas partes, mas não todo.
TARG: Bom, isso está totalmente correto. Gostaria de ver o objeto?

Há mais uma coisa que quero anotar. Eu sinto que talvez seja uma ferramenta. Não sei. Talvez eu esteja indo longe demais.
TARG: O que o fez pensar assim? O que você experimentou?

Porque quando eu pensei que tinha uma protuberância, supus que seria a alça de um objeto que tem algum tipo de uso prático.
TARG: Você pode escrever isso se quiser. Achei excelente. As condições não são ideais aqui. Está pronto para ver?

Ele tira do bolso um objeto preto e redondo, com algo saliente na lateral, e o coloca ao lado do meu desenho. Combina perfeitamente. O objeto é uma lupa em um estojo preto, redondo e com a superfície áspera com uma pequena alça saliente usada para puxar a lupa para fora.

Como você fez isso?
TARG: Eu tenho uma experiência de trinta anos em física. Então não faria algo que não funcionasse de verdade.

Então, qual é o segredo?
TARG: O segredo é que não existe segredo algum. É uma habilidade que todos nós temos.

Um amigo meu estava filmando a entrevista, e mais tarde a mostramos a um ilusionista profissional chamado Franz Harary para ver se havia algum truque de mágica envolvido.

FRANZ HARARY: Com a experiência que você acabou de me mostrar, não há nenhuma chance de ter mágica envolvida.

Talvez Harary estivesse protegendo os segredos da profissão. Talvez não conhecesse esse truque em especial. Talvez eu simplesmente tenha tido sorte. Ou talvez...

[*Continua...*]

[BRITNEY SPEARS CENA 1]

Pouco depois de minha experiência com Russel Targ, entrevistei Britney Spears. Como recontado em *O jogo: A bíblia da sedução*, a entrevista não estava chegando a lugar algum. Todas as perguntas recebiam uma resposta curta e indiferente. Então decidi fazer algo que ainda me deixa mal: enganá-la.

Contei sobre a visão remota, depois pedi que ela pensasse em alguém que conhecia. Expliquei que eu tentaria adivinhar as iniciais e, depois, comecei a fazer uma ilusão de leitura de mentes que aprendi durante a pesquisa para *O jogo*. Claro, eu estraguei tudo. A seguir, uma transcrição mais completa da cena resumida no livro.

BRITNEY SPEARS: Se você conseguir, eu vou pirar.

Quais são as iniciais da pessoa?
SPEARS: G. C.

OK, vire o papel.
SPEARS: C. C.! Que estranho. É muito parecido. Não acredito que você fez isso!

Em 80 por cento das vezes eu consigo acertar, se a pessoa estiver aberta.
SPEARS: Eu devo ter muitas barreiras, então foi por isso que você não acertou as duas. Vamos tentar de novo.

Desta vez, por que você não tenta?
SPEARS: Estou com medo. Não vou conseguir.

Digo a ela que vou escrever um número entre um e dez, e ela tem de adivinhar psiquicamente qual é. Em uma folha de papel escrevo "7", que é o número que as pessoas chutam na maioria das vezes, e entrego a folha virada para ela.

Agora diga o número que você sentir.
SPEARS: E se estiver errado? Provavelmente vai estar errado.

Qual você acha que é?
SPEARS: Sete.

Sete? OK, agora vire o papel.
SPEARS: Talvez eu tenha escolhido rápido demais. (*Ela desvira lentamente a folha e grita quando vê que o número é sete.*) Como você fez isso? (*Ela se levanta do sofá com um pulo, corre até o espelho do hotel e se olha nele.*) Ah, meu Deus, eu consegui!

Incrível.
SPEARS: Uau, consegui! (*Volta para o sofá, ainda empolgada.*) Eu simplesmente sabia que era sete! Ah, meu Deus, não acredito que consegui. Que estranho.

Viu, lá no fundo você já sabe todas as respostas. Só que a sociedade nos treina para pensar demais.
SPEARS: Você já sabe... Ah, meu Deus. Ótima entrevista! Gostei desta entrevista! Foi a melhor entrevista da minha vida. Que legal. (*Se abana para se acalmar.*) Podemos parar a fita?

Eu desligo o gravador e ela fala de psicologia, espiritualidade, escrita e fugir da família. Quando o religo, uma entrevista muito melhor acontece.

SPEARS: Estou escrevendo um livro.

Sobre o quê?
SPEARS: Eu não quero dizer porque pretendo lançar e tal... mas estou me aprofundando em mim mesma como nunca tinha feito. É bem legal, na verdade. E nunca pensei que simplesmente ia pegar uma caneta e sair escrevendo. Não achei que faria isso. Mas algo aconteceu e não consigo parar.

É difícil escrever sobre si mesmo.
SPEARS: É estranho escrever sobre si mesmo. Mas não estou escrevendo sobre mim. Estou tentando enxergar o todo. Quero que as pessoas leiam e não pensem na Britney Spears quando lerem. Estou mesmo me abrindo. Como quando lemos *Conversando com Deus* e é como se fosse um canal passando por ele, mas não é sobre ele. É só sobre as coisas mais importantes. É isso.

Sei exatamente do que você está falando.*
SPEARS: Porque não gosto de coisas sobre mim. Eu nunca conseguiria escrever uma autobiografia sobre a minha vida. Acho muito tosco, brega e autoindulgente. Mas o que estou escrevendo é só para tentar ajudar as pessoas.

---

* Não sei.

Um ano depois, Britney Spears descartou a ideia de um livro de autoajuda e me pediu para escrever com ela sua autobiografia. Esse livro também não foi em frente.

[*Continua...*]

[? AND THE MYSTERIANS]

Quando o assunto são grupos de um sucesso só, o ? and the Mysterians (pronuncia-se: Question Mark and the Mysterians) ganha disparado. Em 1966, o primeiro single da banda, "96 Tears", apareceu do nada e foi para o topo das paradas. A música, dominada pelo som do órgão, não só ainda é tocada no rádio hoje em dia, como tem fama tanto de clássico do rock de garagem quanto importante precursora do punk rock. Antes desta entrevista, tudo o que eu sabia sobre o artista conhecido como ? era que ele tinha ascendência mexicana, era magro, usava roupas de couro e supostamente não tirava os óculos escuros desde os anos 1960.

Você disse que originalmente queria ser dançarino, então como acabou se tornando cantor:
?: Da primeira vez que estive em Flint, Michigan, perguntei se podia cantar uma música depois de uma das minhas apresentações de dança. Então meus pais me compraram um gravador e comecei a cantar músicas como "96 Tears" quando tinha 10 anos.

Você a compôs quando tinha 10 anos?
?: Sim, e depois eu quis aprender a tocar um instrumento para poder fazer a música que estava na minha cabeça ganhar vida. Fui até a loja de música, e uma garota disse que o pai dela sabia tocar piano e podia me ensinar. Então fui para o lado bom da cidade. Eu pensei: "Ser rico deve ser assim." Ninguém entendia o que eu estava fazendo ali. Perguntei ao pai dela: "Você poderia me ensinar a tocar a música da minha cabeça?". Ele disse: "Você tem de começar do começo, com 'Mary tinha um carneirinho'." E eu disse: "Não tenho tempo para isso." Cantei "96 Tears" para ele, e ele a tocou. Mas depois disse que as aulas iam custar 10 dólares por semana, então eu soube que não ia voltar. Lá no fundo, pensei: "Esqueça."

Mas eventualmente você formou sua própria banda?
?: Sim, gravamos sem fones de ouvido, sem acústica, sem separar os instrumentos — só com um gravador de dois canais. Gravamos "96 Tears", depois fizemos o

Lado B. Eu me lembrava de muitas palavras que tinha escrito, mas também havia esquecido algumas. Oito meses depois, estávamos em primeiro lugar.

Como você acabou assinando um contrato?

?: Eu precisava de uma gravadora, então fui à Cameo Records porque os discos deles eram laranja e essa é minha cor preferida. Se eu soubesse que os Beatles estavam na Capitol ou que o Elvis estava na RCA quando essas gravadoras me abordaram, teria ficado com elas. E depois fiquei zangado e tive vontade de largar o selo quando nosso disco saiu e não era laranja.

O que você acha do termo rock de garagem?

?: Era apenas rock and roll. Depois de "96 Tears", o rock and roll morreu. Hendrix e todos os outros eram grandes músicos, mas não estavam tocando rock and roll. Eles chamavam aquilo de rock. Então, o que aconteceu com o rock and roll? Considero a nossa música a nova era do rock and roll. Também tenho PES. Mas não a uso o tempo todo.

Percepção extrassensorial?

?: É, no começo a imprensa disse que eu era uma farsa, mas como posso ser? Sou uma pessoa real. Eu nasci em Marte há muitas eras. Estava por aqui na época dos dinossauros. Sempre sonhei com um tiranossauro rex me perseguindo, e ele me pegou. Esta semana descobri que encontraram pegadas dos tempos dos dinossauros, e não eram pegadas de macaco. Falei: "Viram, eu disse que estava por aqui. Nós nos escondíamos para não sermos comidos." Desde então, vivi muitas vidas diferentes. E mesmo que tenha nascido em Marte, não sou alienígena. Detesto quando as pessoas chamam o planeta de Marte, porque não é Marte.

O que é, então?

?: É só um planeta, entende o que estou dizendo? É parte do universo. Isso é ignorância do homem: as pessoas precisam rotular tudo. Precisam nos chamar de marcianos, assim como os negros de pretos. Quem é a humanidade para fazer isso só porque se sente superior?

Por que você nunca tira os óculos escuros?

?: Eu nunca tiro os óculos escuros. Uma pessoa introduziu isso em mim, me deu esse poder e essa capacidade. Tenho muito conhecimento. Quando eu voltar em outra forma de vida, posso ser um jogador de tênis ou de basquete, porque sou muito atlético hoje em dia.

Como você sabe que vai reencarnar como humano?
?: Bem, vou voltar no ano 10.000 e vou cantar "96 Tears". E as pessoas vão saber que sou eu em outro corpo.

Como vão saber?
?: Porque vou dizer uma frase única que ninguém na História disse. E só contei qual é para poucas pessoas. Mas, por enquanto, só vou fazer rock and roll.

Você pode me dizer qual é a frase?
?: Não.

[BEN STILLER *CENA 1*]

Deu muito trabalho convencer Ben Stiller a dar uma entrevista. Ele temia ser retratado como um neurótico, como o personagem que interpreta no filme que estava promovendo na época, *O solteirão*. E estava chateado por conta dos rumores de que Alec Baldwin estaria na capa da *Rolling Stone* em vez dele. Depois de várias semanas de negociação com o assessor de imprensa de Stiller, finalmente o encontrei na entrada do International Center of Photography, em Manhattan. Ele estava enfiado em um sobretudo preto, com o cabelo desgrenhado e um desagradável cavanhaque grisalho e ralo no queixo. Totalmente diferente dos personagens animados e extrovertidos que costuma interpretar na tela, na conversa ele foi cuidadoso, parecendo imaginar como cada palavra seria usada contra ele.

Seu assessor de imprensa ligou e disse que você estava com medo de só falarmos de você ser tão neurótico quanto o personagem que interpreta em *O solteirão*. Não acha que isso o faz parecer tão neurótico quanto ele?
BEN STILLER: Sim, eu não sabia que isso tinha acontecido, mas assumo a responsabilidade, pois tenho um assessor de imprensa. Eu realmente não sabia. Muitas vezes os assessores de imprensa fazem coisas como essa.

Dei uma olhada nas principais pesquisas sobre você no Google e uma das pesquisas mais populares é "Ben Stiller bipolar".
STILLER: Uma vez eu disse isso de brincadeira a um escritor, e a ironia dessas coisas às vezes não aparece. Também aprendi minha lição, que é não fazer piada com bipolares. Não é justo com as pessoas que têm transtorno bipolar.

Então vamos acabar de uma vez por todas com o boato: você é bipolar?
STILLER: Não.

E não está tomando nenhum remédio?
STILLER: Não.

Você provavelmente faz terapia, mas não para isso?
STILLER: Eu já fiz terapia, sim.

Mas não está fazendo terapia agora?
STILLER: Eu já fiz.

Não acho isso ruim.
STILLER: Nem eu. Pode ser muito útil. Acho que examinar a si mesmo é algo bom, e pode acontecer de muitas formas. É bom estar consciente de alguma forma.

Então o comentário foi totalmente fora de contexto?
STILLER: Sim. Talvez você devesse falar com aquele cara, talvez ele retire alguma droga de...

É uma boa ideia. Qual é o nome dele?
STILLER: Não, não. Acho que foi dito de brincadeira.*

Parte da comédia é o exagero, então obviamente isso deveria ter sido entendido.
STILLER: Acho que a comédia também é contexto e inflexão. Muitas vezes em um e-mail ou em uma carta você pode dizer alguma coisa que tem certa ironia que não é compreendida, daí o nascimento do emoticon. E existe outro nível de ironia no ridículo dos emoticons.

A outra pesquisa popular era "Ben Stiller altura".
STILLER: Que interessante. Isso é muito estranho. Uau. E eu achava que *eu* perdia tempo na internet.

[*Continua...*]

* O autor respondeu: "Antes de mais nada, devo dizer que, desde que aquela edição da *GQ* chegou às bancas, no terrível mês de setembro de 2001, acho que seu comentário é literalmente o primeiro feedback que recebi sobre ela. Creio que nem minha mãe a mencionou. Quebrando um pouco a cabeça para lembrar o contexto, tenho quase certeza de que foi mais uma tendência exagerada à autodepreciação cômica do que um diagnóstico verdadeiro. Ele quis dizer 'Sou complicado', não 'Sou doente'."

[BRUCE SPRINGSTEEN]

Dá para saber muito sobre músicos pela maneira que chegam para uma entrevista. Alguns aparecem com um empresário, um assessor de imprensa, guarda-costas ou um séquito de parasitas. Bruce Springsteen chegou sozinho. Ele dirigiu seu Explorer preto de sua casa em Rumson, Nova Jersey, até os estúdios da Sony Music em Manhattan — e chegou cedo.

Sentado sozinho, de costas para a porta em uma sala de conferências escura, usando camisa de flanela, jeans e um brilhante brinco de prata de cruz, ele não precisou de muito estímulo para concordar em ir para o bar próximo, onde pediu uma dose de tequila e uma cerveja, e deu uma gorjeta de 200 por cento para a garçonete.

Eu não tinha planejado perguntar isso, mas você já fez terapia?
BRUCE SPRINGSTEEN: Ah, sim, com certeza. E achei que foi uma das experiências mais saudáveis da minha vida. Cresci em uma família da classe trabalhadora na qual isso era muito desdenhado. Então para mim foi extremamente difícil chegar ao ponto de admitir que precisava de ajuda. Sabe, passei por alguns momentos muito sombrios em que simplesmente não tinha ideia do que fazer. Talvez não seja necessariamente para todos, mas tudo o que posso dizer é que tive uma vida muito mais completa. Tive realizações pessoais que antes considerava impossíveis. É um sinal de força, sabe, estender a mão e pedir ajuda, seja a um amigo, a um profissional ou a outra pessoa.

Então você ainda faz terapia regularmente?
SPRINGSTEEN: Passo longos períodos sem fazer, mas é um recurso que utilizo se eu precisar. Sabe, terapia ajuda a pessoa a se equilibrar emocionalmente e a ser quem quer ser. Quer dizer, é engraçado porque eu simplesmente nunca conheci ninguém que tivesse tido essa experiência, então a princípio você passa por vários sentimentos diferentes em relação a isso. Mas só sei que o salto de consciência necessário para ir de tocar na sua garagem a tocar diante de 5, 6, 7 mil pessoas — ou quando você experimenta qualquer tipo de sucesso — pode ser extremamente difícil.

Ao contrário da maioria dos músicos que já entrevistei, você conseguiu evitar que o sucesso o fizesse perder a perspectiva e o pé no chão.
SPRINGSTEEN: É interessante, porque, quando comecei a fazer música, eu não estava muito interessado em ter um grande sucesso imediato. Queria escrever músicas que se entrelaçassem à vida das pessoas. Eu estava interessado em me

tornar parte da vida das pessoas e ter alguma utilidade — essa é a melhor palavra. Acho que, em algum momento, muita gente que acaba entrando para as artes, o cinema ou a música já foi chamada de inútil. Todo mundo já sentiu isso. Então sei que uma das principais motivações para mim era tentar ser útil, e claro que eu também tinha muitos outros sonhos do pop, como um Cadillac ou garotas. Todos esses ossos do ofício passavam pela minha cabeça, mas meio que na periferia. De certa forma, eu procurava encontrar um propósito fundamental para a minha existência. E basicamente tentava entrar daquela maneira na vida das pessoas e manter esse relacionamento ao longo de toda a vida, ou pelo menos enquanto sentisse que tinha algo útil a dizer. É por isso que levávamos tanto tempo entre um disco e outro. Fazíamos muita música. Existem álbuns e mais álbuns prontos para lançar. Mas eu simplesmente não sentia que eram úteis. [...]

Que tipo de conselho você daria ao jovem Bruce Springsteen agora?
SPRINGSTEEN: Dois. Primeiro, eu lhe diria para encarar o trabalho tanto como a coisa mais séria do mundo quanto como se fosse apenas rock and roll. É preciso manter as duas coisas em mente ao mesmo tempo. Acho que levei muito a sério. E, mesmo que não me arrependa de ter feito isso, acho que em diversos momentos teria sido um pouco mais fácil e menos autoflagelante para mim se eu tivesse me lembrado de que aquilo era apenas rock and roll.

O que você quer dizer com autoflagelante?
SPRINGSTEEN: Espancar a mim mesmo (*ri*). Para mim, era basicamente mental e, sabe, você se embrenha nos seus caminhos autodestrutivos em vários momentos e, com sorte, tem o tipo de ligação que o puxa de volta do abismo e diz: "Ei, espere um pouco." Quando eu tinha 25 anos, fui a Londres e fiquei com vontade de vomitar ao ver pôsteres meus em todo lugar no teatro. Fiquei enojado pelo que tinha me tornado, e aí um dos integrantes da banda disse: "Ei, acredita que estamos em Londres, na Inglaterra, e vamos tocar hoje à noite e vão nos pagar por isso?" Então tive sorte. Eu tinha bons amigos e uma boa rede de apoio que me ajudaram ao longo do caminho. Hoje em dia, relembro esses momentos e eles parecem apenas engraçados, sabe.

E que conselho o jovem Bruce Springsteen daria a você?
SPRINGSTEEN: Guitarras mais altas.

Quer sair daqui?
SPRINGSTEEN: Ah, nós nos divertimos. Estou bêbado. Não vamos parar agora.

25th ANNIVERSARY
COUCH SALE
CLASSIC THERAPY COUCH
$159.50
REG. $319.50
AMERICAN DREAM MODEL
$99.50
REG. $189.50
USEFUL SLEEPER SOFA
$49.50
REG. $99.50
Hannah's
on the edge of town
Asbury Park, New Jersey

Springsteen sai da escura caverna do Hannah's Cocktail Lounge para o quente sol de abril da cidade.

SPRINGSTEEN: Ah, cara, é verão. Que dia.

Um carro de polícia para cantando pneus no meio da rua, e dois policiais saem. Não é a primeira vez que Springsteen é abordado por fãs policiais naquele dia.

POLICIAL: E aí, companheiro.
SPRINGSTEEN: E aí, cara.
POLICIAL: Como você está, amigo?
SPRINGSTEEN: Muito bem. Estou só me divertindo. Aproveitando o dia.
POLICIAL: Está um belo dia para passear, não é?
SPRINGSTEEN: Fantástico.
POLICIAL: Como foi aquele show no outro dia?
SPRINGSTEEN: Bom. Divertido. Eu gostei muito.
POLICIAL: Você se incomoda de autografar isto para mim?

Ele entrega o bloco de multas. Springsteen autografa a multa.

[LADY GAGA *CENA 1*]

Nos bastidores da LG Arena, em Birmingham, Inglaterra, Lady Gaga se preparava para seu show. O vinil de *Born to Run*, de Bruce Springsteen, tocava no máximo volume enquanto ela dançava pelo camarim usando uma bandana azul na cabeça como tributo e um colete de tachinhas aberto com sutiã preto por baixo. Ela estava no auge da fama e, como consequência, tinha dado muito poucas entrevistas. Por sorte, sem a mínima premeditação, ao conhecê-la nos bastidores em Nottingham na noite anterior, eu passara em um teste crucial ao fazer questão de um ingresso para assistir ao show lá, o que ela não queria porque era um pequeno "show B", como ela definiu.

LADY GAGA: Você vai conseguir uma boa entrevista porque quando eu o encontrei ontem você quis ver meu show B. Sério? Poderíamos muito bem já ter feito sexo a esta altura. Quer dizer, você entrou no meu camarim e disse: "Por favor, sei que é um show B. Sei que você é dura consigo mesma. Mas só quero ver o show antes de entrevistar você amanhã."

Bem, que bom, porque vou começar com uma pergunta difícil.
LADY GAGA: Vá em frente.

Tenho uma teoria sobre você.
LADY GAGA: Devo me deitar?

Talvez seja necessário.
LADY GAGA: Não temos sofás suficientes para isso.

Aliás, você já fez terapia?
LADY GAGA: Não. Já falei com guias espirituais e coisas assim.

Mas nunca com um psiquiatra de verdade?
LADY GAGA: Eu morro de medo de terapia porque não quero que ela estrague a minha criatividade.

Isso é interessante.
LADY GAGA: O que é pior: ser normal ou ser anormal? Não sei.

Então, a pergunta é: você acha que se não a tivessem magoado cinco anos atrás você teria se tornado tão bem-sucedida quanto se tornou?
LADY GAGA: Não, não teria. Não, eu não teria sido tão bem-sucedida sem ele.*

Então o negócio é o seguinte...
LADY GAGA: Você me fez chorar (*enxuga lágrimas dos olhos*).

Acha que todo o amor que você direcionou aos homens agora vai para seus fãs?
LADY GAGA: Bem, nunca amei ninguém como o amei. Ou como o amo. Eu diria que o relacionamento realmente me moldou. Me tornou uma lutadora. Mas não diria que o amor pelos meus fãs é igual à atenção que dedico aos homens. Mas diria que o amor tem muitas formas. E meio que cheguei à conclusão de que, se você não pode ter o homem dos seus sonhos, existem outras maneiras de dar amor. Então acho que de certa forma você está certo.

Ele fez algum tipo de contato depois que você ficou famosa?
LADY GAGA: Não quero falar sobre ele.

---

* Quando era uma artista drogada em começo de carreira no Lower East Side, Lady Gaga se apaixonou por um bartender e baterista de heavy metal, Luc Carl, que partiu seu coração. E às vezes parece que sua música, seu show ao vivo e sua fama — em outras palavras, a própria Lady Gaga — se formaram em resposta a essa decepção.

OK.
LADY GAGA: Desculpe. Eu gostaria, mas ele é importante demais para debater.

Estou surpreso. Imaginei que a esta altura você já teria saído dessa e superado.
LADY GAGA: Saído de onde?

Saído emocionalmente dessa. Você ainda parece emocionalmente ligada de certa forma.*
LADY GAGA: Em quê?

Àquela experiência ou àquele relacionamento.
LADY GAGA: Ah, eu amo meus amigos e meu passado, e isso meu tornou quem sou. Não acordei um dia e esqueci como cheguei aqui. Na verdade, sempre vou ter um salto alto em Nova York. Eu moro em Hollywood, mas é impossível me fazer amar Hollywood. Nunca vou amar Hollywood.

OK, você meio que evitou o assunto, então uma última coisa: acha que com esse cara era obsessão ou amor?
LADY GAGA: Amor. Mas, sabe, na verdade não sei muito sobre o amor. Mas acho que, se soubesse tudo sobre o amor, eu não teria talento para fazer música, não é?

Não sei. Alguns artistas fazem suas melhores músicas quando estão apaixonados.
LADY GAGA: Mas eu morro de medo de bebês.

Por quê?
LADY GAGA: Como mulher, acho que você muda criativamente depois de dar à luz. Não estou nem um pouco preparada para isso.

Você teve alguma resolução com seu pai depois que ele cortou relações com você durante seus dias loucos?
LADY GAGA: Eu só me curei um pouco recentemente, porque meu pai fez uma cirurgia cardíaca que precisava fazer desde que eu era criança. O medo de perder o homem dos meus sonhos, que é o meu pai — essa é a porra do Freud —, foi aterrorizante. Então o maior medo da minha vida passou.

* De fato, na época da entrevista, Lady Gaga estava reatando seu romance com ele.

Você sente que está realizando as ambições frustradas do seu pai de ser astro do rock?
LADY GAGA: Sim, claro que sinto. Eu amo meu pai. Meu pai é tudo. Espero encontrar um homem que me trate tão bem quanto meu pai.

[*Continua...*]

[CHRISTINA AGUILERA *CENA 1*]

Christina Aguilera entrou no escritório de Nova York de seu assessor de imprensa fazendo barulho ao mascar um chiclete. Ela estava usando uma calça larga verde-militar, uma corrente dourada com o nome *Christina* e uma jaqueta jeans desbotada com a palavra *Rockstar* sobre uma camiseta que deixava o umbigo de fora. Seus lábios estavam pintados com um gloss claro demais, e seus olhos, com uma sombra azul forte demais. Ela se jogou em uma cadeira e passou as pernas por cima do apoio para braço. Sem interromper a música alta em seus fones de ouvido, ela ordenou: "Você poderia sintonizar a Hot 97 no rádio?".

A parada seguinte da princesa do pop: um banquete gorduroso no restaurante Houston's, onde ela fez questão de que todos mergulhassem cada tortilha nos três molhos — espinafre com alcachofra, creme azedo e salsa — para obter o sabor ideal.

Eu tinha sido designado a passar uma semana com essa garota de 19 anos aparentemente mimada para sua primeira matéria de capa da *Rolling Stone*. E apenas uma hora após o começo da experiência eu já estava me sentindo arrependido.

Como foi a sessão de fotos?
CHRISTINA AGUILERA: Todo mundo ficou dizendo: "Ela enlouqueceu durante aquela sessão de fotos da *Rolling Stone*." Ficaram morrendo de medo que eu fosse ser sexy demais, sabe do que estou falando.

Sexy de que maneira?
AGUILERA: Eu fiquei dizendo umas coisas loucas e minha assessora de imprensa falava, tipo: "Christina, não faça isso! Christina, não faça aquilo!" Mas gosto de ser um pouco provocante.

Claro que para a gravadora você não é uma pessoa, é um investimento...
AGUILERA: Exatamente. Ela falou, tipo: "Eu não me importaria tanto se você não tivesse uma voz tão boa." Ela quase se tornou alcóolatra durante a sessão, ficou ar-

rancando os cabelos e pedindo mais vinho tinto. Finalmente ela disse: "Coloque as mãos na virilha, eu não ligo!"

O que você estava fazendo exatamente?
AGUILERA: Eu estava louca. Fiz algumas poses com meu walkman e o coloquei... bem, sabe, na virilha. E fiquei olhando para a câmera de um jeito intenso e forte, e com a cabeça meio abaixada e atrevida. Só sendo sugestiva. Foi interessante...

Só para animar um pouco?
AGUILERA: É, essa liberação é necessária de vez em quando.

Acho que isso é parte da tradição do pop, andar na fronteira entre a inocência e a sexualidade.
AGUILERA: A sexualidade é parte do meu jeito de me apresentar no palco. É algo com que eu brinco e flerto, e isso às vezes é flertar com o desastre. É simplesmente parte da minha natureza e não posso evitar. Não estou passando muito dos limites, ainda. Mas...

Mas o quê?
AGUILERA: Só não acho que eu possa esconder quem sou por muito mais tempo.

Ao longo da semana, eu viajo com Aguilera para Toronto, onde ela está ensaiando para uma turnê, e sua fachada de adolescente descolada começa a se desfazer, revelando algo muito mais real e vulnerável. Certa noite, no jantar enquanto a banda e os dançarinos ficam bêbados e turbulentos, Aguilera se senta tranquilamente em um canto da mesa, conversando com sua coreógrafa, Tina London. Em seu quarto de hotel no dia seguinte, ela pede desculpas pelo comportamento introvertido.

AGUILERA: Ontem foi uma coisa estranha. Eu estava de mau humor por causa de uma coisa que aconteceu. Fui tirada dos ensaios e não queria sair. Foi um drama. Eu estava conversando com a Tina sobre isso — e sobre o meu amor, meu primeiro amor. Eu me apaixonei pela primeira vez este ano. Estou meio que passando por isso.

É uma ótima experiência.
AGUILERA: É uma loucura. Nunca me senti assim antes. É meio assustador. Estou acostumada a ser uma garota independente e nunca pensar de verdade em garotos, e de repente — uau — tipo, esse cara domina tudo. Bom, nem tudo. Mas meu foco repentinamente está nele. Isso me deixou vulnerável, e não gosto de ficar assim. [...]

Acha que está passando por isso porque nessa idade estamos abertos a esses sentimentos ou existe uma química verdadeira com ele?
AGUILERA: Como assim química?

Quando nos sentimos atraídos por uma pessoa em especial, e ela por nós, e há uma eletricidade e não conseguimos entender o porquê de forma racional.
AGUILERA: É, é tipo por que estou tão louca por essa pessoa? É muito louco, muito louco. É lindo. É dificílimo manter um relacionamento enquanto se faz o que estou fazendo. Você tem de lidar com as inseguranças dele sobre quem eu sou e todas as ideias de *Eu não sou bom o bastante* na cabeça dele, o que não importa nem um pouco para mim.

Pelo menos é uma pessoa do mundo normal.
AGUILERA: Você está dizendo que não é alguém do show business?

Estou dizendo que não é um astro do pop. É alguém que trabalha para você.
AGUILERA: Como você sabe?* [...]

Você sonha com ele?
AGUILERA: Aah, eu tenho sonhado umas coisas estranhas. Sonhei que eu tinha acabado de chegar de uma viagem ao exterior e ele deixava uma mensagem no meu telefone para outra garota. Ele nem sabia. Foi como se tivesse apertado a discagem direta e fosse para o número errado. E ele ficou todo, tipo: "Estou pensando muito em você, estou com saudades e amo você." E ele estava mesmo expondo os sentimentos para essa garota e aquilo não era para mim. Eu acordei e chorei. Não chorava por causa de um sonho desde que eu tinha... há anos.

Você contou isso para ele?
AGUILERA: Eu não contei.

Deveria contar, porque aí ele saberia que você também tem inseguranças.
AGUILERA: Vou contar.

Quinze minutos depois, enquanto falávamos sobre ela estar chateada por não ter tido crédito na letra de seu primeiro sucesso, "Genie in a Bottle," ela solta, do nada...

---

* Pelo que ela tinha falado até então, ele claramente não era alguém importante. O resto foi só um chute para ver como ela ia responder.

AGUILERA: Deixe-me fazer uma pergunta: qual dos meus dançarinos você acha mais bonito?

Homem ou mulher?
AGUILERA: Homem. Só por curiosidade.

Não sei. Todos os seus dançarinos têm uma energia ótima.

Enquanto falamos sobre os dançarinos, ela começa a ficar impaciente, até...

AGUILERA: E o Jorge?

Ele é legal. Tem um bom corpo.
AGUILERA: Acho interessante ouvir a opinião dos outros.

Ela se recosta no sofá, satisfeita por ter acobertado essa muito bem.

[*Continua...*]

[BEN STILLER CENA 2]

Conversei com algumas pessoas que já trabalharam com você e queria saber sua reação a coisas que elas disseram.
BEN STILLER: O-oh. Está bem.

Um dos ex-roteiristas do *Ben Stiller Show* disse que existia uma piada entre os roteiristas: se eles quisessem ter certeza de que seus sketchs seriam usados, incluíam uma cena sua tirando a camisa. Já ouviu isso?
STILLER: Ah, meu Deus, não. Jesus Cristo...

Não era verdade?
STILLER: Você não vai me dizer que roteirista disse isso, claro. Não tenho resposta, mas acho que eles estavam certos. Que ótimo.

Outra pessoa com quem você trabalhou o descreveu como alguém competitivo e com medo do fracasso.
STILLER: Obviamente fracassei nisso. Não sei se o medo do fracasso é algo necessariamente ruim. Por outro lado, o maior medo do fracasso seria ficar paralisado

e não fazer nada. Acho que, se isso existe, e com certeza existe, não quero que me impeça de experimentar alguma coisa.

"Controlador" foi outra palavra que apareceu bastante.
STILLER: Essa é uma das coisas difíceis. Estou tentando melhorar. Tentei controlar várias coisas. E sinto que neste momento já sei que isso não me traz felicidade. Talvez seja porque estou ficando mais velho e estou cansado demais para fazer tudo. [...]

Também dizem que você é uma das pessoas mais trabalhadoras que elas conhecem, isso funciona como um vício para você?
STILLER: O primeiro passo para se livrar de um vício é reconhecer que você o tem, e eu reconheço que gosto de trabalhar. Acho que qualquer pessoa que tenha usado heroína vai lhe dizer que gostou até perceber que estava acabando com a vida dela. Ainda não cheguei ao fundo do poço. Mas cheguei a um ponto em que percebi que estava desequilibrado, e me ajustei. A área pessoal sobre a qual eu não tenho dúvidas é meu compromisso com a minha família e quanto amo minha família. E acho que essa é a conclusão quando as pessoas perguntam: "Ah, por que você trabalha tanto?"

Não falaram com esse cunho de julgamento. Mas talvez sua perspectiva seja essa por ter sido criado por pais que eram artistas e não estavam sempre por perto.
STILLER: Tudo isso é válido. Cresci com pais que precisavam trabalhar para cuidar da família e também que gostavam de trabalhar. Eles eram ótimos pais, mas também não eram perfeitos. Eu também tenho muitas dessas características.

[LADY GAGA *CENA 2*]

Sabe, dizem que os maiores workaholics são assim porque têm um vício e essa é uma maneira de evitar outras coisas.
LADY GAGA: De muitas maneiras, minha música também me cura. Então é uma heroína e eu preciso da dose para me sentir melhor? Ou é a música que é curativa? Acho que é uma grande questão. Quando você trabalha tanto quanto eu, ou renuncia à vida por algo como música, arte ou escrita, tem de se comprometer com a luta e com a dor. E eu me comprometo com o meu sofrimento de todo o coração. É algo que nunca vou deixar para trás. Mas, de certa forma, esse sofrimento é um traço meu. É uma representação do meu processo criativo. Como artistas, estamos eternamente de coração partido.

Isso é muito Rilke.
LADY GAGA: Isto aqui é Rilke (*mostra a tatuagem no braço com uma passagem de* Cartas a um jovem poeta, *de Rainer Maria Rilke*). Está em alemão.

Eu não tive a intenção de ir tão fundo tão cedo...
LADY GAGA: Sou mais profunda do que você imaginou (*ri*). E não falamos sobre minha roupa louca preferida.

Eu ia perguntar se você acha que ser workaholic é uma maneira de evitar a intimidade e a vulnerabilidade que vêm com isso.
LADY GAGA: Bem (*hesita*), sexo certamente não é uma prioridade no momento.

Sexo é diferente de intimidade.
LADY GAGA: Acho que vejo sexo e intimidade como a mesma coisa. Mas hoje estou em um ponto diferente da vida do que estava há dois anos. Então acho que agora sou uma mulher.

Em que sentido?
LADY GAGA: Eu só... não sei quando ou por que você percebe que se tornou mulher, mas eu sou uma mulher. Eu penso de forma diferente. Eu me sinto diferente. E me importo cada vez menos com o que os outros pensam. E me sinto muito forte. Mas (*sussurra*) não sei.

Muitas vezes parece que você escolhe dormir com homens bonitos e burros, porque seu coração está seguro assim...
LADY GAGA: Eu já fiz isso.

Ao passo que intimidade é poder mostrar a alguém quem você é e as suas vulnerabilidades, e o outro poder fazer o mesmo, e ambos saberem que estão seguros.
LADY GAGA: Bom, existem pouquíssimas pessoas com quem posso fazer isso. Faço com meus fãs. Tenho muita intimidade com meus fãs. Por exemplo, ontem à noite, no palco, eu contei a eles sobre o meu avô [*ter sido hospitalizado*].

Mas agora que você abriu mão do amor romântico na sua vida, você meio que trata a plateia como um amante. Por exemplo, ontem à noite você disse a eles: "Nenhum pop star vai tratar vocês como eu trato". É o que você diria a um namorado que não quer perder.
LADY GAGA: Agora eu entendi. É interessante. Mas existem algumas coisas que mantenho sagradas para mim mesma. E, como alguém que escreveu dois discos

sobre isso, tenho o direito de escolher se quero ou não ser uma celebridade, e não quero. E me considero inteligente o bastante para fazer as pessoas prestarem atenção à minha música e às minhas roupas e não à minha vida pessoal. Pode acreditar, prefiro mil vezes que escrevam sobre o que visto, o que canto e o que faço nos clipes do que sobre a pessoa com quem estou transando. Quer dizer, isso para mim é o beijo da morte.

Você sente que está sacrificando partes suas e da sua vida pela arte e a carreira?
LADY GAGA: Mas de certa forma é bom para mim, não é? Porque, e se quisermos sair? Não vamos contar a ninguém. E vamos mentir muito, dizendo que não estamos juntos. E se você perguntar: "Por que você não quer que as pessoas saibam?", vou saber que você está comigo pelas razões erradas, então eu diria: "vá se foder".

Mas o perigo de mentir é que você é vista como hipócrita, como quando a Britney Spears disse que era virgem.
LADY GAGA: OK, eu não sou virgem. Pronto, falei.

A questão é que quanto mais você tenta esconder as coisas...
LADY GAGA: Acho que o que estou tentando dizer é que o show business é isso para mim. Pode não ser o show business para o resto das pessoas, mas para mim é assim. Se um dia, Deus me livre, eu me machucasse no palco e meus fãs estivessem gritando do lado de fora do hospital, esperando que eu saísse, eu sairia como Gaga. Não sairia de calça de moletom porque machuquei a perna ou coisa assim.

E era isso que o Michael Jackson fazia. O Michael se queimou e levantou aquela luva brilhante bem alto para os fãs poderem vê-lo porque ele estava na arte do show business. É isso o que nós fazemos. Algumas pessoas não fazem. Elas querem se relacionar de uma maneira diferente. Eu não quero que as pessoas vejam que sou um ser humano. Nunca bebo água no palco na frente de ninguém porque quero que a plateia se concentre na fantasia da música e seja transportada para outro lugar. As pessoas não conseguem fazer isso se você estiver na terra. Precisamos ir para o céu.

[*Continua...*]

[ALANIS MORISSETTE]

Em 2002, Alanis Morissette lançou o primeiro álbum que produziu sozinha. Como parte de sua emancipação, ela cantou sobre uma de suas primeiras experiências de exploração na indústria da música: quando ela foi pressionada aos 14 anos para ter um relacionamento com seu produtor de 29 anos. A música "Hands Clean" provavelmente foi o primeiro single que lidava explicitamente com o estupro estatutário a chegar à parada das quarenta mais tocadas.

Fico surpreso que sua gravadora tenha deixado "Hands Clean" ser lançada como primeiro single, pois é muito controversa.
ALANIS MORISSETTE: Algumas pessoas da gravadora sabiam exatamente do que se tratava, outras, não. Mas acho que quando expliquei a elas fez um pouco mais de sentido.

Quanto você contou a elas sobre o assunto?
MORISSETTE: Contei tudo, menos a identidade da pessoa.

Você queria escrever sobre isso há muito tempo?
MORISSETTE: Eu queria enfrentar a verdade em relação a isso comigo mesma havia muito tempo. Acredito que haja uma clara diferença entre privacidade e sigilo, e por muito tempo coloquei os dois na mesma categoria. Mas aí me dei conta de que o sigilo prejudica minha própria paz de espírito e a mim mesma, e que posso ao mesmo tempo manter minha crença na privacidade e ser autêntica e transparente. Então foi um momento de grande revelação. Também sei que tenho um longo caminho pela frente, especialmente nesse assunto (*pausa, ri*). E tenho um longo caminho pela frente em todos os outros departamentos, é óbvio.

Essa experiência afetou sua confiança em outras pessoas da indústria da música?
MORISSETTE: Sim, com certeza. Tive problemas de confiança até, sabe, trinta segundos atrás, no mínimo. Isso formou minha visão não só da indústria, como também da sociedade em termos de patriarcado e luta pelo poder e tudo isso.

Você pensa no que aconteceu como estupro estatutário?
MORISSETTE: Basicamente, poderia ser categorizado assim, mas, ao mesmo tempo, não sou de categorizar. Sou o tipo de pessoa que diz, "uma pessoa com quem eu tenho convivido de um jeito romântico" em vez de dizer "meu namorado".

Então digo "alguém a quem eu era romanticamente ligada em uma época em que não tinha necessariamente o preparo emocional para isso" em vez de qualificar como, tipo, estupro estatutário.

Como você acabou saindo da situação?
MORISSETTE: Eu fui embora. É, me mudei. Eu me lembro de que meu irmão gêmeo virou um dia para mim e disse: "Você está muito infeliz. Vá embora." E eu me lembro de apontar para um disco meu. Eu estava contra a parede no canto do meu quarto e disse: "Mas não quero deixar isso". E ele disse: "Você não precisa. Simplesmente vá." E aquele foi realmente um momento lindo.

A pessoa que é tema da música já entrou em contato com você desde então?
MORISSETTE: Não, ainda não. Tenho certeza de que vou falar com ele em algum momento. Mas não há muito a dizer, além de que estou compartilhando minha experiência e sempre vou respeitar a privacidade dele, como fiz com a pessoa que foi tema de "You Oughta Know" e como fiz com muitas das minhas músicas.

Qual seria seu conselho para as adolescentes que estão tentando fazer sucesso na indústria hoje em dia?
MORISSETTE: Se eu tivesse uma filha que quisesse entrar nesse tipo de indústria, não deixaria de cuidar dela. Sinto que existia uma ilusão de que eu tinha de escolher entre duas portas: uma espécie de dinâmica complexa entre homens mais velhos e mulheres mais novas na indústria, ou nada de música. Mas, conforme envelheço e ganho mais experiência, percebo que sempre existe a porra de uma terceira porta, sabe.

[AT THE DRIVE-IN]

Quando se passa muito tempo com alguém para um artigo, segredos previamente guardados tendem a vir à tona. No caso da At the Drive-In, uma banda pós-hardcore que se tornou a grande promessa do rock antes de implodir, era um segredo tão sombrio que foi necessário ligar para o guitarrista, Omar Rodríguez-López, antes de a publicação sair, e prepará-lo para a revelação.

Essa parte da entrevista aconteceu antes de um show da banda no Universal Amphitheatre, em Los Angeles. Rodríguez-López e o baterista Tony Hajjar estavam conversando sobre o trabalho com o produtor Ross Robinson.

Quando vi o Ross produzir outras bandas, ele fez os integrantes regredirem à infância e ficar no chão chorando como bebês para obter algo emocional deles. Ele entrou em alguma psicoterapia com vocês?

TONY HAJJAR: Nunca falei sobre isso, mas me lembro de gravar "Invalid Litter Dept". A música é sobre todas as mulheres que foram assassinadas na área de Juárez. E o que aconteceu é que nessa música o Ross falou da minha mãe. Ela faleceu em 1988, e foi uma época dolorosa. Foi isso o que ele conseguiu de mim naquela música, com certeza. E ainda não sei se foi uma ideia boa ou ruim.

Como ela faleceu?

HAJJAR: Ela morreu de câncer, em 25 de maio de 1988.

E agora você sempre associa essa música a ela?

HAJJAR: Não sei se deveria ter ido tão longe quando estávamos gravando. Agora, todas as vezes que a tocamos, associo a música aos meus sentimentos por ela.

OMAR RODRÍGUEZ-LÓPEZ: Obviamente temos uma ligação emocional quando fazemos música, mas acho que ele aprofundou muito essa.*

Ele também faz isso com você?

RODRÍGUEZ-LÓPEZ: Para mim, os elos emocionais que ele fez com todas as músicas funcionaram. Eu acampava muito quando era mais novo para tentar resolver meus problemas como sobrevivente do incesto. E existem muitas coisas, como terapia respiratória, que aprendi, mas nunca pensei em aplicar à música no estúdio.

Então era como encontrar uma maneira de tirar algo construtivo de uma experiência destrutiva?

RODRÍGUEZ-LÓPEZ: Exatamente. Com certeza passei por um período de busca, de abandonar o ensino médio, viajar de carona por um ano, comer coisas de latas de lixo, injetar todo tipo de coisa no braço e entrar em situações muito fodidas só para experimentá-las. E automutilação. Não estou dizendo que se fizéssemos o próximo disco com outra pessoa eu me sentaria com ela e falaria de tudo o que aconteceu comigo. Mas agora sei que posso ter consciência e usar isso como ferramenta para ter uma performance melhor.

---

* Ross Robinson sobre trabalhar com Jonathan Davis, do Korn: "Para uma das músicas que fala sobre o quanto ele odeia a ex-namorada, como de hábito, coloco uma foto dela em um travesseiro no chão com o microfone em cima. Então o faço se ajoelhar em posição fetal sobre o travesseiro e cantar. Eu ficava por perto e, toda vez que ele não estava dando tudo de si, eu fincava meus dedos em seu pescoço com toda a força — em seus pontos de pressão, como o Sr. Spock." Vanilla Ice sobre trabalhar com Ross Robinson: "Muita gente não sabia que sofri abusos na infância. Minha mãe quase foi morta por quem quer que a tenha engravidado de mim. Ross conseguia tirar coisas como essa de você. E agora me sinto livre porque eu gravei aquilo."

HAJJAR: Acho que provavelmente saímos daquela experiência mais fortes e unidos do que nunca, e eu considero nós cinco uma banda muito próxima porque nos importamos com os pensamentos e as emoções uns dos outros e respeitamos uns aos outros.* Foi um momento maravilhoso. Não acredito que aconteceu.
RODRÍGUEZ-LÓPEZ: Nós fizemos sexo (*ri*).

Rodríguez-López tocou no assunto do incesto tão casualmente que presumi que era um fato conhecido sobre ele. Mas, depois, não consegui encontrar nenhuma referência sobre o incidente. Então, antes de o artigo ser publicado, liguei para avisá-lo.

Você mencionou de passagem que era um sobrevivente do incesto, e eu queria avisar que isso vai estar no artigo.
RODRÍGUEZ-LÓPEZ: Sim, eu sei que falei isso.

Você está confortável com o fato de isso sair na matéria?
RODRÍGUEZ-LÓPEZ: Não sei. Acho que confio no seu julgamento.

A revista queria que eu perguntasse se havia alguma possibilidade de a pessoa que fez isso abrir um processo.
RODRÍGUEZ-LÓPEZ: De jeito nenhum

Por quê?
RODRÍGUEZ-LÓPEZ: Por causa da carreira dessa pessoa, ela não ia querer se associar a isso.

Alguém mais sabe disso ou poderia confirmar que aconteceu?
RODRÍGUEZ-LÓPEZ: Meus amigos íntimos sabem.

A ligação acabou de um jeito estranho, mas, cinco horas depois, Rodríguez-López ligou.

RODRÍGUEZ-LÓPEZ: Obrigado por me ligar para falar desse assunto. Eu tive uma longa conversa com os meus amigos e estou pronto para a divulgação dessa informação.

---

* Três meses depois, a banda se separou.

[CHRISTINA AGUILERA
CENA 2]

Uma noite, depois do jantar, Christina Aguilera entrou em uma van com chofer, sentou-se no banco de trás e ficou olhando pela janela em silêncio durante todo o percurso, interrompida ocasionalmente pelo toque do celular. Os fones do discman estavam sobre sua cabeça, mas não tocavam nada. Ela estava simplesmente se isolando.

Esse pareceu ser um hábito frequente: ela ficava olhando por uma janela ou para o teto e sua mente viajava para algum lugar. Mesmo que gritassem o nome dela, batessem em seu ombro ou ateassem fogo aos seus sapatos, provavelmente ela não responderia. Na época, pouco se sabia sobre o passado de Aguilera além de sua passagem pelo *Mickey Mouse Club* com Britney Spears, mas aos poucos foi ficando óbvio por que esse hábito começou.

Percebo que várias vezes você parece se desligar.
CHRISTINA AGUILERA: Eu nunca me desligo. Falei que tenho pensamentos profundos. Minha mente está sempre trabalhando. Penso em coisas muito loucas, como estar em cima daquele mastro ali (*aponta para um mastro de bandeira do lado de fora*). Ou tenho várias visões estranhas. É como se fosse meu mundinho particular. Minha vida gira em torno de me apresentar para as pessoas, doar e doar. Então sempre que tenho esses cinco minutos em uma van, uma limusine ou seja o que for, esses são momentos especiais para me desligar, pensar e sonhar. Adoro fazer isso. É engraçado você ter percebido.

Logo depois, ela diz que quer ser um modelo de comportamento. Acho estranho, especialmente levando em consideração o que ela disse depois da sessão de fotos a respeito de querer ser mais sexual e rebelde.

É interessante que você queira ser sexualmente provocativa e, ao mesmo tempo, um modelo de comportamento.
AGUILERA: Para mim, a parte do modelo de comportamento tem a ver com o fato de que é bom tocar as pessoas e fazer a diferença de um jeito positivo no sentido de, ãhn, falar mais sobre assuntos referentes à violência doméstica, ao abuso infantil e a outros assuntos que faço muita questão de tentar ajudar com meu status etc. Isso é algo que prometi a mim mesma antes mesmo de assinar com uma gravadora. Lá no fundo, quero que outros se beneficiem com meu sucesso. Quero poder ajudar os outros, abrir abrigos e visitá-los.

Aconteceu alguma coisa em seu passado que a deixe tão interessada por essas questões em especial?
AGUILERA: Já passei por algumas situações. Violência doméstica. É muito triste. É um tópico muito pouco debatido. Está dentro dos lares e ninguém quer se envolver.

Você está falando da sua casa?
AGUILERA: Sim, acho que minha motivação e minha paixão pela música são muito fortes porque cresci em um ambiente de violência doméstica. A música era minha libertação para fugir daquilo tudo. Eu literalmente corria para o meu quarto e colocava a fita de *A noviça rebelde*. Ela [Julie Andrews] era livre e viva, e era divertida e rebelde contra as freiras. Sei que parece muito brega, mas, ãhn, essa era a minha fuga. Eu abria a janela do meu quarto e imaginava a plateia. Eu simplesmente cantava. Quanto ao passado, eu me livrei dele. E, quando isso aconteceu, prometi a mim mesma que tentaria ajudar outras pessoas na mesma situação.

Por que você acha que sua mãe demorou tanto para sair do relacionamento?
AGUILERA: As pessoas não percebem o abuso doméstico a não ser que o vivam. Não é apenas o abuso físico, mas o dano interior — o abuso mental. É algo triste de vivenciar e de observar. Essas pessoas mexem com a sua mente e fazem você se sentir mal em relação a si mesmo (*fica quieta e não fala por vários segundos*)...

Então agora você quer ajudar outras pessoas que estão na mesma situação?
AGUILERA: Sim, uma coisa seria ir a várias escolas e conversar com as crianças sobre diversas experiências pessoais minhas e tentar ajudá-las de alguma forma. Fazê-las falar sobre as próprias experiências.

Quanto ao seu relacionamento com seu pai hoje, ele já se desculpou?
AGUILERA: É, ele pediu desculpas. Acho que ele sente muita culpa.

Ele se desculpou antes ou depois de você ficar famosa?
AGUILERA: Na verdade, antes. Também vivenciei outras situações. Eu ouvia o que acontecia na casa dos vizinhos. Havia muita violência doméstica ao meu redor quando eu estava crescendo, enquanto meu pai estava viajando com o exército. É muito triste. Muito triste. Eu queria ser forte por todo mundo, pela minha mãe e todos os outros. É por isso que sou tão voltada para o poder feminino (*ri desconfortavelmente*). Até "Genie in a Bottle" tem a ver com fazer o cara se esforçar.

[*Continua...*]

[IKE TURNER]

Um ano depois da apresentação de 1975 de Ike Turner em Nova York com o Ike & Tina Turner Revue, as comportas de sua vida se abriram violentamente. Tina Turner o abandonou, alegando abuso emocional e físico; seu estúdio em Inglewood, Califórnia, foi destruído em um incêndio; e ele começou a acumular mais prisões (onze) do que discos solo (um). Então apareceu o filme autobiográfico *A verdadeira história de Tina Turner*, que o retratava como um viciado em cocaína dominador, temperamental, obcecado pela carreira e fisicamente violento com a esposa. Alguns anos depois de sair da prisão por posse de cocaína em meados da década de 1990, Turner decidiu fazer o primeiro show em Nova York desde a performance de 1975. Com alguma relutância, ele concordou em dar uma entrevista antes da apresentação.

Quando você estava crescendo, viu um sujeito matar 26 homens?
IKE TURNER: É, quando eu era criança. Foi no Mississippi. Naquela época, se você fosse negro, era quase como se fosse igual a uma barata, uma formiga ou alguma coisa na qual as pessoas pisavam e nunca mais pensavam no assunto. Vi colocarem negros em tinas de alcatrão. Sabe, pegam um cara e o mergulham em uma tina de alcatrão quente, e depois colocam penas nele. Era assim naquele tempo.

Isso criou muito ressentimento em você?
TURNER: Sabe, nunca carreguei nenhuma malícia no coração por ninguém, porque do contrário eu nunca teria conhecido caras como você nem mais ninguém, cara. Você tem de conhecer as pessoas pelo que elas são. Isso nunca fez diferença para mim. Meu pai foi morto por um grupo de brancos. A mesma coisa, cara, mas, enfim, sou bastante aberto. Eu gostaria que o público se abrisse mais para mim e para a minha carreira. Porque os filmes podem retratar as pessoas do jeito que quiserem.

Por que você não se apresenta em Nova York há tanto tempo?
TURNER: Sabe, é como quando eu e a Tina terminamos, não sei, fiquei inseguro e comecei a usar drogas e tal. Cara, eu só não... eu estava com medo da rejeição do público, sabe, porque todo mundo sabia que ela cantava. Mas eu fazia toda a coreografia, as canções, a música, os arranjos. Eu fazia tudo. Mas o público nunca soube o que eu fazia, porque eu não estava interessado em ser a atração do show. Então fiquei inseguro, cara. E não me recompus até ir para a cadeia. Comecei a me apresentar um pouco na cadeia e montar grupos e apresentações lá, e foi aí que recuperei a confiança.

WERE YOU UP ALL NIGHT GETTING IN TROUBLE?
DID YOU KILL SOMEBODY LAST NIGHT?
WERE YOU PULLED OVER WITH A BRICK OF COCAINE?
DID YOU HAPPEN TO ROB THE GROCERY STORE?
CLARKSDALE BAIL BONDS
IKE TURNER says NO bond is too large or too small for him to handle. Why not sit down and tell him your trouble. Don't rot there in jail all day and all night worrying and crying and wanting to go home to your family. Call IKE. Friends, Ike will be there in the next fifteen minutes to get you out of jail. GUARANTEED.

Quantas oportunidades você teve de se apresentar na cadeia?
TURNER: Uma vez a cada dois ou três meses você pode fazer um show, e nós vestíamos os caras de Ikettes. Todo mundo dançava que nem garotas no palco, e nos divertíamos muito.

Será que eles vão pedir emprego para você quando saírem?
TURNER (*ri*): Na verdade, alguns deles pediram.

Que instrumentos você tinha na cadeia?
TURNER: Eles me deram um piano quando eu estava na cadeia, e dois violões. Eu morava em um dormitório, então os colocava embaixo da cama e tal. Nunca fui maltratado na cadeia, cara. Enquanto estive preso, ganhava 500 dólares por semana vendendo café, doces e cigarros. Economizei 13 mil dólares nos sete meses que fiquei lá, porque tinha ficado zerado financeiramente.

Sabe, recebi uma ligação de um grupo que diz que vai protestar contra o show...
TURNER: O quê?!

Você não sabia disso?
TURNER: Não, não. Sabe, realmente enganaram o público em relação a mim nesse filme. O filme não é sobre a Tina, é sobre mim. E ainda não o assisti. Mas a Tina, em uma revista que acabou de sair, chamada *Elle*, admite que nunca foi uma vítima, que o filme inteiro era mentira. E ela disse que podia ter ido embora a qualquer momento. E, enfim, eles fizeram o filme desse jeito para vendê-lo.

Então por que você não processou os produtores?
TURNER: Meu advogado supostamente era amigo meu e da Tina, e eu assinei um contrato para ele. E quatro anos depois, cara, descobri que tinha aberto mão dos meus direitos de processá-los se me retratassem sob a perspectiva errada. E isso me magoou muito. É mesmo desanimador, cara. Para mim, está sendo mais difícil seguir minha carreira porque algumas pessoas acham que sou mesmo como naquele filme.

Muita gente não sabe que você teve uma carreira impressionante antes do Ike and Tina, com a "Rocket 88" e todas aquelas sessões incríveis que ajudaram a formar o rock and roll.
TURNER: Não, não sabe. Eu escondia o Elvis Presley atrás do piano no Arkansas.

Para ele poder assistir?
TURNER: É, tocávamos em um clube negro que não permitia a entrada de brancos, assim como não permitiam negros em clubes de brancos. Ele dirigia um caminhão

de cascalho.* E eu o enfiava atrás do piano nessa época. E o Little Richard escreveu as três primeiras páginas do meu livro, e disse que seu estilo veio de mim. Sabe, é a mesma coisa com o Jerry Lee Lewis, ele é uma cópia minha. O Prince é uma cópia minha. Muitas coisas que estão por aí são cópias minhas e do que eu faço.

Talvez seu livro possa ajudar a endireitar as coisas.
TURNER: Mas só vai ser publicado em Londres. Tentei por todos os Estados Unidos e dei de cara em muitas portas fechadas, cara. Por causa daquele filme.

Fora o filme, você se arrepende de alguma coisa?
TURNER: Não, não, não, cara. Hoje, cara, minha vida é ótima. Tenho orgulho da maneira como me comportava com a Tina e com os meus filhos. Não fiz nada de que me arrependa, cara, porque não sou aquela pessoa em que me transformaram no filme. É como a Tina sempre disse: "Se você conhecesse o Ike, o amaria. Mas se não o conhecesse, se só visse o jeito dele no palco...", porque no palco eu entro na música e não penso em como está meu rosto...

Então você acha que sua reputação vem da sua expressão no palco?
TURNER: Não sei. Não me arrependo do passado. Estou muito feliz com minhas realizações. É uma pena que as coisas tenham chegado a tal ponto que tiveram de me rebaixar para lançar a carreira dela. Acho que não precisavam disso. Mas, enfim, eu vou superar.

Em 2007, Ike Turner morreu em sua casa no Sul da Califórnia aos 76 anos. A causa foi uma overdose de cocaína.

[LADY GAGA *CENA 3*]

No instante em que o show de Lady Gaga em Birmingham terminou, ela saiu correndo do palco para o ônibus da turnê, coberta de sangue falso. Enquanto o ônibus saía do estacionamento, ela ouviu a multidão gritando seu nome do lado de fora, então gritou para o motorista: "Espere, pode parar o ônibus? Só vou dizer oi para os meus fãs." Os guarda-costas olharam para ela com desaprovação, depois cederam. Ela foi até a porta do ônibus, abriu-a e viu centenas de fãs correndo

* Elvis seguia os passos de seu pai como caminhoneiro quando tinha 19 anos. Embora Turner diga que era um caminhão de cascalho, isso não foi confirmado, ainda que Elvis de fato trabalhasse para a Crown Electric Company.

NUNQUAM RETRORSUM
Lady
GAGA
BAGGAGE
If quality and durability
are high on your list of
travel needs, then try
Lady Gaga Baggage.
It's lightweight but
holds a lot, with
designs guaranteed
to distinguish your
special baggage
from everyone else's
ordinary baggage.
$150.99
set of
5 pieces
LADY
AT FINER STORES
EVERYWHERE

em sua direção. Imediatamente, os guarda-costas mandaram o motorista fechar a porta. Quanto o ônibus saiu, Lady Gaga sorriu, satisfeita, e voltou para continuar a entrevista.

Muitas coisas em seu comportamento são sinais de alguém que teve uma experiência traumática na adolescência ou na infância. É algo que você discutiria publicamente?
LADY GAGA (*suspira*): Provavelmente, não.

Quando Christina Aguilera começou a falar dos problemas sombrios de seu passado, não houve uma resposta negativa e aquilo acabou esclarecendo seu trabalho.
LADY GAGA (*hesita*): Acho que conto minha história à minha maneira, e meus fãs sabem quem eu realmente sou. Não quero ensinar as coisas erradas a eles. E também é preciso ter cuidado sobre quanto revelar para pessoas que o admiram tanto. Eles sabem quem eu sou. Sabem como podem se identificar comigo. Deixei tudo isso claro. E, se forem inteligentes como você, eles entendem. Mas não quero ser um mau exemplo.

Um mau exemplo no sentido de ser uma vítima?
LADY GAGA: É, não sou uma vítima. E minha mensagem é positiva. Meu show tem uma ingenuidade e uma melancolia lindas: uma melancolia pop. Essa é a minha arte. E não sei se seria a melhor maneira de ajudar o universo contar aquela outra história assim.

Porque se você falasse sobre isso as coisas que faz seriam mal-interpretadas e vistas através dessa experiência?
LADY GAGA: Sim. Talvez se eu estivesse escrevendo um livro ou coisa parecida. Acho que é difícil... Se eu disser alguma coisa nesta nossa entrevista, assim que chegar às bancas, vai estar pelo mundo todo. E seria distorcida. E é como se fosse preciso honrar certas coisas. Algumas coisas são sagradas.

Eu entendo.
LADY GAGA: Algumas coisas são tão traumáticas que nem sequer me lembro totalmente. Mas digo de todo o coração que tive a melhor mãe e o melhor pai do mundo. Nunca fui maltratada. Não tive uma infância ruim. Todas as coisas por que passei aconteceram na minha própria busca por uma jornada artística, para enlouquecer como Warhol, Bowie e Mick e simplesmente fazer o que queria.

É interessante você ter essa ideia de que o artista precisa se expor a essas partes sombrias da vida.

LADY GAGA: Ele precisa, mas todo o trauma que causei a mim mesma (*pausa*). Ou foi causado por pessoas que conheci quando estava sendo excessiva e irresponsável. Acho que o que estou tentando dizer é que eu gosto, com moderação, de respeitar o fato de que não sou o Mick Jagger nem o David Bowie, e não tenho apenas fãs de uma determinada idade. Crianças de, tipo, 9 anos ouvem minha música, então acho que tento respeitar quem está lendo a *Rolling Stone*, se for possível.

Você fala de paus e bocetas o tempo todo, mas entendi o que disse.

LADY GAGA: Falo, mas pau e boceta não são o mesmo que as coisas sobre as quais eu poderia falar.

Podemos conversar sobre algo mais positivo. Você parece ter se tornado mais religiosa ou espiritual no último ano.

LADY GAGA: Tive algumas experiências. Estou muito conectada com minha tia Joanne, e ela não está mais entre nós. E depois aconteceu a cirurgia do meu pai. Além disso, minha vida mudou muito. É difícil não acreditar que Deus estava cuidando de mim quando tive tantos obstáculos com drogas, rejeição e pessoas que não acreditaram em mim. Tem sido uma estrada muito longa e incessante que eu amo, mas é difícil creditar tudo isso a mim. Tenho de acreditar em algo maior do que eu.

Como um poder superior?

LADY GAGA: É, um poder superior que está cuidando de mim. Às vezes fico muito assustada — ou deveria dizer, petrificada de medo — quando penso em ficar deitada no meu apartamento [em Nova York] sendo picada por percevejos e baratas no chão, espelhos com cocaína em todo canto e sem vontade ou interesse de fazer nada além de compor e me drogar. Então acho que evoluí muito e agradeço aos meus amigos por isso — e tenho Deus.

[*Continua...*]

[ALI FARKA TOURÉ]

Segundo Ali Farka Touré, o bluesman mundialmente famoso, os espíritos são a raiz de toda a arte. E, se os espíritos amam um ser humano, dão poder a ele. Entretanto, na época desta entrevista, Ali tinha pouco tempo para o plano espiritual. Depois de ganhar um Grammy pelo disco gravado com Ry Cooder, que quebrou recordes, passando 16 semanas no primeiro lugar das paradas de música estrangeira (world music) da *Billboard*, ele teve de cancelar a turnê norte-americana para ficar em casa e proteger sua família de ataques de nômades tuareg, que estavam em conflito com o governo malinês. Um pouco dessa hostilidade pode ter sido transferida para a entrevista, que foi feita através de um intérprete quando ele estava em Paris, pouco tempo depois. O fato de ele ter recebido o nome Farka, ou jumento, pouco depois de nascer, por causa de sua teimosia, também pode não significar nada.

Está tudo bem em casa agora?
ALI FARKA TOURÉ: Não aconteceu nada, OK. Foi apenas um pequeno incidente.

Essa é a primeira vez que você sai do país desde os ataques?
TOURÉ: É a primeira vez que saio. Não há problemas agora.

Está planejando fazer um novo disco com Ry Cooder?
TOURÉ: Não.

E um disco só seu?
TOURÉ: Ah, não. Quer dizer, sim, já comecei minha própria gravação.

Está tendo a colaboração de alguém nele?
TOURÉ: Ei, ei, já é o bastante. Chega de elaboração.*

Ficou decepcionado por ter tido de cancelar a turnê americana?
TOURÉ: De jeito nenhum, nenhum, nenhum. Mas, com toda a sinceridade, o que realmente me irritou foi o cara com quem estávamos trabalhando, que era um verdadeiro idiota.

Você vai fazer algum outro show nos Estados Unidos?
TOURÉ: Não!

---

* Seu disco seguinte demorou mais quatro anos para sair.

Vai fazer turnê em algum outro lugar?
TOURÉ: Na África. Já rodei por quase toda a África. Tenho muito orgulho disso. Meu lugar favorito é Mali.

Você acha que o espírito do blues é mais forte lá?
TOURÉ: Isso não poderia ser mais verdadeiro. Para você, pode se chamar blues, mas, onde eu vivo, é muito mais puro que isso. É a tradição africana.

Você teve alguma influência do blues americano?
TOURÉ: Apenas da África, mas por que alguém tem de ser influenciado? Não é melhor primeiro descobrir quem você é?

Você conhece a si mesmo?
TOURÉ: Sim!

Quando você descobriu quem você era?
TOURÉ: Eu nasci em meio a esse ritmo. Eu cresci com ele e evoluí com ele. Minha música é pura tradição. É o que eu conheço. Não conheço a música americana ou a francesa ou outras músicas.* Só conheço a minha arte, a geografia, as fontes e as raízes do meu país. E as conheço perfeitamente.

Se é tradicional, deve ter influências do passado.
TOURÉ: Ouça, o que influencia minha personalidade ou minha música é um assunto unicamente meu. Não sou forçado a revelar.

Você se considera mais um fazendeiro do que um músico?
TOURÉ: Isso é cem por cento verdade. A agricultura é muito mais importante do que a música. Por quê? Porque se você pode fazer música, sem dúvida está de barriga cheia. Quem não está de barriga cheia não pode fazer música.

Alguns dizem que você tem o poder de ver o futuro. O que você acha?
TOURÉ: É certo que se eu tiver o poder de ver o futuro, é um segredo que vou manter e cultivar dentro de mim.

Em 2004, Ali Farka Touré foi eleito prefeito de Niafunké, sua cidade natal no Mali. Ele morreu dois anos depois de câncer ósseo. Tinha 66 anos.

---

* Além de trabalhar com músicos americanos como Taj Mahal e Ry Cooder em seus anos de formação na década de 1960, Touré conheceu John Lee Hooker quando este esteve em Mali.

[VON LMO]

Em 27 de novembro de 1981, depois de fazer um show no Max's Kansas City, o guitarrista e cantor no-wave Von Lmo desapareceu. Ele deixou para trás incontáveis histórias (como a vez em que desafiou Keith Moon para uma batalha de bateria nos bastidores de um show do Who), shows lendários (seu grupo Kongress, liderado por um mágico, foi banido do CBGB por ter ateado fogo ao clube) e um estilo barulhento de tocar guitarra que inspirou bandas como o Sonic Youth. Seu disco *Future Language* rapidamente se tornou um item de colecionador, não só por causa de seu pop metal seminal e avant-garde, como também pela capa, que exibia cinco homens adultos usando botas lunares e trajes espaciais prateados baratos.

Quase dez anos depois do desaparecimento de Von Lmo, um de seus ex-companheiros de banda o viu dirigindo um Cadillac dourado na contramão de uma rua de mão única. Von Lmo estava oficialmente de volta.

Onde você esteve nos últimos dez anos?

VON LMO: Estou em um período de transição. Todo mundo achou que eu estava morto, mas eu estava apenas em animação suspensa. Durante a animação suspensa, adquiri muitos conhecimentos incríveis e perdi vinte anos da minha vida. Eu rejuvenesci enquanto estive fora. Agora estou no corpo de um adolescente. Se você olhar fotos minhas dos anos 1980 e olhar para mim agora, vai ver a enorme mudança.*

Existe alguma verdade no boato de que você é um vampiro?

VON LMO: Eu era envolvido com o vampirismo. Ainda sou, de certa forma. Sou membro da Z/n Society, que tem deusas e vampiros. De qualquer maneira, se sou ou não vampiro, não é da conta de ninguém.

Você também alega ser médium?

VON LMO: Tenho percepção extrassensorial. Sempre fui médium, desde que me lembro. Acredito que este ano vai consolidar o novo som. Esse novo som vai aparecer e se disseminar entre milhões de pessoas. O que o Hendrix foi para os anos 1960, posso ser para os 1990. Se não for este ano, vai ser no fim do ano que vem. As pessoas estão prontas para uma mudança, e eu tenho essa habilidade. Eu tenho o projeto e a tecnologia. A banda Von Lmo está aqui para dar

* Uma peruca.

às pessoas a oportunidade de fazer essa mudança, de abrir a mente e entrar na próxima dimensão.

Você sempre diz à sua plateia para entrar na dimensão da luz negra. O que ou onde é isso?
VON LMO: Acredito muito em psicodelia. Eu gosto da forma de vida psicodélica, que é a dimensão da luz negra. Quando as pessoas me perguntam onde eu nasci, digo que nasci na dimensão da luz negra, que é diferente da que a maioria das pessoas está acostumada. É muito colorida, tem várias partes intercambiáveis, é flexível e pode intensificar sua mente muito mais do que qualquer outra dimensão. [...] Sem a minha música, você não pode chegar a essas outras dimensões. Música é tudo. Música é vida. Sem música, só existe uma coisa, que se chama morte.

É como na sua música "Leave Your Body".
VON LMO: É a mesma ideia, mas "Leave Your Body" foi escrita para uma amiga minha, uma groupie da banda que ia cometer suicídio em 1979. Eu tentei ajudá-la dizendo que ela ia ter de deixar seu corpo, sair do estado atual e simplesmente se encontrar. Foi daí que tirei a letra da música e a ajudei a não se suicidar, e funcionou. Não estou dizendo que pode funcionar para qualquer um. Não estou dizendo que você pode simplesmente botar essa música que vai ajudar, mas não custa nada tentar.

A primeira vez que vi seu disco *Future Language* foi em um mostruário de discos com um adesivo que dizia "Pior disco da década" na capa...
VON LMO: Às vezes as pessoas simplesmente não são avançadas o bastante para a minha música.

Em 2007, Von Lmo desapareceu de novo: segundo seus antigos colaboradores, em vez de entrar em animação suspensa, ele foi para a prisão. Uma busca nos registros de detentos da época revelou um prisioneiro em Sing Sing com seu nome de batismo.

[ESPIÕES PSÍQUICOS CENA 2]

Lyn Buchanan é um homem genial e tranquilo com cabelo prematuramente grisalho, uma barba a la George Lucas e uma pança bem-estabelecida. Ele passou a maior parte da vida trabalhando em mísseis-guiados e sistemas de computação para os militares, e nada parece surpreendê-lo ou perturbá-lo. É por isso que, quando foi designado para uma unidade especial do exército no Fort Meade,

Maryland, ele demorou anos para perceber que havia algo incomum em seu trabalho. Essa revelação aconteceu enquanto estava indo para o laboratório de pesquisa de Russel Targ na Stanford University.

LYN BUCHANAN: Eu estava em um avião, olhando para todos os homens de negócios e secretárias, e pensei: "O que será que eles achariam se soubessem que eu era um agente do governo que treinava médiuns?"

Como você se envolveu com o programa de visão remota?
BUCHANAN: A maior parte dessa informação ainda é confidencial, mas eu estava no exército, criando um programa de computador extremamente complexo. Havia um sargento ciumento que queria o meu emprego e ia sabotar meu código. Então, no dia em que eu tinha de apresentar o código para os generais mais importantes de 12 países, eu estava no banheiro me aprontando — arrumando o cabelo e alisando as roupas. E quando voltei, vi o sargento se afastando do meu computador. Quando apertei uma das teclas, a tela simplesmente ficou branca e o cara falou: "Peguei você."

Fiquei louco de raiva. Eu sempre tive psicocinese, então toda a rede de computadores da base simplesmente foi destruída — 96 computadores e bilhões de dólares de prejuízo.

Como eles rastrearam isso até você?
BUCHANAN: Havia um general chamado [Albert] Stubblebine. E ele tinha um oficial superior cujo trabalho era procurar pessoas com habilidades psíquicas. E, quando ele viu o que estava acontecendo, relatou ao Stubblebine o que achava.

Alguns dias depois, esbarrei com o Stubblebine no corredor. E ele se colocou na minha frente e disse: "Você destruiu meu computador com a sua mente?"

Na minha cabeça, imaginei meus netos ainda pagando os custos do dano no futuro. Mas sabia que ele não faria essa pergunta se não soubesse a resposta. Então respondi: "Sim, senhor."

"Fantástico", ele disse. "Tenho um emprego para você!"

E foi então que o recrutaram para o projeto de visão remota?
BUCHANAN: Sim. Minha reação foi: "É uma pegadinha, não é? O exército não faz essas coisas." Mas eles me levaram para o Fort Meade e me tornei um dos observadores da unidade. Quando minhas habilidades ficaram melhores, virei treinador.

Qual foi a experiência mais incrível que você teve?
BUCHANAN: Todo mundo acha que tínhamos o trabalho mais incrível do exército, e realmente tínhamos. Mas, depois de trabalhar oito horas por dia, cinco dias

por semana, você percebe que está apenas indo para o trabalho. É um emprego. Fazíamos algumas das espionagens mais fantásticas e viajávamos mentalmente para vários lugares, mas no final do dia só queríamos ir para casa.

Mas conte algo realmente interessante que aconteceu.

BUCHANAN: Em 17 anos, tive dez experiências PSI.

O que é isso?

BUCHANAN: Uma imersão perfeita em um lugar. Você vê o que está observando tão completamente que não sabe se não está lá. Eu vivo para isso. Mas aí, se você tentar passar através de uma parede, vai se machucar de verdade. Na primeira vez em que isso aconteceu, os russos tinham desenvolvido o raio da morte — uma arma extremamente poderosa de feixe de partículas. Eles queriam ver como as partículas se movimentavam para entender como a arma funcionava e o que era. Mas não conseguiam infiltrar ninguém lá, então decidiram mandar um observador remoto. "Precisamos de um voluntário para entrar em um raio da morte."

E você se voluntariou?

BUCHANAN: Eles me colocaram no local e me mandaram de volta no tempo para o momento em que o raio foi disparado. Eu fui descrevendo para eles. E então disseram: "Entre no raio." Eu entrei, e algo parecido com areia me bombardeou. Eu olhei, e havia milhares de imagens minhas no raio. E minha consciência vinha de todos os pontos ao mesmo tempo.*

Agora que o programa não é mais confidencial, você pode ensinar a visão remota a alguém?

BUCHANAN: Sem dúvida. Quando a informação foi divulgada pela primeira vez, recebíamos de oito a dez candidatos por dia. Eu recusava 95 por cento deles — totalmente loucos, um horror. Eu diria que 95 por cento das pessoas que entram em contato conosco são muito equilibradas. O que ensinamos é real. Não é brincadeira. Se alguém tem problemas mentais, não ensino essas coisas.

Alguma empresa entra em contato com você porque quer espionar a concorrência?

BUCHANAN: Sim, um número significativo de empresas tem feito treinamento nos últimos tempos.

---

* De fato, Buchanan foi sargento do exército e fez parte da unidade de espionagem de visão remota. Quanto ao resto da história, você decide.

Quantas?

BUCHANAN: Não posso dizer, mas é o bastante para deixar as outras empresas preocupadas.

[JANE'S ADDICTION]

Em 1991, Perry Farrell, vocalista do Jane's Addiction, começou o que se tornaria o proeminente festival de rock alternativo itinerante Lollapalooza. Mas o sucesso é tanto uma benção quanto uma maldição. No terceiro ano do Lollapalooza, ele reclamou: "Senti que estava fora das minhas mãos. Era esforço demais. As pessoas só viam uma roda-gigante de dinheiro com todas as caçambas cheias de notas".

Por algum tempo, Farrell considerou vender sua parte no Lollapalooza. Para impedir que isso acontecesse, executivos da música que estavam envolvidos no festival lhe deram mais controle na quarta temporada.

Todo mundo me diz que você tem ótimas ideias para o Lollapalooza, mas o lado corporativo do festival sempre as bloqueia. Então pensei que, em vez de fazer uma entrevista normal, podíamos falar sobre seu Lollapalooza dos sonhos.

PERRY FARRELL: Se fizermos isso, outra pessoa vai realizá-lo. Ou vai pegar emprestada uma grande ideia e eu vou ficar muito chateado. Isso acontece às vezes porque estou sempre tagarelando sobre ideias e outras coisas.

Então vamos só debater algumas das ideias.

FARRELL: OK. Acho que uma das minhas principais ideias seria ter um lugar chamado Perry's Space e (*hesita*)... é como se você fosse lançado para o espaço, sabe, para um lugar que pudesse receber alguns milhares de pessoas. Haveria três palcos lá, porque (*pausa*) — estou pensando aqui comigo — você teria alguns milhares de pessoas no palco principal, é. Isso daria certo. A viagem é sempre boa para clarear a cabeça.

Haveria música em todos os palcos?

FARRELL: Poderia haver outras coisas também. Talvez pudéssemos ter bandas alienígenas tocando. E quem sabe que tipo de coisa techno eles apresentariam. Quer dizer, agora temos computadores, não é? Mas vai saber o que eles têm. Podem ter, tipo, veículos de plutônio que lançam você no espaço e tem uma onda rápida ou coisa assim. E então, em vez de descer de paraquedas, você desceria flutuando.

Imagine o seguro que o festival teria de pagar.

FARRELL: Na verdade, não precisaria. Seria impossível se machucar. Talvez algumas pessoas se perdessem no espaço por algum motivo, como a atração de um buraco negro que estivesse a, tipo, 10 zilhões de quilômetros de distância e estivesse meio começando a gravitar em nossa direção, e as pessoas fossem sugadas. Aí talvez houvesse uma morte por show. Mas isso sempre acontece em qualquer Lollapalooza normal, então...

Então, o que teria no palco principal?

FARRELL: É uma boa pergunta. Nossa, a música alienígena provavelmente não faria sentido. Mas eles produziriam coisas como determinados quilo-hertz ou mega-hertz porque saberiam como manipular o corpo através do som para fazer as pessoas chorarem, se apaixonarem e até terem orgasmos.

E a parte de arte e tecnologia do festival?

FARRELL: Para a tecnologia, eles podiam mostrar naves como as que temos na Área 51, em Nevada. Talvez houvesse simulações virtuais de discos voadores e de como são feitos. Eles provavelmente nos dariam aulas sobre limpeza do meio ambiente e reparação da camada de ozônio. Acho que poderiam responder a todas as nossas dúvidas, incluindo treinamento de robôs e como ter seu próprio escravo humano, sabe. Escravos zumbis.

Por que as pessoas sempre presumem que os alienígenas são mais avançados do que nós? Talvez não sejam.

FARRELL: Acho que são. Eles são muito mais avançados. Não seria bom ter seu próprio zumbi por um instante? Você simplesmente iria para trás de uma cortina.

E aí?

FARRELL: E poderia programar seu próprio zumbi.

Tem mais alguma coisa que você esteja pensando para o Lollapalooza em um futuro menos distante?

FARRELL: Sim, este ano estou tentando ter, tipo, autópsias acontecendo no terceiro palco.

Literalmente?

FARRELL: Tenho um amigo médico que quer fazer autópsias. Vou tentar fazer isso na Costa Oeste. Ver se ele consegue.

A equipe do Lollapalooza confirmou que Farrell estava planejando exibir autópsias no festival, mas não é de surpreender que a ideia nunca tenha se realizado. Pelo contrário, em 2005, Farrell ajudou a começar o Kidzapalooza, um festival de rock para crianças.

[LUCIA PAMELA]

Lucia Pamela pode ser mais conhecida como mãe de Georgia Frontiere, que herdou os Los Angeles Rams (quando seu sexto marido se afogou) e os transferiu para sua cidade natal, St. Louis. Mas, para os aficionados por música, Pamela é uma celebridade por si só. Escolhida como Miss St. Louis em 1926, Pamela iniciou o que muitos acreditam ser a primeira orquestra só de mulheres, Lucia Pamela and the Musical Pirates. Ela também começou uma dupla com Georgia, nas Pamela Sisters, e foi citada pelo *Ripley's Believe It Or Not!* por ter decorado cerca de 10 mil músicas.

Mas, se perguntarem a Pamela de que realização ficou mais orgulhosa, ela vai dizer que foi construir um foguete, viajar pela Via Láctea e chegar à Lua antes de Neil Armstrong, onde ela gravou seu disco *Into Outer Space with Lucia Pamela*. Claramente, a linha entre realidade e ficção não existe para Pamela, o que eventualmente tornou o disco um duradouro clássico cult.

Onde você gravou o disco?
LUCIA PAMELA: Foi gravado na Cidade da Lua. Eu era a única terráquea lá.

Foi lá que você viu os galos e o vento azul sobre os quais canta?
PAMELA: Toda a música é verdadeira. E a maior parte foi experiência própria. Também fiz um livro de colorir sobre a viagem.

Para crianças?
PAMELA: É para pessoas de todas as idades. As crianças não são as únicas que gostam de colorir livros (*pausa*). Você já esteve na Lua?

Não, mas eu gostaria de ir.
PAMELA: A Lua foi muito surpreendente. Além da Lua, encontramos outras áreas fora da Terra. Não consigo lembrar se nomeamos alguma delas ou não. Fomos a Vênus, Marte, Netuno... Fiquei surpresa ao descobrir que existe uma quantidade enorme de orientais lá.

Como era Terra das Nozes?*
PAMELA: Ah, era um lugar lindo, e todos eram maravilhosos. Mas não sabiam falar inglês. A maioria falava línguas diferentes, sobretudo chinês, japonês e francês... e amendoês.

Qual foi a última vez em que você visitou a Lua?
PAMELA: Nesta mesma época no ano passado fomos à Lua, sim. Eu e alguns amigos meus. Anotei quem foi conosco para lá. Posso ensinar as pessoas a ir para a Lua, Marte e Vênus. Também ensino música e patinação no gelo. Não demora muito se a pessoa realmente quiser aprender. Eu ajudo qualquer um que queira ajuda.

Você tem alguma previsão para o futuro?
PAMELA: Eu quero que tudo de bom aconteça, mas quero que o tempo esteja bom. Se o tempo está bom, tudo fica bem.

Em 2002, Lucia Pamela morreu em um hospital de Los Angeles aos 98 anos.

[CHRISTINA AGUILERA
CENA 3]

Após uma coletiva de imprensa, Christina Aguilera entrou em uma sala privativa, se sentou no chão perto de uma lareira e se desligou outra vez. De repente, ela voltou o rosto para mim e, com um biquinho infantil, perguntou...

CHRISTINA AGUILERA: O que aquela mulher [repórter] falou sobre a Britney?

Ela disse que uma organização batista a tinha nomeado modelo de comportamento do ano ou coisa assim.
AGUILERA: Mas o que ela disse que a Britney fez para conseguir isso?

Ela prometeu manter a virgindade até o casamento.
AGUILERA: É? (*Revira os olhos e olha para o fogo, então se vira novamente, perturbada.*) Inacreditável.

---

* Uma das povoações da Lua sobre as quais Pamela canta, onde ela conhece cidadãos como os senhores Noz, Pecã, Caju e Avelã.

Isso a incomoda?
AGUILERA (*Esfrega o rosto, enojada*): Ela não é virgem!

A assessora de imprensa de Aguilera se aproxima rapidamente para impedi-la de falar demais diante de um repórter.

ASSESSORA DE IMPRENSA: Talvez seja a Jessica Simpson. Ela é assim.

A assessora de imprensa leva Aguilera embora. À noite, a entrevista continua no quarto de hotel de Aguilera em Toronto, onde ela come pizza, Coca-Cola e cookies da Chips Ahoy.

AGUILERA: O segredo de comer porcarias é só comer um pouco de cada vez.

Ouvi você falar de espiritualidade algumas vezes. Quais são suas crenças?
AGUILERA: Sou cristã e acredito em Deus. Eu gostaria de poder ir à igreja aos domingos com mais frequência. De verdade. Essa é outra razão para ser tão importante manter os pés no chão, porque tudo isto pode desaparecer amanhã. Nada disto [o sucesso] é algo que eu fiz. Eu não vejo assim. É algo que existe com um propósito. Ele quer que eu faça o que estou fazendo para o bem, entende? Mas acho que minha personalidade entra em conflito com isso às vezes. (*Ela liga todas as luzes do quarto.*) Tenho medo do escuro. Tenho pesadelos.

Isso faz sentido para você.
AGUILERA: Sério? Eu tenho medo de espíritos e coisas assim. Especialmente por viver em quartos de hotel. Nunca se sabe quem esteve ali antes de você ou o que aconteceu naquele quarto. Ouço essas histórias. Fico apavorada.

Você via espíritos quando era criança?
AGUILERA: Eu via meu anjo da guarda quando era muito pequena. Minha mãe e eu estávamos brincando de esconde-esconde uma vez. Subi as escadas correndo, e a minha mãe estava dizendo: "Vou pegar você, vou pegar você." E, de repente, levantei os olhos e fiquei paralisada. Havia um homem e ele estava todo de branco, meio brilhando. Ele estava olhando para mim. Tinha uma barba branca.

Ele estava cuidando de você com benevolência?
AGUILERA: Sim, ele estava olhando para mim calmamente e de um jeito muito tranquilo.*

Então, saber que alguém estava cuidando de você devia ajudá-la a dormir à noite.
AGUILERA: Deveria. Mas normalmente não consigo, então acabo escrevendo nos meus diários. Estou por conta própria, e é solitário e louco ter tanta responsabilidade. Às vezes sinto que o mundo inteiro está esperando que eu faça uma besteira (*pausa*). Meio que escrevi uma música sobre o que estou passando este ano. Quer ouvir?

Claro.

Ela sai do sofá, anda sonolentamente para o quarto e volta com um pequeno bloco pautado.

AGUILERA: Eu escrevi essa música, e tem meio que uma pegada gospel. Você já ouviu o primeiro disco da Mariah? É meio parecida com "Vanishing", mas mais pessoal. Escrevi com a Heather Holley, que compôs "Obvious". Queria ter uma fita com a parte do piano. Teria muito mais significado com a música, mas talvez você consiga simplesmente imaginá-la.

(*Ela volta o rosto para a janela panorâmica e canta:*) "The world seems so cold / When I face so much all alone / A little scared to move on / And knowing how fast I have grown." O piano fica bem suave nessa parte. (*Volta a cantar, com a voz cada vez mais intensa:*) "And I wonder just where I fit in / Oh, the vision of life in my head / Oh yes, I will be strong..."** Então começa uma coisa forte no coro.

Ela termina a música e se afunda no sofá, exausta. Minutos depois, está sob as cobertas da cama, enrolada para o lado esquerdo em posição fetal.

Cumprindo sua palavra, anos depois, Aguilera palestrou em vários abrigos para mulheres, doando 200 mil dólares para um deles.

---

* Shelly Kearns sobre as visões da filha: "Fizemos tudo o que podíamos para flagrá-la e ter certeza de que aquilo era algo que ela realmente estava vendo. Pensei que talvez fosse meu pai, porque ele morreu quando eu tinha 12 anos. Mas era uma pessoa específica com uma aparência muito diferente. Perguntei que tipo de roupas ele usava e ela disse: 'Roupa não, cobertas.' Aí ela puxou o lençol da cama e me mostrou. É difícil saber de quem ou do que se tratava."
Então o que ela acha que era? "O padrão dos acontecimentos da vida dela era tão óbvio, que achamos que devia ser alguma intervenção divina. Desde o começo percebi que não preciso ficar nervosa com nada, porque Deus tem planos para ela."

** O mundo é muito frio / Quando eu enfrento tanta coisa sozinha / Um pouco de medo de seguir em frente / E sabendo como cresci rápido. / E me pergunto onde eu me encaixo / Ah, a visão da vida na minha mente / Ah, sim, eu vou ser forte. (*N. da T.*)

[BRITNEY SPEARS CENA 2]

Mais do que a maioria dos outros músicos, você está sempre na mira. Porque outros artistas podem falar sobre o uso de drogas, mas...
BRITNEY SPEARS: Mas se eu tomar um drinque dizem: "Ah, meu Deus, a Britney tomou um drinque. O que está acontecendo?" Eu não entendo. Não entendo por quê. É muito bizarro.

Será que é porque no começo você definiu uma imagem à qual as pessoas estão apegadas?
SPEARS: Viu, isso é uma grande ironia. As pessoas ficam dizendo: "Você era tão inocente, bláblábla", e tudo isso. E eu digo: "Não, não era. Vocês diziam que eu era sexual demais quando lancei '...Baby One More Time'." Não existe saída. Entende o que estou dizendo?

Bem, provavelmente dá para entender por que todo mundo se apegou àquele padrão.
SPEARS: Eu não sei por quê.

Talvez seja porque...
SPEARS: Eu não sei. Não faço ideia.

Talvez porque você tenha tido um papel em ressaltar a questão da sua virgindade e dito a revistas adolescentes que não ia beber nem...
SPEARS: Eu estou crescendo. Tenho 21 anos. Não posso brincar de boneca para sempre. Quer dizer, adoro minhas bonecas e ainda as coleciono. Mas você entendeu o que estou tentando dizer.

Então como você evita que as expectativas e críticas das pessoas a impeçam de viver sua vida?
SPEARS: Bom, eu tento não ler nada, porque no final das contas é tudo bobagem. É muito bobo. As coisas pessoais sobre mim. Pode acreditar, não consigo resistir a ir lá e comprar a *US Weekly.* Acho muito interessante. É verdade. Mas escolho não ler as coisas sobre mim. É simplesmente estranho. Tento me concentrar na minha música e só.

Hello! I'm BRITNEY! I drink, I sing, I sleep, and you can WAVE MY HAIR!
NEW!
WOW!
I have VIRGIN WONDERSKIN!
TERRIFIC VALUE!
only $2.50
FREE HAIR WAVE KIT!
RUSH YOUR ORDER TODAY

É interessante que as pessoas sempre digam que cada disco novo seu é seu "disco maduro".

SPEARS: Acho que nunca nos tornamos adultos. Se alguém diz que é completamente adulto, qual é a graça? É como se todos os dias você quisesse aprender alguma coisa nova. Todos os dias você quer se desafiar e fazer melhor. Nenhum disco em si é o disco maduro: era só um momento que eu estava passando na minha vida. Não sou adulta e não sou uma menininha. Eu só sou.

Com seu popular single "Dur Dur D'Être Bébé!" ("É difícil ser bebê") em primeiro lugar em vários países — e vendas de um disco por cada minuto de sua vida —, Jordy, a sensação de 5 anos da dance music francesa, parecia estar sucumbindo à decadência do estrelato. Quando a revista *Details* me convocou para encontrá-lo, a primeira coisa que ele fez foi pedir à tradutora para levá-lo ao banheiro, onde ele espiou por baixo das cabines ocupadas do banheiro feminino. Quando voltou, ele exigiu que uma menina fosse trazida para o quarto.

Para que você quer uma menina?

JORDY: *Pour jouer au docteur.*

TRADUTORA: Para brincar de médico.

E a Alison [a namorada dele]?

JORDY: *Oui, j'ai baissé ses pantalons et j'ai dessiné des fleurs sur ses fesses.*

TRADUTORA: Sim, abaixei suas calças e desenhei flores no bumbum dela.

Você brinca com meninos?

JORDY: *Je n'aime pas les garçons. Ils se battent.*

TRADUTORA: Não gosto de meninos. Eles brigam.

Quando os pais de Jordy entram no quarto, falamos sobre sua fama e ele desenha um carro de bombeiros em um pedaço de papel. Por estranho que pareça, sob o carro de bombeiros, ele começa a desenhar uma fileira de linhas pendendo para o chão.

O que são essas linhas aí?

JORDY: *Des zizis.*

TRADUTORA: Pipis.

Dez minutos depois...

Você acha que toda essa atenção está afetando o desenvolvimento dele?
PATRICIA CLERGET [mãe de Jordy]: Ele é uma criança bastante normal. Toda essa atenção não o afetou em nada.
CLAUDE LEMOINE [pai de Jordy]: Ele ainda quer ser policial ou bombeiro quando crescer.

Enquanto seus pais falam, Jordy sobe na mesa, coloca a mão na virilha e proclama...

JORDY: *Je suis Michael Jackson!*
TRADUTORA: Eu sou o Michael Jackson.

Menos de um ano depois dessa entrevista, o governo francês baniu Jordy da televisão e do rádio devido à preocupação de que ele estivesse sendo explorado pelos pais. Mais tarde, Jordy se emancipou legalmente dos pais e formou a própria banda de rock.

[PJ HARVEY]

Artista é um termo usado em excesso quando o assunto são músicos. A maioria deles dedica-se basicamente a entreter, realizando os desejos do público. Sua motivação não é a autoexpressão, mas a atenção e a aclamação. Se ninguém estivesse assistindo, eles não estariam fazendo nada. Quando conheci PJ Harvey — uma das roqueiras mais importantes de sua geração — em um hotel em Londres, descobri rapidamente que ela não estava interessada em entreter.

As entrevistas têm algum propósito para você?
PJ HARVEY: Bom, não gosto delas.

Ah, é?
HARVEY: Eu detesto entrevistas. Não sinto vontade de sentar aqui e falar sobre mim mesma. Não estou pensando nos meus fãs. Eu dou entrevistas porque sinto que preciso fazer.

Por que você precisa?
HARVEY: Porque é bom as pessoas saberem que existo e porque talvez alguém que ainda não tenha ouvido a música leia a matéria e tenha vontade de comprar o disco.

Mas as entrevistas não têm nenhum propósito para você, mesmo no sentido de debater ideias e pensamentos?
HARVEY: Não.

Porque você...
HARVEY: Não significam nada para mim.

Soube que você era muito aberta em suas primeiras entrevistas, mas depois se arrependeu.
HARVEY: Acho que no começo eu era. Procurava responder a todas as perguntas da melhor forma possível, e depois você aprende lentamente a não confiar em ninguém. E aprende que precisa impor limites e dar apenas as informações que quer.

Acho que as pessoas fazem isso porque temem ser julgadas ao comunicar o que realmente pensam.
HARVEY: Sabe, não estou sendo eu mesma aqui de jeito nenhum. Tenho muito cuidado e estou lhe dando exatamente o que quero e o que me deixa confortável hoje. Talvez fosse diferente se você me entrevistasse amanhã.

Na verdade, também vou entrevistar você amanhã. Mas entendi o que está dizendo. Para mim, o objetivo de uma entrevista não é necessariamente promover a música de alguém, mas dizer aos outros quem é a pessoa por trás da música e talvez lhes dar a chance de aprender com suas experiências, seus pontos de vista ou processo criativo.
HARVEY: E mesmo assim as pessoas que escrevem essas coisas formam a própria opinião. Quer dizer, espero que um dia eu chegue a um ponto em que tenha de dar pouquíssimas entrevistas, porque sinto que são uma invasão da minha privacidade.

Ontem, quando você estava conversando com aquelas garotas japonesas, elas disseram que tinham lhe mandado cartas. Você lê a correspondência dos seus fãs?
HARVEY: Não. Algumas pessoas conseguiram descobrir o endereço da minha casa e mandam para lá. Mas acho meio invasivo, então tenho a tendência a não ler por princípio.

Então você nunca se corresponde com seus fãs?
HARVEY: Não.

Nem mesmo...
HARVEY: Não.

O que está escrito na sua mão, por falar nisso?
HARVEY: Sérum. Não vou explicar isso para você.

Talvez eu não queira saber.
HARVEY: É meu bloco de anotações pessoal. Tudo o que preciso lembrar escrevo aqui. E, quando encontrar certa pessoa, tenho de falar sobre sérum. [...]

Você conseguiria gravar o seu melhor disco e depois enterrá-lo em algum lugar, sabendo que ninguém nunca iria ouvi-lo, e mesmo assim ficar satisfeita?
HARVEY: Não sei. É uma pergunta muito interessante. Tenho a necessidade de compor música e fazer coisas. Não só coisas relacionadas à música, mas pequenas obras de arte que não significam nada para os outros, que nunca mostro a ninguém. Tenho blocos de desenho que nunca mostro a ninguém. Escrevo montes de palavras e nunca mostro a ninguém. É para mim — e preciso fazer isso. É parte do meu processo de aprendizado e parte da minha vida, de estar aqui e experimentar o máximo que puder. Então, sim, acho que conseguiria fazer um disco e nunca tocá-lo para ninguém, e isso não faria muita diferença.

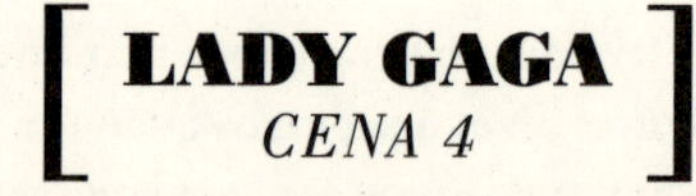

No meio da entrevista, Lady Gaga me pediu que parasse de gravar. Ela cantou uma música nova, "Born This Way", *a cappella*, depois abriu seu MacBook e tocou demos de meia dúzia de outras músicas em que estava trabalhando. Wendi Morris, sua gerente de turnê, balançou a cabeça com desaprovação, pois ainda faltavam nove meses para o lançamento do disco. "Ele vai escrever sobre outras coisas", protestou Gaga. "Só quero que ele saiba quem eu sou".

Vou fazer uma pergunta que já fiz a outros artistas: se você terminasse esse disco e sentisse que era o melhor que já fez, você conseguiria enterrá-lo em algum lugar e saber que ninguém jamais ouviria, mas mesmo assim se sentir artisticamente satisfeita por tê-lo finalizado?
LADY GAGA: Não! De jeito nenhum!

Até hoje, só uma pessoa disse que conseguiria fazer isso e ficar satisfeita.
LADY GAGA: Qualquer artista que tenha dito isso estava mentindo.

Vou dizer quem foi a pessoa que falou isso. Foi a PJ Harvey, e acho que acredito nela.
LADY GAGA: Eu acreditaria na PJ Harvey. Mas, sabe, não gosto de dizer nada de negativo sobre outros artistas, mas para ser totalmente honesta vou dizer hipoteticamente: qualquer artista que seja de uma gravadora e lance música está mentindo para você se disser que não se importa com a fama. Porque não dá simplesmente para fazer música no seu quarto em casa sem ganhar dinheiro.

Certo, e ela *estava* dando uma entrevista.
LADY GAGA: E você está dando uma entrevista, então, por quê? Mesmo que não acreditem que estão mentindo, eles estão mentindo. Acho que era o John Lennon que falava que qualquer um que diga que não faz música para as pessoas ouvirem é mentiroso; vá fazer música no seu quarto. Isso é tão idiota para mim. Está com sede?

Estou bem. Seus fãs parecem gostar muito do que você defende, porque algumas pessoas precisam ser lembradas de que ser diferente não é um problema.
LADY GAGA: Eu amo o que eles defendem. Amo quem eles são. Eles me inspiram a ser mais confiante todos os dias. Quando acordo, me sinto exatamente como qualquer outra garota insegura de 24 anos. Mas digo: "Gata, você é a Lady Gaga, é melhor levantar e estar à altura hoje", porque eles precisam que eu faça isso. E eles me inspiram a seguir em frente.

Em seu ônibus da turnê naquela noite, ela fala sobre ter encontrado um mentor no escritor Deepak Chopra e sobre ter chorado histericamente antes de um show recente, ao contar para ele um sonho no qual o diabo tentava levá-la para o inferno.

Você tem algum sonho recorrente?
LADY GAGA: Às vezes sonho que tem um fantasma na minha casa. E ele me leva para um quarto onde uma garota loura está amarrada com cordas pelos braços e pernas. E ela está com os meus sapatos do Grammy. Vá entender — louco. E as cordas a estão despedaçando.

Nunca a vejo ser despedaçada, mas a observo chorar e o fantasma me diz: "Se você quer que eu pare de machucá-la e se quer que a sua família fique bem, vá cortar seus pulsos." E eu imagino que ele tem, tipo, um aparelho estranho cortador de pulsos. E ele tem um mel dentro de um tupperware, e parece o molho agridoce com muito glutamato monossódico de Nova York. Simplesmente bizarro. E ele quer que eu despeje esse mel na ferida e que, depois, coloque a pomada e uma gaze sobre ela. Então procurei informações sobre o sonho e não consegui achar nada em lugar algum. E a minha mãe disse: "É um ritual Illuminati?", e eu pensei: "Ah, meu Deus!"

Sem dúvida você tem um quê de mártir no sonho. Em vez de sangrar abertamente, você internaliza tudo e cobre.
LADY GAGA: O engraçado foi que o Deepak me disse a mesma coisa, que eu estava reconhecendo minha própria morte e meu renascimento culturais. Compus aquela música que toquei para você logo depois de ter esse sonho. Então meus sonhos induzem minha criatividade.

Eles têm de vir de algum lugar.
LADY GAGA: E têm de ir para algum lugar. Não posso deixá-los no meu cérebro, senão enlouqueço!

A gerente de turnê serve a ela vinho branco e palitinhos de frango, que são mergulhados em muito ketchup. Ela fala sobre seu recente diagnóstico de "lúpus limítrofe", o que significa que existe o risco de que ela desenvolva lúpus, a doença autoimune da qual sua tia Joanne morreu antes de Lady Gaga nascer.

Que mudanças você fez na sua vida depois que descobriu?
LADY GAGA: Agora me esforço muito mais para minimizar o drama ou o estresse na minha vida. Eu me cuido. Continuo bebendo e vivendo a vida, mas nunca conseguiria deixar meus fãs na mão. Seria terrível ter de enfrentar esse obstáculo extra todos os dias para subir no palco. É completamente aterrorizante, então estou muito concentrada na mente, no corpo e na alma. E também acredito que o espírito da Joanne está dentro de mim. Então, sabe, meus amigos mais íntimos me disseram que essa é só a maneira dela de aparecer e dizer oi.

Essa é uma forma interessante de ver as coisas.
LADY GAGA: E tenho a data da morte dela no braço.

Perto da citação do Rilke?
LADY GAGA: É. Ela era poetisa e escritora, e acredito mesmo que ela deixou um trabalho não terminado e age através de mim. Ela era tipo uma santa. Então talvez esteja vivendo indiretamente através de uma pecadora (*ri*).

Minutos depois, o ônibus para diante de um hotel para pegar a assistente de Lady Gaga e seguir para Manchester para o próximo show.

Vou deixá-la ir para Manchester. Deixa eu ver se esqueci alguma coisa.
LADY GAGA: O que você está dizendo? Você conseguiu muito mais do que qualquer outra pessoa. E assistiu a dois shows. Eu me sinto violentada (*ri*)!

Você *realmente* me disse muitas coisas interessantes...
LADY GAGA: Use o que for para me tornar uma lenda. (*Para sua gerente de turnê:*) Quero ser uma lenda. Isso é errado?

[**CORTINA**]

ATO TRÊS

OU

CARAS MAUS DE CABELO COMPRIDO

SINOPSE

Entram Robert Plant e Jimmy Page, que revelam que a única pessoa que têm medo de encontrar é Jerry Lee Lewis, cuja esposa diz que ele é malcompreendido, ao contrário da mulher de Brian Wilson, que fala em seu lugar para garantir que ele não seja malcompreendido, enquanto Judd Apatow entende e deixa seu melhor amigo fazer sexo oral com sua mulher etc.

[LED ZEPPELIN
CENA 1]

Era a oportunidade de uma vida. Eu tinha acabado de começar a trabalhar no *New York Times* e meu editor me pediu para entrevistar Robert Plant e Jimmy Page, do Led Zeppelin. Segundo o assessor de imprensa deles, seria a primeira entrevista mais aprofundada da dupla desde que a banda se separara 14 anos antes.

Quando entrei timidamente no quarto de hotel de Plant duas semanas depois, ele acendeu um incenso White Light Pentacles enquanto Page se sentava ao lado dele no sofá, ambos ostentando calças de couro e longas jubas revoltas. Eu me sentei diante deles e fiz minhas perguntas ingênuas sobre suas vidas e carreira, e eles responderam com irreverência, mas honestamente. Eu sabia que a matéria ficaria ótima. Mas aí, depois de quarenta minutos de entrevista, olhei para meu gravador e percebi que acidentalmente tinha ligado o microfone na saída do fone de ouvido, o que significava que tudo o que tinha eram quarenta minutos de fita em branco. Estiquei a mão para o microfone, tentei corrigir discretamente o problema — e fui pego na hora.

ROBERT PLANT: Nossa, o que é isso em cima do microfone?

Ah, é só uma capa protetora, que estava raspando.
JIMMY PAGE: Hoje em dia os microfones têm capas protetoras?
PLANT: Você gravou alguma coisa?

Acho que está tudo bem.
PAGE: Onde estávamos?
PLANT: Só Deus sabe. Mas não importa, porque tudo se perdeu.

Estávamos debatendo se vocês teriam continuado compondo como Led Zeppelin nos anos 1980 se o John Bonham não tivesse morrido.
PLANT: Não sei. Quando o John morreu era a hora certa de parar? Talvez 1980 já fosse meio tarde para parar. Talvez devêssemos ter parado antes.
PAGE: Mas, de qualquer maneira, não poderíamos ter continuado sem o John. Trabalhávamos em um grupo de quatro tão fechado e próximo havia tanto tempo que chamar alguém para aprender aquelas áreas de improvisação simplesmente não teria sido honesto com nenhum de nós, e nem com o nome dele.
PLANT: Na verdade, foi aí que o Who deu errado. E eles deram muito errado, porque arrumaram um baterista sem vida.

Existem muitos livros sobre as coisas que vocês aprontavam nos bastidores, mas existe alguma história preferida?

PLANT: Ah, como vamos saber? Não dá para ser específico sobre nada do que aconteceu há tanto tempo. Talvez você devesse perguntar a algumas pessoas que não estão neste quarto. Talvez algumas das donas de casa do Des Moines. Por que você não vai até Schenectady e vê se encontra a garota que estava ao lado da máquina de Coca quando o [Jeff] Beck a quebrou com a Telecaster?* Quer dizer, tem um monte de gente com boas histórias para contar só esperando para aparecer no programa do *Letterman*.

Vocês ficam incomodados com o fato de a equipe ter divulgado tantas dessas histórias?

PLANT: Acho que nunca chegamos a ver a equipe. Na verdade, nem sei se tínhamos uma equipe. Quem sabe? Talvez o que esteja naqueles livros tenha sido escrito sobre outras pessoas. Se você não estiver lá para contestar, as coisas simplesmente seguem em frente e se tornam uma espécie de lenda, e não sei se isso é bom ou ruim.

PAGE: (*Resmunga.*)

PLANT: Eu realmente passei muito tempo sozinho enquanto o Jimmy fazia um monte de besteiras, lia literatura celta e as Tríades Galesas. Eu era o cara mais novo do grupo. Eu era católico.

PAGE: Alguma outra desculpa?

PLANT: Estou de braços cruzados porque sou inseguro.

Tenho certeza de que grande parte da carnificina começou devido à novidade da situação de estar na estrada.

PLANT: Que carnificina?

PAGE: Estupro e pilhagem?

PLANT: Não, acho que começou na Noruega e na Suécia por volta do ano 620. A única coisa que fizemos foi não usar os mesmos chapéus. Os contratos de gravação também eram uma droga no ano 600.

PAGE: Era por isso que eles tinham chifres nos chapéus naquela época.

PLANT: Isso mesmo. Bom, eles nunca recebiam a merda dos royalties. Mas acho que o problema é que o Ahmet Ertegun** já mentia naquela época. Quando a horda desembarcou na Nortúmbria, cortando a garganta dos homens santos de hábito, o Ahmet dizia: "Vou dar 12 por cento para vocês." (*Se serve de mais chá.*) Quer uma xicara de chá?

---

* Reza a lenda que em 1969 o guitarrista arrombou uma máquina nos bastidores com a guitarra para pegar refrigerante e misturar com seu Jack Daniels.

** Presidente da Atlantic Records, o selo do Led Zeppelin.

Tape it **ANYWHERE**

with protective covering

Não, obrigado.
PLANT: Então, quem você entrevistou nos últimos tempos que o deixou perplexo?

Recentemente, acho que foi o Carl Perkins. Ele está na casa dos 60 e é o cara mais legal que já conheci. Ele nem precisa se esforçar.
PLANT: Acho que essa é outra coisa que você aprende conforme envelhece. Às vezes as pessoas se esforçam demais para ser diferentes na tentativa de ser legais e amadas. Mas na verdade não existe uma forma original para nenhum de nós. Nem para você como jornalista, nem para mim como cantor, nem para ele como guitarrista.

Vocês conheceram o Elvis?
PLANT: Conhecemos o Elvis em LA. Acho que ficamos com ele durante três horas, não foi?
PAGE: Por aí.
PLANT: Ficamos lá mais tempo do que qualquer pessoa na história. Ele queria saber quem eram aquelas pessoas que vendiam mais ingressos do que ele, e mais rápido. Ele tinha conhecido o Elton John e achava que todos os ingleses eram iguais a ele, então evitamos o assunto. Nós nos divertimos, não é?
PAGE: Ele era muito engraçado.
PLANT: Ele também era muito inteligente. Esqueça as lendas e toda essa bobagem. Ele era brilhante. Embora eu tenha odiado o período em que ele saiu do exército, senti que ele tinha nos traído, como quando seus heróis ficam velhos e você não gosta mais deles porque não são mais descolados.

Vocês já tiveram medo de conhecer alguém?
PLANT: Jerry Lee Lewis, e talvez... quem é aquele cara que canta no Guns N' Roses?
PAGE: *(ri.)*

Alguém bate à porta.

PLANT: Quem é? A prostituta de meia-idade de 50 anos que eu pedi?

[*Continua...*]

[JERRY LEE LEWIS]

Depois de muita hesitação e adiamentos, Jerry Lee Lewis — não apenas um dos criadores do rock and roll, mas talvez seu primeiro punk verdadeiro — concordou em falar ao telefone pouco antes de viajar a Nova York para fazer seu primeiro show lá em uma década. Mas foi uma entrevista estranha, ou porque ele era desconfiado da imprensa (que o tinha esmagado após seu casamento com uma prima de 13 anos, em 1957, a morte de duas de suas esposas e dois filhos e sua prisão por estar bêbado e armado do lado de fora de Graceland) ou porque tinha problemas de audição — ou, muito provavelmente, por ambas as razões.

Quando leio suas entrevistas, você parece falar como se o rock e o cristianismo fossem opostos um ao outro. Você sente isso?
JERRY LEE LEWIS: Não entendi muito bem o que você quis dizer.

Muitas vezes, você fala do rock como se fosse um lado mais sombrio da sua personalidade.
LEWIS: Ah, sim, bem, entendi. Isso ainda não se sabe. Não quero levar os jovens na direção errada. Só estou tentando resolver tudo da melhor forma possível. Acredito que Deus vai me mostrar o caminho quando for a hora. Se não mostrar, sou um perdedor. E eu não gosto de perder.

Você já pensou em se tornar pastor como Al Green e Little Richard?
LEWIS: Sim, já pensei. Penso nisso com bastante frequência.

E o que você pensa sobre isso?
LEWIS: Bem, acho que eu devia fazer logo ou parar de falar do assunto.

Então você vai parar de falar do assunto?
LEWIS: Não dá para brincar com isso. Se eu for nessa direção, vou segui-la.

Quando você ouve bandas de rock moderno, sente que tem uma conexão com a música?
LEWIS: Esses garotos e essas pessoas estão famintos pela verdade.

JERRY LEE MINISTRIES

ALL ARE WELCOME!

TONIGHT'S SERMON

"Writing About Good Things."

JERRY LEE MINISTRIES

corner of Church St & Main St
Open Mon-Sat 8am-3pm. Sun ALL DAY

Mas, quando você escuta, ainda ouve seu som na música ou sente que ela seguiu o próprio caminho?
LEWIS: Eu comecei aquilo. Sabe, era Elvis Presley, Jerry Lee Lewis, Chuck Berry, Fats Domino, Little Richard. Nós meio que demos o pontapé inicial. E acho que somos considerados responsáveis pelo som de hoje em dia.

Seu livro *Killer!* saiu nos Estados Unidos?
LEWIS: Acho que Deus nos dá bom-senso bastante para resolver nossos próprios problemas (*ri*).

Seu livro *Killer!* saiu nos Estados Unidos?
LEWIS: Como é?

Você fez uma autobiografia, não é?
LEWIS: É.

Ela foi lançada nos Estados Unidos?
LEWIS: Foi escrita na Irlanda. Eu fui à Irlanda. Você está falando da biografia? É um bom livro, e vai ser lançado nos Estados Unidos nos próximos meses.

Por qual editora?
LEWIS: É o único livro verdadeiro. Finalmente escrevi a verdade pela primeira vez. Todos os outros livros só distorceram tudo e disseram coisas que não eram nada verdadeiras. Nem um pouco verdadeiras.

Você sabe quem o publicou?
LEWIS: Não, não mesmo. Alguém na Inglaterra.

O chamado escândalo que dizem ter prejudicado sua carreira quando você anunciou seu casamento na Inglaterra...
LEWIS: É.

Acha que a mesma coisa prejudicaria a carreira de um músico hoje em dia?
LEWIS: Não. É só uma daquelas coisas. Realmente não sei explicar aquilo. Seria difícil de explicar. Realmente aconteceu.

Não sei se você ouviu falar do R. Kelly, o grande astro do R&B. Ele se casou com a protegida de 15 anos e sua carreira continua indo bem.
LEWIS: É, bem, é o seguinte. Isso seria... Com licença, minha esposa está tentando me tirar do telefone. Vá assistir ao show. Aí terminaremos a conversa. Estão me chamando na porta. Gostaria de falar com ela?*

Claro.
LEWIS: Bem, foi bom conversar com você, vou passar para ela. Deus o abençoe! Vejo você em Nova York.
KERRIE LEWIS: Alô?

Então, você vai para Nova York com o Jerry?
KERRIE: Ah, sim, estarei lá. O que você perguntou? Ele está fazendo caretas e outras coisas. Estou me preparando para derrubá-lo. É para isso que estou me preparando. (*Para Jerry:*) Você não está me incomodando. Sente-se!... Eu não vou até aí... OK, também amo você. Vou entrar em um minuto... ainda estou zangada e você vai ver. (*Para mim:*) Desculpe.

Existe alguma coisa nova acontecendo na carreira do Jerry Lee que eu deveria mencionar no artigo?
KERRIE: Bem, há centenas de coisas. Mas vocês escrevem mesmo sobre coisas boas?

Nós escrevemos sobre coisas boas.
KERRIE: Ninguém se importa se tenho 60 anos, se faço ginástica em um Health-Rider todos os dias, se estou no auge. Mas, sabe, gravaram um vídeo no Ryman [Auditorium] em Nashville onde ele fez quatro bis e provavelmente moveu todos os membros e músculos da cabeça aos pés, para mostrar que não tinha artrite — ou seja qual for a doença das mãos ou da tremedeira. Ele foi perfeito! Os garotos estão tendo aulas de música. Colocamos Lee para aprender no piano do pai, e Derek com uma guitarra criada pelo James Burton, então os garotos estão indo muito bem.

Acho que nesse ponto seria mais uma surpresa ler todas essas coisas boas.
KERRIE: O Jerry, pra começar, não dá entrevistas. OK, ele não dá. A não ser que queiram pagar alguma quantia absurdamente ridícula. Porque ele diz que todos começam do mesmo jeito: "Você nasceu em 1930.** Você começou a tocar piano

* Não com a prima, que foi sua terceira mulher, mas com sua sexta esposa, Kerrie.
** Ele nasceu em 1935.

aos 9 anos. Seu pai vendeu 39 dúzias de ovos para levá-lo a Memphis. Ã-hã. E compraram um piano para você hipotecando a casa. Ã-hã. Eles perderam a casa para você poder ficar com o piano. Ã-hã." Ele basicamente já tem uma entrevista por escrito. Tem umas cem páginas. "Aqui está. Pode escrever. São as únicas perguntas que você vai fazer. Você não vai me perguntar nada de bom e, se perguntar, não vai publicar." Então ele simplesmente não dá entrevistas.

Mesmo assim os fãs devem querer saber o que ele tem feito. Eles conhecem o passado.
KERRIE: Exatamente. Pode agradecer ao empresário dele, Jerry Schilling, por esta entrevista. Ele disse: "É o *New York Times*. Eles existem há cem anos." O Jerry basicamente diz para mim, "Sabe, eu passaria todos os dias dando entrevistas se as pessoas me tratassem bem e escrevessem coisas boas em vez de voltar à morte do meu filho, à overdose de uma esposa ou ao casamento com minha prima". Quer dizer, isso aconteceu há trinta anos. Agora tem esta família há 12 anos, uma nova carreira, nada de errado com a saúde. Ele tem seguro de vida pela primeira vez na carreira. Ele pagou sua dívida com o IR, quer dizer, sabe, as coisas estão caminhando melhor do que você possa imaginar.

Fico contente por ter falado com você e ouvido tudo isso.
KERRIE: O Jerry provavelmente nem contaria. Ele diz: "Bem, eles não querem saber mesmo. Deveriam me perguntar se quisessem saber."

Jerry Lee e Kerrie Lewis se divorciaram em 2005. Segundo o jornal Commercial Appeal, *de Memphis, ele a acusou de dormir com um guarda-costas e um ministro pentecostal, e ela o acusou de ser um agressivo "cantor de rock and roll acabado que passou do auge".*

[BRIAN WILSON *CENA 1*]

Todas as vezes que entrevistei Brian Wilson, dos Beach Boys, ele estava um pouco mais coerente. Isto, infelizmente, era ele em seu melhor. A entrevista aconteceu em Chicago, para onde o notoriamente recluso Wilson se mudara com Melinda, sua esposa havia três anos, para gravar um novo disco, continuar se recuperando de seus anos perdidos por abuso de drogas e problemas mentais, e escapar ao controle de seu antigo terapeuta, Eugene Landy. No dia anterior, Wilson fizera um show anunciado como a primeira apresentação solo de sua vida.

Você está acostumado a trabalhar tanto quanto trabalhou ontem?
BRIAN WILSON: É, fiquei meio abalado.
MELINDA WILSON: Não. Você não está acostumado a isso.
BRIAN: Quer dizer, do que estou falando? Foi bem assustador.

Ficou contente com o novo documentário sobre você?
BRIAN: Sim. Achei que de vez em quanto meu rosto se contorce de dor emocional, mas não é muito óbvio. Não é como se eu estivesse mesmo sofrendo.
MELINDA: Mas aquela ainda era uma época dolorosa. Ele estava saindo daqueles anos terríveis [com Eugene Landy]. Foi logo depois daquilo, sabe.
BRIAN: Na verdade...
MELINDA: Acho que às vezes é mais fácil falar sobre uma coisa depois de passar por ela e ver a luz no fim do túnel. Mas na hora é meio difícil.

A que você atribui sua recente produtividade?
BRIAN: Eu desejo fazer música. Amo a música. É isso. Eu amo música (*ri*). Também gosto de fazê-la. Eu gosto de fazer música.
MELINDA: Com o Brian, vem totalmente da alma. É parte da sua existência.

Muitas pessoas já me disseram que se comunicam melhor com você musicalmente, e não durante uma conversa. Por que acha que isso acontece?
BRIAN: Acho que emano. Eu emano a vibração e os outros captam.
MELINDA: E basicamente — você também não acha, Bri? — na vida ele é meio tímido. Com a música, ele pode escrever uma música e dizer o que quer sem ter de lidar com uma conversa.
BRIAN: É, ela está certa, sabe. Ela me conhece.

[*Continua...*]

[JUDD APATOW]

Quando as pessoas assistem a um filme, normalmente pensam em perguntas que gostariam de fazer ao diretor se tivessem a oportunidade. Depois de assistir *Tá rindo do quê?*, de Judd Apatow, estrelando sua mulher, Leslie Mann, e seu melhor amigo, Adam Sandler, como amantes, a oportunidade apareceu.

Como foi dirigir a cena de sexo de sua mulher com seu melhor amigo?
JUDD APATOW: Sabe, por estranho que pareça, passei a tarde inteira alegre. Não sei por que, mas aquilo simplesmente me matou de rir.

Então não foi estranho assistir?
APATOW: Não foi nem um pouco estranho. Adorei a ideia de que o sexo entre eles tenha ido direto para o oral.

Hmm.
APATOW: Sério, eu achei engraçado. Aquilo me fez rir. Eu já tinha assistido a cenas de beijo da Leslie com outras pessoas nas quais quis me matar ou vomitar. Mas, talvez por ter tanta afeição pelos dois, fiquei feliz de assisti-los interpretar uma cena verdadeiramente íntima e engraçada.

Acho que, se foi constrangedor para alguém, foi para o Adam.
APATOW: Eles dois estavam bem, principalmente porque eu estava achando divertido. Mas, se você prestar atenção, não escrevi uma cena inteira de dez minutos de sexo. E (*sorri*) não faço muitas tomadas.

[LED ZEPPELIN *CENA 2*]

Jimmy Page abriu a porta. Parado ali estava o assessor de imprensa da banda, que tinha passado a última hora andando pelo corredor para amaciar os sapatos novos de Page. Page o mandou para a missão seguinte: comprar CDs de bandas novas.

JIMMY PAGE: Queremos manter contato com o underground, mas não temos tempo para ir a lojas de discos.
ROBERT PLANT: Não sei. Não confio neles para comprar música para mim. Essas gravadoras são inúteis. Se eu quisesse fazer sexo tecnicolor em um clube underground, eles não saberiam aonde me levar.

Então, como sua forma de tocar mudou desde a última apresentação com Robert?
PAGE: No passado eu usava acordes e afinação, mas agora simplesmente ponho os dedos em qualquer lugar. Então, qualquer técnica que eu tivesse antes, tento destruir. Quanto mais atonal, melhor.

Dê um bom exemplo disso?

PAGE: A guitarra de três braços? É um bandolim, uma 12 cordas e uma 6 cordas. Mas preciso de dois pares de braços para ela. Agora tenho de decidir que braço tocar em que momento. É muito confuso para um homem velho.

PLANT: Tomar decisões e tocar é difícil, especialmente quando se tem uma pirâmide mínima descendo sobre si quando está tocando. Entendeu?* Acho que dá para atribuir a coisa toda ao senso de humor, na verdade.

A coisa toda?

PLANT: A guitarra de três braços! Você deveria fazer aparecer uma mão de borracha para começar a tocá-la.

PAGE: Se eu tiver braços suficientes na guitarra, posso colocar uma roda e encaixar um aro em volta e, literalmente, me segurar nela e fazer piruetas pelo palco.

PLANT: Na Emerson, Lake & Palmer — ou era na Tower of Power? — eles giravam o baterista. O baterista entrava em um giroscópio e era girado durante o solo. Eram os alegres anos 1970. Muito bem comportados.

Por curiosidade, como vocês se sentem por "Stairway to Heaven" ter se tornado essa obra de arte que todo aspirante a guitarrista de rock tem de aprender?

PLANT: Acho que estamos em um mundo descartável, e "Stairway to Heaven" é uma das coisas que ainda não foi jogada fora. Mas foi maltratada. Acho que deveriam pedir a todas as estações de rádio para não tocá-la durante dez anos, só deixá-la em paz por um tempo para vermos se é boa ou não.

PAGE (*rindo*)**:** Talvez não toquem mais, não sei.

PLANT: Não acredito que escrevemos tantas palavras naquela música.

Achei estranho vocês abrirem o show do Lenny Kravitz.

PLANT: Eu sempre vou fazer coisas assim. Abrir para o Lenny Kravitz foi uma enorme e burlesca demonstração antiego porque, de qualquer forma, ele nos usou muito como inspiração.

PAGE: Inspiração é uma forma simpática de dizer.

PLANT: E ele sabia! E eu sabia. E todo mundo na equipe, na banda e na plateia sabia. Ele ficava encantado se eu quisesse lhe contar uma história. Ou perguntava se eu podia lhe arrumar um dos meus Landlubbers, que eram uns jeans velhos com bolsos e boca de sino. Ele está tocando a música que verdadeiramente gosta de tocar, e faz um ótimo trabalho, sabe, mas a originalidade é meio questionável.

---

* Uma referência à pirâmide de laser em que Page tocava ou a *This Is Spinal Tap*, que parodiava, entre outras bandas, o Led Zeppelin — ou provavelmente a ambos.

Vocês se incomodam se eu olhar minha lista de perguntas?
PLANT: Você está indo muito bem até agora sem elas.

Eu estou usando a lista, mas não gosto de fazer perguntas aleatórias fora do contexto.
PLANT: Quando elas são fora do contexto, você fica envergonhado?

Bom, as entrevistas são melhores quando têm um tom de conversa. Mas, para ser honesto, estou com medo, que a primeira parte da entrevista não tenha sido gravada, então quero ter certeza de que não perdi nada.
PLANT: Eu sabia!

[*Continua...*]

[LENNY KRAVITZ]

Durante um final de semana que passei com Lenny Kravitz em Nova Orleans para fazer uma matéria de capa da *Rolling Stone*, ele evitou constantemente as perguntas sobre suas influências musicais. Enfim, quando nos sentamos em sua sala de estar depois de um show da banda de funk Zapp na House of Blues, tentei de novo.

Isso pode irritar você, mas...
LENNY KRAVITZ: Vá em frente.

Aquela música "Rock and Roll is Dead" começa com um riff exatamente igual ao de "Living Loving Maid (She's Just a Woman)", do Led Zeppelin.
KRAVITZ: Está falando da primeira frase da música?

Não, da parte da guitarra e depois aquele grito a la Robert Plant que você dá. Eu me perguntei se você estava fazendo uma piada ao cantar "rock and roll is dead"* em uma música baseada em um riff do Led Zeppelin que todo mundo ainda rouba.
KRAVITZ: Não, é apenas um riff que eu inventei.

---

* "O rock and roll está morto" (*N. da T.*)

Você o inventou sozinho?
KRAVITZ: É, quer dizer, você entendeu.

Imagino que as pessoas sempre pensem que seus riffs vêm de outro lugar.
KRAVITZ: Não tem problema. Quantos riffs existem? Daria para dizer que todo riff parece com outra coisa.

Talvez, mas alguns riffs parecem mais com riffs do passado do que outros.
KRAVITZ: Não é nada de mais, sério.

Então você acha que a introdução dessa música não parece nem um pouco com "Living Loving Maid"?
KRAVITZ: Não. Quer dizer, acho que tem um estilo do Zeppelin. Ah, não sei. Não vamos falar sobre isso.

[FLEETWOOD MAC]

Com mais de 19 milhões de cópias vendidas, *Rumours*, do Fleetwood Mac, está entre os dez discos mais vendidos de todos os tempos. Mesmo assim, apesar do sucesso, o baterista Mick Fleetwood, o verdadeiro líder da banda desde 1967, não apenas lutou contra os habituais excessos de drogas e álcool, como também acabou declarando falência pessoal. Mas, cerca de trinta anos depois de formar a banda, finalmente parecia estar se recompondo.

Eu soube que vocês iam tocar no show de aniversário de Woodstock, o que é estranho, porque não participaram do primeiro, não é?
MICK FLEETWOOD: Nós recusamos o Woodstock original há muitos anos. Nem sequer sabíamos o que era. Estávamos fazendo alguma coisa em Detroit ou outro lugar. Claro, acabou sendo um incrível evento histórico do qual não participamos. É de se pensar o que teria acontecido com a primeira encarnação do Fleetwood Mac se tivéssemos participado. Talvez fôssemos o novo Led Zeppelin, quem sabe?*

Então, o que o fez decidir participar do novo?
FLEETWOOD: Sinceramente, eles vão nos pagar muito bem.

* Embora o Led Zeppelin também tenha recusado Woodstock, para fazer um show melhor em Nova Jersey.

Como é fazer turnê sóbrio?

FLEETWOOD: É completamente diferente. Estou limpo, sóbrio e aproveitando a vida. Tenho muito mais energia. Eu ainda estaria ligado nos velhos tempos. Eu estaria enlouquecido. Estaria ocupando, fingindo nesta entrevista, rezando para não começar a gaguejar.

O que você acha que colaborou para seu excesso?

FLEETWOOD: Acho que fazer turnês é o ambiente perfeito para isso. O que acontece em qualquer situação de performance é que você aprende a monitorar a si mesmo e, na maioria das vezes, consegue se apresentar de forma adequada quando está drogado.

Mas depois do show é que começa. Porque o show causa uma onda muito forte, e além disso você já está alto de qualquer forma. Então para onde vai a partir dali? Você não quer cair, então começa a socializar. Vai para o bar e tem um quarto de hotel, então convida pessoas para ir ao quarto. E você está com a sua mulher lá e pensa: não seria divertido fazer isso ou aquilo? Antes que perceba, são 8 horas da manhã e você deveria estar entrando em um avião ou indo para o próximo show e se sente péssimo.

Então qual foi o ponto mais baixo que o fez perceber que precisava de ajuda?

FLEETWOOD: Meu uso de drogas foi até o fundo do poço. Eu estava muito, muito mal há dois anos e meio, e poucas pessoas sabiam disso porque eu conseguia funcionar. As pessoas diziam: "O Mick está bem. Ele bebe e usa um pouco de cocaína, mas não está tão mal."

A questão é que eu estava muito mal e ninguém sabia. Eu tinha que subir no palco ou dar uma entrevista e literalmente morria por dentro, suando e tremendo. Então eu cheguei ao fundo do poço e simplesmente disse: "Chega. Tenho 45 anos, é o fim deste capítulo." E tem sido assim desde então, e sem sinal de recaída.

É estranho fazer turnê sem a [cantora e tecladista] Christine McVie?

FLEETWOOD: Todos nós estamos nessa há tanto tempo que ela ganhou o direito de fazer o que quiser. E ela não quer deixar a banda, mas não quer ir para a estrada. Quando ouvimos isso pela primeira vez, foi meio assustador e decepcionante. Mas o Brian Wilson faz algo similar com os Beach Boys.

[BRIAN WILSON CENA 2]

Quanto você se lembra do passado? E existem períodos claros e outros obscuros?

BRIAN WILSON: Minhas memórias mais sombrias são de Malibu. Eu estava em um programa, um programa médico.

MELINDA WILSON: Querido, esse é um assunto de que você não precisa falar. E vou lhe dizer por quê: temos muitos problemas legais.

BRIAN: Esqueça. Pule essa pergunta e passe para a próxima.

MELINDA: Simplesmente pule a época do Landy, Brian.

BRIAN: OK.

Existem outras partes de seu passado das quais você se lembra bem?

BRIAN: Quando os Beach Boys e eu gravávamos na minha casa em Bel Air, era uma boa vibração. Eu me diverti naquela época.

MELINDA: Estou curiosa, o que você quer dizer com períodos obscuros ou períodos nebulosos?

De memória.

MELINDA: Está falando da coisa das drogas? Por que não se referir a elas? Sim, o Brian usou drogas, mas não acho que ele usava uma quantidade nem sequer próxima ao que as pessoas achavam. Conhecemos gente da indústria da música que usou mais do que ele jamais usou. As partes a que você está se referindo provavelmente são os problemas médicos que ele teve, não problemas com álcool e com drogas.

BRIAN: É, problemas relacionados com drogas. É, ela está certa. É.

MELINDA (*suspirando*): Mas as pessoas misturam tudo.

Todo mundo experimenta. Especialmente em LA.

BRIAN: Você mora em LA?

Eu acabei de me mudar para lá — para West Hollywood.

BRIAN: Em que rua de West Hollywood você mora?

Na verdade eu moro perto da Gardner.

BRIAN: Você mora em Gardner. Em que endereço?

Na esquina da Beverly.

BRIAN: Eu morava perto da Santa Monica. Veja só. Eu morava na mesma rua. Em um apartamento?

Um apartamento em estilo espanhol.

MELINDA: Por conhecê-lo, nem posso imaginá-lo morando lá. Não consigo imaginá-lo naquela cena de Hollywood.

BRIAN: Qual é seu endereço?

É North Sierra Bonita, 366.

BRIAN: Eu morava na North Gardner, 1047. Perto... não Clinton, Santa Monica.

É incrível você se lembrar disso. Foi há mais de trinta anos.

MELINDA: Viu, agora você acha que ele se lembra do passado? Tivemos muitos processos, ele está sempre dando depoimentos e os advogados chegam achando que ele não deve se lembrar de nada, e ele os deixa perplexos. Qual era sua média no ensino médio, Brian?

BRIAN: Mais ou menos .169.

MELINDA: Como você consegue se lembrar dessas coisas? É incrível.

[*Continua...*]

[THE WHO *CENA 1*]

Um casamento entre duas pessoas já é bem difícil, mas uma banda, na qual quatro ou cinco pessoas vivem um relacionamento, pode ser um campo minado de egos, falta de comunicação, ressentimento e problemas de controle — especialmente com riscos artísticos, financeiros e pessoais tão altos. Embora supostamente o tempo cure todas as feridas, esse não foi o caso com o Who, quando o vocalista Roger Daltrey, sem conseguir uma reunião da banda, tentou outra abordagem — e pagou caro por isso.

Em um estúdio de ensaio, uma semana antes dos shows "Daltrey Sings Townshend" no Carnegie Hall, que estavam com os ingressos esgotados, Daltrey reuniu uma orquestra de 65 instrumentos da Juilliard e uma equipe de cem pessoas para ajudá-lo a fazer jus às músicas do guitarrista e compositor do Who, Pete Townshend, que ele ia cantar. Mas seu homenageado não pareceu estar tão honrado e grato como ele esperava. Balançando o cabelo louro cacheado com descrença, Daltrey reclamou de Townshend para o maestro da orquestra, Michael Kamen.

ROGER DALTREY: O Pete já decidiu o que vai fazer? Acho que ele pode se tornar um grande problema nesse show.
MICHAEL KAMEN: Ele vai me passar outra música chamada "The Shout". Conhece essa música?
DALTREY: Como assim? Ele decidiu tocar "The Shout"? Eu nem conheço essa música. Só acho que tocar algo tão desconhecido a esta altura do show é suicídio.
KAMEN: Eu tentei de tudo para fazê-lo tocar outra coisa.
DALTREY: Eu deveria lhe mostrar a carta que ele escreveu: "Faço qualquer coisa que você quiser". Agora ele nem quer tocar com a orquestra. Ele muda de ideia todos os dias.
KAMEN: Vai estar tudo bem na noite do show.
DALTREY: É, eu sei, mas não se faz isso com os amigos, sabe? Ele é louco, não é? O homem é obsceno. Estou de saco cheio disso. (*Agitado, Daltrey entra com seu empresário em um camarim, onde há um sofá com um grande lençol branco por cima, e diz a ele:*) Ela estava tão mal que você teve de colocar um lençol por cima?

Ele se senta sobre o lençol.

Então, o que o fez decidir realizar este tributo?
DALTREY: Muito simples, eu queria fazer isso para o meu 50º aniversário. Sei que vai parecer um clichê, mas é a verdade: eu era o cara que cantava "I hope I die before I get old."* E eu sobrevivi, para minha surpresa — e com uma boa dose de sorte, devo dizer. Eu queria comemorar meu 50º aniversário em grande estilo com música, porque sem o rock and roll eu teria trabalhado em uma fábrica. Eu era um moleque sem estudo. Ainda sou, de certa forma.

Foi difícil convencer Pete a fazer o show?
DALTREY: Inicialmente, não (*gargalha*). Ele ainda está mudando de ideia como sempre. Mas o Pete é o Pete e ele nunca vai mudar.

Como você se sente hoje ao tocar seu material de trinta anos atrás?
DALTREY: Não consigo cantar as primeiras músicas como "Pictures of Lily" e "I Can't Explain". Quer dizer, consigo cantá-las, mas não consigo acertar a sonoridade. Eu as cantava de forma diferente porque me colocava dentro delas — vestia a carapuça, se preferir — de um jeito que não consigo recriar hoje em dia. Usei a carapuça por tempo demais.

---

* Espero morrer antes de envelhecer. (*N. da T.*)

Você acha engraçado estar homenageando alguém que o frustrou de tantas maneiras neste projeto?

DALTREY: Eu ficava furioso porque não sabia que é impossível vencer o Pete na conversa. Ele mesmo admite que é um mentiroso compulsivo, e muitas dessas mentiras foram destinadas a mim no passado, e ainda são. Mas responder a essas mentiras seria apenas me rebaixar ao mesmo nível. Tento fazer isso de um jeito sarcástico às vezes, mas procuro não ser chato porque não é assim que me sinto. De vez em quando fico muito zangado, porque isso me faz sentir que todo mundo... mas pegue as entrevistas do Pete e veja o que ele diz sobre todo mundo, porque ele muda tanto de ideia que parece a história de "Peter e o Lobo".* Infelizmente, é nesse ponto que nosso relacionamento está agora. Não sei em que pé estou. Acho que isso é bem honesto.

Você está planejando fazer alguma coisa para o aniversário de trinta anos do Who este ano?

DALTREY: Agora passo todas as questões do Who para o Pete.

[*Continua...*]

O guitarrista e compositor do Oasis, Noel Gallagher, estava sentado no bar de um hotel em Manhattan usando uma chamativa camisa com estampa Paisley e tomando uma cerveja. Seu empresário apareceu na porta lateral. "Eu estava falando com a Inglaterra no telefone", anunciou ele. "Seu disco vendeu mais em uma semana que o do Blur em um mês."

"Porcos!" gritou Noel triunfante, dando um soco no ar.

Vocês são a maior banda britânica do momento. Se estivessem tocando nos anos 1960, acha que poderiam competir com os Beatles?

NOEL GALLAGHER: Nos anos 1960? Em que ano estamos, 1995? Se fosse 1965 e tivéssemos acabado de lançar nosso segundo disco, seríamos os reis absolutos do pop mundial. Teriam sido os Beatles, os Rolling Stones, o Oasis e depois o Who. Ninguém mais. Acredito firmemente nisso. Se estivéssemos em 1975, seriam os

* Ele está se referindo à fábula de Esopo, "O pastor e o lobo".

only 10¢
yeah
GREATEST THING in the HISTORY of the WORLD
SALES ARE FINAL. NO RETURNS. ALL CLAIMS UNSUBSTANTIATED. PATENT PENDING.

Sex Pistols e o Oasis. E, se estivéssemos em 1985, seriam os Smiths e o Oasis. Acho que teríamos uma chance em qualquer década. Posso dizer a qualquer integrante de banda de qualquer era: “Escolha sua melhor música. Mostre a melhor música que acha que já escreveu, e eu escolho a minha.” E acho que a melhor das nossas seria superior à melhor das deles.

[*Continua...*]

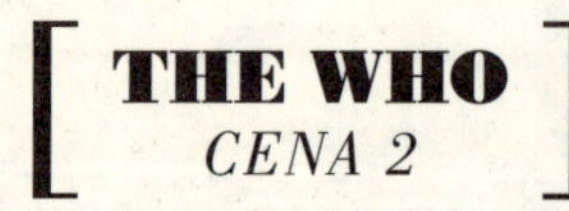

Na qual Pete Townshend muito delicadamente menospreza a comemoração do 50º aniversário que tem exigido tanto de Roger Daltrey...

O que o fez decidir participar do show do Roger Daltrey, já que tinha a opção de recusar?
PETE TOWNSHEND: Você acha?

Eu diria que sim. Talvez eu esteja errado.
TOWNSHEND: Talvez você esteja errado.

Quando perguntei ao Roger sobre a reunião do Who, ele disse: “Pergunte ao Pete.” Então você tem o poder de estalar os dedos e fazer isso acontecer?
TOWNSHEND: Realmente não acho que isso seja verdade. Acho que a questão não é quando se apresentar, é a necessidade de se apresentar. Não acho que as pessoas se exponham a todos os rigores de uma apresentação por diversão, e sim porque realmente têm uma necessidade de fazê-lo. E só sinto que, se a coisa do Who precisa acontecer, vai acontecer. E se não, não vai.

Provavelmente é essa a atitude que deixa o Roger perplexo.
TOWNSHEND: Acho que o Roger gosta de pensar que tudo isso é intransigência minha, mas não acho que seja. Só não quero iniciar nem aceitar nada sem pensar no assunto com muito cuidado. Eu sempre fui muito conservador nesse aspecto.

Faz sentido, mas quando todo mundo quer tocar e você não...
TOWNSHEND: Durante muitos anos eu honrei a democracia do Who. Nós nos reuníamos e votávamos antes de decidir alguma coisa, e eu concordava com aquilo. Mas, no final, comecei a influenciar os outros membros da banda para obter os resultados

que eu queria. Então efetivamente tirei a banda da estrada entre 1975 e 1976 porque simplesmente já estava farto, e o Moon parecia estar farto, mesmo que não soubesse.* E, eventualmente, quando saí do grupo, uma das sensações de alívio que tive não foi tanto não precisar mais trabalhar com os caras da banda, mas não ter de influenciá-los o tempo todo e lutar contra o funcionamento democrático do grupo.

Mas para que ter uma democracia se você não consegue aceitar a decisão da maioria?
TOWNSHEND: Essa é uma das coisas que faz todos os grupos terem um tempo limitado: a democracia em si exige uma mudança de governo de vez em quando. E o que acontece nos grupos é que acabam existindo várias ditaduras, que não são muito criativas. E, se não forem as ditaduras, são terríveis conluios, nos quais todo mundo faz o que os outros querem para viver em paz. Isso não funciona nem um pouco para a vida criativa, infelizmente. E significa que todos nós somos muito nostálgicos daqueles velhos tempos do relacionamento em que a democracia parecia funcionar.

Imagino que seja como um casamento, em que as pessoas acabam se afastando.
TOWNSHEND: E nós lamentamos isso. Mas é como dizer: "Que pena que o George Burns e a Gracie Allen morreram em momentos diferentes. Eles deveriam ter vivido para sempre". E acho que é assim que me sinto em relação ao futuro do Who: é apenas uma atenção a sua história. É isso. As pessoas falam sobre o que podemos fazer no futuro, e tudo o que podemos fazer no futuro é olhar para trás.

É uma boa resposta.
TOWNSHEND: Não é uma resposta que Roger aceitaria porque... eu não deveria falar por ele, mas acho que ele tem um sonho ou uma visão de que poderia fazer tudo de novo. Que poderia me tirar da cama outra vez. Ele acha que meu problema é ficar deitado na cama (*ri*). Mas, sabe, não estou deitado na cama.

Então, em vez disso, você vai fazer essa coisa do aniversário?
TOWNSHEND: Analisando a carreira do Who, por mais maravilhoso que esse show vá ser, só vai servir para nos lembrar dos shows melhores que fizemos.

Quando foi a última vez que você cantou com uma orquestra?
TOWNSHEND: Em público, não sei. Acho que a última vez que tentei foi em uma versão orquestrada de *Tommy*, na qual eu era o narrador. Eu detestei. Detestei completamente. Fiquei bêbado e, mais ou menos no meio, parei e fui embora.

* O baterista Keith Moon morreu de overdose de sedativos dois anos depois.

Por que você detestou tanto?

TOWNSHEND: Pareceu que eu tinha passado a vida inteira tentando fazer o rock and roll evoluir — de certa forma, fazê-lo avançar dentro dos próprios termos — e de alguma maneira ele estava sendo cooptado e submerso em uma tradição muito maior, que era a tradição da orquestra, da música clássica e da ópera tradicional. Tínhamos nossa própria versão da pompa e circunstância, que era destruir algumas guitarras.

Como a banda reagiu quando você resolveu começar a escrever músicas em vez de fazer covers?

TOWNSHEND: Bom, na verdade foi uma reação de alívio. Fomos para a Fontana [Records] com uma versão muito boa de uma música do Slim Harpo chamada "Got Love if You Want It", e uma ótima música do Bo Diddley chamada "Here 'Tis", ambas que, na minha opinião, seriam sucessos para o público de R&B. E ouvimos que elas não eram o suficiente. Precisávamos ter material original. Estávamos meio que na época da febre dos Beatles, quando se esperava que todo mundo escrevesse o próprio material. Eu tinha escrito algumas músicas bem bobas para a banda tocar só por diversão, e todo mundo foi muito encorajador em relação a elas, incluindo o Roger. Mas, quando foram lançadas pouco depois, ele sentiu que seu poder na banda estava sendo ameaçado de alguma forma pelo fato de eu estar compondo, então escrevemos "Anyway, Anyhow, Anywhere" juntos. E ele se lembra de ter contribuído muito e eu me lembro de ele ter contribuído muito pouco. Mas de certa forma a fizemos para descobrir se conseguíamos compor juntos e, na verdade, senti que não conseguíamos. Então eu simplesmente finquei o pé para me tornar o letrista e a base de poder mudou.

Quais eram as qualidades que você admirava no Roger naquela época?

TOWNSHEND: Quando relembro os primeiros anos, muitas das coisas que eu considerava os pontos negativos do Roger hoje meio que vejo de uma maneira positiva. Ele era muito dominador e ameaçador. Eu bebia uma garrafa de uísque e fumava quarenta baseados à noite ouvindo Jimmy Reed e, se ele não aparecesse e me tirasse da cama, eu não teria feito shows nem nada. Acho que nos primeiros anos nós precisávamos desse tipo de disciplina. Ele era um homem trabalhador. Acordava às 6h30 e ia para o trabalho todos os dias e, no final do dia, ele aparecia, me pegava, pegava o Keith e o John [Entwistle, baixista] e nos levava para o show.

Quando eu conversei com o Roger, ele disse: "Não sei em que pé eu estou com o Peter", o que pareceu um comentário estranho.
TOWNSHEND: Sabe, só espero que ninguém saiba em que pé está comigo. É assim que eu gosto.

Sem se deixar abater, mais tarde Daltrey fez uma turnê tocando músicas do Who, com Simon Townshend — irmão de Peter — na guitarra no lugar dele. Depois de mais dois anos, Pete Townshend cedeu e voltou a fazer turnê com Daltrey, eventualmente lançando o primeiro novo álbum de estúdio do Who em 24 anos.

Eu fiz a mesma pergunta ao seu irmão: se sua banda estivesse tocando nos anos 1960, você acha que poderiam competir com os Beatles?
LIAM GALLAGHER: Acho que seríamos os Beatles.

Então o que os Beatles seriam?
LIAM GALLAGHER: Eles também seriam os Beatles. E, se os Beatles estivessem aqui agora, eles seriam o Oasis.

[*Continua...*]

[RINGO STARR]

No estúdio do produtor Don Was em Los Angeles, Ringo Starr não se sentou para dar uma entrevista, ele se armou. Embora tenha sido afável e aberto, ele também parecia tenso, como um cachorro esperando apanhar com uma vara a qualquer instante. Essa vara são os Beatles. Em todos os lugares que Starr estivera naquele dia, as pessoas o tinham tratado mais como uma peça de museu em uma exposição dos Beatles do que como uma pessoa. Modesto por natureza, ele tendia a desdenhar a atenção e evitar a palavra *Beatles*, referindo-se ao grupo simplesmente como "nós" sempre que possível.

Acrescente a isso o desejo de Starr de ser levado tão a sério quanto John Lennon, mas também sua falta de habilidade de articular e conceitualizar, e terá uma entrevista que foi ficando cada vez mais constrangedora — especialmente quando perguntei a Starr sobre seu hábito de fazer o sinal da paz com ambas as mãos e dizer "Paz e amor" toda hora.

O que o fez começar a usar a frase de efeito "paz e amor" que sempre diz?
RINGO STARR: Todo disco tem um pouco de paz e amor.

Estou falando mais sobre a maneira que você diz.
STARR: É, eu digo "Paz e amor. Ei, paz e amor". Bom, acho que certamente vem dos anos 1960 e, sabe, nós* éramos paz e amor. Nas nossas fotos dá para ver que isso ficou cada vez mais forte, e eu tinha um sonho de que um dia todos os habitantes do planeta se tornassem "paz e amor" e houvesse uma mudança psíquica. No meu aniversário do ano passado, em Chicago, fiz o segundo de paz e amor ao meio-dia. Eu disse às pessoas: "Parem onde estiverem ao meio-dia e digam 'Paz e amor'." E, sabe, é uma ótima vibração. Mesmo.

Você sabe o que é um meme? É uma ideia que se espalha de forma viral. É esse o objetivo?
STARR: Bom, não fui eu que inventei, mas estou tentando espalhar a ideia, como Maharishi e meditação transcendental. Mas tenho sido muito repreendido por causa do paz e amor. (*Agressivamente:*) "Ah, ele é paz e amor, sabe como é". Ei, só estou dizendo "paz e amor". Qual é o motivo da raiva?

Você já recebeu críticas por causa disso?
STARR: Já! As pessoas falam: "Isso é tudo o que ele faz agora."

Bom, você diz muito essa frase.
STARR: É, algumas pessoas não aguentam.

É melhor do que dizer "guerra e ódio" o tempo todo.
STARR: É muito comum. E temos uma música sobre isso. Vamos voltar a falar do disco.

OK. A última coisa que eu ia perguntar, e é uma pergunta idiota de jornalista...
STARR: Espero que você escreva desse jeito (*ri*).

Vou escrever, porque eu não saberia como responder. Mas o que é amor e como é obtido?
STARR: Bem, para mim amor é tentar ser gentil e compreensivo. Quer dizer, eu sou amado por muitas pessoas e amo muitas pessoas, mas, sabe...

---

* Os Beatles

No caso dos fãs, eles dizem amor, mas provavelmente estão falando de respeito.
STARR: Bom, é impossível não respeitar alguém que se ama. Mas não dá para dizer: "Ah, pronto... é isso." É uma emoção. É um sentimento. É um estado de espírito. Não um estado mental, porque não sei quanto a você, mas existem muitos estados na minha mente (*ri*).

É fácil falar de amor mas, quando é vago assim, acho que é difícil para as pessoas praticá-lo porque elas não têm as ferramentas e não sabem como abandonar o ego e chegar lá.
STARR: Acho que todos nós temos as ferramentas. Eu gostaria de dizer que eu contemplei a paz e o amor desde que nasci, mas não é verdade. Entretanto, me tornei mais consciente deles e eles se tornaram uma parte cada vez maior da minha vida. Assim que meus netos me veem falam "Paz e amor", sabe. É assim que eles são.

Ok, vamos voltar à música. Sua canção "Peace Dream" tem muitas semelhanças com "Imagine" [de John Lennon]. Foi algo pensado conscientemente?
STARR: Bom, eu coloquei o John dentro dela, é disso que está falando? Coloquei o John para dentro dela porque, sabe, como compositor você sempre tenta expressar um momento, e eu sempre posso falar sobre o John, o Paul e o George. E, como o John Lennon disse de uma cama em Amsterdã, e aquela foi a primeira vez que ele fez essa coisa da paz, ele também estava tentando impulsionar o paz e o amor. Então foi um sonho de paz, sabe. Foi algo natural. Teria sido estranho se você tivesse feito, entende? Mas foi mais fácil para mim porque eu conheci o homem e, sabe, eu entendi aquele momento em que ele e a Yoko estavam em Amsterdã.

Então o Paul McCartney tocou baixo para você na música?
STARR: Bom, ele estava aqui para o Grammy, e sempre nos encontramos quando ele vem. Claro que tive de tocar a música para ele por causa do verso sobre o John Lennon, e ele disse "tudo bem" e aí tocou o baixo.

Quando você diz que teve de tocar para ele, por quê?
STARR: Bom, porque diz "John". Não sejamos tolos.

Você menciona o nome de muitas outras pessoas no disco, mas não os checou com ninguém.
STARR: Quer dizer, sabe, o John era da banda, o Paul e eu éramos da banda. Eu só não queria que nos desentendêssemos. Então toquei para ele por isso. Por respeito.

[PAUL MCCARTNEY]

Seria de imaginar que, quando alguém foi não apenas um Beatle, como também ordenado cavaleiro pela rainha da Inglaterra, essa pessoa não se preocuparia muito com o que os outros pensam sobre ela. Mas talvez isso a faça se preocupar mais.

Já tem algum tempo que você não lança um álbum seu.

PAUL MCCARTNEY: A gravadora me disse: "Não precisamos de um disco este ano." Então só tenho feito música para minha própria diversão. Isso elimina a pressão. É apenas um disco de músicas, um disco comum, o que é legal porque estão lançando antologias [documentário e CD *Anthology*] demais sobre os Beatles.

Então você está nos primeiros estágios da gravação?

MCCARTNEY: Nem isso. Meu disco provavelmente não vai sair até a primavera que vem. Deve sair outra antologia perto do Natal, então não quero competir com isso. Seria uma idiotice, e também não parece certo. Parece que estou tentando ofuscar os Beatles. Parece que estou tentando dizer: "Ei, eu sou melhor que os Beatles." Não, simplesmente não deve ser feito.

Você também transformou as fotografias de Linda* em um curta-metragem sobre o Grateful Dead. Fez isso antes do Jerry Garcia morrer?

MCCARTNEY: Sim, o triste é que eu estava em contato com alguns dos caras. Eu falei com o Bob [Weir, guitarrista do Grateful Dead] e tivemos uma boa conversa pelo telefone. Eu disse: "Ei, estou montando uma coisa que quero mostrar para vocês quando estiver pronta." Eu terminei e ia ligar novamente para eles, aí entrei de férias. Quando cheguei aos Estados Unidos, ouvi no noticiário que o Jerry tinha morrido e pensei: "Ah, merda, sabe, eu estava prestes a mostrar o filme para ele."

Vocês eram amigos?

MCCARTNEY: Eu me correspondia com ele, porque ele era pintor e achei que ele ia gostar disso. Infelizmente, eu o perdi e a parte ruim foi que então imaginei, "Ah, droga, um monte de gente por aí vai pensar que estou explorando a morte do Jerry". Então divulguei imediatamente um comunicado de imprensa dizendo,

* Sua esposa Linda McCartney, ex-fotógrafa de rock, estava fazendo tratamento para o câncer na época. Ela morreu 18 meses depois, aos 55 anos.

"Olhem, eu tenho esse filme há um ano e não tem nada a ver com... Aliás, não vou lançar agora. Sabe, vou esperar um pouco". Então acho que acabou se tornando uma homenagem para o Jerry porque ele morreu.

Percebi que existe um grande intervalo nos anos entre suas exibições.
MCCARTNEY: Eu só não queria que parecesse que eu estava explorando a morte dele, sabe.

[THE GRATEFUL DEAD]

Menos de dois meses antes de morrer dormindo em um centro de tratamento para drogas, Jerry Garcia se apresentava com o Grateful Dead na sua aparentemente interminável turnê de trinta anos. Essa parada foi no Giants Stadium, em Nova Jersey, com Bob Dylan abrindo o show. Cerca de 51 mil pessoas oscilavam com cada nota enquanto a banda ficava quase imóvel, mal falando uma única palavra para uma plateia que não necessariamente venerava os integrantes da banda, mas o ritual de suas apresentações improvisadas.

Nos anos seguintes à morte de Garcia, fiz algumas entrevistas com os membros da banda (incluindo o baterista Mickey Hart e o baixista Phil Lesh) e sua família emprestada enquanto eles tentavam encontrar uma maneira de manter o ritual sem ele.

MICKEY HART: Existe mesmo vida depois do Grateful Dead. Houve uma época em que não achávamos que haveria vida depois dos Beatles, e o John morreu, mas a vida continuou existindo. Sentimos falta do Grateful Dead. Todos os que foram tocados por ele sentirão sua falta.

PHIL LESH: Este é um período de transição. Tudo mudou. Você vai nos ver outra vez, mas eu nunca verei o Jerry, isso sim.

HART: Hoje de manhã, eu estava assistindo à NBC. Meus olhos não são mais os mesmos, e o símbolo de tempo ensolarado sobre a Flórida estava de óculos e parecia com ele. Eu disse: "Lá está o Jerry sobre a Flórida."

LESH: Estou procurando uma fita ao vivo da banda que acabou há pouco para lançar, a última encarnação do Grateful Dead, (*pausa, então se corrige:*) não a encarnação final, mas a última até agora.

Dois anos depois da morte de Garcia, com a banda ainda paralisada pela indecisão, o letrista do Grateful Dead, Robert Hunter, que tinha abandonado a guitarra dizendo se sentir "redundante", decidiu fazer uma turnê com as músicas que escrevera para a banda.

ROBERT HUNTER: Ninguém mais está carregando a tocha da música. Se eu não fizesse isso, só estaria ficando mais velho e mais gordo.

*Depois de mais um ano, a banda decidiu construir um museu de 6 mil m² do Grateful Dead chamado Terrapin Station, como uma meca e um ponto de encontro para os Deadheads.**

LESH: Com a morte do Jerry, tudo mudou. Deixamos de ser uma operação de turnê viável. Não conseguíamos nem bancar toda a nossa equipe. Para fazer uma transição suave, tivemos de começar a comercializar nossos arquivos, e isso se tornou a fonte de renda de toda a organização. Mas não podíamos continuar só lançando nossos velhos shows ao vivo até que o material e o interesse terminassem. [...] Então, com o Terrapin Station, queremos manter aquele relacionamento e que os Deadheads mantenham o mesmo tipo de comunidade que tinham com a banda.

O museu, entretanto, nunca saiu do papel. Nesse meio-tempo, Lesh, Hart e o guitarrista Bob Weir não conseguiram mais aguentar e se reuniram para uma turnê como The Other Ones.

DENNIS MCNALLY [assessor de imprensa de longa data do Dead]: Por favor, não chame de reunião. Uma reunião sugere recomeçar do ponto em que se parou. Eles vão tocar o mesmo material, podem até ir aos mesmos lugares, mas vão fazer isso de maneiras diferentes. É uma evolução. Vai ser muito diferente.

Mais cinco anos se passaram até a banda decidir finalmente desencanar e tocar. Os membros sobreviventes renomearam-se como Dead e começaram a turnê, tocando suas músicas antigas. Mas escolheram um substituto improvável para Jerry Garcia: uma mulher, Joan Osborne, famosa por seu sucesso "One of Us".

JOAN OSBOURNE: Claro que eu conhecia a banda e amava algumas de suas músicas, mas não era uma Deadhead. Eu não seguia os caras de um lado para

* Os fanáticos pelo Grateful Dead (*N. da T.*).

o outro morando em uma Kombi e vendendo queijo quente no estacionamento dos shows. Às vezes sinto que estou vivendo a fantasia de outra pessoa, como se o desejo tivesse caído no lugar errado. Deveria ter atingido aquele cara três assentos para lá, que desejava isso a cada segundo desde a primeira vez que viu um show do Dead.

Um ano depois, Osbourne foi substituída como cantora do Dead por Warren Haynes, do Gov't Mule, para que o som da banda ficasse mais parecido ao que era durante seu auge com Garcia.

[GROUPIES]

Quando escrevi um livro com Dave Navarro, perguntei por que com frequência ele chamava prostitutas de 2 mil dólares para sua casa quando havia incontáveis garotas querendo dormir com ele de graça. "Eu não gosto mais de magoar meninhas", explicou ele. "Uma prostituta não vai aparecer na sua porta às 4 horas da manhã dizendo que se mudou do Michigan para viver com você."

Olhando de fora, os roqueiros podem parecer ter o estilo de vida dos sonhos quando se trata de indulgência sexual. Mas, em muitos casos, as mulheres com quem eles dormem não estão procurando apenas sexo. Elas querem algo mais que isso. E uma noite de sexo casual pode acabar em roubo, processo de paternidade, acusação de estupro estatutário ou anos de perseguição. Em um show do Grateful Dead, eu entrevistei Marta, uma hippie loura e mignon, que compartilhou sua experiência.

MARTA: Eu meio que tenho um namorado no Grateful Dead.

Que integrante você está namorando?
MARTA: Eu não deveria estar lhe dizendo isso, mas é o Bob Weir. Bem, não sei se é certo chamá-lo de namorado. Depois do nosso último encontro, fiquei totalmente louca.

O que aconteceu?
MARTA: Bem, eu o conheci depois de um show do Dead. Eu estava toda arrumada. Quer dizer, calça superjusta que mostrava minha bunda e uma blusa branca decotada. E fiquei dançando no meio das fileiras de cadeiras, então a banda estava me olhando e tocando músicas para mim.

Como você sabia disso?
MARTA: Eu simplesmente sabia. Conseguia sentir a energia.

Como você acabou conhecendo o Bob?
MARTA: Depois do show, esperei um pouco na minha cadeira porque sabia que eles iam mandar alguém me chamar para os bastidores. Mas o segurança me fez sair, então acabei indo para o estacionamento. Quando cheguei lá, me disseram que eu não tinha encontrado o Bob por pouco.

Então você se arrumou toda por nada?
MARTA: Bom, estava destinado a acontecer, porque conheci um de seus roadies, que me levou para uma festa que eles estavam dando depois do show. Eu estava do lado de fora cantando, e o Bob saiu para fazer xixi, então começamos a conversar. E fomos para a casa do Bob e fizemos um sexo fantástico: quatro vezes em uma noite.

Quando acordei, o Bob não estava ali. Então acendi um cigarro e saí do quarto, e o Bob estava lá sentado com um monte de caras de negócios. Todos eles me viram parada ali nua, e o Bob sorriu para mim como se estivesse adorando aquilo.

O que aconteceu depois?
MARTA: Eu me vesti e saí do quarto outra vez. E o Bob disse, muito friamente, "Alguém pode dar ãhn, ãhn" — ele estava tentando se lembrar de meu nome e aí conseguiu — "uma carona para a Marta". Percebi que ele estava muito aliviado por ter lembrado meu nome.

Eu só olhei para ele e disse: "Tem fogo?" Eu disse isso de um jeito muito duro. Tenho certeza de que ele não esperava isso. Enfim, ninguém estava indo na direção da minha casa. Eventualmente, ele disse para um dos caras algo como: "A Marta tem uma casa na Costa Rica. Talvez você possa conversar com ela sobre isso." E eu disse: "Vá se foder." Então me preparei para ir embora e disse algo frio outra vez. Ele disse: "Eu ligo para o seu hotel." Perguntei a ele se ele queria o número, e ele disse que ia procurar.

Obviamente ele não ligou.
MARTA: Não, mas eu o vi novamente alguns meses depois. Foi em uma festa depois de um show do Dead. Ele estava lá com várias garotas e eu estava conversando com o Jerry e me divertindo. Estávamos altos e ele me perguntou o que eu estava fazendo. E eu disse: "Esperando o Bob." Ele achou que eu tinha dito "Bozo" e rimos durante um tempão porque estávamos muito chapados.

Então vou ao banheiro e Bob aparece com tipo cinco garotas agarradas a ele, e no segundo em que ele me vê sinto uma onda de energia ruim, literalmente como um tsunami caindo sobre mim, e fico perplexa. Eu vou ao banheiro e me olho no espelho, e estou horrível, terrível.

Você falou com o Bob naquela noite?
MARTA: Não, não nos falamos. Depois disso, eu basicamente fiquei na casa dos meus pais pelos seis anos seguintes. Fiquei louca. Toda vez que eu me olhava no espelho, via o demônio. Eu achava que tivera a chance de salvar o mundo e a perdera. Bob era o demônio, Jerry era Deus, e eu era um anjo.

[MONSTER MAGNET]

Para toda Woodstock, existe uma Altamont; para todo Timothy Leary, existe um Charles Manson; e para todo Strawberry Alarm Clock existe um Monster Magnet. O Monster Magnet é o lado ruim da psicodelia. Seus integrantes têm cabelo longo e sujo e inalam montes de drogas, mas não são hippies. Também não são metaleiros. São algo muito, muito pior. Então, quando seu primeiro disco foi lançado, antes de se tornarem tão populares quanto as pessoas que odeiam, conversei com o líder do Monster Magnet, Dave Wyndorf, sobre a vingança dos subúrbios.

De que parte de Nova Jersey você é?
DAVE WYNDORF: Da área de Red Bank, 30 km a norte de Asbury Park. É um subúrbio antigo rodeado por fazendas, depois por mais subúrbios, grandes shoppings e garotos de bobeira em estacionamentos. Todas as coisas que estão no nosso disco vêm da cultura em que crescemos, em que um monte de garotos do subúrbio cresceu — a mesma velha merda.

Como aquele filme *Over the Edge*?*
WYNDORF: Esse é definitivamente o cenário do qual eu vim. Usávamos cabelos fora de moda e camisetas de rock. Ganhávamos todo o nosso dinheiro vendendo papelotes e maconha, pílulas e coisas assim. E íamos a festas e tocávamos discos dos Stooges e de punk-rock para ofender todo mundo. Escolhíamos ser desajustados. Odiávamos todos os atletas e decidimos ir na direção oposta e fazer punk-rock.

---

* Estrelando um jovem Matt Damon como um adolescente suburbano rebelde que é baleado por um policial.

Mas vocês usam muito do simbolismo demoníaco do heavy-metal no seu disco...
WYNDORF: Satã e tudo isso é apenas algo mau. Basicamente representa quase tudo, porque você está tão embotado que nada mais adianta. *(Grita:) Satã isso, aquilo, peitos, tudo!* Você tem de tipo passar de todos os limites, sabe. Nada mais consegue atravessar aquela névoa das drogas.

Que tipo de correspondência de fãs você recebe?
WYNDORF: Um cara me mandou um vídeo de algum lugar tipo do Texas ou coisa assim e ele dizia: "Caros Monster Magnet, vocês são minha banda favorita. Eu e meus amigos tomamos um monte de ácido e saímos para matar cachorros com espingardas". Eles tinham uma gravação disso e eu pensei: "Puta merda, o que foi que eu fiz?" Eu respondi para eles: "Pare de matar cachorros, cara. Matem uns aos outros. Tenho certeza de que vocês fizeram algo para merecer a morte, e tenho certeza de que os cachorros não fizeram".

A música sempre serviu para inspirar garotos a fazer coisas idiotas.
WYNDORF: É, saiu um artigo em um jornal daqui sobre um suposto culto ao demônio que estava capturando os animais de estimação das pessoas e os sacrificando. Todo mundo ficou louco e foi muito assustador. E acabou que era ainda mais assustador do que o culto ao demônio, por que não havia religião alguma. Era apenas um bando de metaleiros imbecis que achava legal cortar cachorros. Eu não sei quanto a você, mas um idiota com uma camiseta do Slayer dizendo: "Dã, vou matar um cachorro" é assustador pra caralho.

Nos movimentos dos anos 1960, as drogas eram vistas como algo esclarecedor, feliz, livre, mas no seu disco elas são a porta de entrada para um mundo sombrio.
WYNDORF: Estávamos tão atrasados aqui, que os anos 1960 só chegaram nos anos 1970. Então, quando eu era criança, assistia a filmes como *Busca alucinada* e *Woodstock* na TV. E achava que todo mundo estava naquela junto. Então, quando eu finalmente tive idade para fazer aquilo, percebi que não existe nenhuma irmandade envolvida. É apenas um bando de loucos tentando me roubar para comprar anfetaminas ruins.

Então, de que tipo de drogas você gostava?
WYNDORF: Ácido. Todo mundo deveria tomar ácido pelo menos uma vez na vida. Relembrando a época em que eu estava no ensino médio, não consigo imaginar não ter usado. Eu teria sido um idiota se não tivesse usado — mais do que sou hoje.

E aquela ideia de que as pessoas enlouquecem se tomarem ácido mais de três vezes?

WYNDORF: É, esse sou eu. Quando tomávamos todo aquele ácido — quando éramos muito novos e muito idiotas —, usávamos toneladas de ácido, tipo três papéis de uma vez, e tentávamos viver um *Medo e delírio em Las Vegas*. Essa era nossa ideia de diversão, citar Hunter S. Thompson, andar de carro e quebrar e incendiar coisas. Aqui não existia nada bonitinho. Estávamos nos anos 1970 e todo mundo ainda parecia hippie, mas não era. Eram apenas caras maus de cabelo comprido.

Mas existe o outro lado dessas coisas hoje em dia, como o show do Grateful Dead.

WYNDORF: Eles são só uma banda ruim de country e western. Parecem representar a ideia que a nova geração tem dos anos 1960 e vendem ingressos suficientes para se manter vivos. Então agora essa coisa do Grateful Dead é só uma desculpa para os garotos irem para a estrada. Quando você é muito jovem, não se dá conta de que está caindo em um golpe. Deadheads são as pessoas que querem ir a um show, mas não querem uma roda punk. Por um lado, você poderia chamá-los de pacíficos; por outro lado, de covardes.

Em 2006, Wyndorf engoliu impulsivamente um frasco de pílulas para dormir em um avião em uma aparente tentativa de suicídio. Ele não teve sucesso.

[SLAYER]

A entrevista a seguir faz parte do único artigo que escrevi para o *New York Times* que foi removido do jornal. Quinze minutos antes do fechamento da edição, a matéria foi retirada por causa das declarações do baixista e cantor Tom Araya sobre sua fascinação por assassinato. Não era de surpreender, a primeira página no jornal no dia seguinte exibia uma matéria sobre um assassinato e suicídio em massa na Suíça.

Quando você canta sobre suicídio...

TOM ARAYA: Não há nenhuma música sobre suicídio *neste* disco.

E "Killing Fields"?

ARAYA: Se você analisar cada verso, eles são diferentes interpretações de por que as pessoas matam.

Como, por exemplo?

ARAYA: Temos demônios incontroláveis que às vezes nos levam a matar. Às vezes a paixão nos leva a matar. A dor emocional pode fazer alguém sair e matar. Quando o assunto é assassinato, o homem tem livre-arbítrio, uma escolha de matar.

Mas também há uma letra sobre "a possessão suicida".

ARAYA: A possessão suicida significa que, quando alguém enlouquece, não percebe o que fez. E essa é a possessão suicida. "Can't beat the rush that leaves a suicidal hold" — significa que é suicídio cometer assassinato porque você vai acabar pagando.

Não é estranho que uma banda que escreve tanto sobre violência e assassinato também defenda uma punição dura para essas coisas?

ARAYA: É assim que me sinto. Não, não é uma contradição. Expomos o lado feio da vida, e sinto que as pessoas que cometem esse tipo de crime devem sofrer e pagar as consequências por eles.

Você acha que desabafar a violência nas letras das suas músicas o impede de dar vazão a esses impulsos?

ARAYA: Às vezes escrever letras purga algumas das minhas ansiedades, um pouco do meu lado violento. Com a banda, consigo canalizar esses sentimentos.

O que você faria se não tivesse a música como válvula de escape?

ARAYA: Se eu não estivesse na banda, tenho certeza de que estaria fazendo alguma coisa.

Como assim alguma coisa?

ARAYA: Assassinato.

Eu rio. Ele não.

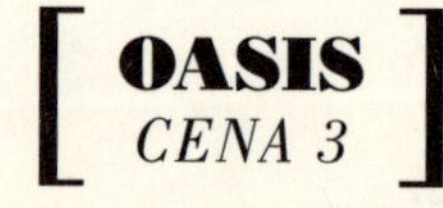

[OASIS *CENA 3*]

Conforme os drinques continuavam, o vocalista do Oasis ficou um pouco mais intelectual... ou coisa parecida.

LIAM GALLAGHER: Todo mundo fica dizendo: "Deus, Deus, Deus, Deus." O que ele deixou para nós? Os Beatles nos deixaram um monte de músicas nas quais eu podia acreditar que me ajudaram a entender por que eu me sentia triste; e me ajudaram a levantar e fazer alguma coisa a respeito.

Você acredita em Deus?
GALLAGHER: Quando eu tinha 14 anos, acreditava em Deus. Fui criado como católico. Não sou mais católico. Não acredito em Deus. Não existe andar de cima. Não existe andar de baixo. E, se existisse alguém no andar de cima e existisse alguém no andar de baixo, quem estaria à esquerda e quem estaria à direita? Porque ninguém sabe para que lado está virado, não é?

O que o fez perder a fé?
GALLAGHER: É porque, se você se casar, não pode nem se divorciar. Então minha mãe se casa com um cara e tem três filhos. O velho começa a sair da linha. Ela não gosta, mas tem de ficar com ele porque sua religião não permite que ela se divorcie. Ela cresceu na religião, acreditando em Deus, indo à igreja todo domingo, tomando o corpo de Cristo e tal. Quando ela finalmente se divorcia, não pode mais ir à igreja, então é um golpe para ela. Então ela passa a achar que religião é tolice. E está certa. Ela se divorciou porque ele estava batendo nela, então o que é isso? Tolice. No mínimo, Deus é um cara mau. Mas não existe Deus. Não existe andar de cima, cara.

Você acredita em algum tipo de espiritualidade?
GALLAGHER: Deus está dentro de você. Você é seu próprio Deus e seu próprio diabo. Faça suas coisas, entre no seu clima, resolva seus problemas, seja legal com todo mundo. E, se alguém lhe causar problemas, nunca mais fale com essa pessoa.

Você acha que tem uma alma gêmea?
GALLAGHER: Um dia vou encontrar. Eu já o conheci, acho. Mas um dia vou conhecer o equivalente, uma mulher que sou eu. Uma pessoa que tem a mesma aparência que eu, pensa como eu, mas é uma mulher. Vou me apaixonar e, tipo, seguir em frente. (*O baterista do Metallica, Lars Ulrich, entra no hotel para encontrar a banda. Liam olha de relance para ele e torce o nariz.*) Ele está louco.

O que você acha que acontece quando morremos?
GALLAGHER: Tudo vai ser lindo quando você se for. A morte é algo legal. As pessoas dizem que a morte é ruim. Vão se foder, morte é vida. Vida é morte.

Como assim?
GALLAGHER: É simples. A morte é um começo. Claro que a vida segue em frente. Você não pode simplesmente entrar em um caixão e ir para debaixo da terra. Seu

corpo vai. Mas todos nós temos o mesmo corpo — pernas, maçãs do rosto. Todo mundo tem. Mas, porra, são inúteis. O que faz você pensar, o que cria suas ideias, seu amor, e todas essas coisas é o seu espírito.

Então você acredita em reencarnação?
GALLAGHER: Acredito em alma ou espírito, embora não saiba o que é. Talvez sua alma e seu espírito sejam você mesmo. Você faz suas coisas, e este mundo e esta vida são o equivalente ao inferno. Você está vivendo no inferno com um monte de loucos que lhe causam problemas o tempo todo. E acho que você volta. A reencarnação é muito legal. Mas não quero voltar para cá, para esta merda. Não quero fazer isso.

Para onde você quer ir, então?
GALLAGHER: Bem, quero ir para o céu, onde você não é tocado pela merda que acontece aqui. E vai ter de guiar outra pessoa que está vivendo aqui, que tem tipo 14 anos e tem de passar por esta merda pela primeira vez.

Você acha que tem um guia?
GALLAGHER: Acho que alguém está me guiando. Mas, seja quem for, não sabe o que fazer com a minha vida. Ele só pensa: "Porra, que complicação." Mas, enquanto estou conversando, estou falando com ele na minha cabeça: "Continue fazendo o que está fazendo, me guiando para não perder meu rumo."

[ERIC CLAPTON]

"Com o Eric, não criamos publicidade; tentamos eliminá-la", explicou o assessor de imprensa de Clapton a caminho do ensaio de sua turnê nos arredores de Londres, tentando transmitir como é rara a oportunidade de falar com ele. Eu não entendia muito bem por que Clapton era tão cuidadoso ao falar com a imprensa até a entrevista começar: ele era autodepreciativa e brutalmente honesto, o extremo oposto de seus contemporâneos do Led Zeppelin.

Usando jeans e camiseta, e jantando um prato de cordeiro, ele passou duas horas abrindo educadamente novas e velhas feridas, cuja mais tocante foi a morte de seu filho de 4 anos, Conor, que caíra por acidente de uma janela do 53º andar de um apartamento em Nova York três anos antes.

O que o impediu de voltar a beber e a usar drogas depois de perder seu filho?
ERIC CLAPTON: Na minha experiência, aquilo me mostrou que não sei nada. Até aquele momento, acho que ainda não tinha aceitado de verdade que era

COCAINE
DROPS
prepared by the
CLAPTON MANUFACTURING CO.
FOR FATIGUE OF MIND OR BODY.

impotente. Não conhecia a verdadeira natureza da vida até aquele dia. Ficou claro que tudo pode ser levado embora a qualquer momento, e tive de procurar o lado positivo. E consegui encontrá-lo ao continuar me abstendo e dizendo: "Olha, qualquer coisa pode acontecer, e você não precisa recorrer às drogas." Então de certa forma foi uma dádiva, uma dádiva poder mostrar às outras pessoas que não estou sendo insensível em relação a isso. Perdê-lo foi duro demais pra mim, mas se eu me matasse por causa disso não estaria honrando a memória dele. Não adianta nada pela memória do meu filho eu me jogar na autopiedade ou na autodestruição.

E em que momento do processo de luto você chegou a essa conclusão?
CLAPTON: Logo após a morte dele me aconselharam a viver minha vida a partir daquele ponto honrando sua memória, fazer coisas das quais ele se orgulharia. E isso imediatamente me deu um ponto de partida. Em momentos tensos e difíceis como aquele, você precisa de alguma coisa à qual se agarrar e focar rapidamente, e esse foi um caminho muito positivo para mim.

Você está gravando?

Estou.
CLAPTON (*pega o gravador*)**:** Ah, interessante.

Então, você está em algum tipo de terapia?
CLAPTON: Faço uma espécie de aconselhamento familiar uma vez por semana e falo muito com essa pessoa por telefone. Não sei mesmo se confio no meu próprio julgamento em termos de relacionamentos, seja com meus parceiros de negócios ou com a banda. Tenho de falar sobre tudo. Minha noção de mundo é estranha e delirante demais para ser deixada por conta própria, eu ficaria louco. Eu ficaria sim, porque minha cabeça me diz todo tipo de coisa, que simplesmente não é verdade. E, se eu fosse deixado com elas, ou se acreditasse nelas, não sei o que faria.

Ficar louco em que sentido?
CLAPTON: Como essas pessoas por aí que acabam se tornando reclusas, infelizes, desesperadas e encontrando maneiras de se matar — lenta ou rapidamente, ou seja como for. Fiz parte desse grupo por um tempo. Bastante tempo. Gostaria de ter encontrado antes uma maneira de me comunicar com espíritos semelhantes. Toda essa terapia me mantém na terra dos vivos e razoavelmente são.

Quando você soube do Kurt Cobain, pensou que poderia ter sido você em algum ponto da vida?

CLAPTON: Ah, sim, disseram que ele falou coisas com as quais me identifico completamente. Como estar nos bastidores, ouvir a multidão e pensar: "Não sou digno disso. Eu sou um merda. E eles são loucos — são uns idiotas — se gostam de mim. Esta situação é doentia. Se eles soubessem a verdade sobre mim, não gostariam de mim."

Eu me identifiquei com isso um milhão de vezes. Só não sei por que aquilo não foi impedido. Não sei por que ninguém conseguiu falar com ele. Era uma situação autodestrutiva poderosa que... eu soube que ele tentou fazer um tratamento. Não sei o que aconteceu nessa fase. Só é uma grande pena, porque ele era um homem muitíssimo talentoso e fascinante. Quer dizer, na minha opinião. Eu participei de um programa da MTV e era basicamente uma bobagem, uma modinha com cara hollywoodiana. E aí o Nirvana entrou, e me deixou perplexo. Eu o achava lindo. Sabe, partiu meu coração.

Alguém poderia tê-lo ajudado quando você estava nesse ponto?

CLAPTON: Não, não. Bem pensado. Não, a coisa precisou vir de dentro de mim. Quando fiz o show no Rainbow — foi algo bem conhecido que aconteceu em meados dos anos 1970 —, o Pete Townshend, o Steve Winwood, o Ronnie Wood e mais um monte de gente — amigos — estavam tentando me colocar em um show para me salvar dessa merda. Eu estava usando muita heroína. Eles me levavam para os ensaios. Faziam tudo para mim. Eu só precisava aparecer lá, e não estava nem aí. Aquilo não fazia diferença alguma.

Mas você conseguiu fazer o show.

CLAPTON: Eu fiz o show, mas não me lembro de ter estado lá. Tentamos fazer um disco ao vivo com ele. Não me lembro de nada em relação a isso. E continuei usando heroína. Não teve qualquer efeito sobre mim.

Mas...

CLAPTON: Na verdade, talvez isso seja meio cruel. Talvez tenha adiantado um pouco, porque não morri. Talvez eu fosse morrer e isso tenha me impedido de morrer. E talvez tenha tido alguma coisa a ver com minha recuperação a longo prazo. Mas, na verdade, é impossível fazer uma pessoa se analisar se ela não quiser.

Quando foi a última vez em que você voltou para o lado sombrio?

CLAPTON: Volto todos os dias. Tenho um relacionamento com uma pessoa há bastante tempo, e é cheio de idas e vindas. É bem volátil. E normalmente é culpa minha. Se ouço a crítica de alguém, fico do lado da pessoa. Logo adoto sua forma de pensar. E isso não é nem um pouco real. É uma doença que tive durante a vida toda e provavelmente terei até o dia em que morrer. Ela precisa de atenção constante (*solta uma risada diabólica*). Ela torna a vida uma jornada muitíssimo engraçada e interessante para mim, porque não vejo nada da maneira que os outros veem. Bom, algumas pessoas veem. Algumas pessoas entendem (*solta outra risada diabólica*).

[BRIAN WILSON *CENA 3*]

Sua música o ajuda a lidar com problemas pessoais, como em "Lay Down Burden"?

BRIAN WILSON: Você gosta dessa música? É uma das nossas melhores.

MELINDA WILSON: O ano passado foi difícil para mim e para o Brian. Em quatro meses, eu perdi meu pai, e ele perdeu a mãe e o irmão. Então, acho que "Lay Down Burden" foi a maneira que ele achou para lidar com essas perdas.

Deve ser difícil não ter mais parentes próximos.

BRIAN: É verdade. Agora só restou eu. O último dos Wilson.

Eles foram um apoio importante para você nos últimos tempos?

BRIAN: Ah, sim, está brincando? Carl e Dennis eram ótimos, ótimos cantores. Eles eram bons cantores.

MELINDA: Ele está falando do lado pessoal, querido. Ele está falando de segurança emocional. Ter a família viva lhe dava segurança emocional?

BRIAN: Sim, dava. Mas agora acabou.

O comunicado de imprensa do disco anuncia que ele é um retorno a *Pet Sounds*. Você queria revisitar *Pet Sounds*?

BRIAN: Eu queria reviver o amor de *Pet Sounds.* Nunca conseguiria fazer outro *Pet Sounds.* Mas usei o mesmo amor que depositei nele e o coloquei no meu disco agora. Veio diretamente do meu coração.

MELINDA: Acho que são os outros que fazem essas comparações. Eu nunca o vi dizer: "Vou fazer esta ou aquela música porque se parece como tal música." Acho que as pessoas sempre vão comparar tudo o que ele faz com *Pet Sounds.*

BRIAN: Espero que gostem desse novo até mais que de *Pet Sounds*. Tenho um pressentimento de que vão gostar.
MELINDA: Mas você precisa se lembrar, querido, de que quando fez *Pet Sounds* ninguém gostou muito.
BRIAN: É.
MELINDA: É muito engraçado porque só ouvimos "*Pet Sounds, Pet Sounds*", mas se ele precisasse do dinheiro de *Pet Sounds* para ter o tipo de vida que tem, não teria acontecido. As músicas que realmente fizeram sucesso foram as músicas de surf, de carros. *Pet Sounds*...
BRIAN: Revisitado.
MELINDA: Que seja. Mas nos anos 1960 foi um fracasso comercial.

Você ainda vai fazer encontros com os Beach Boys?
BRIAN: Não, acho que não. Eu tive a minha época. Agora que o [meu irmão] Carl se foi, não quero ir para o palco. Não é nem nunca vai ser a mesma coisa sem o Carl. Mesmo quando estou gravando, me sinto mal ao pensar que ele não é mais nosso vocalista principal. É só uma daquelas coisas.

É interessante porque os Beach Boys agora tocam para um público nostálgico, enquanto você conseguiu manter uma reputação de artista que compõe música nova e importante.
BRIAN: Eu sei. Eu amo o rock and roll. Sempre gostei. Quero muito tentar fazer um disco de rock que acho que as pessoas vão gostar e comprar, que vão mesmo gostar muito. E comprar. Porque precisamos... Não precisamos tanto de dinheiro, mas ele ajuda. Dinheiro não é o objetivo. Comigo, dinheiro não é o objetivo. Arte é o objetivo.
MELINDA: Falamos com os rapazes sobre fazer algo com o [produtor] Don Was. Mas houve muitas opiniões divergentes. E parecia que ninguém estava disposto a fazer o que ele queria outra vez. Então foi por isso que decidimos deixar isso de lado até ele botar para fora as próprias composições. Acho que eles podem ter perdido um pouco da confiança no Brian. Não tenho certeza. É muito estranho.
BRIAN: Vou pegar alguma coisa para beber. Já volto.

[*Continua*...]

[PINK FLOYD CENA 1]

Descansando à beira da piscina em um hotel de Houston, o vocalista e guitarrista do Pink Floyd, David Gilmour, explicou que gostaria de criar a própria versão da infame camiseta "Eu odeio o Pink Floyd" do Sex Pistols. A sua seria igual à deles: uma camiseta da turnê do Pink Floyd *Dark Side of the Moon* toda rasgada com as palavras "Eu odeio" rabiscadas em cima. "Só que nas costas", continuou ele, "na minha estaria escrito, 'Bem, pelo menos a maioria deles'."

Ele estava se referindo particularmente ao companheiro de banda, o vocalista e compositor Roger Waters. Depois que Waters deixou o grupo em 1985, ele descobriu que os integrantes remanescentes planejavam continuar como Pink Floyd sem ele. Eventualmente, o caso foi resolvido litigiosamente, e Gilmour e Mason continuaram como Pink Floyd, recontratando o tecladista Rick Wright, que Waters obrigara a sair da banda.

Em Houston, Gilmour, Wright e Mason estavam em meio à segunda turnê do Pink Floyd sem Waters. Entre jogos de Marco Polo com os filhos de Gilmour, eu tentei estimulá-los — assim como a seu amigo de infância e guitarrista da turnê do Pink Floyd, Tim Renwick — a falar sobre o ex-companheiro de banda.

Vocês tiveram algum contato com o Roger?

RICK WRIGHT: Tem havido uma total falta de comunicação. A última vez em que falei com o Roger foi há mais ou menos dez anos. Acho que a última vez em que o Dave e o Nick falaram com ele foi através dos seus advogados. Acho que ninguém falou com ele de forma alguma.

Grande parte do novo disco é sobre dificuldade de comunicação. Você acha que é uma referência ao Roger?

WRIGHT: Eu não diria que o disco tem qualquer coisa a ver com o Roger. Também não diria que a separação da banda teve a ver com falta de comunicação. Acho que houve um grande e violento desentendimento em relação ao que a banda deveria ser e também por causa dos egos, que devo dizer que vinham basicamente do Roger, que começou a achar que ele era a banda. Todos nós reconhecemos muito a contribuição dele — sobretudo nas letras. Mas nada disso teria funcionado sem o Dave, o Nick e eu. Acho que a carreira solo dele está provando isso.

E a música "Poles Apart"— poderia ser sobre o Roger?

WRIGHT: Não sei se "Poles Apart" é sobre o Roger. Você perguntou ao Dave se era sobre o Roger?

Perguntei.
WRIGHT: O que ele disse?

Sei que boa parte do disco é sobre seu divórcio, mas "Poles Apart" também fala sobre as diferenças da banda com o Roger?
DAVID GILMOUR: Quando alguém diz: "Dependendo da interpretação, aquela letra pode ser sobre o Roger", você diz: "Porra". E aí ou você se desliga disso ou deixa acontecer. Mas no começo nada do disco tinha a ver com ele.

Então no final podia ter a ver com ele?
GILMOUR: Podia? Você simplesmente vai ter de descobrir sozinho. Existem duas músicas que parecem ser, mas não necessariamente são. Como é que dizem, "Não se queixe, não se explique"? (*Enfia o dedo no ouvido e cutuca alguma coisa.*)

Como está a sua audição depois de tantos shows?
GILMOUR: Minha audição está meio prejudicada, mas não tão mal. Aquele livro terrível e idiota da *Rolling Stone*, que não verificou os fatos quando publicou seu terrivelmente idiota guia do rock and roll ou seja lá o que for, errou minha data de nascimento em dois anos. Isso me torna o mais velho da banda, quando na verdade sou o mais novo. Enquanto todo mundo tem 50, 51, eu tenho 48. Mas não importa. Eles nunca ligam para checar os fatos, é isso.

Quando foi a última vez que você falou com o Roger?
NICK MASON: Acho que a última vez que falei com o Roger foi em 1987. Havia muitos sentimentos negativos na época. Agora estou menos desesperado para recuperar as amizades. Há muitas outras coisas acontecendo, principalmente na família, então a tendência é você não se preocupar tanto em se desligar dos outros. Talvez as mulheres sejam mais clementes. Só digo isso porque minha mulher parece ter mantido amigos por mais tempo do que eu. Ou talvez eu seja apenas uma má pessoa.

De todos, você é o mais próximo do Roger agora, pois tocava na banda solo dele. Então, por que acha que ele e os demais [do Pink Floyd] se separaram?
TIM RENWICK: Houve muita tensão entre eles. Gradualmente, ao longo dos anos, o Roger passou a se considerar a força principal por trás de tudo. Sem dúvida me

lembro de quando ele me fez sentar e tocou os demos de *The Wall* para provar quanto era dele. De certa forma, aquilo teve o efeito oposto porque as músicas eram tão cruas que mal dava para ouvi-las. Eram muito desagradáveis. Foram o Dave e o [produtor] Bob Ezrin que tornaram as coisas musicalmente mais palatáveis e agradáveis.

Você falou com o Roger recentemente?
RENWICK: Por mais estranho que pareça, não ouvimos nada dele nessa turnê: nem uma palavra, uma resposta sequer. Na verdade, estou contente, porque isso azedou a atmosfera na última turnê, já que vinha à tona o tempo todo. Sempre que alguém critica o Roger, é o fim. Ele leva muito para o pessoal.

[*Continua...*]

Embora Roger Waters não quisesse falar comigo para o artigo da *Rolling Stone* que eu estava escrevendo sobre seus ex-companheiros de banda, esperei um pouco mais, até ele ter alguma coisa para promover e se sentir mais inclinado a falar com a imprensa, então tentei outra vez. Infelizmente, ele não estava muito satisfeito com a matéria que tinha saído na *Rolling Stone*.

ROGER WATERS: Eu gostaria de saber por que você escreveu "Este é o Pink", na legenda sob a foto do Dave na matéria.

Isso é estranho. Eu não tenho nada a ver com as legendas.
WATERS: Sei.

Mas meu editor, David Fricke, me disse que gostaria que o artigo que ele escreveu quando vocês se separaram tivesse o título de "Qual deles é o Pink?".
WATERS: É uma decisão estranha.

Não acho que ele estivesse tentando dizer que David Gilmour era Pink Floyd e você não era. Acho que ele só gostou da referência.*
WATERS: Não sei, não. O David Fricke foi muito covarde em 1987. Contei tudo para ele e ele não imprimiu uma palavra sequer.

* À música do Pink Floyd "Have a Cigar", cantada do ponto de vista de um executivo de gravadora sem noção, que pergunta à banda: "Ah, por falar nisso, quem é o Pink?".

Você está brincando.
WATERS: Passei uma tarde inteira com ele em um hotel em Berkeley e contei a história toda. Ele tinha *tudo*. Sabia que eles tinham entregado o disco à gravadora, e a gravadora dissera: "Isso não parece o suficiente com o Pink Floyd. Voltem e comecem de novo." Então fizeram tudo aquilo e foi uma palhaçada.

Estou surpreso, porque esse é o tipo de coisa que eu estava procurando.
WATERS: Contei toda a merda da história e ele não publicou uma palavra. Ele só falou: "Bom, os dois me parecem caras legais." Foi um infeliz... absurdo. Eu realmente... eu achei patético.

Por que acha que ele fez isso?
WATERS: Vai saber se foi por alguma razão pessoal, se ele pensou que era polêmico demais, ou se foi alguma outra coisa. Ele amarelou totalmente. Quando li, só pensei: "Que imbecil!"

Você está falando...
WATERS: Sim, fiquei muito decepcionado. Puto. Porque, sabe, é a *Rolling Stone*, o que existe de mais interessante e inovador no jornalismo de rock. Ali estava uma matéria de verdade. Ali estavam duas pessoas prontas para se destroçar em público, e ele não publicou uma palavra.

Eu me pergunto...
WATERS: Foi uma verdadeira enrolação. Quer dizer, se fosse eu, publicaria as duas versões. Deixaria as pessoas decidirem. Se duas pessoas estão dispostas a discutir em público, que ótima diversão!*

Então por que você ficou calado quando o Pink Floyd fez uma turnê desta vez sem você?
WATERS: Calado em relação a quê?

Você não se manifestou sobre o fato de fazerem turnê como Pink Floyd, como da última vez.
WATERS: Porque entendi que somente uns 15, 10 ou 5 por cento da plateia ia ao show por se interessar e entender o trabalho, e o resto só queria se divertir. Então, sabe, as pessoas vão tomar as próprias decisões sobre o trabalho, se é bom ou não, ou se é Pink Floyd ou não. Sabe, na verdade não é da minha conta.

---

* David Fricke responde: "Acho que ele não gostou da matéria porque mostrava ambos os lados. Eu fui totalmente honesto. Também não esculhambei ninguém. Foi a matéria verdadeira, escrita de um ponto de vista neutro, que não era um lugar confortável de se estar. Mas foi a única matéria jornalística correta."

De certa forma, não, mas o Pink Floyd foi grande parte de sua vida.
WATERS: Eu sei o que *eu* acho, mas isso é da minha conta.

Você gostaria de, eventualmente, chegar a um ponto no qual não fosse mais visto como um ex-integrante do Pink Floyd, mas apenas como você mesmo?
WATERS: Sabe, há prós e contras em tudo. Se estivesse sendo mesmo maduro em relação a isso, eu diria: "Não, neste ponto da minha vida eu preferiria não ter de lidar com esse tipo de celebridade." Mas a criança em mim ainda quer dizer: "Olhe para mim, olhe para mim, eu fiz isso!" Afinal, somos apenas homens comuns.

Onze anos depois dessa entrevista, Waters e o resto da banda se apresentaram juntos como Pink Floyd pela primeira vez em quase um quarto de século, deixando de lado as diferenças em prol da luta global contra a pobreza. Três anos depois, Rick Wright morreu de câncer aos 65 anos.

[LED ZEPPELIN *CENA 3*]

Na parte da entrevista com Page e Plant que não foi gravada, eles comentaram por que o único outro sobrevivente do Led Zeppelin, o baixista John Paul Jones, não fora convidado a participar do show de reencontro na MTV, *Unledded* — ou do disco e da turnê programados em seguida. Então, depois da entrevista, liguei para Jones para saber o que ele pensava sobre isso.

Você viu a transmissão do *Unledded*?
JOHN PAUL JONES: Vi um pouco ontem à noite, pela primeira vez. Nossa, é toda aquela velharia de novo, não é? Não prendeu minha atenção por muito tempo. Acho que éramos muito bons antigamente. É hora de seguir em frente, sério.

Você teria participado se fosse convidado?
JONES: Talvez sim, mas talvez não. Acho que depende do que eu estivesse fazendo. Mas, como não fui convidado, é uma pergunta retórica. Não sei o que eles dizem sobre isso, mas não falo com eles há meses. Acho que a última vez que vi o Robert foi há um ano e meio. Seja por que razão for, eles decidiram não me convidar. Você perguntou a eles?

Sim, perguntei.
JONES: Não estou muito interessado. Porque li sobre isso nos jornais e liguei para um amigo só para dizer: "Ah, por falar nisso, você viu o último boato?" E ele

respondeu: "Eles não contaram para você?" Eu falei: "Ah, ótimo." Talvez eu tivesse me juntado a eles, talvez não. Mas acho meio descortês eles não terem dito nada.

Quando perguntei por que não convidaram você, primeiro fizeram uma piada idiota, dizendo que você estava lá embaixo pegando as malas deles ou coisa do tipo.
JONES: É, é a cara deles.

Então disseram que não era o certo para o material, porque teria tornado o material complicado demais.
JONES: Hmm, uma coisa levemente perversa que pensei enquanto assistia à coisa da MTV (*dá uma risada nervosa*) é a quantidade de pessoas que foram necessárias para me substituir, e como preciso de poucas pessoas para substituí-los.

Cinquenta e um músicos adicionais tocaram com Page e Plant em Unledded; *na época, John Paul Jones estava tocando em trio. No ano seguinte, Page e Plant finalmente tocaram com Jones outra vez quando o Led Zeppelin entrou para o Rock and Roll Hall of Fame. "Obrigado, meus amigos", disse Jones em seu discurso de agradecimento, "por finalmente se lembrarem do meu telefone."*

[BRUCE BROWN]

Quando se fala de cinema independente, filmes com scripts inteligentes e filmagens artísticas vêm à mente. Mas Bruce Brown apareceu para definir uma estética ainda mais independente. Muito antes dos esportes radicais se tornarem uma indústria — muito menos uma expressão conhecida —, ele começou uma produtora de um homem só e viajou pelo mundo com sua câmera Bolex a manivela, fazendo filmes de surf — até que um dia, em meados nos anos 1960, *The Endless Summer* estourou e o tornou um dos mais famosos documentaristas de seu tempo.

BRUCE BROWN: Fizemos daquele jeito porque não sabíamos nada. Por exemplo, quando entramos no avião para o Havaí para fazer o primeiro filme, eu tinha um livrinho chamado *Como fazer filmes* ou coisa do tipo.

Você já desejou ter frequentado uma escola de cinema?
BROWN: Felizmente, eu não tinha nenhum treinamento, porque se não teria aprendido que não podia fazer o que estava fazendo. Depois de muitos anos, fui

chamado para falar na escola de cinema de uma universidade, e foi como uma apresentação de comédia. Todas as vezes que eu dizia como tinha feito alguma coisa, eles riam. Eles perguntavam: "É uma cópia?" E eu dizia: "Não tínhamos cópias. Exibíamos o filme original."

Você não tinha medo que fosse danificado ou se perdesse?
BROWN: Sabe, eu o levava comigo para todo canto. Não o enviava. Nós realmente não podíamos pagar outra cópia. Perguntavam: "Bom, como você editou se não tinha uma cópia?" E eu respondia: "Eu simplesmente o passava pelo visor e fechava os olhos onde achava que devia cortar. Depois passava mais umas quatro vezes, até a próxima tomada, tentava visualizar o corpo, depois cortava. Uma vez cortado, era isso."

Então você passava o filme com todas as emendas nos cinemas?
BROWN: Sim, uma emenda sempre se soltava durante a exibição. Minha mulher operava o projetor, levava um monte de fita adesiva e consertava enquanto ainda estava rodando.

A música era tocada em um gravador de rolo. Se saísse da sincronia, eu enfiava o dedo no carretel para aumentar a velocidade ou desacelerá-lo. Quando uma cena terminava, eu parava o gravador, depois o reiniciava. E de alguma forma simplesmente dava certo.

E a narração estava no próprio filme?
BROWN: Não, eu fazia toda a narração ao vivo.

Está dizendo que falava junto com o filme?
BROWN: É, eu ficava no palco com meu pequeno gravador e o microfone e narrava. E melhorei por tentativa e erro. Se eu dissesse alguma coisa e pensasse: "Cara, que tosco", não dizia novamente. Então, ao longo dos anos, depois de exibir aqueles velhos filmes cinquenta, sessenta ou setenta vezes, cheguei a uma narração que funcionava. E, dependendo do tipo de plateia, eu podia alterá-la.

É por isso que suas narrações têm um elemento de comédia stand-up...
BROWN: É cômico, porque alguém em Nova York ou LA queria exibir um dos filmes na televisão e disse: "Bom, não é engraçado." E eu respondi: "Eu o exibi para umas 50 mil pessoas e todas riram. É engraçado. Não me diga o que é e o que não é engraçado!"

Você mudava o filme em si entre as exibições?

BROWN: Fazíamos isso, sim. Se houvesse uma sequência que não estava funcionando muito bem, nós a reeditávamos antes da exibição seguinte. Tínhamos uma Kombi velha, e às vezes eu editava o filme a caminho da exibição.

Então o surf era uma coisa de bad boys quando você começou a filmar?

BROWN: Ah, sim! *Muito.* Quando você surfava, todos os pais daquela época diziam: "Meu Deus, você tem de parar com isso e arranjar um emprego." Sabe, não gostávamos de trabalhar mais do que precisávamos para sobreviver, então nosso objetivo não era exatamente subir na vida. Estávamos tentando arranjar 100 dólares para ir ao Havaí. Quando eu estava no ensino médio na Califórnia, ninguém surfava, e havia uns 3 mil garotos na escola.

Mas, eventualmente, coisas como os Beach Boys e filmes como *Folias na praia* não tornaram o surf mais convencional?

BROWN: Para começo de conversa, com os Beach Boys e tudo aquilo, nós odiávamos aquela música. Na verdade, naquela época, achávamos que o jazz era a melhor música. Um amigo meu foi o empresário original dos Beach Boys e ele nos implorou para deixá-los tocar no intervalo do filme em San Diego. Então eles foram lá e tocaram, e a plateia vaiou. Eu tive pena deles. Na época pensei: "Meu Deus, coitados desses caras, eles nunca vão fazer sucesso!"

[BRIAN WILSON *CENA 4*]

Você sempre foi uma pessoa nervosa?

MELINDA: Você deveria falar com os colegas de ensino médio dele.

BRIAN: Meus nervos passaram por muitos danos por causa das anfetaminas que tomei. Elas dominaram meu cérebro, mesmo. Eu me arrependo muito de ter tomado estimulantes como aqueles. Depois usei muita cocaína — uma quantidade muito grande de cocaína. Espere um pouco, espere um pouco. Apague isso. Do que estou falando? Eu só... esqueci que isto era uma entrevista. Não fale nada sobre as drogas.

MELINDA: Todo mundo sabe disso, Brian. São as quantidades que as pessoas não sabem. Todo mundo sabe que ele usou drogas, mas é como eu disse antes: é mais fácil responsabilizar as drogas por todos os erros.

"Train Your Brain with Brian"

You, too, can have a photographic memory!

Brian

Brian says,

"Do What I Do"

Beneath the simplicity of* Brian *is a powerful force of creativity and melody and personal enhancement. Don't underestimate* Brian's *potential for surprise, fun, and education. Think quick, react fast, and don't forget to enjoy, enjoy, enjoy!

Na verdade, eu fiz essa pergunta porque ter um pai muito dominador e crítico pode deixar a pessoa nervosa e hesitante mais tarde.

MELINDA: Se você falar com garotos que fizeram ensino médio com o Brian, vai ouvir que ele sempre foi um garoto nervoso. Não acha que foi por causa do seu pai, Bri?

BRIAN: É.

MELINDA: Porque você tinha de ter cuidado e pisar em ovos.

BRIAN: Isso é perfeito. Perfeitamente colocado. Ele ferrou o meu cérebro, cara. Eu comecei a vida apavorado. Todo mundo para quem eu olhava era meu pai me encarando. Ele me batia, sabe. Foi muito traumático. Eu realmente tive uma infância muito (*levanta a voz*), muito ruim.

MELINDA: Ele podia fazer uma coisa em um dia e o pai achava ótimo, e no dia seguinte ele fazia a mesma coisa e o pai enlouquecia.

BRIAN: Ele era ferrado. Teve uma infância ruim também.

Como isso o afetou como pai?

MELINDA: É isso que eu acho maravilhoso no Brian. De forma geral, filhos de famílias abusivas acabam se tornando violentos. O pai dele se tornou. Ele se tornou exatamente o oposto. Mesmo quando decidimos adotar bebês, ele disse: "Sem surras". Acho que você bateu na Carnie o quê, uma vez na vida?

BRIAN: Eu dei uma palmada na bunda dela (*bate as mãos uma na outra*). Uma vez. Ela chorou um pouco e eu disse: "Desculpe, Carnie. Eu não tive a intenção." Mas só essa vez.

O que ela tinha feito?

BRIAN: Ela fez um sanduíche de manteiga de amendoim e geleia. Ela fez dois. Eu disse: "Só um", e a peguei fazendo o segundo. Mas não foi nada de mais.

Como foi ser pai outra vez?*

BRIAN: Desta vez é um sentimento muito mais profundo, porque posso passar muito mais tempo com a minha filha. Eu não podia passar muito tempo com minhas primeiras filhas.

MELINDA: Ele estava meio ocupado sendo um Beach Boy.

BRIAN: E ia para a casa de amigos, me divertia e passava as noites fora.

MELINDA: Mas basicamente era um Beach Boy.

---

* Nessa época, Brian e Melinda tinham adotado duas crianças. Nos 12 anos seguintes, eles adotaram mais três.

BRIAN: Vou ter de me despedir. Estou me sentindo tonto. Vou lá para cima. Agradeço muito. Foi uma das melhores e mais longas entrevistas que já dei. Foi tão longa quanto ótima. Vocês dois podem continuar. Vejo você depois.
MELINDA: OK (*ri*). Isso foi muito incomum para ele.

Eu agradeço muito.
MELINDA: Posso ter parecido meio defensiva. Estou sempre tentando protegê-lo. Não que ele não possa se defender, mas é o homem mais ingênuo, clemente e maravilhoso que já conheci. No passado, isso tendia a metê-lo em problemas — problemas legais.

Por curiosidade, como você conheceu o Brian?
MELINDA: Eu vendia carros em LA em 1986, durante os anos que o Brian passou com o Landy. O Dr. Landy estava querendo comprar um carro comigo havia um mês e finalmente decidiu não comprar. Mas ele ligou e disse que queria levar um amigo seu, e levou o Brian. E foi como o conheci: lhe vendi um carro. Ele olhou um só carro e disse: "Vou levar este." Era o carro marrom mais feio do mundo. Mais tarde, o Dr. Landy me perguntou se eu queria sair com o Brian. Agora que relembro isso, vejo que a coisa toda foi armada pelo Landy. Mas o que ele não contava era que Brian e eu íamos nos apaixonar. Foi muito estranho, mas eu tinha gostado de verdade do Brian no curto período de vender um carro para ele. Achei que ele era muito... diferente.

[**CORTINA**]

ATO QUATRO

OU

ÀS VEZES *VOCÊ SÓ QUER* UMA GAROTA QUE SENTE EM UMA GARRAFA

[*SINOPSE*]

ENTRA DAVE PIRNER, QUE MIJA EM UM VASO DE FLORES, UM ATO SUPERADO PELO INCUBUS, CUJOS INTEGRANTES MIJAM UNS NOS OUTROS E DEBATEM SEU HOMOEROTISMO, ENQUANTO KATEY RED SE ESQUIVA DE TIJOLOS PORQUE QUER SER UMA GAROTA, ALGO QUE TWIGGY RAMIREZ DO MARILYN MANSON FAZ POR DUAS SEMANAS ANTES DE DECIDIR COLOCAR IMPLANTES NOS SEIOS E ROUBAR UM TÚMULO ETC.

[SOUL ASYLUM *CENA 1*]

O cenário: um saguão de hotel em Austin, Texas. Dave Pirner, vocalista da banda de rock de Minneapolis Soul Asylum senta-se borda do sofá. O baterista Sterling Campbell está em uma poltrona ao lado, inclinado para perto. É minha primeira matéria de capa para a *Rolling Stone*. Também é a primeira da banda. Todos nós estamos animados. São 2 horas da manhã.

DAVE PIRNER: Mas olhe, o Sócrates era grego, cara. Quer dizer, que influência aquela cultura teve sobre nós como povo hoje em dia? Aquelas folhas enroladas com arroz...

Chega o assessor de imprensa do Soul Asylum.

PIRNER: ...Quer dizer, aquela merda nem é *tão* boa, mas é boa. E você meio que senta lá e come aquilo e pensa: "Tudo bem, esses filhos da puta comiam essa merda e faziam um bando de filhos da puta puxar umas pedras de merda morro acima e construir alguma coisa colossal. E eles tentaram criar toda uma sociedade. E qual foi a comida que sobrou disso? Umas merdas de folhas de uva recheadas com arroz."

ASSESSOR DE IMPRENSA: Eu tenho uma recomendação a fazer, como assessor de imprensa. Vocês podem ficar acordados a noite inteira conversando, mas a parte oficial da entrevista deve acabar agora.

STERLING CAMPBELL: Não, não, não, não.

PIRNER: Acho que posso me responsabilizar por qualquer coisa que eu disser. Mas vou perguntar o que quero saber. Qual é o ângulo da *Rolling Stone* aqui? Eles acham que somos astros do rock, que somos uma droga ou o quê? O que querem saber sobre a banda, cá entre nós?

ASSESSOR DE IMPRENSA (*pigarreia*): Qual seria a pergunta mais natural e óbvia: o novo disco? Depois do enorme sucesso de *Grave Dancers Union*?

PIRNER: Quer dizer, o que poderia possivelmente ser interessante em relação a nós?

ASSESSOR DE IMPRENSA: (*Silêncio.*)

PIRNER: Exatamente. Essa é a resposta certa.

ASSESSOR DE IMPRENSA (*agitado*): Esse gravador está ligado? Você poderia desligá-lo?

100%
Natural
ENERGY
BOOST

“*I got the* JUICE.”

PURE JUICE

PURE JUICE BOTTLING COMPANY MINNEAPOLIS MN 55408

O gravador é desligado. O assessor de imprensa se aproxima para falar em particular com Pirner, depois vai para o seu hotel. Pirner se levanta, anda até um grande vaso de flores, abre o zíper da calça e mija dentro dele.

[*Continua...*]

[INCUBUS]

Desde o primeiro single do Incubus que ficou entre as dez mais tocadas, a banda é conhecida como um dos grupos de rock mais bonzinhos. Durante uma semana decadente que envolveu strippers e a expulsão de boates em Las Vegas, os integrantes da banda fizeram tudo o que podiam para destruir esse mito. E estavam conseguindo, até que uma das namoradas interveio.

DIRK LANCE [baixista]: Algumas bandas como o Kid Rock ficam com as garotas que só querem dormir com os integrantes da banda, mas nós ficamos as garotas que querem conversar intensamente sobre música. E aí você se sente mal se quiser dormir com elas, porque elas estão ali pela banda e pela música.

Você deveria se sentir sortudo por elas realmente gostarem da música e da arte que você está fazendo.
LANCE: Sim, é verdade. Mas às vezes você só quer uma garota que sente em uma garrafa. [...] Fomos a uma in-store* uma vez e um garoto perguntou: "Como é ser a banda mais homoerótica da atualidade?"

Não acho vocês homoeróticos.
LANCE: Bem, somos bastante homoeróticos, mas eu não considero que sejamos *tão* homoeróticos assim.

O baterista José Pasillas entra na sala, pede para analisarem sua caligrafia e escreve em um pedaço de papel: "Meu nome é José Pasillas, o segundo. Eu amo mulheres e tudo sobre elas. Posso ser gay, mas não tenho certeza." O vocalista Brandon Boyd solta em resposta...

BRANDON: O José mijou na minha mão ontem.

* Jargão da indústria da música para uma performance promocional em uma loja de discos.

JOSÉ PASILLAS: É, foi ótimo. Nosso relacionamento está prosperando no momento. Nunca foi melhor.
BOYD: Nos conhecemos desde sempre, e já passamos da coisa da irmandade. Depois de um show, os chuveiros eram como chuveiros de vestiário, e o José simplesmente mijou em mim. Então eu fiz o mesmo. E todo mundo falou: "Vocês são loucos." Mas eu e ele respondemos: "É só xixi, estamos no chuveiro."

Percebi que existe uma divisão na banda em relação ao comportamento de astros do rock.
BOYD: Totalmente. O Mike [Einziger, guitarrista] e eu mantemos as coisas em um nível mais entediante. Nós tornamos a banda um pouco mais chata. Não, sério — tipo, se alguns dos caras estivessem em outra banda, garanto que haveria fogos de artifício e garotas dançando no palco. Sabe, loucura total.
MIKE EINZIGER: É, não tenho vontade de ver esse tipo de coisa. Mas sei que temos essa opção se quisermos.
CAMERON [namorada dele]: Não, não têm. Vocês são uns babacas.

[KATEY RED]

Do lado de fora do Factory, um *club* em East New Orleans, uma pequena multidão estava falando sobre uma apresentação da rapper Katey Red. "Muita coisa não estaria acontecendo nesta cidade sem ela", disse Mankind, um produtor. "Ela está em alta agora."

Mas Katey Red não tem nada de "ela". Nascido Kenyon Carter, Katey Red pode ser um dos primeiros rappers abertamente homossexuais e travestis a ganhar o respeito nesse mundo notoriamente homofóbico. Acrescente a isso uma gagueira crônica e você terá uma improvável história de sucesso regional, mesmo em uma cidade com uma rica cultura de travestismo.

"Ela tem 1,80m e calça 46", disse Earl Mackie, que contratou Katey Red para seu selo, Take Fo' Records. "Sempre digo a ela: 'Cara, você poderia ter sido uma estrela do basquete'."

Você fica surpresa por ver tantos homens heterossexuais na plateia?
KATEY RED: N-n-n-n-ão. Os caras vêm porque querem ver as garotas se inclinar e balançar a bunda. E as garotas vêm para poder balançar a bunda (*ri*). [...] Não desejo mal a ninguém que não goste de homossexuais, mas tenho de fazer o que faço. Estou chegando a algum lugar com isso.

O Earl me disse que você tinha vários medos quando começou.
RED: Eu estava sob pressão. Quando comecei, eu tinha m-m-m-medo. Tinha medo que alguém subisse no palco e me esfaqueasse. Tinha medo que toda a minha vida mudasse. Mas não estou mais com medo. Toda a minha vida mudou, mas para melhor, não para pior. Sou a primeira rapper homossexual.

A comunidade do rap pode ser homofóbica. Alguém já ameaçou você?
RED: Às vezes, mas não foi nenhuma ameaça séria. Outro dia tive de brigar com outro homossexual. Ela colocou uma garrafa no meu rosto, mas eu cuidei dela (*ri*). Cuidei dela, baby (*estala os dedos e ri de novo*).

Então é a comunidade homossexual que lhe causa mais problemas?
RED: É, mas ainda estou tentando defender os homossexuais. Todos nós tentamos ficar juntos. Ela ficou com ciúme porque sou uma rapper, então sou popular e todos os garotos gostam de brincar comigo. Não quero esse tipo de reputação, p-p-p-porque tenho um homem. E esses garotos não querem nada além de sexo, entende? Eu tenho amor do meu homem. Preciso frisar esse ponto.

E em que ponto você percebeu que queria ser uma garota?
RED: Percebi quando tinha 5 anos. Eu comecei a u-u-usar esmalte, e a minha mãe me deu uma surra e disse que eu não devia fazer aquilo. Meus primos jogavam futebol americano e me chamavam para jogar com eles, mas comecei a brincar de bonecas e coisas assim. Então, aos 13 anos fiz sexo com uma garota. E, sabe, eu gostei, mas não senti nada. Eu estava sempre pensando em garotos. Então fiz sexo com um homem quando tinha 15 anos. Depois, aos 16, fiz sexo com uma garota outra vez para ter certeza de que não queria mesmo aquilo.

Foi difícil para você na infância?
RED: Foi, as crianças diziam: "Sua bichinha" e tentavam jogar tijolos em mim. Mas toda vez que me atacavam, eu revidava.

Quando estive no escritório do Earl, ele estava ligando para a sua mãe e...
RED: De onde você é mesmo?

Eu sou do *New York Times*, em Nova York.
RED: Você ouve minha música em Nova York?

Ouvi falar de você em Nova York e vim aqui para entrevistá-la.
RED: Então você é de uma gravadora?

De um jornal diário. Se chama *The New York Times*. Quando a edição sair, com certeza você vai receber bastante atenção. Enfim, não pareceu que a sua mãe aceita o que você está fazendo.

RED: Ela não aceita o nome Katey. Ela me batizou de Kenyon. Então, quando as pessoas ligam para a minha casa e pedem para falar com a Katey, ela as corrige e diz: "O nome dele não é Katey. Eu o batizei de Kenyon." Ela é rigorosa. Não gosta que eu seja desse jeito. Mas estou cuidando de mim mesma e dela também.

O que você quer que aconteça quando seu disco sair?

RED: Estou tentando torná-lo algo grande.

Grande quanto?

RED: No topo. Lá em cima. O mais longe que eu conseguir.

Algum tempo depois, outros rappers gays como Sissy Nobby, Big Freedia, e SWA (Sissies With Attitude) começaram a aparecer em Nova Orleans. Red se juntou a eles para começar a cena "sissy bounce" que, quase uma década depois dessa entrevista, começou a receber aclamação internacional.

[MARILYN MANSON *CENA 1*]

Deitado na cama em um Holiday Inn na Flórida, Twiggy Ramirez, baixista de longa data no grupo de Marilyn Manson, estava com os olhos fixos no teto. Ele tinha raspado as sobrancelhas e usava batom roxo e sombra rosa e azul. Ele estava, como dizem seus companheiros de banda, *twiggando*, depois de cheirar cocaína demais naquela noite — e provavelmente em todas as noites anteriores.

TWIGGY RAMIREZ: Acho que consegui fazer a maioria dos garotos dos Estados Unidos achar que sou uma garota.

Tem certeza?

RAMIREZ: Minha mãe disse que mencionou que o filho era do Marilyn Manson. E uma mulher comentou: "É? Meu filho ama aquela garota que toca baixo na banda." E minha mãe falou: "Sabe, é o meu filho."

Acho que está na cara que você é um homem.

RAMIREZ: Bom, pensei em tomar pílulas de hormônios femininos e criar seios, só para tê-los. E tomei algumas pílulas de hormônio feminino. Na verdade, eram basicamente pílulas anticoncepcionais.

Por quanto tempo você as tomou?

RAMIREZ: Tomava duas por dia, e acabei tomando o mês inteiro em duas semanas. E fiquei doente. Então eu teria de colocar implantes, acho (*pausa, olha para o gravador*). Estou ficando nervoso: a fita está acabando.

Não tem problema.

RAMIREZ: É, então tem alguma coisa que você queira mesmo, seriamente, me perguntar?

Sim, quem é Tony Wiggins?

RAMIREZ: Tony Wiggins é um amigo íntimo nosso. E tenho mantido contato com ele nos últimos tempos. Ele era nosso motorista de ônibus. E tentou nos matar na turnê *Portrait.*

Como ele tentou fazer isso?

RAMIREZ: Só com ãhn... Bem, ele não saiu correndo atrás da gente com uma faca. Quer dizer, ele correu atrás de um cara da [nossa gravadora] Interscope e o esfaqueou porque estava drogado. Mas ele só tentou nos matar com experiências horríveis. Você tem de conhecer o Tony Wiggins. Ele é um cavalheiro sulista, com ideais do Sul. E tentou nos matar várias vezes com sexo e drogas, e também com dor.

O que aconteceu com o cara da Interscope?

RAMIREZ: Como não queriam deixá-lo colocar umas músicas no nosso disco, ele foi atrás de um dos representantes da Interscope que não tinha nada a ver com a história, para começo de conversa. Então não pode mais andar com a gente.

Que músicas eles não queriam colocar no disco?

RAMIREZ: Havia documentos de coisas que aconteceram quando estávamos com ele.

Coisas de drogas?

RAMIREZ: Todo tipo de coisa.* Relembrando as coisas que fizemos com ele, algumas foram muito ridículas. Não sei no que estava pensando.

Como o quê?

RAMIREZ: Isso provavelmente vai começar um mito, mas fomos roubar túmulos. Quando você tira os ossos de alguém da terra, nunca mais esquece.

Por causa da culpa?

RAMIREZ: Porque me fez olhar a morte de uma maneira completamente diferente. Depois que você puxa partes do esqueleto de alguém para fora da terra, percebe que todo mundo é completamente inútil. Eu os deixei no quarto de hotel por um tempo, e havia todo tipo de partes. Havia o topo de um crânio, costelas e ossos dos dedos. E eu usava os ossos no cabelo. Foi uma parte muito bizarra da minha vida. Estávamos em um quarto de hotel e alguém tinha um cachimbo de maconha, e eu não fumo maconha. Então coloquei um pedaço do osso humano dentro do cachimbo e comecei a passá-lo para os outros, e disse o que era. Eles não acreditaram em mim, mas todos começaram a fumar um cachimbo de ossos humanos. O quarto ficou com cheiro de cabelo queimado. E continuaram fumando, com um gosto ruim e ossos virando fumaça.

Eu não ia perguntar isso, porque é uma pergunta brega, mas em 15, 20 anos, o que você se vê fazendo.

RAMIREZ: Provavelmente vou estar morto. Acho que todo mundo vai estar morto.

[*Continua...*]

Depois do auge da disco, algumas músicas continuaram atemporais, e a maioria delas tem algo a ver com os membros de uma banda chamada Chic, cujos muitos sucessos e produções (entre eles "Good Times" e "Le Freak") foram sampleados

* Marilyn Manson explica no dia seguinte: "Na versão original do nosso disco, havia trechos tirados de fitas que tínhamos feito em situações da vida real. Um deles era alguém confessando para mim ter feito sexo com uma pessoa da família quando era mais jovem. A outra gravação era de uma mulher nos pedindo para matá-la. Era muito intenso porque em certo ponto o Tony Wiggins está batendo nela e ela diz: 'Minha vida não importa mesmo. Me mate'."

em diversos singles de rap. Segundo a descrição da filosofia da banda pelo baixista e produtor do Chic, Bernard Edwards, "Está tudo na boa vibração, no bom ritmo e nas boas roupas". Em uma entrevista comovente, seu companheiro de banda, guitarrista e produtor, Nile Rodgers, relembrou o último show que fizeram juntos na noite de encerramento de uma série de apresentações no Japão...

NILE RODGERS: O Bernard não estava se sentindo bem. E, sendo o tipo de músico que ele é, seria impossível ele simplesmente sair do palco ou cancelar o show. Nunca cancelamos shows.

Então, no meio da apresentação, estávamos tocando "Let's Dance". E de repente o baixo parou no começo do verso. E eu pensei: "Uau, isso foi legal."

Falei: "Bom trabalho, Nard!", me virei e não o vi. Ele havia desmaiado, e os roadies o tinham levantado e colocado atrás do palco. Ele estava lá sentado, tocando.

Quando fizemos um intervalo no meio do show para trocar de roupa, percebi o quanto ele estava mal. Essa é uma pessoa que amo mais que um membro da família, um cara que conheço melhor do que qualquer um que já caminhou sobre esta terra. E eu sabia que não havia como ele sair do palco até o show terminar. Foi assim que fomos criados.

Na segunda metade, ele se recuperou e ficou diante da bateria. Mas não estava fazendo todas as coreografias que tínhamos ensaiado. Eu nunca vou esquecer seu último discurso para os japoneses. Ele falou: "Estou um pouco doente com a gripe de Tóquio, mas ainda estou aqui." Ele me disse o quanto me amava, que estávamos juntos havia muito tempo e que ele faria qualquer coisa por mim. Foi muito tocante. Então entramos em "Good Times" e todo mundo na casa começou a cantar conosco. Dez mil pessoas que nem sequer falavam inglês cantando "Good Times" o mais alto que podiam foi muito poderoso.

No final do show, o Bernard estava chorando nos meus braços, e ele só dizia: "Sabe, cara, conseguimos. Essa música é maior do que nós."

Então no hotel eu fui ver como ele estava, mas ele não abriu a porta. Chamei uma camareira para abrir para mim e lá estava ele, deitado no sofá, morto.*

A maneira como os japoneses lidaram com a morte de Bernard mudou completamente minha visão da vida. A polícia me levou para a delegacia. E, depois que fui interrogado, o delegado desceu comigo para o estacionamento e gesticulou para mim: "Venha cá." Eu não sabia para onde ele estava me levando. Achei que era para o banheiro ou coisa assim. Entrei em uma salinha, e eles tinham tirado todas as coisas dele e montado um santuário. E o corpo do Bernard estava lá, vestido com um quimono branco. Ele estava em um caixão com tampa

* Edwards morreu de um tipo raro de pneumonia menos de 12 horas depois do começo dos sintomas.

de vidro, e tinham colocado velas budistas e tudo. E disseram: "Pronto, vá ficar com o seu amigo."

Eu entrei lá e disse ao Bernard quanto o amava e que nunca poderia ter feito nada daquilo sem ele. Foi a despedida mais bonita, espiritual e serena que eu poderia ter desejado.

[PATTI SMITH]

No *New York Times* existe uma regra para escrever obituários: o repórter deve tentar falar com um parente ou amigo íntimo do falecido (ou ocasionalmente o legista ou outra fonte de primeira mão) para estabelecer a causa da morte. Em geral, isso significa ser colocado na desconfortável posição de telefonar para uma mãe chorosa e perguntar como seu filho morreu ou para uma esposa enlutada para perguntar como o marido faleceu. Então quando Fred (Sonic) Smith, o guitarrista da influente banda pré-punk MC5, morreu, acabei no telefone com sua mulher, Patti Smith, a igualmente influente cantora e poeta punk que tinha desaparecido da cena musical cerca de 15 anos antes para ser esposa e mãe.

Mas, em vez de ficar zangada por receber a ligação de um repórter nervoso perguntando sobre a morte do homem que amava, ela ficou grata por seu marido estar recebendo reconhecimento de um grande jornal. Depois que o obituário saiu, ela começou a ligar nos feriados só para deixar mensagens me desejando tudo de bom. No ano seguinte, pouco depois que seu irmão morreu de um derrame, ela saiu da aposentadoria para pegar a estrada com Bob Dylan e concordou em dar uma rara entrevista.

O que a fez decidir voltar a se apresentar?

PATTI SMITH: Foi por causa do meu irmão. Ele morreu em 4 de dezembro, mas o último dia em que eu o vi foi no final de semana seguinte ao do Dia de Ação de Graças. Ele me levou para um passeio de carro, e tinha a trilha sonora de *Assassinos por natureza*. [Minha música] "Rock 'N' Roll Nigger" está nela — ele a colocou bem alto e dirigimos sem rumo. Fiquei totalmente desolada.

E ele disse: "Vou recolocar você nos trilhos, querida. Você vai voltar a trabalhar. O trabalho vai ajudá-la a voltar aos eixos. Vou estar com você." E foi a última vez que o vi com vida.

O que é mais importante para você agora: sua música em si ou manter viva a memória dos outros através da música?

SMITH: Acho que o segundo. Não tenho nenhuma mensagem em especial no momento. Só quero ter certeza de que as pessoas que amei e perdi não sejam esquecidas. Na semana passada, visitamos o túmulo do meu irmão e deixamos cigarros lá. Com todo o trabalho que estou fazendo, sinto que de certa forma ele me colocou nesse estado de espírito. A outra coisa é que Fred sempre me disse que não tocava mais ao vivo, mas havia duas pessoas com quem ele tocaria se elas chamassem, e eram Bob Dylan e Keith Richards. Então também sinto que estou fazendo algo pelo Fred.

As pessoas sempre escrevem que você desapareceu para se tornar uma dona de casa. Se pudesse reescrever essa frase, que palavra colocaria no lugar de dona de casa?

SMITH: Eu não me incomodo de ser chamada de dona de casa, mas não desapareci para ser dona de casa. Desapareci para ficar ao lado do homem que amava. Às vezes é uma posição difícil, mas sempre honrada, e acho que nada melhor poderia ter acontecido comigo naquela época. Aprendi muitas coisas ao fazer isso: um pouco de humildade, por exemplo, e respeito pelos outros. Tivemos dois filhos lindos. Desenvolvi minhas habilidades e espero ter me tornado um ser humano mais puro do que era na infância.

É estranho ter de defender essa decisão?

SMITH: As pessoas gostam de pensar que você simplesmente parou de trabalhar. Não há trabalho mais difícil que o de ser esposa e mãe. Na minha opinião, é a tarefa mais difícil que qualquer mulher pode assumir. Requer infinita paciência, humildade, empatia e dignidade — ou falta de dignidade. É uma posição que deveria ser respeitada e honrada, não vista como uma alternativa idiota. Foi muito mais difícil e exigiu muito mais nobreza do que os outros trabalhos que fiz.

Você está preocupada que seu retorno ao julgamento público prejudique seus filhos?

SMITH: Estou sempre atenta ou descobrindo como isso os afeta. É minha principal preocupação. Nada é mais difícil para eles do que ter de ver o pai deturpado. Tento fazer tudo o que posso para garantir que ele seja representado de maneira respeitosa, por isso foi muito bonito o que você fez. Sempre vou ser grata por isso. O disco podia sair e você podia odiá-lo, e mesmo assim eu respeitaria você.

[COURTNEY LOVE CENA 1]

O que se segue é uma reprodução de Courtney Love conversando com sua filha de 11 anos, Frances Bean, ao telefone no meio de sua entrevista para a *Rolling Stone*.

COURTNEY LOVE: Eu estava na cadeia, você sabia? Um cara se machucou em um show. Isso acontece todas as vezes em todos os shows. Ele disse que se machucou com um suporte de microfone.

...

LOVE: É, mas meu show foi bom. Eu perdi a voz, então podia ter sido melhor. Mas a polícia está atrás de mim.

...

LOVE: Vamos nos mudar da Califórnia. É isso o que vamos fazer.

...

LOVE: Eles me colocaram em uma cela. Foi muito assustador.

...

LOVE: Fique longe dos tabloides. As coisas que eles estão escrevendo são horríveis. Estou lendo coisas que dizem que vou morrer.

...

LOVE: As pessoas estão dizendo alguma coisa para você na escola?

...

LOVE: Não? Não tem cochichos ou uma vibração ruim lá?

...

LOVE: Não? Ótimo, ótimo.

[*Continua...*]

[ORLANDO BLOOM CENA 1]

Às vezes, as entrevistas são simplesmente estranhas.

Digamos que você está a ponto de conhecer um ator. Ele é um cara muito legal e acabou de fazer um filme que acha que será o maior da sua carreira, mas ainda não o assistiu. Você, entretanto, o assistiu recentemente na pré-estreia. O problema: o filme não é muito bom.

Nossa história começa em uma pensão fuleira na ilha de St. Vincent, de onde uma ligação telefônica é feita para Orlando Bloom para falar sobre seu mais novo filme, *Cruzada*, um épico dirigido por Ridley Scott, estrelando Bloom como um herói chamado Balian. Bloom está em um hotel chique ali perto para fazer um filme de *Piratas do Caribe*. Infelizmente, ele precisa cancelar a entrevista.

ORLANDO BLOOM: Achei que íamos tomar um coquetel, mas tenho de filmar às 5 horas amanhã.

Eu entendo. É bom estar no Caribe.
BLOOM: Você conseguiu ver algum pedaço de *Cruzada*?

Eu vi o filme inteiro na pré-estreia.
BLOOM: Não acredito! Você viu o filme inteiro? Eu ainda não vi. Estou morrendo de vontade de saber que partes eles usaram e que parte descartaram (*pausa*). Bom, talvez você deva ficar aqui. De qualquer forma, preciso jantar. E ia jantar sozinho.

Quinze minutos depois, durante o jantar no Young Island Resort...

BLOOM: O que você achou?

Achei deslumbrante. Épico.
BLOOM: Você achou ótimo?

Acho que poderia ser ótimo, mas algumas coisas na história e nos personagens me deixaram confuso.
BLOOM: Aliás, de que tipo de filme você gosta normalmente?

Eu gosto desse tipo de filme.
BLOOM: Ele começa com meu personagem na cadeia?

Não, não existe nenhuma cena assim. Começa com o corpo da sua mulher na estrada.
BLOOM: E a luta de espadas no final? O que você achou daquilo?

Ãhn, acho que também não estava no filme.
BLOOM: Não está no filme? Da última vez que falei com o Ridley ele disse que estava. Mas talvez ele tenha tirado. O que acontece é que ele me aborda na rua e

acabamos tendo uma luta de espadas. Acaba com ele de joelhos e eu prestes a dar o golpe fatal. Então digo: "Estou indo embora", como se ele não merecesse.

Legal.
BLOOM: Teria sido legal, mas não está no filme. Como foi a cena dos Cavaleiros Templários?

Essa está lá. É muito bonita.
BLOOM: E em comparação a *Gladiador*?

É um filme completamente diferente.
BLOOM: Mas *Gladiador* chama mais a atenção do espectador?

Acho que sim, para mim.
BLOOM: Por causa do Russell Crowe?

Não, por causa da tensão entre ele e o César. Não existe um obstáculo entre o Balian e o que ele quer. Ele meio que só passa por tudo, e a ação acontece com ele até o fim.
BLOOM: É isso que é fascinante. Ele é um homem que perdeu a esposa e o filho, e não sabe como lidar com essa situação e o que fazer em seguida, então está em conflito, naquele estado niilista. Assim, várias pessoas meio que o arrastam ao longo do filme.

Acho que ele é uma espécie de herói passivo.
BLOOM: Realmente senti que o personagem era eu. Nunca li um script como aquele — não que isso signifique muito em meus poucos anos de profissão. Você acha que o Ridley Scott vai obter reconhecimento por ele?

Ele já não obteve reconhecimento? Ele dirigiu *Blade Runner* e *Alien*.
BLOOM: Mas reconhecimento verdadeiro.

Como o quê?
BLOOM: Você acha que ele finalmente vai receber um Oscar ou algum prêmio pelo filme?

Não sei se esse é um filme para isso. Mas tenho certeza de que vai ser um estouro de bilheteria.
BLOOM: É... é... você entendeu o que eu disse. Espero que sim. Bate na madeira (*bate na mesa*). Ah, isso não é madeira. Mas isso é (*bate no saleiro*).

Cruzada *ficou em primeiro lugar nas bilheterias em sua semana de lançamento, embora não tenha sido indicado a nenhum Oscar. Ele recebeu um taxa de aprovação de 39 por cento do site* Rotten Tomatoes.

[*Continua...*]

[SOUL ASYLUM *CENA 2*]

O cenário: outro quarto de hotel em outra cidade. Em um tampo de vidro de uma mesa, estão duas garrafas de vinho, e uma delas está vazia.

DAVE PIRNER: Minhas noções preconcebidas sobre você são bem boas.

Obrigado.
PIRNER: Quer dizer, elas são. OK, tipo 70 por cento dessa matéria da *Rolling Stone* vai ser uma palhaçada, cara, sobre o que você pensa da banda. E você vai escolher algumas frases para apoiar o que acha que vai se encaixar na sua visão sobre a banda. E o que me irrita é que não tenho a mínima ideia de qual é sua visão sobre a banda. Cara, você tem 26 anos.

Eu nunca deveria ter contado que sou mais novo que você.
PIRNER: Eu sei que não devia. Mas vamos falar sobre isso. É empolgante para mim porque acho você foda. E acho que você tem algum tipo de ponto de vista sobre mim. Vai me comparar com a Courtney Love e o Mike D., mas eu conheci o Yanni. Provavelmente sei mais sobre o Yanni do que você.

Provavelmente sabe.
PIRNER: Provavelmente sei. E sei que ele é conhecido por todos os caras que nunca foram entrevistados para esta revista, não é? Então eu e você vamos tentar fazer uma boa entrevista e você vai escrever uma matéria me contando alguma coisa que eu não sei sobre a banda.

Não vou escrever a matéria para você. Vou escrever para as pessoas que ouvem a sua música.
PIRNER: Sinceramente, qual é a porra do interesse que as pessoas têm nos músicos e com a música que eles fazem? Acho que não estão nem aí! E não preciso dessa matéria. Não preciso dessa entrevista. Mas, para dizer a verdade, eu

gostaria se você pudesse me transformar em alguém diferente da minha música. Mas você tem um projeto nas mãos. E tem um monte de caras problemáticos para conversar.

Então talvez seja uma matéria sobre gente problemática. A questão é, vamos parar de falar sobre a matéria e começar a falar sobre a música.
PIRNER: Mas qual é, Neil. Vamos falar sério, cara. Eu não vou dizer: "Acho que esse material é o melhor que já compus e todo mundo deveria comprar meu disco." Mas é verdade.

Se é assim que você se sente...
PIRNER: É. O que é melhor que isso? Nada. Coloque meu rosto na capa da revista *Rolling Stone* e mostre meu disco, e vou estar cumprindo minha responsabilidade como ser humano neste planeta. Talvez alguém compre o disco por causa do meu rosto na revista. Ei, cara, isso está acontecendo. O sistema está trabalhando comigo e eu estou trabalhando com o sistema. E vou perder muitas coisas por causa disso. Vou perder a chance de ter uma vida normal. Já perdi.

Eu sei.
PIRNER (*apavorado*)**:** Você sabe? Eu já perdi?

Você acabou de dizer isso. Mas essa não é uma vida normal. Mas se quiser uma vida normal, pode ter.
PIRNER: É, sabe, eu gostaria de me casar e ter filhos um dia. Mas isso não vai acontecer, e para mim tudo bem. E tenho que... espere, estou me convencendo disso agora. Eu gostaria disso na minha vida. Eu gostaria de me casar, ter filhos e ter uma vida tranquila. Mas isso não vai acontecer, cara, porque a música é meu primeiro amor e desisti de tudo por ela. Mas extraoficialmente...

Pirner diz algo extraoficialmente sobre seu novo disco. Não se preocupe, não é tão interessante.

Alguém o ensinou a dizer extraoficialmente depois da nossa última entrevista?
PIRNER: Sim, meu assessor de imprensa me ensinou. É totalmente... odeio a palavra *totalmente*. Nunca use a palavra totalmente. Toda vez que eu disser a palavra totalmente também é extraoficialmente.

[*Continua...*]

[ANDY PRIEBOY]

Alguns músicos se aproximam muito da fama: eles têm a aparência, o talento e a personalidade, mesmo assim nunca chegam lá. Andy Prieboy, um compositor cuja maior proximidade da fama foi como ex-integrante da banda Wall of Voodoo (embora não quando a banda lançou seu único sucesso, "Mexican Radio"), é um desses artistas. Sem precisar de muito estímulo, ele conta a qualquer um sobre seus sete fracassos que quase foram um sucesso. E qualquer um que esteja ouvindo vai saber sobre alguém que um dia se sentiu destinado a ser um astro do rock e está lutando para desistir desse sonho.

Quatro anos antes desta entrevista, ele estava fazendo filmes pornôs para sobreviver. Mas aí decidiu dar mais uma chance ao sucesso, com um musical muito promissor que tinha escrito sobre Axl Rose com sua namorada, Rita D'Albert, ex-guitarrista da banda feminina The Pandoras.

Você já pensou que queria ser famoso?
ANDY PRIEBOY: Se meu objetivo já foi ser famoso? É isso o que você está perguntando?

Sim, exatamente.
PRIEBOY: Claro, quando você tem 16 ou 17 anos. Na minha idade, a esta altura, a ideia de ser um astro do rock é quase como pedir que eu acredite em Papai Noel. Falar sobre o Wall of Voodoo é como falar sobre o Chubby Checker. Ninguém se importa. Sabe, ser um astro do rock é como um grande sonho para adolescentes espinhentos, para megalomaníacos que, sabe, se não conseguirem um disco de sucesso vão no *Jerry Springer*, sabe como é.
RITA D'ALBERT: E, tendo vivido tão perto disso em Los Angeles, você realmente começa a se perguntar: "Ah, eu quero mesmo isso?" Você vê as desvantagens.
PRIEBOY: É como o que eu disse para você [Rita] outro dia. O problema é que eu e você não somos tão comíveis quanto os astros. Ninguém quer comer a gente. Sério. Muitas das maiores celebridades que conheço são grandes sacos de lixo cheios de pus e vômito que não fazem nada. E existe uma multidão de gente que se considera insignificante e, quando essas pessoas pegam esse grande saco de vômito, elas podem ficar com eles e se tornar importantes. "Ah, vamos pegar o saco de vômito porque todo mundo vai saber que também somos muito importantes." E a Rita e eu não somos assim.
D'ALBERT: Não queremos puxar o saco de gente famosa. Essas pessoas já foram aos nossos shows, e nós não corremos atrás delas, nem reconhecemos sua presença (*pausa*). A não ser agora, que estamos falando disso.

PRIEBOY: Muitos deles são geniais em se autopromover, e desmoronam para todo mundo poder animá-los, se preocupar com eles e tudo isso. A Rita e eu não somos do tipo que as pessoas querem cuidar. E não acho que poderíamos literalmente nos tornar grandes estrelas, porque não somos...
D'ALBERT: Não gostamos do drama.
PRIEBOY: É, a coisa do drama. Digo, não acho que eu seja tão desequilibrado. Eu me autodestruo muito lentamente, um cigarro de cada vez, mas não somos saquinhos de vômito cheios de pus.
D'ALBERT: No começo, líamos todas as *Enquirers* e *Stars* que chegavam pelo correio, e eu ficava verdadeiramente enojada com as coisas que saíam da boca dessas pessoas que se tornam tão egocêntricas. E acho que ter um bebê me ajudou mesmo a perceber que tenho problemas com homens, e todas essas pessoas são tão autocentradas e se acham muito importantes. Esqueci aonde queria chegar com isso, mas acho que estou velha demais... Desculpe, para me achar melhor que os outros.
PRIEBOY: Bom, como o Marilyn [Manson] se sente sobre isso? Porque ele parece ser bastante...
D'ALBERT: Ele parece ser bem inteligente.

Está falando de puxa-sacos?
D'ALBERT: De todas as armadilhas da celebridade.

Ele aceita. Sua filosofia antes de ficar famoso era: "Se você age como um astro do rock, as pessoas vão tratá-lo de acordo."
PRIEBOY: Ele tem de ir ao nosso show.
D'ALBERT: É, acha que podemos convidá-lo?

O musical de Prieboy sobre Axl Rose recebeu ótimas críticas. Após uma longa temporada em Los Angeles e apresentações em Nova York, ele despertou o interesse de produtores da Broadway. Mas as negociações não deram certo, o musical foi abandonado e Prieboy e D'Albert se separaram — embora tenham acabado apresentando um medley do musical no Late Night with Conan O'Brien.

[MARILYN MANSON *CENA 2*]

Acordando de tarde um dia, Marilyn Manson ligou para o meu quarto de hotel e disse para encontrá-lo em sua suíte. Entrei e encontrei CDs do Radiohead e do Monster Magnet em cima da cômoda, uma caveira incrustada de joias na mesa de cabeceira e um Manson sem camisa se desculpando pelo fedor. Também havia um CD com o telefone do líder do Smashing Pumpkins, Billy Corgan. "Foi uma idiotice", disse Manson. "Agora ele vai receber um monte de trotes."

Os dois tinham se conhecido na noite anterior, durante a qual Manson convencera Corgan a cheirar ovos de artêmia e tentara enfiar a ponta de uma pulseira que brilha no escuro no buraco do pênis de Twiggy.

Ele sugeriu nos transferirmos para a jacuzzi do hotel. Mas teve dificuldade de entrar na água. Ele tentou uma vez e desistiu porque já havia alguém na água. Tentou uma segunda vez e mudou de ideia porque uma das fãs de cinta-liga que esmiuçava o hotel atrás dele tinha acabado de passar. Na terceira vez, ele teve sorte, e houve a conversa a seguir sobre o que seria sua primeira matéria de capa para a *Rolling Stone*.

MARILYN MANSON: O Twiggy contou sobre os rituais do Dr. Hook que fazíamos no passado?

Não, ele não me contou.
MANSON: Bem, quando estávamos afundados na nossa era não-estamos-nem-aí, vamos-beber-e-usar-todas-as-drogas-que-queremos-em-uma-noite... e, por sinal, isso vem e vai: Haverá outra no futuro, tenho certeza. Mas essa foi no passado, e sempre ouvíamos o disco *Sloppy Seconds* do Dr. Hook que, se fosse lançado hoje, provavelmente seria banido, porque fala sobre uso ostensivo de drogas e sexo com menores, necrofilia e bestialismo. E é claro que tinha aquela música "Cover of the *Rolling Stone*", que sempre cantávamos e ouvíamos quando estávamos usando drogas porque tinha a frase, "But our minds won't really be blown like the blow that'll get you when you get your picture on the cover of the *Rolling Stone*".* Então esse sempre foi um objetivo antigo para nós, porque não acho que o Dr. Hook já tenha sido capa.

Na verdade, acho que eles foram, mas depois da música.
MANSON: Certo. Então nós juramos pela honra do nosso amor pelo Dr. Hook um dia estar na capa da *Rolling Stone*. Se não me engano, aquele cara, acho que ele tem tipo uma perna de madeira e um tapa-olho, que ele mesmo pode ter feito só pela aparência.**

Você não coleciona pernas de madeira ou coisa do tipo?
MANSON: É, coleciono próteses e as levo na turnê e no ônibus. Eu tenho umas 15 no total, pernas e braços de todos os tamanhos e formas. Sempre tive um fetiche

---

* Mas não vamos ficar tão atordoados como quando sua foto estiver na capa da Rolling Stone. (*N. da T.*)
** O tapa-olho era real. O cantor Ray Sawyer perdeu um dos olhos em um acidente de carro quase fatal, embora suas pernas funcionassem bem e ele nunca tenha usado um membro de madeira.

Enter the WONDERFUL WORLD of AMAZING LIVE
SEA-SIMIANS

Own a Bowlful of Happiness

SO EAGER TO PLEASE—THEY CAN EVEN BE "TRAINED"

WORLD-FAMOUS Sea-Simians are SO full of surprises, you can't stop watching or listening to them. They swim, play, scoot, race, and do comical tricks and stunts. So easy to grow even an eight-year old child can do so without approval from their parents. Raise a Sea-Simian family consisting of Mom, Second Mom, and their babies, in an ordinary suburban home. Because they eat so little and don't cuss, they hardly attract the attention of Bible-thumping activists. If you like pets, you will **LOVE** owning **SEA-SIMIANS!** Best of all, we show you how to make them appear to obey your commands, follow a beam of light, do loop the loops, and even seem to dance when you play one of my records or cassettes.

SPECIAL MONEY-BACK GUARANTEE!!

SEA-SIMIANS PLEASE PRINT DEPT 1345-C

Please Send my SEA-SIMIANS Starter Kit:

NAME: ______________________

ADDRESS: ______________________

CITY: __________ **STATE:** ___ **ZIP CODE:** ________

Are you a boy? **YES / NO** Are you over 11 years of age? **YES / NO**

Childhood trauma? **YES / NO**

Please rate your mother's body on a scale of 1 to 10:

(Optional) Describe how you'd like the world to end here:

☐ **CHECK TO SIGN UP FOR SEA-SIMIANS OFFICIAL NEWSLETTER**

estranho por elas. Outro dia apareceu um cara que queria me dar a perna mecânica que estava usando.

O que ele disse?
MANSON: Ele não disse nada. Só ficou pulando e tentando nos dar a perna.

E você aceitou?
MANSON: Não, acabei não ficando com ela, o que é decepcionante para mim.

Tenho certeza de que ele tinha mais em casa.
MANSON: É, deveríamos ter levado. Só estou acostumado a dizer não.

Depois de algum tempo, ele sai da jacuzzi porque está enjoado. Volta para o quarto, onde fala dos muitos rumores falsos sobre ele: ele teve uma costela removida para poder fazer sexo oral em si mesmo, que era um ator mirim de Anos incríveis *e que gosta de S&M.*

MANSON: As pessoas chegam para mim e perguntam se posso cortá-las enquanto elas me cortam, ou se posso apagar um cigarro no rosto delas. Consigo entender que elas estejam tentando causar uma primeira impressão, mas acho que um monte de gente acha que, como eu me cortei no passado, gosto de sadomasoquismo e gosto de fazer isso com os outros. Não entendem que era apenas uma expressão do que eu estava fazendo no palco. Era um momento. Elas não conseguem compreender que não é nisso que o Marilyn Manson se baseia (*pausa, reflete*). Tinha de ser a circunstância certa.

Percebi que um dos caras da sua equipe está com um curativo no dedo, mas parece um dedo falso.
MANSON: Acho que ele quebrou o dedo. Mas eu poderia convencê-lo a decepá-lo, sabe. Eu poderia. Gosto de levar tudo ao extremo. Meu lema é que muita gente foi quase até o fim, então você realmente tem de ir até o fim se quiser fazer alguma coisa da vida.

O telefone toca e Manson combina com Twiggy de assistir a um filme com Billy Corgan naquela noite, depois se desculpa novamente pelo fedor no quarto.

Você estava falando de ir até o fim...
MANSON: Acho que estou começando a me entender do meu jeito. No que diz respeito às pessoas, eu gostaria de conseguir dizer não e de recusar mulheres.

Ou simplesmente de não precisar de outras pessoas. Durante muitos anos senti que era a pessoa que sempre queria se encaixar. Agora estou em uma posição em que posso ser um misantropo se quiser. Não sei se essa é a minha maneira de me vingar de todo mundo ou se sou só amargo.

Ele anda até sua mala e começa a tirar coisas para me mostrar, de fotografias suas a uma camiseta de show da banda de metal W.A.S.P.

Agora que você alcançou seus objetivos, talvez até os tenha ultrapassado, para onde vai a partir daqui?
MANSON: De vez em quando vou para a varanda e penso em pular. Penso, "Será que essa é a emoção final, porque estou embotado para todo o resto?" (*Para de mexer nas suas coisas e reconsidera.*) Mas sinto que tenho mais a realizar. Acho que guardo muitas coisas que as pessoas não esperam. Digo, além de causar o fim do mundo.

[*Continua...*]

[DAVE NAVARRO]

Tarde da noite de uma quinta-feira, Marilyn Manson estava na casa do guitarrista Dave Navarro, que estava sem camisa em seu computador. Do lado esquerdo de Navarro, um cigarro queimava na extremidade de uma mesa ao lado de uma seringa cheia de cocaína. À direita, havia uma foto de Courtney Love que Mason levara. A imagem mostrava Love esparramada no chão do lado de fora do quarto de hotel de Trent Reznor. Eles escanearam a foto para o computador de Navarro, então a ampliaram para conseguir ler a mensagem que ela tinha escrito com batom na porta de Reznor. Depois continuaram a ampliar a imagem até a vagina de Love ficar visível sob o vestido levantado. Ao todo, esse projeto artístico levou cerca de duas horas. Depois que Manson foi embora ao pôr do sol, Navarro apresentou o seguinte dilema.

DAVE NAVARRO: Hoje me perguntaram: "Se a Courtney Love, o Marilyn Manson e o Billy Corgan estivessem se afogando, quem você salvaria primeiro?"

Quem perguntou isso?
NAVARRO: Não me lembro. Quem você escolheria?

Você não pode escolher a Courtney, porque ela ia puxá-lo para baixo também e vocês dois se afogariam.
NAVARRO: E o Manson ia fazer com que eu quisesse me afogar.

Ou ia convencê-lo a se afogar só para diverti-lo.
NAVARRO: E o Billy só ia assistir e falar que poderia ter nos salvado melhor do que qualquer outra pessoa.

[THE SMASHING PUMPKINS]

Houve uma época em que o Smashing Pumpkins era a maior banda de rock do mundo. Dois anos depois, quando a banda lançou o disco *Adore*, que era mais eletrônico e experimental que seus predecessores, deixou de ser. Em uma entrevista tão sincera que depois o presidente da gravadora deles ligou e me deu uma bronca por tê-la publicado, Billy Corgan abordou o fato de o disco não corresponder a suas expectativas.

BILLY CORGAN: Quer saber, preciso... preciso dizer com toda a sinceridade que fiquei muito surpreso pela rapidez com que o mundo se vira contra você.

Como assim?
CORGAN: É... é inacreditável. Eu não posso entrar em questões específicas, mas tudo o que posso dizer é que, quando nossa música não vende, as coisas esfriam muito rápido.

Como a maneira que a imprensa o encoraja e depois o derruba?
CORGAN: Não estou falando da mídia. Estou falando sobre os bastidores do meu mundo. Acho que a banda ficou meio surpresa porque pensamos que podíamos ampliar um pouco nossos horizontes artísticos e não necessariamente seguir o fluxo. E acho que ficamos muito surpresos com essa atitude de: "Ah, o que vocês fizeram por mim nos últimos tempos?"

Quem tem dito isso?
CORGAN: Estou falando de todos os níveis da indústria da música. E para nós é um pouco difícil de acreditar. Digo, voltamos ao ponto de partida. Quando você descobre que é estranho demais para a rádio alternativa e não é pesado bastante para as rádios de rock, fica pensando: "Bom, *onde* nos encaixamos?",

Build Your Own

ROCKET ZERO

IT'S SAFE!
USES WATER
AS FUEL!

ZOOMS
300
FEET IN
the air

**OPERATES ON
JET PROPULSION!**

**EARN THIS
HIGH-FLYING
ROCKET ZERO**
by selling only 100
SMASHING PUMPKINS
records at $7.99 each.
Postpaid!

e repentinamente se vê sem uma âncora. Tem sido uma experiência bastante esclarecedora.

Basicamente, você precisa decidir se está fazendo pop ou arte.
CORGAN: É, gosto de pensar que estou fazendo ambos.

E acha que isso está acontecendo por causa do desempenho do seu disco ou porque você não está agindo como eles querem?
CORGAN: Acho que quando o disco saiu e não explodiu de imediato, quem tinha se enganado comercialmente sobre a banda no passado disse: "Ah, bem, mais um que entra pelo cano." Isso meio que nos alertou: "você sempre vai estar à margem. Não importa o que faça, não importa como faça, nunca vai estar naquele círculo."

O círculo no qual você está estabelecido é aceito e não tem mais que se afirmar?
CORGAN: É mais... isso nos pegou de surpresa. Às vezes existe a sensação doentia de que você pode alcançar aquele último alvo, mas tem de entender que simplesmente não tem o DNA, e algumas pessoas têm. E, enfim, você quer mesmo?

O que é esse alvo para você?
CORGAN: Fizemos músicas alternativas muito importantes. Digo, tivemos os maiores sucessos da era grunge. Mas, se forem nos analisar de uma forma completamente idiota e objetiva, a única coisa que não conseguimos foi ter discos entre os dez mais vendidos.* Então chegamos àquela bifurcação na estrada onde ou você vai naquela direção [para baixo] ou continua crescendo como banda como o U2 ou o R.E.M fizeram. Tomamos um caminho estranho e percebemos que talvez esse mundo seja tão escroto que não o queremos, de qualquer forma.

Mas agora, em vez de rebeldia, parece uma desistência.
CORGAN: Bem, acho que a única coisa que temo é que seja como um míssil, um satélite ou coisa do tipo. Se desacelerar demais, você começa a sair de órbita. E acho que não quero existir fora de órbita. Quero queimar ou ser um tipo de banda cult. Digo, quero ser um dos maiores astros do rock do mundo ou prefiro ser o Alex Chilton.

Estou surpreso por ouvi-lo dizer isso.
CORGAN: Não estou nem um pouco interessado no meio-termo. Digo, quero a glória ou um lugar lotado de pessoas que gostem das nuances. Mas o meio-termo? Nem um pouco interessado.

---

* Por discos, ele quer dizer singles. Seus dois discos anteriores estiveram entre os dez mais vendidos da *Billboard*.

Apesar do cenário desfavorável que Corgan pintou, Adore *entrou nas paradas de pop em segundo lugar, foi indicado a um Grammy Award e vendeu mais de 1 milhão de cópias.*

[ALEX CHILTON]

Durante uma entrevista de uma hora em sua casa em Nova Orleans, o recluso cantor, compositor e guitarrista Alex Chilton falou sobre ser um cantor de pop de 16 anos em um grupo da década de 1960, o Box Tops, que chegou ao primeiro lugar das paradas com o sucesso "The Letter"; sobre o fardo de estar em uma das bandas de rock mais influentes, mas obscuras, dos anos 1970, a Big Star; sobre a autodestruição como alcoólatra e sobre a experiência abaixo, nunca publicada.

Um amigo em comum me disse para perguntar sobre a época em que você ficou com Dennis Wilson [dos Beach Boys] e conheceu o Charles Manson.
ALEX CHILTON: Bom, eu me hospedei na casa do Dennis e o Charlie apareceu depois que eu já estava lá havia alguns dias e também se hospedou.

E foi só isso? Você só ficou mais alguns dias e foi embora?
CHILTON: Ãhn, é.

Naquela época você sabia que ele era capaz das coisas que acabou causando?
CHILTON: Não, não tinha a mínima ideia de que... quer dizer, em retrospecto, havia algumas coisas meio estranhas, mas na época eu não pensava: "Esse cara é um maníaco homicida." Mas, sabe, a vibração era meio estranha.

Quais eram as coisas estranhas?
CHILTON: Bem, eu me lembro de que uma vez fomos ao supermercado... Ãhn, você está planejando escrever sobre isso no *New York Times*?

Não preciso colocar isso na matéria se você não quiser.
CHILTON: É, não acho que seja uma boa ideia (*dá uma risada nervosa*).

Acho que estou curioso.
CHILTON: Uma vez eu estava indo para o supermercado, e uma das garotas dele ficou sabendo. E ela me deu uma longa lista de compras de coisas que eles queriam que eu comprasse — e nenhum dinheiro. Então eu disse: "Bom, tudo bem."

Como eram os anos 1960 na Califórnia, achei que podia pagar algumas mercadorias. Isso foi em Malibu, e estávamos na colina, voltados para o mar. Então eu tive de descer a montanha toda até a Pacific Coast Highway a pé e depois subir com todas as compras montanha acima. Então foi meio difícil. E, quando voltei, algumas das garotas, tipo, me encontraram na entrada antes que eu entrasse na casa. E elas olharam para a sacola de compras e disseram: “Bom, você esqueceu o leite.” E eu disse: “Ai, droga, desculpe por ter esquecido o leite. Que pena.”

Certo, e aí...
CHILTON: Aí elas entraram na casa e eu meio que fui andando atrás delas; quando cheguei à entrada, elas estavam paradas no vão da porta, bloqueando-a. E disseram: “O Charlie disse para você ir comprar leite.”

Então o que você fez?
CHILTON: Não sei exatamente o que eu disse, mas acho que disse que não ia descer aquela montanha e voltar com o leite montanha acima.

Então essa é a grande história?
CHILTON: É.*

Parece uma boa hora para parar por enquanto.
CHILTON: OK, bom, boa sorte quando tentar escrever alguma coisa boa com o que eu sei.

Em março de 2010, Alex Chilton reclamou com sua esposa, com quem tinha se casado sete meses antes, que estava tendo calafrios e dificuldade para respirar. Como não tinha plano de saúde, não procurou um médico. Na semana seguinte, ele morreu de ataque cardíaco.

= [NAMORADA DO DAVID KORESH] =

Algo que os líderes de cultos patológicos dos dias de hoje têm em comum é ser astros do rock frustrados. Charles Manson, cujos partidários da música incluíam

* Depois, entrevistei Phil Kaufman, o gerente de turnê famoso por roubar o corpo do amigo Gram Parsons e queimá-lo. Kaufman também tinha produzido o disco de Manson, *Lie*, quando eles estavam juntos na cadeia, e tinha o seguinte a dizer sobre Charlie: “Ele é um idiota. Quando saí da prisão e passei um tempo com o Charlie, a princípio fiquei impressionado: Esse cara está fazendo sexo à vontade — e com jovens bonitas. Eu disse: ‘Você tem uma situação boa aqui. Não a estrague.’ Mas ele estragou”.

Neil Young e Dennis Wilson, mandou seus seguidores assassinarem os moradores de uma casa anteriormente ocupada por um produtor que se recusou a contratá-lo. E, quando o líder da seita Ramo Davidiano, David Koresh (nascido Vernon Wayne Howell), e cerca de oitenta seguidores morreram — alguns atiraram nos demais e outros se mataram ou morreram no incêndio do complexo — depois de um impasse de 51 dias com o FBI em Waco, no Texas, muitos acreditavam que as únicas gravações conhecidas de seu rock também haviam perecido. Até sua ex-namorada, Sandy Berlin, entrar em cena.

Como você conheceu o David Koresh?
SANDY BERLIN: Eu o conheci quando morava em Tyler, no Texas. Ele tinha 20 anos e eu tinha acabado de fazer 15. Meu pai dirigia uma igreja adventista do sétimo dia e ele era seu protegido. Acabamos levando-o conosco em uma viagem para Minnesota. Vern e eu sentamos no banco de trás durante todo o caminho. Era meio que outro mundo ali. Ele citava para mim versos da Bíblia, do Cântico dos Cânticos. Aí ele me pediu em casamento em uma árvore quando chegamos a Minnesota.

Você aceitou?
BERLIN: Bem, ele fez questão de contar ao meu pai. E é claro que meu pai ficou furioso e quis mandá-lo de volta de ônibus. Foi aí que ele começou a se desequilibrar.

Ele fazia música na época?
BERLIN: Quando o conheci, ele se recusava a pegar o violão porque dizia que Satã sairia por seus dedos e ele ia tocar rock and roll. Eu era integrante da banda da igreja, mas ele achava isso pop demais. Então, quando ele pegou o violão outra vez, ele começou a ouvir rock and roll. Ele via os significados das músicas como uma mensagem de Deus ou de Satã.

Onde ele tocava?
BERLIN: Ele ia para bares com violão, se levantava e começava a tocar. Outras vezes ia para um estacionamento e começava a tocar. Ele aparecia nos acampamentos da igreja adventista do sétimo dia. Muitos pastores nos acampamentos o conheciam. Mas seu estilo de tocar estava ficando cada vez mais parecido com rock and roll, e não existe rock and roll nas igrejas adventistas. Então o repreendiam e diziam: “Vernon, você não pode fazer isso.”

Você notou alguma outra coisa estranha nele na época?
BERLIN: Ele começou a ter sonhos e achava que todos eram uma mensagem de Deus. A alma dele passava o tempo todo em conflito, e acho que foi quando ele

começou a ficar estranho. Ele era uma espécie de cristão novo, porque só tinha largado as drogas havia um ano. Uma vez ele tentou fazer um gesto de humildade cortando o cabelo.

Porque se sentia mal por seus pecados?
BERLIN: Ele quase literalmente se autoflagelava por causa de seus pecados. Mas não conseguia parar de pecar. E, quanto menos conseguia, mais precisava encontrar uma desculpa para eles. Ele tinha um problema terrível de culpa. Meu pai não conseguia argumentar com ele.

E então...
BERLIN: Acho que ele começou a pregar para todo mundo. Certa vez, ele empurrou meu pai para o lado na igreja e ficou dizendo: "Deus me disse que devo me casar com a sua filha." Meu pai me mandou embora por algumas semanas e o expulsou da congregação.*

Você continuou namorando com ele depois disso?
BERLIN: Mantivemos contato. Vernon e eu tínhamos pequenos códigos: Ele me ligava e deixava tocar uma vez para eu ligar para ele, e meio toque era para eu saber que ele me amava. Eu acabei namorando ele por uns dois anos. No segundo ano, eu o via de vez em quando. Ao longo desses dois anos, ele começou a ficar cada vez mais fanático. Ficou estranho.

Em que sentido?
BERLIN: Eu perguntava se ele se considerava um profeta, mas ele era evasivo. Depois da décima vez ele disse: "Sim, eu sou." E eu disse: "Não acho que você seja um verdadeiro profeta." Ele juntava escrituras para criar sua doutrina: ele simplesmente fechava uma Bíblia, a abria e apontava para um verso aleatório dizendo que era aquilo que Deus queria que ele criasse.

Então como você acabou ficando com a música dele?
BERLIN: Eu disse que precisava de uma fita para estudar o que ele estava tentando me dizer. Eu falei: "Por favor, coloque um pouco de música nela." Eu era apaixonada por ele e sempre vou amá-lo, mas não concordo com o que ele fez.

Ele tentou fazê-la ir para Waco?
BERLIN: Ele queria que eu fosse para Waco e cantasse na sua banda. Acho que a música era uma das suas táticas de recrutamento. Eu tinha uma bateria e um

---

* Que foi o que levou Koresh até Waco para se juntar ao Ramo Davidiano.

teclado, e ele enlouqueceu tentando me levar para lá; ele me ensinou seu estilo de tocar guitarra, embora minha mãe não gostasse. A gota d'água para mim foi quando ele quis me levar embora na picape.

Essa foi a última vez que você o viu?
BERLIN: Não. Ele sempre me considerou sua esposa. Ele me procurava uma vez por ano ou tentava me ligar. Uma vez passou três dias me procurando em Fort Dodge. Ele estava com o Steve Schneider* e o filho dele, Cyrus, e apareceu na entrada da casa. Ele [também] estava chamando a si mesmo de Cyrus, que é a mesma coisa que Koresh. Eu estava namorando outra pessoa na época. Então ele tocou e pregou durante algumas horas. Ele estava juntando um monte de coisas estranhas. Quando terminou, perguntamos: "O que você disse?"

Quais eram os planos dele para a música?
BERLIN: Ele começou o que chamava de Cyrus Produções. Se fosse lançar um disco, ia lançar por conta própria e começar o próprio selo.

Como você se sentiu quando ouviu o que aconteceu em Waco?
BERLIN: Eu me senti péssima durante o incêndio. Ele tornava tudo muito espiritual e cósmico. Para uma garota de 15 anos, eu fui arrebatada por ele. Liguei para a mãe dele durante o incêndio. Ela começou a berrar. Ambas sabíamos que ele estava morto. Claro, ele acreditava que ele e seus filhos seriam salvos.

O que a fez decidir finalmente mostrar essas gravações?
BERLIN: A princípio, eu não queria contar a ninguém que o conhecia. Eu tinha medo: as pessoas que o conheciam estavam desaparecendo. Então não falei com nenhum repórter na época. Meu irmão me fez guardar as fitas em uma caixa fechada porque ele sabia que o FBI ia querê-las. Algumas pessoas disseram que eu deveria liberá-las, mas eu tinha medo da publicidade, da raiva, do que as outras famílias podiam sentir.

Então, o que mudou?
BERLIN: A mãe dele pediu uma cópia de uma das fitas. Ela disse: "Bem, Sandy, acho que não tem problema. Não há nada muito ruim nelas. Muita gente quer saber como ele era em suas próprias palavras. Pode ser benéfico para psicólogos e pessoas que estudam cultos."

---

* Seu braço direito, que o FBI acredita que atirou em Koresh e em si mesmo em Waco.

E como as pessoas se sentem agora que elas foram divulgadas?
BERLIN: Os davidianos estão contentes, e a mãe dele está contente.* Dá para ouvir a convicção na voz dele. Era sincero. Parte dos lucros vai para a filha mais velha dele, que tem 14 anos. A maioria de seus outros filhos morreu, então eu a escolhi.

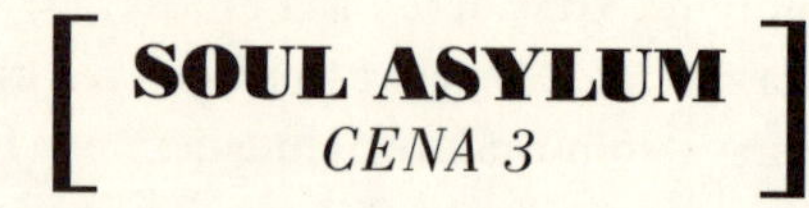

SOUL ASYLUM
CENA 3

O cenário: o Corner Bistro, um bar no Greenwich Village, em Nova York, que já está fechando.

DAVE PIRNER: Me disseram que eu deveria ser a voz de uma geração, a droga da voz de uma geração. Mas como poderia ser? Ninguém pode ser tão puro. Como o Bill Clinton: ele não encoraja as pessoas a ser diferentes. Ele não encoraja ninguém a fazer nada.

Não sei se isso é totalmente verdadeiro.
PIRNER: Ele encoraja as pessoas a fazer o mal?

Não.
PIRNER: Já encorajou?

Ele pode ter encorajado em algum momento.
PIRNER: Você encoraja as pessoas a fazer o mal? Você diria a alguém para fazer alguma coisa sórdida e desprezível e horrenda? Vou dizer aos meus amigos para sair e fazer alguma coisa que eu não faria? Acho que não.

Mas você já pode ter feito isso.
PIRNER: Não, nenhuma vez. Jamais.

Nem mesmo encorajar alguém a disparar o alarme de incêndio na escola ou, tipo, pular sobre alguma coisa perigosa de skate?
PIRNER: Eu fiz isso uma vez. Disse a uma garota para tocar no isqueiro de um carro, e ela queimou o dedo. A culpa que senti simplesmente subjugou qualquer importância que eu sentisse em relação a qualquer coisa. Mas acho que existe um jeito melhor, e acho que minha banda está apresentando uma

* Em 2009, a mãe de Koresh foi morta a facadas. A irmã dela foi acusada do assassinato.

qualidade que nunca foi apresentada antes. Meus ideais são melhores. Você acha que eles são melhores?

Melhores do que o quê?
PIRNER: Melhores que os do presidente. Eu conheci o Bill Clinton. E acho que as minhas aspirações são mais altas do que as dele, cara. E conheci uma porrada de homens, cara, e não sei quem eles são, mas eles estão nessa porra de país e os meus ideais são mais elevados. Mas sou um idealista. Tem um cara que escreveu um livro chamado *The Lucifer Principle*. Ele tenta identificar o mal. Mas não é tão complicado, cara. Acho que esteja você falando do Charlie Manson, do Henry Rollins ou da porra do Neil Strauss, dentro de todos existe uma raiva e uma fúria incontroláveis e uma besta terrível. Basicamente, acho que algumas pessoas a suprimem melhor que as outras.

Então quão bem você a está suprimindo?
PIRNER: Sou um pacifista. Mas mesmo assim tenho a capacidade de matar alguém com as minhas próprias mãos. Posso fazer isso. Eu tenho o potencial. Hoje, acordei cedo e estava pronto, pela primeira vez na vida, para chegar ao aeroporto na hora. Mas não consegui achar minha calça, e todas as minhas coisas estavam nos bolsos. Então fiquei muito zangado e comecei a socar minha sacola. Digo, eu tenho isso dentro de mim. Eu não quero que todo mundo duvide do meu potencial de descarregar energia negativa sobre todo o universo, porque eu poderia causar um belo estrago. Mas eu nunca usaria essa energia negativa (*longa pausa*). Acho a destruição positiva, desde que você esteja destruindo a coisa certa. E, sei lá, pode perguntar, cara.

[*Continua...*]

[MARILYN MANSON *CENA 3*]

Pouco depois da publicação da matéria da *Rolling Stone*, a fama de Manson ficou ainda maior. Logo ele se tornou o bicho-papão favorito das organizações conservadoras, sobretudo a American Family Association, que começou a alegar que os shows de Manson incluíam bestialismo, votos satânicos, estupros rituais e distribuição de drogas gratuitas.

Embora nada disso fosse verdade, alguns políticos, grupos de pais e organizações religiosas acreditaram. Como resultado, quase todas as cidades por onde

Manson passava na turnê tentavam impedir que seus shows acontecessem. Algumas ameaçaram aprovar leis banindo-o de se apresentar em propriedades do Estado; outras realmente lhe ofereceram dinheiro para ir embora — como fez o estado da Carolina do Sul, com o valor de 40 mil dólares.

Segundo o empresário de Manson, a venda de ingressos da banda diminuiu em 20 por cento quando os pais começaram a dizer a seus filhos para não assistir aos shows por causa dos rumores. Depois que mais uma carta ameaçadora do People for the Ethical Treatment of Animals chegou por fax, Manson decidiu comentar as alegações pela primeira vez.

"Preciso dar um basta nisso", explicou ele. "Se as pessoas vão me odiar, quero que me odeiem pelos motivos certos."

Então demos uma olhada nos testemunhos postados no site da American Family Association e, um por um, Manson os respondeu.

A ALEGAÇÃO: Eu vi Manson tirar pintinhos, vários filhotes de cachorro e de gato de um saco e jogá-los para a plateia [...] Então Manson [...] não começa o show até os animais estarem mortos.
A RESPOSTA: Eu gosto de cachorros. Eu tenho um cachorro. Não tenho nenhuma razão para querer matar animais. Além de ser inútil e ridículo, se eu estivesse fazendo coisas como essa, não estaria no palco. Estaria na prisão.

A ALEGAÇÃO: Eu vi Manson exigir o sacrifício dos virgens, no qual todas as crianças do show são empurradas para a frente pela multidão para ser dedicadas a Satã.
A RESPOSTA: Nunca venerei o demônio. Eu me considero tanto um membro da igreja de Satã quanto da igreja onde fui batizado quando era criança, a St. Paul's Episcopal Church em Canton, Ohio; ou tanto quanto sou membro da Blockbuster ou da biblioteca; se eu tivesse de descrever minhas crenças, Deus e Satã são como sua mão direita e sua mão esquerda, como Marilyn e Manson. São duas palavras que descrevem os dois lados de quem você é.

A ALEGAÇÃO: Eu vi estupros na maioria dos shows. A multidão entra em um frenesi e as mulheres são agarradas contra a vontade e estupradas várias vezes enquanto Manson estimula os estupradores.
A RESPOSTA: Como alguém consegue verdadeiramente achar que eu poderia estar envolvido em algo assim e não ir para a prisão? O cara que dirige o Meadowlands tentou cancelar meu show. Se ele tivesse chegado para mim chorando e dito: "Acho que a sua música está prejudicando a juventude americana; não quero que você toque", eu sentaria e conversaria com ele. Mas não é o caso. Sabe o que o cara

disse? Ele disse: "Se o Marilyn Manson acha que vai tocar aqui, eles podem me processar." Então nós processamos — e eu ganhei.

A ALEGAÇÃO: Manson tem uma equipe que chama de seus Papais Noéis particulares. Eles chegam pelas laterais da multidão e jogam sacos de maconha e cocaína pela plateia toda.
A RESPOSTA: Isso é ridículo. Se eu tivesse um saco gigante de drogas, não as distribuiria, muito menos de graça. Estaria nos bastidores me drogando, como fazia antigamente.

Imagine: faz menos de um ano que Mike Tyson arrancou com uma mordida parte de orelha de Evander Holyfield no ringue, e mal falou com a imprensa desde então. Você está entrevistando um rapper chamado Canibus, e, de repente, ele diz que está no quarto de hotel de Mike Tyson e pergunta se você gostaria de falar com ele. Você assente, e uma voz suave e feminina logo atende.

MIKE TYSON: Oi.

Ei, obrigado por fazer isso. Eu estava com o Marilyn Manson no Ivy outro dia e você chegou em uma scooter louca ou coisa parecida.
TYSON: Nós o vimos também. Minha assistente queria ir lá e dar um beijo nele, mas eu disse: "Pode ir. Eu vou embora com essa moto" (*ri*).

Dar um beijo nele?
TYSON: Ela o adora. Ela disse: "Cara, você nunca ouviu a música (*canta*) 'It's good people, baby, good people. Good people, the good people'." Cara, é essa música que ele fez?

"Beautiful People"? É.
TYSON: Nunca ouvi essa merda, cara (*ri*).

Como você conheceu o Canibus?
TYSON: Estou intensamente envolvido na cena musical e, quando o ouvi, disse: "Ei, cara, o Canibus é bom". [...] Nós conversamos sobre rappers do jeito que conversamos sobre lutadores. Durante vinte anos, sabia tudo sobre esses rappers:

Grandmaster Flash e todo mundo que entrava na cena, Grand Wizard Theodore e os L Brothers. Gente que um monte de rappers de hoje nem sequer sabe quem é. Eu conhecia esses caras, os fundadores.

Como ficou sabendo sobre eles?
TYSON: Eu devia ter uns 10 ou 11 anos quando fui preso [em um reformatório juvenil por roubo de bolsa]. E tudo o que tínhamos era a música. Fazíamos batalhas com as pessoas e nos divertíamos. Nós construímos uma indústria assim (*pausa*). Você é crítico?

É, eu escrevo sobre música.
TYSON: Vamos fazer um evento um dia e entraremos em contato com você, e você pode... Qual é mesmo o seu nome, amigo?

Neil.
TYSON: Bom, Neil, você pode aparecer e dar sua opinião sobre o que acha da nova indústria.

É para seu nova gravadora?
TYSON: É, a Tyson Records. Empresas grandes tiraram o rap de nós. Fizemos a indústria, mas não temos controle sobre o destino da nossa música. Não existe controle sobre isso. Definitivamente. Hip-hop e rap. Nada.

Então essas são algumas das coisas que você tem feito para se manter ocupado desde que perdeu a licença de lutar boxe?
TYSON: É, bem, foi bom conversar com você.

[PUFFY COMBS]

A festa na mansão branca de Puffy Combs na encosta dos Hamptons foi um evento lotado, com seguranças de terno preto e três televisões gigantescas exibindo a luta de Mike Tyson e Evander Holyfield. Todos os olhos se voltaram para Puffy Combs quando ele se aproximou de um microfone no gramado. Na época, ele era um dos homens mais poderosos e temidos do rap: nos últimos meses, ele lançara dois singles que chegaram ao primeiro lugar nas paradas, fora acusado de quatro assassinatos e testemunhara o amigo e colaborador, the Notorious B.I.G., ser morto a tiros em Los Angeles. Combs segurou a parte de cima do suporte do microfone com uma mão forte e mexeu na corrente de ouro que aparecia por sua camisa de seda rosa.

"Temos torta de maçã, torta de cereja, bolo de chocolate e cookies", anunciou ele. "E o caminhão de sorvete ainda está lá fora se alguém quiser picolés, doces ou balas. Obrigado."

Você foi acusado de uns quatro assassinatos no último ano...

PUFFY COMBS: A não ser que eu seja sonâmbulo, não sei como teria tempo de ficar por aí fazendo essas coisas de gângster. Quando o *New York Post*, o *Daily News* ou o *Times* pintam um retrato meu como se eu estivesse no nível de um John Gotti negro, as pessoas acham que posso ter o poder ou a crueldade e a frieza de tirar a vida de alguém, sabe. Eu nunca soquei — não, nunca não, mas nunca soquei a cara de alguém nos últimos anos, muito menos isso!

Se você desse um soco na cara de alguém agora, seria processado em milhões de dólares.

COMBS: Tudo o que quero é ser julgado pelo que as pessoas veem. E é errado fazer isso com a minha vida, porque sou muito importante para os jovens negros. Deveriam denegrir alguém que está vivendo de maneira errada, que é uma má influência. Eu sou uma boa influência se vocês me derem uma chance, se escreverem o que veem.

É por isso que estou aqui.

COMBS: Estou muito cansado disso. Não vou mais falar sobre esse assunto. Estamos falando agora só para tirar isso do caminho. É uma loucura. É como dizer que você é um estuprador. Você não é um estuprador, é? Já estuprou alguém?

Não, não.

COMBS: Não é ridículo eu dizer que você é um estuprador?

Com certeza. Mas toda vez que acontece alguma merda agora, alguém diz: "Foi o Puffy."

COMBS: Eu não fiz nada. Quero ter uma vida boa. Quero ter uma influência positiva sobre as pessoas. Quero entrar em um lugar e fazer as pessoas se sentirem bem e dizerem: "Ah, a festa começou."

Uma semana depois da festa, a entrevista continua no estúdio de Combs em Manhattan, onde ele está trabalhando em uma música do Boyz II Men. "Quero

WE GIVE EXCELLENT
SERVICE

WHEN YOU TASTE THE
COLDNESS . . . YOU'LL KNOW
A PARTY HAS STARTED
IN YOUR MOUTH.

DIDDY CREAM COMPANY
NEW YORK, NEW YORK

cordas na pausa e mais percussão na música toda", diz ao engenheiro, que desdenha essas instruções vagas assim que Combs sai da sala.

Em outro lugar do estúdio, um funcionário diz à namorada que teve de comprar um Rolex porque todo mundo com quem ele trabalha tem um, enquanto em uma sala dos fundos outro funcionário pergunta sobre uma licença para portar armas de fogo. Combs se senta em um sofá com comida para viagem. Ele estica o braço direito, que tem uma cicatriz de aparência brutal no pulso.

Onde você conseguiu isso?
COMBS: Uma taça de champanhe quebrada. Outra parte da cruz que digo que tenho de carregar.

Porque as pessoas estão dizendo que você tentou se matar?
COMBS: Eu jamais teria feito isso. Se fizesse com uma faca, não seria irregular assim. Além disso, eu sou destro, então se tivesse uma faca teria cortado meu pulso esquerdo. Acho que eu teria dado um jeito de me matar mesmo. E também sou esperto demais, então sei que, se você quer mesmo se matar, faz assim (*indica o pulso ao longo da veia*).

E como você se mataria?
COMBS: Acho que, se eu me matasse, provavelmente ia querer dormir. Não acho que ia querer ficar lá sangrando até morrer (*pausa*). Nem quero me matar, então nem penso nisso. Porra, se eu tivesse que ir, tomaria uns remédios para dormir, cara. Ia dormir e acordar no céu.

Acho que eu pularia de um prédio porque tenho vontade de saber como é.
COMBS: Ah, você é louco. Eu não sou louco. Só quero dormir. Não quero saber quanto tempo leva: eu estaria dormindo.

Você não estava processando Wendy Williams ou alguém por postar uma foto pornográfica sua na internet?
COMBS: Não, eu não ia processá-la. Eu ia processar o *New York Post*. O *New York Post* tinha uma foto minha mostrando a bunda para um pessoal no meu iate. Eu posso abaixar as calças e balançar meu pau* por todo aquele iate, entende. É a porra do meu iate.

---

* Combs, nos bastidores, falando sobre o atentado ao pudor de Janet Jackson durante um show no intervalo do Super Bowl: "Eu tenho três filhos. Não me importo. Fico muito feliz por eles poderem ver um dos peitos da Janet Jackson na vida. Se soubesse disso, eu mesmo teria tentado roubar o show e teria mostrado à América algo de que vocês ainda estariam falando."

[ORLANDO BLOOM CENA 2]

Orlando Bloom e sua entourage, todos homens bronzeados com menos de 30 anos com cabelo escuro raspado — um assistente pessoal tatuado, um guarda-costas israelense e um personal trainer australiano —, decidiram alugar um iate e passar a tarde explorando a ilha de Bequia.

Enquanto nos aproximávamos da ilha, Bloom estava sem camisa na parte da frente do barco, virado para a água com os braços abertos enquanto as ondas quebravam contra a proa e espirravam em seu rosto.

As pessoas perguntam por que você tem tão poucos diálogos em seus filmes?
ORLANDO BLOOM: *Tudo acontece em Elizabethtown* tem mais diálogos. Faço uma narração muito longa. Mas, não sei... não sei por que isso acontece. Na verdade, ninguém nunca tinha me perguntado isso.

Mas você tinha percebido?
BLOOM: Sim. Disseram que o Steve McQueen falava: "Corte a fala, faça um close-up." E sempre achei interessante. Veja o Clint Eastwood. Ele é um mestre nisso.

Mas, quando o Eastwood fala, o que ele diz tem muita intensidade e muito peso.
BLOOM: Exatamente. Quer saber? Talvez isso tenha começado com *O senhor dos anéis*, porque o Legolas não falava muito. Mas o que ele dizia era muito importante. Ele dizia, tipo, "Orcs" ou coisa parecida. Na verdade, não dizia nada muito importante. Sei lá... (*se cala e começa a pensar*).

Longe das câmeras, você é falante em grupo?
BLOOM: Não, não muito. Eu era mais falante quando era criança. Eu, ãhn... Pelo menos acho que era... Não, talvez não. Não sei. É difícil saber; não consigo me lembrar de momentos em que eu fosse... Nunca fui muito falante. Mas, se tivesse alguma coisa a dizer, eu dizia. Sei lá...

Parece que você pensa muito — talvez demais.
BLOOM: É, isso é verdade. Com certeza!

E, como pode ser crítico consigo mesmo, você prefere atuar de menos do que exagerar na atuação. Você preferiria ser mais Paul Newman e menos Jim Carrey.
BLOOM: É, é, exatamente. É engraçado porque percebi as diferentes maneiras de as pessoas atuarem. Ainda tenho 28 anos. Ainda estou definindo que tipo de

ator vou ser, e provavelmente ainda vai demorar um tempo até que eu encontre meu nicho. Não estou com a mínima pressa. Ainda estou descobrindo e espero continuar sempre assim.

[SOUL ASYLUM *CENA 4*]

O cenário: quarto de hotel, Nova York, 4h30.

O contexto: mais cedo, eu tinha levado Pirner a um show com ingressos esgotados da rígida banda pós-hardcore de Washington, DC, o Fugazi, no Irving Plaza em Nova York. Quando ele perguntou como eu tinha feito aquilo, respondi de brincadeira: "Eu mando bala." Horas depois, eu ainda estava pagando o preço por minhas palavras.

DAVE PIRNER: Diga: "Eu mando bala", cara!

Ãhn, eu mando bala?
PIRNER: Não acredito que você disso isso!

Está falando de hoje mais cedo? Foi uma piada.
PIRNER: É, bom, você achou que era piada, mas não é todo mundo que tem coragem de dizer "Eu mando bala".

Talvez ninguém tenha coragem de dizer isso a sério.
PIRNER: Mas você teve bala para entrar no Irving Plaza.

Não é muito difícil.
PIRNER: Eu não precisava do meu empresário, cara.

Pare com isso.
PIRNER: Eu mando bala? Sabe, não tento me apresentar como a voz de uma geração. Estou me apresentando como um homem de 31 anos que escreve músicas há 15 anos, metade da vida. E eu mando bala, cara. Você começou essa coisa de bala.

Eu sei. E agora tenho que ir até o fim com isso.
PIRNER: Não fui eu que comecei.

É verdade.
PIRNER: Eu não comecei.

Certo.
PIRNER: Eu olho para você e você olha para mim. E acho que, tipo, nossas coisas são bem legíveis.

Hum...
PIRNER: Você manda bala, cara. E sinceramente isso é uma droga, porque perto de você eu nem mando bala, cara. Você é tipo o fodão.

Ah, dá um tempo.
PIRNER: O Mark E. Smith do Fall manda bala?

Acho que o Mark E. Smith é a semente de muita gente que manda bala hoje em dia.
PIRNER: É, você está certo. Toda essa gente está falando de bala. E o que você quer mesmo é a semente. E minha aspiração é ter a semente. Quer saber, cara? Às vezes eu tenho a semente. E eu a completo com a bala.

[*Continua...*]

[JIMMY MARTIN]

Alguns entrevistados ficam tão animados para sair em um grande jornal que fazem coisas idiotas na frente da pessoa que vai colocá-los nesse grande jornal. Foi o que aconteceu na convenção World of Bluegrass em Louisville, Kentucky, quando o guitarrista de 72 anos Jimmy Martin apareceu na entrada do hotel usando botas pretas com cruzes de strass e um chapéu de caubói quase tão vermelho quanto seu rosto.

Então, como você conseguiu se tornar o rei do bluegrass?
JIMMY MARTIN: Mais pessoas estão me reconhecendo e me aceitando como o rei do bluegrass. Elas chegam para mim e dizem que Bill Monroe é o pai, e você não é o filho dele, então você é o rei. Disseram que eu era o equivalente do bluegrass a Hank Williams e George Jones. Mas isso não me deixou convencido.

Um garoto de 14 anos com uma rabeca se aproxima.

GAROTO: Você poderia autografar seu CD para mim?
MARTIN: Estou falando com o *New York Times* agora, e você está me incomodando.

O garoto começa a se afastar, desanimado.

Não tem problema. Podemos fazer uma pausa enquanto você assina.
MARTIN (*para o garoto*)**:** OK, eu assino. (*Rabisca sua assinatura, depois fala para mim:*) Você pode publicar que eu apertei a mão do Ricky Skaggs no Grand Ole Opry e disse: "Você é o maior filho da puta da música country"?

Acho que não posso usar essa palavra em um jornal respeitável.
MARTIN: E chamei o Ricky de babaca. Você pode dizer isso, não pode?

Acho que não.
MARTIN: Pode pelo menos dizer que mesmo assim meu disco deu muito lucro?

Jimmy Martin morreu em 2005 de câncer na bexiga. Ele tinha 77 anos.

[SOUL ASYLUM *CENA 5*]

O cenário: mesmo quarto de hotel, mesma cidade, mais tarde.

DAVE PIRNER: Estávamos falando do Salt-N-Pepa?

Não, não estávamos, mas podemos falar.
PIRNER: Elas mandam algum tipo de bala?

Chega de falar de bala.
PIRNER: É, uma daquelas garotas manda bala. Sabe qual é?

Vou chutar a Salt.
PIRNER: Ou é a Pepa? Qual manda bala?

A baixinha.
PIRNER: Você gosta da baixinha?

Eu não gosto dela. Ela só parece ser a líder.
PIRNER: Você acha que ela manda bala?

Ah, sei lá.
PIRNER: Ela é a que não sabe cantar. Só faz rap. A mesma coisa com o TLC. Eu gosto da garota que não sabe cantar.

Não acho que alguma delas saiba cantar, tirando a Chilli às vezes.
PIRNER: Viu?

Vi o quê?
PIRNER: É por isso que você é crítico de música, cara. Você pode avaliar as pessoas e sabe quem não canta bem. Quem mais manda bala?

Eu não sei. O Elvis? O John Lennon?
PIRNER: Isso foi meio escroto, Neil. Você está me zoando.

Eu não estou zoando você. É que...
PIRNER: Você meio que está me zoando.

É uma resposta fácil.
PIRNER: Não é uma resposta fácil. Não é. Porque... eles estão mortos. Digo, eles não mandam bala, cara. Gente morta não manda bala.

[*Continua...*]

[COURTNEY LOVE *CENA 2*]

Courtney Love andou até a cama desfeita em seu loft em Manhattan e se jogou sobre os lençóis. *Boogie Nights* estava passando em uma pequena televisão ali perto. “Eu nunca conseguiria me injetar”, suspirou ela. “Ainda tenho calombos no braço por causa da única vez que tentei.”

Ela arregaçou uma das mangas de sua camiseta de algodão rosa e mostrou o dano. “Aqui está minha imitação de vício em heroína”, disse ela, e se sentou. Ela bateu na parede e gritou: “Kurt? Kurt? Você está aí?”

Então, em uma voz rouca, ela respondeu por ele: “Pegue um pouco de água quente.”

Ela deu um tapa no braço para imitar a injeção, depois falou com a presença imaginária dele: "Não senti nada."

Ela se jogou outra vez contra os travesseiros. "Ele não me deu quase nada: só [o resíduo do] algodão. Idiota! Essa foi a extensão do meu vício em heroína."

Nossa entrevista deveria ter durado apenas uma hora no escritório da gravadora de Love, a Virgin. Mas em vez disso tinha se transferido e se metamorfoseado em uma entrevista de três dias, durante os quais ficamos trancados em seu loft perto de Chinatown.

O seguinte é o total do dinheiro que Love pediu emprestado durante esse tempo...

- $100 para livros antifraude, embora parte desse dinheiro pareça ter sido gasto em um saquinho de pó branco, que contém talco para bebês, aspirina esmagada ou coisa do tipo. Love explica: "Não acredito que acabei de usar drogas na frente de um jornalista pela primeira vez, e eu nem sei o que eram."
- $20 do táxi para a entrega dos "livros".
- $20 para bolo e flocos de arroz de uma delicatéssen próxima. Ela fica com o troco.
- $20 para pedir comida no Rice.
- $18 para cigarros, refrigerantes e doces.
- $20 para agulhas de acupuntura, que ela começa a enfiar nas minhas pernas e no meu peito, e tenta inserir na minha cabeça. "Eu faço isso desde que sou nova", explica ela, enquanto balança a agulha na minha perna direita. Sua autoridade não é contestada até ela começar a tentar enfiar agulhas usadas que caíram no chão.

[PEARL JAM]

No final da minha entrevista com o Pearl Jam em Seattle para a revista *Blender*, o vocalista Eddie Vedder sacou uma Polaroid, tirou uma foto minha, escreveu meu nome com pincel atômico nela e a acrescentou à pilha de fotos que havia tirado de outros jornalistas naquele dia.

Você tirou aquela foto para poder lembrar quem é o escritor quando a matéria sair?

EDDIE VEDDER: Bom, acho que sim. Mas, no final da noite, posso mostrar a um amigo: "Olhe todas essas pessoas com quem eu falei. É, tipo, bastante incomum, né?"

Mas o que o fez decidir começar a tirar as fotografias?
VEDDER: O quê? Ãhn, bom, há dois anos teve um cara na Alemanha que escreveu umas coisas absolutamente fabricadas. Digo, aquilo nunca teria saído da minha boca, e foi muito interessante. Então sempre quis me lembrar de como ele era, para o caso de vê-lo outra vez.

O que você faria se o visse outra vez?
VEDDER: Hum, não sei. Mas essa foi uma das razões.

Você também podia gravar todas as suas entrevistas para garantir que depois não fabricassem nada.
VEDDER: É, eu me lembro de ter tido essa ideia, mas isso aconteceu em uma época em que eu era muito inexperiente no assunto. Agora estou pronto para as pessoas simplesmente distorcerem. Digo, não sei. Respeito você como escritor. Mas acho que o Jeff [Ament, baixista do Pearl Jam] se sentiu traído depois de fazer alguma coisa para a sua revista porque acha que foi representado da maneira errada.

Não sei que matéria pode ser, mas já editaram matérias minhas e mudaram a maneira que eu estava tentando representar alguém.
VEDDER: Uma semana antes de começar a dar entrevistas, passei a pensar sobre, bom, ter tópicos de conversa. Mas isso pareceu deliberado demais. Tenho muitas coisas na cabeça, e você está extraindo algumas delas. Mas não sei como vai soar. Isso é com você. Você pode pegar qualquer opinião e me fazer parecer egocêntrico. Sei lá. Isso está fora do meu controle.

Seria difícil fazê-lo parecer egocêntrico.
VEDDER: Isso é uma das coisas boas em recuperar o status de azarão depois de alguns discos, porque as pessoas ficam menos inclinadas a nos denegrir. E, para ser honesto, não gostava daquele processo. Mesmo que fosse algo trivial como o Bon Jovi ridicularizando nossas motivações em um clipe ou Liz Smith usando roupas grunge, tudo aquilo era muito estranho. E eu tentava não levar para o lado pessoal, mas era estranho, porque estávamos apenas sendo honestos. Lá vou eu falar outra vez. Mas acho que as pessoas devem estar prontas para, sei lá, informação real.

No sentido de...?
VEDDER: O que vai acontecer é que vamos terminar de conversar e vou pensar: "Ah, eu não falei disso ou daquilo, que é muito mais importante." Como apoiar candidatos [à presidência] de um terceiro partido. Entender que existe algo errado se não pudermos ter um terceiro candidato como parte dos debates. Deveríamos

legalizar a maconha sem THC. Não existe motivo para não fazer isso. Acrescente esse tópico quando estiverem falando em cortar mais árvores. E tenho ouvido que todo mundo está usando peles outra vez. É nessas coisas que penso.

[BON JOVI]

Jon Bon Jovi, o líder de cabelos dourados da banda superfamosa do pop-metal dos anos 1980, Bon Jovi, deve ser um dos únicos cantores que fica perplexo quando lhe fazem a seguinte pergunta:

Pode nomear um astro do rock atual que seja um símbolo sexual maior do que você?
JON BON JOVI: Do rock?

Do rock atual.
BON JOVI: Atual? Luh luh luh luh luh, me dê meio minuto para pensar. Sheryl Crow?

Eu estava pensando em símbolos sexuais masculinos.
BON JOVI: Ah, bom, me deixe pensar. Não penso em homens dessa forma, na verdade. Hmm. Cara, ai, ai. Não sei. O Eddie Vedder ou alguém assim? Não sei mesmo.

Hmm, não sei se ele é um símbolo sexual.
BON JOVI: Michael Bolton tem um monte de mulheres...

É, pode ser.
BON JOVI: Ah, meu Deus, quem é? Tenho de pensar. Eu... eu não sei.

Acho que você já respondeu a minha pergunta.
BON JOVI: Então sou eu...*

Ou talvez tipos diferentes de pessoas que tenham o próprio símbolo sexual. Para algumas, é o Michael Bolton. E talvez para outras seja o Trent Reznor. E, para outras, é você.
BON JOVI: É, isso. Isso, isso, isso. Esse deve ser mesmo o espírito.

* Pouco depois desta entrevista, Bon Jovi foi eleito "astro do rock mais sexy" pela revista *People*.

Mas você deve saber disso.

BON JOVI: É muito estranho porque, quando as pessoas têm essa reação, você pensa: "Ah, certo, eu devo ser especial." E então pensa: "Calma, você não é", e supera. Pessoalmente, não presto atenção a essas bobagens. Na plateia de qualquer show, deve ter uns cinco jovens que um dia vão estar no palco. E toda noite você só precisa ser melhor do que foi na noite anterior se quiser continuar fazendo o que faz.

Você resistiu à tentação de fazer músicas só para chocar ou sobre temas mais sombrios que poderiam ter valido a pena nos dias do metal. Você já pensou em ir nessa direção para fugir às baladas?

BON JOVI: Eu não conseguiria fazer isso por uma razão: não seria real. Eu não gosto. Fui muito honesto ao dizer que meus heróis eram, sabe, Southside Johnny & the Asbury Jukes. E as pessoas dizem: "Bom, você não deveria gostar do Led Zeppelin?", e eu respondo: "Bem, eu *não gostava*, então sou fora de moda." E, quando Seattle estava acontecendo, não deixei crescer um cavanhaque ou comprei coturnos. Simplesmente não fiz isso. E, gostem ou não, danem-se os difamadores, pelo menos não peguei carona na popularidade alheia. Pelo menos posso ir dormir sabendo que não me vendi.

Então o que você *tem* ouvido ultimamente de que tem gostado?

BON JOVI: A Joan Osborne, ela é ótima. E o novo Soul Asylum.

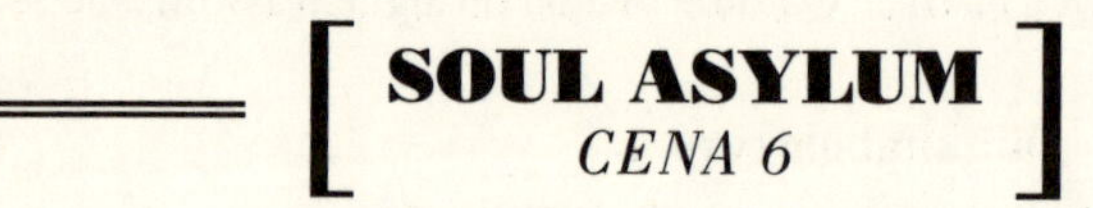

[SOUL ASYLUM
CENA 6]

O cenário: mesmo quarto de hotel, mesma cidade, 7h30. Pirner e eu estamos no quarto dele sozinhos há mais de três horas, e a única substância entorpecente que ele ingeriu (que eu saiba) é álcool.

DAVE PIRNER: Com quem estávamos falando?

Com ninguém.

PIRNER: Estávamos com outra pessoa. Tinha mais alguém aqui.

Acho que não.

PIRNER: Tem certeza? Tinha, tipo, um terceiro cara aqui. Ou talvez tenhamos saído do quarto dele e vindo para cá (*para, pensa*). Tudo bem, só por sua causa, vou lembrar onde estávamos dez ou vinte minutos atrás.

Estávamos aqui. As únicas pessoas com quem falamos nas últimas 12 horas foram o bartender Tommy e o motorista do táxi.
PIRNER: OK, estávamos no quarto de outra pessoa. Era alguém que estava me zoando muito nas últimas três horas. Nem era você, cara. Acho que era alguém que eu conheço.

Não faço ideia.
PIRNER: Bom, eu me lembro de ver você explicando para o outro cara que tinha de ir embora. E eu fiquei totalmente alheio à coisa toda. É por isso que esperava que você lembrasse. [...]

Olhe, preciso mesmo ir embora porque tenho de trabalhar amanhã.
PIRNER: Você não pode ir. Precisamos falar sobre algumas coisas. Sei que você vai escrever que nós somos uma droga porque tudo o que fazemos é ficar em quartos de hotel e beber cerveja.

Se eu escrevesse isso, seria um hipócrita. Isso foi tudo o que eu fiz.
PIRNER: Ah, é, eu não tinha pensado nisso. Vou dizer o seguinte: acho que sou o compositor mais importante com quem você poderia estar conversando.

Vamos falar disso amanhã. Tenho mesmo que ir dormir.
PIRNER: Duvide de mim (*bate no meu joelho*). Eu desafio você a duvidar de qualquer coisa que eu digo. Eu sou confiável para caralho. Diga uma coisa em que não sou confiável.

(Silêncio.)
PIRNER: Você nunca duvida de mim, nem nunca vai duvidar. E não se importa.

Eu me importo tanto quanto você. Esta é a primeira matéria de capa da *Rolling Stone* para nós dois.
PIRNER: Então por favor me desafie.

Uma camareira bate na porta. Pirner a dispensa.

OK, amanhã vou desafiar você.
PIRNER: Faça qualquer pergunta para mim, cara (*bate no meu joelho de novo*). Posso responder a qualquer pergunta. Pergunte qualquer coisa. Vá em frente. Agora. Pergunte qualquer coisa que quiser e vou dar a melhor resposta que puder.

Boa noite. Você também precisa dormir um pouco.

PIRNER: Qual é, cara, estávamos só esquentando.*

Na noite seguinte, eu janto com o empresário do Soul Asylum, Danny Heaps, e o guitarrista Dan Murphy para falar da maratona de entrevistas com Pirner.

DAN MURPHY: Eu tive de ir embora no outro dia porque a conversa estava ficando estranha, com o Dave falando de se matar e tudo.

Ontem à noite foi ainda mais estranho.

DANNY HEAPS: Fui acordar o Dave às 13h hoje. Demorou uma hora. Mas, quando ele finalmente abriu os olhos, a primeira coisa que disse foi: "Acho que o Neil me bateu, cara."

No final da noite, o Dave disse para fazer qualquer pergunta. E eu realmente queria perguntar a ele: "Você tem medo de ficar sozinho?"

MURPHY: Teria sido uma boa pergunta. O Dave é muito inseguro em relação a algumas coisas. Ele precisa de um tapinha nas costas de vez em quando.

[CORTINA]

* Depois de um show do Soul Asylum em Nova York naquela semana, durante o qual Bruce Springsteen pulou no palco para se juntar à banda, o Chefe tentou explicar o comportamento de Pirner da seguinte forma: "Dave e eu meio que conversamos no telefone um pouco. Foi uma experiência bastante confusa quando eu tinha essa idade. Se preocupar [em ser um astro do rock] é bom, na minha opinião. Eu estava sempre preocupado com isso. Não sei se ajudou, mas sei que era bom me preocupar com isso."

ATO CINCO

OU

O CLICHÊ DO ROCK AND ROLL *QUE* SE FODA

SINOPSE

O Mötley Crüe é preso por agressão, Ernie K-Doe chama a polícia para pedir ajuda, e Rick James é solto da prisão, enquanto Taylor Lautner alega que nunca sequer recebeu uma multa por excesso de velocidade antes de perguntar sobre Zac Efron, que está se escondendo dos paparazzi e impressionado com Tom Cruise, que soca um relógio etc.

[MÖTLEY CRÜE
CENA 1]

O momento em que decidi fazer um livro com o Mötley Crüe foi o momento que os conheci: nos bastidores depois de um show em Phoenix, durante o qual o baixista Nikki Sixx chutou um segurança, o baterista Tommy Lee cuspiu em outro guarda e o vocalista Vince Neil disse à plateia para invadir o palco, o que ela fez, tropeçando sobre barricadas e causando milhares de dólares de prejuízo. Enquanto eu ia para o camarim me apresentar como o escritor que faria o perfil deles para a revista *Spin*, ouvi os seguranças do show conversando na coxia.

SEGURANÇA: Pegue o cara que chutou o Jim! Aquele de barba. Vamos prestar queixa.

Eu corro até o camarim para alertar a banda.

Ei, acabei de ouvir os seguranças conversando, eles vão chamar a polícia para prender vocês.
NIKKI SIXX (*ri*)**:** Você é o cara da *Spin*?

Sou, mas estou falando sério.
SIXX: O Nick [Cua, gerente de turnê do Mötley] mandou você fazer isso?

Não, eles estão mesmo vindo. Eu iria embora se fosse vocês.
SIXX: Você já entrevistou o Johnny Thunders?*

Não, mas entrevistei o Kenny G.
SIXX: Ah, só para saber.

Tento convencer Sixx a ir embora antes de ser preso, mas ele acha que é um trote de aniversário, porque em meia hora ele vai fazer 39 anos. De repente, seis policiais entram no camarim.

POLICIAL UM: Esse é o cara que atacou o segurança?
POLICIAL DOIS: Não sei. Os dois têm barba.
POLICIAL UM (*para Sixx*)**:** Coloque as mãos para trás.

---

* Guitarrista pioneiro do punk, que morreu de uma aparente overdose de metadona em 1991, embora alguns suspeitem de assassinato.

MÖTLEY CRÜE
SOAP FLAKES

a **FEELGOOD** *product*

POLICIAL DOIS (*para Tommy Lee*)**:** Você também.
TOMMY LEE: Por que eu? Eu não fiz nada.
POLICIAL UM: Vamos verificar o vídeo para ver qual de vocês é.
POLICIAL DOIS: Também vamos prendê-los por incitar um tumulto. E por incitar garotas a mostrar os seios.*
ROADIE PRÓXIMO: Isso é ruim?
LEE: Não posso vestir nada? Estou de short.
POLICIAL DOIS: Não, venha conosco.

A polícia leva Sixx e Lee, que não está usando nada além de um short de borracha apertado, para o corredor e sai com eles pela porta dos bastidores. Dois fãs adolescentes do Mötley Crüe se aproximam deles de forma hesitante, cada um com uma cópia do vinil de Shout at the Devil.

FÃ: Vocês podem autografar para nós?

*Tommy Lee indica as algemas com a cabeça.** Quando eles são conduzidos para fora da arena, eu volto para o camarim, onde Cua está discutindo com a polícia. Enquanto isso, Vince Neil seca o cabelo indiferentemente, assim como fez durante a confusão, e o guitarrista Mick Mars descansa em uma cadeira próxima.*

MICK MARS: Então, o que você achou do show?

[*Continua...*]

[ERNIE K-DOE *CENA 1*]

Nos livros de história, Ernie K-Doe é mais conhecido por gravar o sucesso número um nas paradas de R&B de 1961, "Mother-in-Law", uma música que encontrou jogada no lixo de um estúdio. Mas para os habitantes de Nova Orleans décadas depois, ele era conhecido como um personagem autêntico, cheio de uma energia imprevisível e um ego descontrolado. Em uma cerimônia de prêmios que cobri certa vez, por exemplo, ele disse à plateia: "Só houve cinco [*sic*] grandes artistas da história do R&B: Ernie K-Doe, James Brown e Ernie K-Doe."

* Um clássico do show do Mötley Crüe, no qual Tommy Lee vai até a ponta do palco com uma câmera de vídeo e encoraja as garotas a levantar a blusa para ele. No final, Sixx lamentou depois que foi solto: "Não fomos acusados de nada daquilo. Não fomos acusados por nada bom — só agressão."
** "Acho que essa superou a vez que um cara pediu um autógrafo para o Ozzy quando ele estava cagando", diz orgulhosamente Sixx no dia seguinte.

Na extremidade do bairro Tremé, no Mother-in-Law Lounge, um bar que ele tinha aberto com a esposa, Antoinette, K-Doe podia ser encontrado quase todas as noites, fazendo shows improvisados e falando sobre si mesmo sem parar.

"Eu sou metido, mas sou bom", respondeu quando cheguei com uma fotógrafa do *New York Times* e pedi para fazer uma matéria sobre ele.

Mais tarde, naquela noite, ele nos levou para ver sua pequena van de turnê, e nos apertamos nos bancos enquanto ele dava uma de suas últimas entrevistas. Depois, voltamos ao bar para tirar fotos e vê-lo se apresentar.

O problema começou quando K-Doe parou repentinamente de cantar a música "White Boy / Black Boy" e olhou diretamente para mim...

ERNIE K-DOE: Tivemos uma boa entrevista, não é?

Você está falando comigo?
ERNIE: Fui legal com você, não fui?

Com certeza foi.
ERNIE: Então por que você está tentando gravar o meu show?

O bar inteiro se volta para olhar para mim.

Eu não estou gravando! Não está nem ligado.

Enquanto levanto o gravador para mostrar a ele, sua esposa, Antoinette, corre em minha direção, nos fundos do bar.

ANTOINETTE K-DOE: Me dê a fita!

Eu não estava gravando a música. O gravador só estava no meu colo porque não tenho uma bolsa e ele é grande demais para enfiar no bolso.
ANTOINETTE: Eu vi você gravando. Não vamos tocar mais nada até você nos entregar a fita.

Eu lhe daria a fita, mas tenho outras entrevistas aqui e preciso delas.
ANTOINETTE: Deixamos você nos entrevistar. Deixamos você tirar fotos nossas. Abrimos mão do nosso cachê e não lhe cobramos nada.* E agora queremos a fita. Entregue.

* Pelo que eu sei, Ernie K-Doe nunca cobrou a ninguém por uma entrevista, pelo menos não com sucesso.

Posso tocar a fita para provar que não estava gravando a música, se for resolver.
ANTOINETTE: Tranque a porta. Ninguém sai até ele entregar a fita. E quero as fotos também.

Um homem baixo e forte, que podia ser um segurança à paisana ou um cliente leal, corre até a porta e para ameaçadoramente diante dela.

CLIENTE DO BAR: Vamos ouvir música. Tenho certeza de que ele não gravou nada.
ANTOINETTE: Isso não é da sua conta. (*Para mim:*) Ernie K-Doe é uma lenda. Estou cansada das pessoas virem aqui para tirar vantagem de nós. Você nem sequer é do jornal. Eu vi o que você estava fazendo. Você foi até os fundos para trocar as fitas, depois veio para cá e começou a gravar.*

Eu fui para os fundos dar um telefonema.
ANTOINETTE: Se você não vai entregar para nós, vou chamar a polícia. O que está aí é a música do K-Doe. Então é propriedade dele.

Eu posso tocar a fita. Juro que não estava gravando a música.
OUTRO CLIENTE: Dê o que ela quer. A polícia provavelmente vai jogar você na cadeia porque eles apoiam este bar.

Ouça, eu adoraria, mas passei a semana fazendo entrevistas no Jazz Fest, e elas estão nesta fita. E não vou entregá-la a ninguém.
ANTOINETTE (*no telefone*): Aqui é a Antoinette K-Doe do Mother-in-Law Lounge, na Fifteen Hundred North Claiborne. Estamos com uma pessoa que roubou algo nosso e não quer devolver. Quero que ele seja preso.

Quinze minutos sem música e cheios de olhares atravessados depois, dois policiais entram no bar.

ANTOINETTE: Eles estavam gravando fitas e tirando fotos nossas, e nós as queremos. É nosso direito.
POLICIAL UM (*para a fotógrafa e para mim*): Entreguem suas carteiras de motorista e esperem lá fora.

---

* Quando era um cantor de R&B em começo de carreira, nos anos 1950 e 1960, K-Doe certamente foi lesado na cota justa dos lucros de sua música, o que pode explicar por que eles pensaram que eu estava tentando fazer uma cópia do show para vender e obter lucro pessoal.

Dez minutos depois, a polícia sai para falar conosco. Explico o que aconteceu. Um dos policiais volta para dentro e sai com Ernie e Antoinette.

POLICIAL UM: Se vocês não resolverem isso aqui e agora, vamos ter de levá-los para a delegacia e tomar os depoimentos para um processo civil. E não acho que vocês queiram passar por isso.

Se vocês me deixarem tocar a fita para provar que não tem música...
ANTOINETTE: Não, ele está mentindo.

Ouça, eu só estava tentando ajudar um músico que admiro a receber um pouco de atenção. A esta altura, eu nem tenho mais interesse em escrever. Vou apagar a entrevista agora mesmo e nós resolvemos as coisas.

Eu rebobino parcialmente a fita e começo a gravar por cima de uma pequena parte da entrevista.

ANTOINETTE: Eu quero ouvir a parte que você apagou. Não vou deixar você sair daqui com nada.

Estou gravando por cima dela neste momento.
ANTOINETTE: Cara, isso não é bom.

O que você quer? Só quero resolver isto de uma maneira pacífica e voltar para o meu hotel.
ANTOINETTE: Eu sei. Também quero muito voltar para dentro e cuidar da minha vida.
POLICIAL UM: Eu entendo, mas agora você se meteu em um problema. Mostre a eles que a entrevista foi toda apagada da fita. Você não pode simplesmente ir embora e dizer a ela: "Prometo que quando chegar em casa vai estar apagada." Fique até eles terem certeza de que a entrevista não está mais na fita e aí vocês estão quites.
POLICIAL DOIS: Por que você simplesmente não me dá a fita?

Ela tem outras entrevistas importantes.
ANTOINETTE: Certo, mas está vendo, você quer tudo o que quer, mas não está disposto a dar nada em troca.

Estou apagando a entrevista agora. Está gravando agora mesmo.
ANTOINETTE: Você não disse isso!

Eu disse que estava gravando. Está gravando nossa discussão agora.

POLICIAL UM: Tudo o que vocês querem é desfazer o que eles fizeram. Se eles estão dizendo que não querem que vocês usem a entrevista, vocês não vão usar, isso devia encerrar o assunto. Agora entrem em um acordo.

ANTOINETTE: E queremos o filme dela.

POLICIAL UM: Eu gostaria de resolver isso de forma pacífica. Não estou acostumado a esse tipo de coisa. Não vou mentir. Tudo o que eu sei é que vocês fizeram um acordo: talvez não seja um acordo contratual, mas pelo menos um acordo verbal de fazer alguma coisa. Esse acordo verbal foi quebrado, mesmo que só na cabeça dela. Mesmo que seja a percepção dela, seja lá por que razão for. Mas posso dizer que se vocês não entregarem o filme a ela vou ter de levar todo mundo.

A fotógrafa entrega a Antoinette um filme vazio, e deixa o filme com as fotos no bolso.

ANTOINETTE: Eu vi você usar outros rolos de filme.

FOTÓGRAFA: Essas foram todas as que eu tirei.

ANTOINETTE: Vou a uma loja que leva uma hora para fazer a revelação e ter certeza de que essas são todas as fotos. Se este for o filme errado, preciso entrar em contato com você. E sei que vocês nem trabalham no jornal.

Aqui está o meu cartão. Pode ligar para quem quiser.

ANTOINETTE (*pegando o cartão*): Posso imprimir esse cartão profissional em qualquer lugar. Sério, você precisa de uma identificação.

Quinze minutos de discussão depois, durante os quais tive de dar ao policial o nome e o telefone do meu editor no jornal e esvaziar a bolsa da fotógrafa, aquele lado da fita chega ao final.

A entrevista está apagada.

ANTOINETTE: Rebobine para eu ter certeza de que somos só nós discutindo aqui fora.

Eu rebobino parcialmente e toco a fita.

Sinto muito por esse mal-entendido. Eu só estava tentando ajudar para que as pessoas fora de Nova Orleans ouvissem falar do bar e do que vocês estão fazendo aqui.

ANTOINETTE: Este homem é uma lenda. Ele não precisa de nenhuma publicidade. Ninguém pode publicar nenhum artigo ou foto a não ser que tenha nossa permissão. Vou processar vocês.

POLICIAL DOIS: Por que vocês não voltam lá para dentro? Nós cuidamos disso a partir de agora.

Ernie e Antoinette voltam para o bar e a polícia nos dá uma carona até o hotel.

POLICIAL DOIS: É isso o que acontece quando uma mulher como aquela manda em um homem. O K-Doe não disse nada durante todo o tempo em que esteve lá fora. Mas, na cabeça da mulher dele, essa foi a percepção do que aconteceu. E, na cabeça de uma mulher como aquela, percepção vira realidade.

Obrigado por resolver isso.
POLICIAL DOIS: Bom, eu sempre quis saber o que acontecia naquele bar.*

[*Continua...*]

RICK JAMES
CENA 1

No final dos anos 1970 e começo dos 1980, Rick James era o eclético rei do funk — um artista espalhafatoso com longas tranças, um bigodinho fino e uma sequência irrepreensível de sucessos, sobretudo "Super Freak". Mas, no começo dos anos 1990, sua fama tinha acabado. Ele ateou fogo a si mesmo com um cachimbo de crack; foi acusado de sequestrar uma mulher, queimá-la com um cachimbo de crack e bater nela com a coronha de uma pistola (acusações que negou e que mais tarde foram retiradas); e finalmente foi condenado com a namorada, Tanya Hijazi, por posse de cocaína e por atacar uma mulher que tinha se encontrado com eles para falar do contrato de gravação. Um ano depois de ser solto da prisão, Rick James se sentou em um sofá de oncinha na sala de estar rebaixada de sua casa perto de Los Angeles e falou sobre os três anos que passou atrás das grades.

Você compôs muito na prisão?
RICK JAMES: Escrevi muita música sobre mim e o que eu estava passando na prisão. Existe muita música dentro de mim. Escrevo músicas como sento na privada e cago, sabe: simplesmente sai de mim. Nunca tenho de me esforçar para escrever.

---

* Acabei escrevendo uma matéria sobre K-Doe e sobre esse incidente no jornal naquela semana, e sem ressentimentos. O Times-Picayune, jornal de Nova Orleans, relatou o episódio depois, concluindo: "Os K-Doe disseram que iam processar o *Times*, mas, por mais estranho que pareça, a matéria foi lisonjeira para com eles."

Nunca. Escrevi mais de trezentas músicas quando estava preso. Eu escrevia seis, às vezes nove músicas por dia.

"So Soft So Wet" foi uma delas?
JAMES: Foi. "So Soft So Wet" foi escrita na prisão.

Parece algo gerado por ficar longe de uma mulher por muito tempo.
JAMES: É, exatamente. Foi estranho porque foi a primeira vez que fiquei em celibato por tanto tempo. Mas, depois de mais ou menos um ano, virou uma segunda natureza. E eu não assistia a SOS Malibu nem a nenhuma dessas coisas que podiam me deixar excitado. Digo, já tinha problemas suficientes com as agentes penitenciárias que estavam sempre tentando me pegar.

Pegar você?
JAMES: Sabe, muitos dos agentes penitenciários eram mulheres e elas sempre iam à minha cela e coisas assim. Então, se eu quisesse mesmo fazer sexo, provavelmente poderia ter feito em várias ocasiões. Também existe muita homossexualidade na cadeia, e eu entendo. Quer dizer, os caras ficam lá dez ou vinte anos. E eu pensava na minha mulher o tempo todo e queria fazer a coisa certa. E às vezes ela me mandava cartas muito eróticas. Então, sim, foi assim que "So Soft So Wet" surgiu (*ri*).

Em um verso de uma das músicas você fala dos agentes penitenciários. É sobre as mulheres ou os homens?
JAMES: Não, não. Não era nada sobre as agentes penitenciárias. Era sobre um monte de agentes penitenciários que vão para uma prisão mandar em homens, mas agem como se estivessem menstruados, sabe. Como quando as mulheres ficam insuportáveis durante a TPM, bom, é assim que eles ficavam. E muitos não se comportavam da mesma forma todos os dias. Alguns cumprimentavam você em um dia e no outro xingavam e nos chamavam de bando de pretos e coisas assim. E era como se eles levassem para o trabalho o que quer que tivesse acontecido durante o dia com as esposas ou os relacionamentos. Então para mim eram como um bando de vadias travestidas.

Que tipo de prisioneiro você foi?
JAMES: Quando fui preso pela primeira vez há quatro anos, eu fiquei totalmente amargo e furioso. Estava zangado com o sistema e comigo mesmo. Eu sentia que minha vida estava parada. Acho que essa é a maneira mais simples de explicar.

Por que você estava zangado consigo mesmo?
JAMES: Eu estava zangado com minha própria estupidez porque me deixei levar durante todos aqueles anos e agi de uma maneira que acabaria me colocando ali. Sempre fui um espírito livre e sempre consegui o que queria. Então, quando comecei a me ajustar, quando percebi que só faltava mais um ano e meio, comecei a me acalmar. Passei a malhar. Eu trabalhava na biblioteca. Comecei a ler. Li durante todo o tempo da pena, cinco meses e meio no LA County antes de ir para Folsom.

Acha que talvez precisasse desse tempo na cadeira para se livrar das drogas e se acalmar?
JAMES: Acho que qualquer tempo maior do que três anos teria sido demais. Se eu tivesse saído em oito meses, provavelmente teria voltado direto para as drogas porque teria sido fácil demais. Então três anos foi tempo suficiente. Digo, foram três Natais, sabe.

E você não estava lá para a sua mãe...
JAMES: Na verdade, eu saí com uma fiança de 1 milhão de dólares quando fui ao funeral da minha mãe. Mas devia ter passado mais tempo com ela e tentado entender um pouco mais sobre o que ela passou criando um monte de filhos e sendo uma mulher negra sozinha. Fiquei devastado com a morte dela. Tudo o que ela sempre quis para mim foi que eu me livrasse das drogas e fosse feliz.

Você acha que o que fez em seus dias loucos foi errado ou sente falta daquela época?
JAMES: Eu sou muito religioso e espiritual. Sei quais são as coisas que não devo fazer. Como ser humano neste planeta, digo, sei que é errado ser violento, (*apontando para o meu fotógrafo*) pegar essa câmera e jogá-la pela janela. Eu sei que isso é errado. Sei que é errado cheirar e fumar cocaína o tempo todo e toda essa coisa e perder a linha com um monte de vadias. Eu sei que essas merdas são erradas. E sempre soube. Além ficar embotado pelas drogas, fiz algumas coisas muito prejudiciais e devo a Deus ainda estar vivo hoje.

A porta se abre e Tanya Hijazi entra em casa, seguida pelo filho de 5 anos do casal e a mãe dela, que cuidou do menino enquanto os pais estiveram na prisão. James faz uma pequena pausa para falar com eles.

[*Continua...*]

[TAYLOR LAUTNER]

Era a primeira entrevista detalhada que Taylor Lautner, o galã de 17 anos que interpreta Jacob, o lobisomem na série *Crepúsculo*, dava em sua carreira. E, depois dessa rodada de perguntas, ele provavelmente desejou que fosse a última. Sentado em um tatame na academia de artes marciais do técnico que treinou Lautner para se tornar um campeão mundial de caratê, decidimos ver quão merecida era sua reputação de certinho.

Você já cheirou uma carreira de cocaína?
TAYLOR LAUTNER: Uma carreira de cocaína?! Não.

E já usou heroína ou maconha, ou qualquer outra droga?
LAUTNER: Nunca usei nenhuma droga.

Nem maconha uma vez?
LAUTNER: Não.

E cigarros? Você já fumou um cigarro?
LAUTNER: Não.

E cachimbo, charuto ou cigarro de cravo?
LAUTNER: Não.

Você já foi preso?
LAUTNER: Não.

E multas de trânsito? Qual foi a pior multa que você já recebeu?
LAUTNER: Nunca levei uma multa. Uau, isso é interessante.

Você nunca foi parado pela polícia?
LAUTNER: Nenhuma multa por excesso de velocidade, nem por ultrapassar sinal vermelho, nem por dirigir de forma irresponsável.

Você está brincando. Hum, e urinar em local público? Você já fez isso?
LAUTNER: Em local público?

Como em um beco ou em um banco de parque.
LAUTNER: Acho que em, tipo, florestas ou no bosque, se for uma emergência.

Isso não conta. E bebidas: você já ficou bêbado?
LAUTNER: Não.

Qual é, não acredito nisso.
LAUTNER: Eu poderia simplesmente responder não para tudo.

OK, minha análise é a seguinte: você nunca usou drogas, nunca foi preso, nunca levou uma multa de trânsito, mas provavelmente já ficou bêbado e talvez tenha assistido a algum pornô.
LAUTNER: OK, OK. É, depende da sua interpretação.

Então, se você já ficou bêbado, qual é o problema em admitir? Não há nada de errado nisso.
LAUTNER: Posso perguntar uma coisa?

Claro.
LAUTNER: O que você fez com o Zac Efron quando o entrevistou?

[ZAC EFRON]

Na época desta entrevista, Zac Efron dominava o mundo — ou pelo menos o mundo pré-adolescente, graças a seu papel de galã em *High School Musical*, da Disney. Mas por incrível que pareça ele não tinha sido afetado. "Nunca dei entrevistas como esta", confessou ele quando nos encontramos em uma lanchonete de North Hollywood. "Ainda sou muito novo nisso."

O ator de 19 anos estava morando sozinho em um apartamento pequeno e apertado ali perto e dormindo em um colchão no chão. Embora isso pareça uma receita para o desastre — um astro adolescente morando sozinho a poucos quilômetros de várias boates de Hollywood —, Efron não dava sinais de seguir os passos de Lindsay Lohan e Britney Spears. O que também não queria dizer que ele fosse um anjo, como descobri no dia seguinte, durante um jogo de golfe em um pequeno campo local.

ZAC EFRON: Por sinal, tem gente nas margens do campo todo tirando fotos nossas agora.

Paparazzi?
EFRON: Acho que sim. Eles me seguiram de casa. Vim direto pela Riverside, então acho que não os despistei. Normalmente faço umas voltas, mas achei que estava atrasado.

Obrigado por fazer o sacrifício.
EFRON: Eles acham você de qualquer maneira, porque trabalham em equipes.

Algumas pessoas dizem que o segredo para evitar escândalos é não ser hipócrita. Se você não tem nada a esconder, não tem nada a perder.
EFRON: O que me deixa em uma situação estranha à noite.

Então como você conseguiu evitar ser parte de um escândalo?
EFRON: Sabe, eu tenho 19 anos. Não pretendo ser o próximo astro do rock. Não vou me divertir em ônibus de turnê com o Poison. Tenho a mesma idade que outras pessoas que estão lidando com escândalos e coisas assim, mas é fácil se divertir na nossa idade. Só não acho que você precise fazer isso às 3 horas da manhã na Viper Room. Para quê?

Viu, você acabou de provar que nunca foi lá, porque a Viper Room fecha às 2 horas.
EFRON: Literalmente, eu nunca fui. Na verdade, o engraçado é que nunca fui a uma boate de Hollywood. Eu nem tenho uma identidade falsa. Mas tenho amigos aqui e nós fazemos o que as pessoas da nossa idade fazem. Só não precisamos de gente por todo lado tirando fotos nossas.

Outras pessoas precisam do reconhecimento do público, e não faz diferença se vier da aprovação do trabalho criativo ou de uma foto na revista de fofocas.
EFRON: Exatamente. Muitos problemas que você vê nas pessoas dessa profissão acontecem porque o foco se volta para a vida pessoal e não para o trabalho. Eu nunca vou querer contribuir para essas revistas. Sozinho, o Matthew McConaughey sustenta os tabloides há dois anos. Sozinho. Se ele colocasse uma camisa e saísse da praia, talvez houvesse menos paparazzi por aí.

Se você for pensar, os pais do McConaughey tinham um relacionamento volátil e os de Paris Hilton nunca estavam por perto. Talvez, por ter uma família estável e saber que ela sempre estará presente, você não precise tanto do reconhecimento externo.
EFRON: É muito importante. Algumas pessoas não têm isso. E quando você tem um pai, uma mãe e um irmão mais novo que estão sempre ridicularizando suas

imperfeições, rindo e brincando com você e fazendo coisas que uma família deve fazer, é impossível deixar a fama subir à cabeça. Não existe nada melhor do que poder ir para casa, escapar e literalmente não falar de Los Angeles por dois dias.

Um dia você vai ter de fazer um laboratório para um papel de um cara festeiro, e aí vai ter de...
EFRON: E aí eu iria a festas. Seria uma chance de quebrar as regras. Quando esse momento chegar, e eu estiver interpretando um garoto de ensino médio em uma festa, pode acreditar que vou saber o que fazer — (*enfaticamente*) pode acreditar, eu vou saber o que fazer. (*Olha para o sol.*) Acho que estou pegando sol demais. Começa a parecer falso. Não quero ficar superbronzeado. (*Vai para a sombra.*)

Quais são os atores que você admira?
EFRON: Tom Cruise é impressionante. Ele trabalhou com todo mundo. E as pessoas o elogiam por causa da ética de trabalho, porque ele dá 110 por cento em todo lugar que vai, sabe. Ele está constantemente crescendo como ator, e em cada projeto de que participa aprende coisas novas. Em *Missão: Impossível* e vários outros filmes, um monte de cenas perigosas são feitas por ele.

É verdade. Fiz uma matéria sobre o Tom Cruise e ele me levou a uma escola de acrobacias com motocicletas porque estava treinando para pular sobre um trailer para *Missão: Impossível*.
EFRON: Sério?

Durante a entrevista com Tom Cruise em seu trailer na escola de acrobacias com motocicletas, ele fez algo interessante. Ele aproximou de si uma foto dos filhos que estava sobre a mesa. Isso me fez pensar: tudo o que se relaciona a ele tem a aparência de estar tão perfeitamente em ordem que levanta a questão...

Você é obsessivo-compulsivo?
TOM CRUISE: Não.

Você se sente incomodado quando coisas pequenas estão fora do lugar?
CRUISE: Não, não me incomodo se as coisas estão fora do lugar. Mas quero estar preparado em um avião. Porque, se eu decolar com alguém em um avião, qual é a pior das hipóteses? Morte.

Bom, isso é obvio.

CRUISE: Não, eu sou muito responsável. Sou uma dessas pessoas que não precisa de contrato se prometer alguma coisa. Vou fazer tudo o que puder para cumprir.

Então talvez você seja obsessivo, mas não compulsivo.

CRUISE: Não, eu só apareço na hora. Se não apareço, as pessoas ficam preocupadas, porque aconteceu alguma coisa. Aconteceu alguma coisa séria. (*Ele solta uma longa risada, depois se levanta repentinamente, olha para o relógio do micro-ondas, que marca 14h04, e soca o relógio.*) Tenho uma reunião de produção às 15 horas. Preciso ir *agora*.

[*Continua...*]

Em uma banda bem-sucedida, sempre existe uma pessoa com olhos ardentes que vai chegar ao topo mesmo que para isso tenha de arrastar o resto do grupo à força por cima de carvão quente. No Slipknot, a banda de mascarados de new-metal com números em vez de nomes, esse papel é do percussionista fantasiado de palhaço Shawn Crahan (ou Nº 6). Nos bastidores antes de um show perto de San Antonio, Texas, Crahan abriu um armário e olhou para a pilha de copos amarelos de plástico. Cuidadosamente, ele retirou o copo de cima, depois pegou o de baixo e esvaziou uma lata de Mountain Dew dentro dele.

Por que você não usou o copo de cima?

SHAWN CRAHAN: Porque alguém podia ter entrado aqui e colocado alguma coisa no copo e colocado em cima. Sempre pego o segundo ou o terceiro. E na próxima vez, vou pegar o sexto, porque contei para você o que eu faço. É assim que eu trabalho. As pessoas acham que eu sou maluco. Talvez seja. Mas eu sei o que acontece.

Agora é uma boa hora para falar...

CRAHAN: Eu não sabia que íamos fazer uma entrevista neste segundo. Eu disse à minha mulher que ia ligar assim que visse você. Ela vai gritar comigo, mas quer saber? Ela vai superar, porque sabe que estou em uma missão e nada vai me atrapalhar.

USED FOR INDUCING A POWERFUL STATE OF WORLD DOMINATION.
DIFFUSES A DREAMY FRAGRANCE THAT SUSPENDS TIME.
APPROVED FOR INVOCATIONS AND COMMUNICATIONS WITH OTHER BEINGS.

MISSION INCENSE IS ONLY SOLD IN PACKAGES OF NINE. READ LABEL FOR WARNINGS.

Qual é a missão?

CRAHAN: Estou em uma missão de dominação do mundo. O Slipknot não é só uma banda comum. Não é apenas música. É um estilo de vida e é um estilo de vida real. Quando subo ao palco, o clichê do rock and roll que se *foda*. Eu gostaria de conhecer o senhor ou a senhora que inventou o clichê do rock and roll. E gostaria de voltar no tempo e sistematicamente impedi-los de nascer ao eliminar seus pais, voltando até o começo, porque não existe mais lugar para isso.

O que *é* exatamente o clichê?

CRAHAN: Sabe, a porra do sexo, a porra das drogas, a porra da ideia de que *eu preciso ser um astro do rock, eu preciso tratar mal meus fãs, eu preciso estar falido, eu preciso ter uma overdose de heroína.* Porra nenhuma, cara. Em dois meses, vou fazer sete anos de casado. Tenho três filhos saudáveis. Não traio a minha mulher. Nunca vou trair minha mulher. Ela é a minha melhor amiga. Ela salvou minha vida e me possibilitou formar esta banda. Eu devo tudo a ela e, quando terminar com isso, vou passar o resto da minha vida fazendo o que *ela* quiser. No que diz respeito a drogas e álcool, as pessoas são como são. Nós bebemos e tal, mas estamos sob controle.

Quando fiz o livro do Marilyn Manson, ele explicou assim: quem exagera nas drogas prejudica a imagem dos usuários.

CRAHAN: Exatamente, disse tudo. Mantemos uns aos outros sob controle. No final da noite, quando volto para o camarim e tiro aquela mascara, cara, eu me sinto bem em relação ao que estou vivendo. E você tem de entender que no final da noite minha máscara normalmente consiste em nada menos que vômito, cuspe e algum tipo de sangue. Em outras noites são outras coisas. Talvez alguma urina tenha conseguido chegar lá. Seja o que for, sabe.

O vocalista do Slipknot, Corey Taylor — o Nº 8 — entra na sala.

COREY TAYLOR: O que você está fazendo?

CRAHAN: Ei, Corey, venha aqui! Preciso de fogo (pega um palito de incenso de um pacote na mesa). O que é isso, baunilha? Alguém sabe o que é Nag Champa?

TAYLOR: Não.

CRAHAN: Me deixe cheirar isso. Para criar um clima aqui (*cheira o incenso*). Baunilha da porra...

TAYLOR: Eu gosto do cheiro.

CRAHAN: Não, é negativo.

[*Continua...*]

[TOM CRUISE
CENA 2]

O gesto de despedida de Tom Cruise ficou na minha cabeça. Ele bateu no relógio. O cara realmente socou um relógio. Bom, pode ter sido só um gesto sólido de resolução de um ator que faz tudo com uma forte presença física e intensidade. Ou pode ter sido a evidência de um lado mais sombrio e temperamental mostrando a cara.

Quando fui comer com Tom Cruise dias depois, perguntei sobre isso. Várias vezes, entretanto, ele começava a responder uma pergunta, depois parava por vários segundos e começava a falar de outra coisa. Em relações públicas, essa tática de fuga é conhecida como "spinning".

Você perde a calma em algum momento?
TOM CRUISE: É, eu perco a calma. Mas não sou esquentado. Não sou alguém que grita com as pessoas. Só em último caso.

Em algum momento você desconta em si mesmo, em vez de nos outros?
Cruise: Depende da situação, sabe (*longa pausa*). Você olha para alguma coisa e pensa: "O que vai ser preciso para fazer isso?" Porque nada me impede de fazer alguma coisa.

Mas e se alguma coisa impedir? Se você precisar muito fazer alguma coisa, mas não estiver preparado, estiver atrasado e preso em um engarrafamento?
CRUISE: Você tem de me conhecer. Se a coisa realmente precisa ser feita, eu vou fazer. Se eu decidir que vou fazer alguma coisa — haha, não se engane, Neil, hehe, não se engane, haha —, ela vai ser feita.

Então você nunca bateu em uma parede?
CRUISE: Ah, cara, já bati em muitas. Eu bato em *muitas* paredes. Mas existem momentos em que você simplesmente diz: "OK, vou escalar essa parede."

Eu estava falando literalmente.
CRUISE: Se eu soquei uma parede literalmente? Tipo, literalmente?

É, você está nervoso, tem um ataque de raiva. Isso acontece.
CRUISE: Nossa, faz muito tempo que não soco uma parede. Provavelmente desde que era adolescente. Quando as coisas começam a ficar caóticas, fico mais calmo.

Não ajuda em nada se eu ficar nervoso ou perder a cabeça. Se alguma coisa acontece com as crianças, ou seja o que for, não entro em pânico. Só escuto e tento observar. Sou gentil e digo: "OK, o que está mesmo havendo aqui? O que está acontecendo?"

Mas percebi no jeito que você bateu no relógio ontem. E em *Rain Man* e *Jerry Maguire* existem cenas em que você perde a cabeça tão bem que deve ter alguma experiência com essa emoção.
CRUISE: Bom, às vezes sou intenso. Depende da situação e do que ela pede (*longa pausa*). Sabe, é impossível controlar tudo. Você faz o que pode para as coisas darem certo, especialmente quando você é muito ocupado, é preciso priorizar.

Não pode ser tão fácil.
CRUISE: Não é necessariamente fácil. Mas não quero coisas fáceis (*longa pausa*). É por isso que estou lá andando de moto. Quando você para de aprender coisas, cara, você morre. Eu me lembro de começar quando tinha 17 ou 18 anos e querer ser ator. E eu disse: "Sabe, quero aprender sobre isso." Vejo que você tem um espírito aventureiro. Isso é bom, porque não vai ser aquele cara de 70 anos que não quer se aventurar.

Não, vou ligar para você, com a artrite estalando, e dizer: "Ei, cara, eu tenho uma asa delta no telhado. Quer vir aqui?"
CRUISE: E eu vou dizer: "Vamos lá, cara. Podemos não sobreviver, mas vai ser uma viagem e tanto."

[*Continua...*]

[HUGH HEFNER]

Na Mansão da Playboy em Los Angeles, Hugh Hefner, de 72 anos, sentou-se na biblioteca usando sua segunda pele: um robe vermelho e um pijama de seda preto. Diante dele, na mesa, havia uma garrafa de Diet Pepsi e um prato de cookies, acessórios que substituíram o cachimbo depois do seu derrame em 1985. Ele passou a maior parte da entrevista falando sobre um conceito de estilo de vida que tinha criado recentemente, em parte graças a sua introdução ao Viagra: ter várias namoradas morando com ele simultaneamente, uma ideia que mais tarde lhe renderia um reality show. O primeiro grupo consistia da ex-atriz de SOS Malibu

Brande Roderick e gêmeas de Chicago chamadas Sandy e Mandy. Enquanto, ao mesmo tempo, sua esposa Kimberley Conrad, de quem ele tinha se separado um ano antes, morava na casa adjacente.

Você teria ciúme se a Kimberley começasse a namorar?
HUGH HEFNER: Provavelmente teria. Provavelmente teria. Ela sai às vezes. Ainda gosto dela e vice-versa. Ainda nos amamos.

Como você se sentiria se a Kimberley começasse a namorar irmãos gêmeos?
HEFNER: Vamos deixar para pensar nisso quando acontecer. Mas, na verdade, acho que o fato de eu estar namorando três mulheres em vez de uma torna as coisas mais fáceis para ela. Se eu estivesse saindo sempre com apenas uma pessoa, seria uma comparação muito mais próxima do casamento e, por natureza, mais difícil.

Isso seria possível sem o Viagra?
HEFNER: Bom, acho que seria muito difícil sem o Viagra. Acho que estão subestimando o Viagra, porque ele é mais que um remédio para a impotência. É uma droga recreativa. Elimina os limites entre expectativa e realidade. Permite um nível de prazer que de outra forma você só poderia desejar. Acho que, a seu modo, é tão importante quanto a pílula anticoncepcional. Agora está sendo testado em mulheres, porque existe uma indicação de que pode ter efeitos similares nelas. [...]

O que você faria se seu editor fotográfico lhe dissesse que tinha acabado de descobrir que a mulher que você pretendia fotografar para a próxima página dupla era HIV-positiva?
HEFNER: Não sei. A Rebekka Armstrong foi página dupla e é HIV-positiva — e já podia ser na época em que saiu na revista. Não sei. Ela acha que pegou na adolescência. Mas não sei o que responder à pergunta. Não tenho certeza.

E cirurgia plástica? Você acha que as pessoas a levaram longe demais?
HEFNER: Acho que é como os remédios. Qualquer coisa que o faça se sentir melhor consigo mesmo é perfeitamente apropriado. Por que alguém deveria ficar em uma caixa que lhe foi entregue pela natureza, por seus pais ou amigos? Por que não criar a si mesmo? Por quer não ser a pessoa que você quer ser?

Existem muitas celebridades que inventaram a si mesmas na cultura atual, mas você foi um dos primeiros a fazer isso.
HEFNER: Não sei se fui o primeiro, mas sem dúvida foi bem dramático no meu caso. Acho que, sabe, existe uma luz que a sociedade e seus pais lhe entregam,

e depois, se você for inteligente, pode criar uma luz para si mesmo. Em outras palavras, Bernie Schwartz se reinventou como Tony Curtis. Archie Leach se reinventou como Cary Grant. Evidentemente, eles fizeram filmes, e os filmes foram o bastante para ajudá-los, mas acho que, de certa forma, todos nós tentamos fazer isso se formos inteligentes. E eu certamente fiz.

Quando esse processo começou para você?
HEFNER: Minha primeira reinvenção aconteceu quando eu estava no ensino médio. Depois de ser rejeitado por uma garota de quem eu gostava, literalmente mudei meu estilo e passei a usar o que considerava as roupas mais descoladas: calças amarelas e sapatos bicolores. E mudei meu nome: comecei a me referir a mim mesmo como Hef pela primeira vez.

Eu me pergunto quanta rejeição motiva as pessoas a se tornarem estrelas.
HEFNER: Ou repressão. Não tenho dúvidas de que a rejeição pode ser parte disso, mas fundamentalmente a origem é anterior.

Então, para você, começou por ter sido criado em um lar sem afeição?
HEFNER: Sim, embora em certo momento minha mãe tenha dito que sentia muito e que ela também fora criada em um lar muito opressivo, de forma que não tinha conseguido demonstrar afeição. E eu disse a ela: "Mãe, qualquer ato seu que talvez não tenha sido ideal foi uma bênção. Me motivou a criar o mundo que criei e realizar o que realizei."

Então, às vezes, é a areia na ostra que cria a pérola. Tem de haver certa irritação. Você precisa de certa repressão ou um pouco de conflito. E minha vida teria sido muito menos satisfatória se eu não tivesse tido isso.

Você acha que agora se reinventou outra vez?
HEFNER: Bom, até certo ponto. Mas o que estou fazendo é revisitar, sabe, o cara que eu era antes. Com ânimo redobrado.

[OTHA TURNER]

Largado de jardineira e boné em seu trailer em Gravel Springs, Mississippi, Otha Turner, aos 91 anos, era um argumento vivo contra a geração-saúde. Ele fumava como uma chaminé, bebia todo destilado que queria e comia carne vermelha (às vezes tirada crua do animal). Mesmo assim, estava em plena forma, fazia trabalho duro em sua fazenda o dia inteiro e marchava incansavelmente em shows com sua banda de pífaro e tambor. Depois da entrevista, Turner me deu um pífaro que tinha feito. Quando lhe pedi que o assinasse, ele rabiscou timidamente um "X" no instrumento. Nas suas mais de nove décadas, ele nunca aprendera a ler e escrever.

O estilo pífaro e tambor é uma forma rara de música norte-americana de raiz, anterior ao blues. É, segundo alguns, o elo mais sólido entre a música americana e a da África ocidental. Quando o musicólogo Alan Lomax gravou Turner e seus companheiros pela primeira vez, considerou aquele um dos maiores achados de sua vida, escrevendo: "Nunca esperei ver esse comportamento africano nas margens do Mississippi."

Na época desta entrevista de acompanhamento quase dois anos depois, acreditava-se que Turner era o último músico de pífaro e tambor de sua geração, fazendo laboriosamente à mão pífaros de bambu em sua propriedade e tocando canções de improviso que misturam ritmo tradicional militar com traços de polirrítmos da África ocidental, música de instrumentos de sopro e dança.

Com quem você aprendeu essa música?
OTHA TURNER: Eu tinha 16 anos e vi um velho, R. E. Williams. Ele criava porcos. E ele estava tocando o pífaro. Eu disse: "Pode fazer um desses para mim?" E ele falou: "Se você for um bom garoto e ouvir sua mãe, faço." E ele fez um para mim.

Como você começou a se apresentar?
TURNER: Eu me esforcei muito, só aprendendo, então parei. Aí os vizinhos descobriram que eu tocava. E quando uma pessoa descobre que você sabe fazer alguma coisa, ela o atormenta, assim como você.*

Como você conheceu Mississippi Fred McDowell?**
TURNER: O Fred McDowell foi o primeiro amigo músico que tive. Nós íamos de carroça tocar nos jantares e piqueniques. Então ele arranjou para tocarmos no Tennessee. E foi o começo de tudo.

Você está ensinando outros a tocar para a tradição não desaparecer?
TURNER: Mm-hmm; não se pode escrever música para o pífaro. Não se pode imprimi-la; é preciso fazê-la. E alguns dos meus filhos e netos fazem.

---

* Ele quis dizer que, assim como seus vizinhos, eu insisti para que ele desse essas entrevistas, que aconteceram graças a sua filha Berenice e a Luther Dickinson, do North Mississippi Allstars. A primeira vez que Dickinson ouviu falar de Turner foi quando o viu se apresentando, surpreendentemente, em um episódio de *Mister Rogers' Neighborhood*.

** Músico lendário de blues que tocava violão com slide. Segundo Turner, Alan Lomax apareceu um dia e lhe perguntou se havia algum músico de blues na área. Turner o levou até a casa de McDowell, que Lomax logo levou o crédito por descobrir. Somente anos depois Lomax ouviu falar de Turner e sua música, e voltou para gravá-lo.

O que está achando de ir para Nova York e se apresentar na semana que vem.
TURNER: Estou pensando em desistir.

Por quê?
TURNER: Porque sou um homem velho e já estou cansado. E não gosto desses elevadores que chegam tão alto quanto uma árvore. Eu sou um homem velho. Gosto de ficar no chão.

Um ano depois desta entrevista, Otha Turner faleceu aos 94 anos. Sua Rising Star Fife and Drum Band, entretanto, continuou a se apresentar, liderada por sua neta, Sharde Thomas.

[KRAFTWERK]

Se o blues levou ao início da era do rock and roll, o grupo alemão Kraftwerk foi o começo do fim. Nos primeiros anos da década de 1970, enquanto seus contemporâneos tocavam rock psicodélico, o Kraftwerk não só estava inventando a dance music eletrônica, como também criando robôs e manequins para se apresentar no lugar da banda. Todos os inovadores da disco, eletro-funk, rap, new wave, industrial e techno foram influenciados pelos ritmos eletrônicos e vocais processados do Kraftwerk. Depois de passar um ano tentando entrevistar o membro fundador da banda, Ralf Hütter, viajei para o Japão para ver o Kraftwerk se apresentar, e ele finalmente consentiu em dar sua primeira entrevista a um jornalista norte-americano em mais de 15 anos.

Vocês têm dificuldade de passar todos os seus equipamentos pela alfândega?
RALF HÜTTER: Temos longas listas de inventário com números para cada instrumento e aparelho. As pessoas ficam com medo que estejamos trazendo algum tipo de arma. Em alguns países, não podemos levar nem nossos mainframes porque eles poderiam ser usados para programar mísseis. Mas só estão ali para fazer música.

Quando vocês começaram, quais eram suas influências?
HÜTTER: Na verdade não tínhamos nenhuma. De certa forma, considerávamos nossa música étnica. Ela vem da Alemanha pós-guerra. Sendo a primeira geração do pós-guerra, não tínhamos nenhuma linha de continuidade histórica. Simplesmente começamos do zero. Culturalmente falando, não tínhamos nossa própria

ELECTRIC
Remote Control Battery Operated
ROBOT
EYES LIGHT UP
ARMS SWING IN RHYTHM
WALKS FORWARD & BACKWARD
EASY TO BUILD
PLANS ONLY \$1.00
ANOTHER LABOR-SAVING DEVICE FROM YOUR FRIENDS AT
POCKET CALCULATOR MFG. CO. DÜSSELDORF, GERMANY

linguagem musical. A princípio, tivemos de achar algum tipo de som, criar algum tipo de som industrial, e depois acrescentamos vozes.

Então vocês se voltaram para os eletrônicos porque não havia tradição popular ligada a eles?
HÜTTER: Pareceu natural criar música com a tecnologia da sociedade moderna e novos instrumentos. Por que tocar um instrumento com uma tecnologia do século XIX e uma amplitude de som limitada quando os instrumentos de hoje têm tantas variações a mais? Quando você vai ao médico ou ao dentista, não quer que ele use um martelo de madeira. Devíamos esperar da música o mesmo que esperamos da ciência ou da medicina — que use tecnologia atual.

Naquela época, vocês tiveram de inventar seus próprios instrumentos. Agora qualquer um pode entrar em uma loja e comprar um sintetizador por 40 dólares. Isso mudou sua maneira de fazer música?
HÜTTER: Isso foi o que nós previmos. Muito tempo atrás, éramos excluídos, mas sempre achamos que a música eletrônica era como o novo Volkswagen. É portátil — você pode fazer em casa, pode fazer em qualquer lugar —, então sempre tivemos a visão dessa música techno. E com os robôs, antes de termos os manequins, sempre achamos que um dia eles poderiam fazer o trabalho por nós.

Muitos dos seus discos também tiveram como base os transportes — bicicletas, carros, trens, automóveis. O próximo disco será sobre viagens aéreas?
HÜTTER: Não, não somos muito positivos em relação a viagens aéreas. Temos medo de voar.

[ERNIE K-DOE *CENA 2*]

Oito meses depois que os K-Doe tentaram me prender, um amigo jornalista de Nova Orleans disse que Antoinette queria falar comigo. Liguei para ela com certo receio.

"É preciso começar o ano-novo direito", disse ela, e começou a explicar que o "mal-entendido" fora esclarecido. Não apenas eu podia voltar, anunciou ela, mas também estava "convidado a ir e fazer um artigo" sobre eles.

Mas naquele verão Ernie K-Doe morreu de câncer no esôfago.

Em sua ausência, o Mother-in-Law Lounge ficou ainda mais estranho. Os shows continuaram com clientes apresentando, a pedido de Antoinette, os sucessos do marido (e até mesmo aparecendo maquiados como K-Doe para acompanhá-la a eventos públicos). Fotos de K-Doe adornavam as paredes e artefatos de sua vida estavam guardados em mostruários de vidro. Além disso, havia suvenires à venda: pratos, copos, canecas e velas com fotos impressas de K-Doe. Olhando com mais atenção, ficou evidente que as imagens tinham apenas sido coladas aos itens.

Mas o mais perturbador de tudo foi o manequim em tamanho natural de K-Doe que descansava regiamente em um canto do bar, com cabelo preto comprido e unhas brilhantes. Ocasionalmente, Antoinette, acompanhada de um guarda-costas para proteger a estátua, o levava para fazer aparições públicas, cobrando das pessoas para tirar fotos.

Como você conseguiu aquele manequim?
ANTOINETTE K-DOE: Um dos fãs do Ernie, Jason, sentiu que era cedo demais para o Ernie falecer, e disse que faria um busto para mim. Eu falei: "Se você pode fazer um busto, por que não uma estátua inteira para mim?"

Percebi que você a mantém bem-cuidada.
ANTOINETTE: As mãos saem, então eu posso levá-las ao outro lado da rua para fazer as unhas. É o mesmo lugar em que o Ernie ia. Eu sempre dizia que o Ernie só saía de casa para atravessar a rua e fazer as unhas (*pausa*). Gosto de mantê-lo bonito agora como ele se mantinha quando era vivo.

O que mais você faz para cuidar da estátua?
ANTOINETTE: Uma senhora chamada Geannie Thomas cuida da maquiagem, arruma o cabelo e muda as roupas. Ele está totalmente vestido, de roupa de baixo a meias e tudo o que ele usava. Muitas vezes quando saio com a estátua as pessoas querem tocá-la ou falar comigo sobre uma entrevista, então preciso de alguém para deixá-la apresentável. Quer falar com a Geannie?

Ela chama Thomas.

Como você começou a ajudar com a estátua?
GEANNIE THOMAS: Ela me deu a oportunidade de ser parte do legado. Eu era dançarina no show dele, mas agora tenho um negócio de limpeza comercial. Eu sinto a falta dele, mas todas as coisas no lounge e a estátua fazem parecer que ele está aqui conosco. As pessoas dizem: "Aquilo é assustador. Você não tem medo?" Eu respondo: "Medo? Eu amava aquele homem."

Dá muito trabalho mantê-lo em boas condições?
THOMAS: É trabalhoso, porque queremos exibir o Ernie direito. Tudo o que a Antoinette fez para o Ernie vestir quando ele estava vivo, da coroa à cueca, a está-

tua usa. Até a hora do relógio está certa. Colocamos um pouco de pó para a pele não brilhar, arrumamos o cabelo, a gravata e as mangas, para que quando os fãs forem abraçá-lo e tirar fotos ele esteja tão bonito quanto era quando estava vivo. É como se ele estivesse bem aqui conosco.

(*Para Antoinette:*) Tem sido difícil tocar o lounge sem ele?
ANTOINETTE: No começo foi difícil. Vocês perderam uma lenda, mas eu perdi um marido. Tive de encontrar minha força interior porque, se o Mother-in-Law Lounge fechasse, milhões de pessoas do mundo todo se desapontariam. Se ele tivesse sido assassinado, eu olharia para os fãs e diria: "Foi você que o matou?" Mas ele morreu pelas mãos de Deus. E eu não fiz nada para prejudicá-lo quando ele era vivo (*longa pausa*). Tenho meus momentos de fraqueza, mas quando sinto que vou cair de joelhos, um fã entra e diz: "Nós nos lembramos do Ernie." E isso me levanta.

Quais são seus planos para a estátua agora?
ANTOINETTE: O legado dele é grande demais. Não quero ficar com ele todo para mim. Rezo todos os dias para realizar meu desejo, que é viajar com a estátua dele, porque ele era um viajante. Quero entrar em contato com o Smokey Robinson, então talvez possamos levar a estátua para Nova York e fazer um show lá.

Durante o furacão Katrina, Antoinette K-Doe levou a estátua e as bebidas para o andar de cima e ficou lá durante uma semana com uma espingarda, atirando em saqueadores que tentassem se aproximar do bar, até ser resgatada de helicóptero. A construção danificada foi reformada com doações. Quatro anos depois, durante o Mardi Gras, Antoinette, com 66 anos, morreu de um ataque cardíaco no lounge. Sua filha dirigiu o bar por um ano, mas foi hospitalizada depois que um carro bateu contra a porta da frente.

[ESTÁTUAS DE CERA *CENA 1*]

Para onde as estátuas de cera vão quando morrem? Há mais de um quarto de século, o Country Music Wax Museum foi um dos pontos turísticos mais interessantes de Nashville. Um em cada nove visitantes da cidade atravessava suas portas, olhando réplicas em tamanho natural de Hank Williams, Loretta Lynn, e Dolly Parton.

Mas esse não era um museu de cera comum. Não apenas as lendas do country doavam suas roupas e instrumentos para suas estátuas de cera, como muitas iam ao local e pessoalmente cuidavam de seus personagens.

Mas um dia, o Country Music Wax Museum fechou silenciosamente suas portas, uma baixa na corrida de Nashville em direção à modernidade e de seu foco mais concentrado na florescente indústria da saúde do que em seu legado musical. No lugar do simplório shopping interiorano para turistas onde o museu ficava, juntamente com outros estabelecimentos singulares como o Hank Williams Jr. Museum e a George Jones Gift Shop, a prefeitura decidiu construir uma rotatória, escritórios e um hotel de luxo.

Em meio a todas essas mudanças, as estátuas de cera desapareceram — assim como seus enfeites vintage e seus instrumentos originais. Então decidi rastreá-las, não só por causa do provável valor monetário da coleção, mas como uma analogia das tradições perdidas do country de Nashville.

A maioria das outras lojas e museus da área já tinha fechado e sido demolida, mas três lojas permaneciam abertas, incluindo a Hat Closet.

JIM COOK [dono da Hat Closet]: Não sei mesmo o que aconteceu com as estátuas. Eu sei que o museu de carros daqui fez um grande leilão para os veículos. Talvez as tenham vendido. Em março faz 11 anos que estamos aqui, mas agora estamos liquidando tudo. A prefeitura decidiu que quer atrair convenções, mas não pode criar essa nova imagem de Nashville sem destruir a antiga.

Perguntas no famoso Country Music Hall of Fame and Museum, do outro lado da rua do antigo museu de cera, revelam pouco. Os administradores dizem que a coleção nunca lhes foi oferecida e acreditam que as estátuas tenham sido derretidas. Um funcionário chamado Chris Dickinson, entretanto, sugere que talvez as figuras tenham sido vendidas para o Music Valley Wax Museum, que fica nos arredores da cidade, para onde o recentemente demolido parque temático Opryland atraía os turistas que um dia mantiveram em funcionamento as lojas dos shoppings.

DORIS HARVEY [subgerente do Music Valley Wax Museum]: Eles nos ofereceram a coleção. Mas não queriam separá-la, e já temos muitas estátuas iguais.

Harvey não consegue encontrar nenhuma informação sobre quem fez a oferta, então começo a pesquisar a história do Country Music Wax Museum, tentando localizar ex-funcionários e proprietários.

Anos atrás, o museu estava ligado às pessoas mais poderosas da cidade. Um de seus primeiros diretores foi Paul Corbin, um assessor político que trabalhou em campanhas de John F. Kennedy e Robert F. Kennedy. Depois do assassinato deles, Corbin encontrou nas estátuas de cera um descanso da política, e com frequência pegava suas botas emprestadas para usar pela cidade.

Eventualmente, o museu passou a ser dirigido por Dominic DeLorenzo, descrito por ex-funcionários como um sedutor bonito e de fala mansa que persuadiu os astros de Nashville, como o guitarrista Chet Atkins, a investir no museu. Mas DeLorenzo trocou Nashville por Nova York e desapareceu, deixando para trás uma pilha de credores, alguns dos quais acreditam que ele forjou a própria morte. Através do departamento de pesquisa do New York Times, *encontrei o filho de DeLorenzo, Dominick.*

Você já ouviu falar do Country Music Wax Museum?
DOMINICK DELORENZO: Claro. Meu pai foi um dos fundadores da Aurora Publishing, e acho que eles começaram o museu lá por 1971 porque queriam entrar no ramo do entretenimento. Eu trabalhei no museu quando estava na faculdade nos anos 1970. Acabaram fechando com vidro porque as pessoas estavam sempre arrancando dedos e levando como suvenir. Uma das cabeças originais do Johnny Cash ficou comigo por um tempo.

O que fez seu pai deixar o museu?
DELORENZO: Ele se mudou para Nova York para começar outra editora. E, antes de ir embora, ele estava comendo em um restaurante Peking e vendeu o museu para o dono do restaurante.

Algumas pessoas com quem conversei disseram acreditar que seu pai ainda estava vivo.
DELORENZO: Eu já ouvi isso. Mas ele morreu de câncer. Nós o enterramos em Massachusetts.

Você faz alguma ideia de onde estejam as estátuas de cera agora?
DELORENZO: Não tenho a mínima ideia. Mas o dono do restaurante para quem meu pai vendeu o museu se chamava Daniel Hsu. Não sei onde ele está, mas você pode tentar falar com a antiga gerente dele. O nome dela é Michelle Honick.

Ligo para Honick, que me informa sobre seu ex-chefe. Sob o comando de Hsu, o museu de cera prosperou e a área em torno se transformou em uma meca de turistas com lojas de excentricidades e santuários para músicos. Foi o contato íntimo de Hsu com as estrelas do country, por conta de seu restaurante, que permitiu que o museu continuasse a acumular a impressionante coleção de roupas e objetos.

Todas as roupas do museu eram doadas pelos próprios artistas?
MICHELLE HONICK: Todas as roupas eram originais, exceto a do Hank Snow. Algum fã roubou as roupas da estátua dele. Ele disse que daria uma roupa nova se refizessem a estátua de cera para ela ficar mais bonita.

Lembro que a mulher do Jim Reeve apareceu depois da morte dele para deixar sua estátua com uma aparência melhor, refez tudo e arrumou o cenário todo. Sempre achei isso engraçado, porque quando ela foi embora deixou uma foto de si mesma sobre a lareira.

Que artistas você se lembra de cuidarem das próprias estátuas?
HONICK: Minnie Pearl veio e colocou o vestido na estátua de cera dela. Barbara Mandrell arrumou o cabelo da sua. E Reba McEntire levou roupas novas para a dela. Uma das razões para algumas estrelas não estarem no museu é porque pedimos que elas dessem roupas, e elas não deram.

Você sabe onde está Daniel Hsu agora e se ele ainda tem as estátuas?
HONICK: Não sei. O Daniel saiu da cidade porque seus pais estavam doentes, e eventualmente começou a vender ervas medicinais. Não sei se eles tinham um acordo por escrito sobre quem ia ficar com aquilo. Acho que, quando ele foi embora, pensou que o museu ia continuar e não imaginou que iam transformar parte do prédio em uma Shoe Warehouse. Espero que elas estejam bem. São meio frágeis. Lembro que às vezes uma mão caía. Era meio assustador.

Você tem alguma ideia de como encontrar o Daniel ou as estátuas de cera?
HONICK: Você deveria ligar para a Phyllis Shoemake. Acho que ela foi a última diretora do museu.

Ligo para Shoemake...

PHYLLIS SHOEMAKE: Era muito interessante trabalhar para o Daniel. Ele tinha um museu de arte chinesa: você saía do museu de cera e entrava no museu de arte chinesa. E tinha algumas das coisas mais bonitas do mundo: uma dupla de cavalos esmaltados que valia mais de 45 mil dólares, e urnas e vasos lindos. Era o museu mais bem montado que eu já tinha visto.

Havia outros itens de valor em algum dos museus?
SHOEMAKE: Acho que os dentes de Uncle Dave Macon eram feitos de ouro de verdade.

Você tem alguma ideia de onde possam estar as estátuas de cera hoje?
SHOEMAKE: Talvez o John Berry [ex-zelador do prédio] se lembrasse, mas ele morreu. O Daniel pode saber, mas é difícil encontrá-lo. Ele foi trabalhar em uma empresa na Califórnia chamada Brion Herbs. Eu trabalho como vendedora dos remédios dele. Ele dizia que todo mundo que já trabalhou para ele sempre voltava.

Eu ligo várias vezes para o escritório de Hsu na Brion Herbs, mas ele não retorna. Parece que a busca chegou a um beco sem saída. Até que a sorte intervém...

[*Continua...*]

[CHET ATKINS]

Quando me mudei para Nashville para escrever sobre as raízes da música norte-americana, uma das pessoas que mais queria entrevistar era Chet Atkins. Ele era um dos melhores guitarristas de sua geração, tendo produzido e tocado em mais discos que qualquer outro guitarrista, de *Your Cheatin' Heart*, de Hank Williams, ao primeiro número um de Elvis Presley nas paradas, *Heartbreak Hotel.* Como produtor, ele descobriu o primeiro superastro afro-americano da música country, Charley Pride, e foi um dos principais pilares do que se tornou o som de Nashville. São poucas as honras que Atkins não recebeu em Nashville: há uma rua, um festival e um dia com seu nome, e dois dias antes da entrevista houve uma cerimônia de inauguração de uma estátua dele no centro da cidade.

Demorou muito tempo para conseguir que Atkins, então com 75 anos, concordasse em dar esta entrevista. Quando finalmente o encontrei em seu escritório no Music Row em Nashville, descobri por quê.

Pesquisei nos arquivos do jornal antes de vir, e eles só iam até os anos 1970, mas eu percebi que nunca fizeram uma matéria sobre você. Você se lembra se o *New York Times* já o entrevistou?
CHET ATKINS: Não sei e não me importo.

Eu peguei uma parte da cerimônia de inauguração da sua estátua no outro dia. O que você acha dela?
ATKINS: Ãhn, fiquei muito doente. Tive três derrames no ano passado e acho que pensaram que eu ia morrer, então a prefeitura quis construir uma estátua.

Acha mesmo que foi por isso que você recebeu tantos prêmios nos últimos anos?
ATKINS: É, acharam que eu ia bater as botas.

Então todas essas honrarias o deixam desconfortável nesse aspecto?
ATKINS: Elas não significam nada para mim, na verdade. Não presto muita atenção.

Quando você estava começando, as pessoas se referiam ao country como música caipira. Você se lembra de quando o country apareceu?
ATKINS: Tudo começou no final dos anos 1920, quando um caça-talentos da RCA Records veio aqui para fazer audições com as pessoas e perguntou: "O que vocês têm de novo?" E cantaram algum clássico antigo. Ele disse: "Isso não é novo. Eu sei que é velho. Eu quero algo novo!" O nome dele era Ralph Peer.*

Então ele convenceu esses caras a escrever o próprio material. E aqueles caipiras lá — eu não gosto dessa palavra — tentavam mostrar algo próprio quando faziam audições para ele. Então ele sempre se gabava: "Eu comecei a indústria negra e comecei a indústria caipira". E estava certo, porque as pessoas cantavam aquelas mesmas músicas antigas sem parar. E essa é a resposta à pergunta. Desculpe minha memória. Ela não está muito boa desde meu último derrame, mas ainda consigo conversar bem.

Eu o assisti no Carnegie Hall há alguns anos. Você planeja fazer mais alguma apresentação?
ATKINS: Não me apresento há algum tempo. Não faço nada.

Você quer fazer ou realizar alguma coisa agora?
ATKINS: Minha gravadora fica atrás de mim o tempo todo para gravar um disco, mas ainda não fiz isso. Provavelmente vou gravar. Mas não quero entediar muito as pessoas.

As pessoas pedem muitos conselhos sobre os próprios discos?
ATKINS: Pedem. Mas não dou conselhos.

Não?
ATKINS: Não, porque esse negócio está em constante mudança, e meu conselho para elas é: "Eu já estou ultrapassado. Não toco o que as pessoas querem ouvir, você deveria pedir conselhos a alguém mais jovem."

---

* Através de suas audições, reunidas e disponíveis em *The Bristol Sessions*, Peer descobriu a Carter Family, Jimmie Rodgers e outros artistas que se tornaram as figuras fundadoras do country.

Não sei, não.
ATKINS: É verdade. Elas deveriam. [...]

Agradeço por você ter encontrado tempo para dar esta entrevista. E acho que aquela estátua é muito bonita.
ATKINS: É, mesmo. Quando você a viu?

Eu passei de carro para dar outra olhada ontem.
ATKINS: Estava chovendo?

Não, não estava.
ATKINS: Eu fui ver a estátua há alguns dias. Estava escuro, e a chuva caía sobre ela. Estava iluminada e simplesmente brilhava e... não sei o que eu ia dizer.

Você estava dizendo que foi ver a estátua na chuva e a água a fazia reluzir.
ATKINS: É.

E o que você achou?
ATKINS: O que eu achei dela?

É, quando você a viu.
ATKINS: Acho que o cara que a fez é muito bom. Existem muitas estátuas na cidade, mas nunca vi uma que tivesse a semelhança que esta tem. Espero que dure muito tempo.

Um ano e meio depois, Atkins morreu em sua casa por complicações do câncer aos 77 anos. Sua estátua ainda existe no centro de Nashville.

[ESTÁTUAS DE CERA *CENA 2*]

Embora alguns jornalistas gostem de manter as matérias que estão pesquisando totalmente secretas para o caso de a concorrência descobrir, outro método dos escritores é falar da matéria com todo mundo que encontram na esperança de que eventualmente alguém vá saber alguma coisa que possa ajudar. E foi isso o que aconteceu durante o jantar com uma assessora de imprensa da Virgin Records, Lorie Lytle, e Tom Mabe, um comediante famoso por passar trotes para atendentes de telemarketing, recém-contratado pelo selo.

Você se lembra do Country Music Wax Museum?
LORIE LYTLE: Claro, ficava ali no começo da Music Row.

Estou escrevendo uma matéria sobre a tentativa de encontrar as estátuas de cera, porque elas sumiram quando o museu fechou. Você conhece alguém que poderia saber o que aconteceu com elas?
LYTLE: Acho que as vi.

O quê? Sério?
LYTLE: A *Country Weekly* transferiu seu escritório para o prédio onde ficava o museu, e seis meses atrás eles fizeram uma festa de inauguração. E o Hank Williams estava na recepção, usando seu terno original com notas musicais.

Sabe onde eles o encontraram?
LYTLE: Não. Você devia ligar para alguém da revista.
TOM MABE: Você ainda vai fazer o artigo sobre *mim*, não é, amigo?

Lytle me dá o telefone de Bob Cannon, um repórter da Country Weekly.

Então, você sabe onde foram parar todas as estátuas de cera?
BOB CANNON: Essa é fácil. Estão todas no porão do prédio antigo, que é onde fica a *Country Weekly.* São quarenta estátuas derretendo no porão. Elas estão trancadas, porque em certo ponto alguns vândalos começaram a invadir e roubar partes.

Por acaso você tem o telefone do proprietário?
CANNON: Não, mas posso tentar encontrar ou colocar você em contato com o zelador.

Em vez de esperar, visito a Off Broadway Shoe Warehouse, que também abriu no prédio onde ficava o museu de cera, e falo com o gerente em busca de informações sobre o proprietário. Ele me coloca em contato com Jim Caden, que depois de várias ligações concorda relutantemente em abrir o depósito.

Uma semana depois, encontro Caden e Michael Horton, o zelador do prédio, em um beco atrás da loja de sapatos, e eles destrancam uma porta grossa.

JIM CADEN: Não quero que você escreva nada bobo.

Como o quê?
CADEN: Sabe, alguma coisa que zombe do Sul ou da posição das estátuas.

Eu entendo o aviso assim que Horton liga as luzes. As peças parecem pertencer mais a uma câmara dos horrores da música country do que a um museu de cera. Horton indica um rosto de cera que foi esmagado por vândalos.

MICHAEL HORTON: Aquela era a cabeça do Ronnie Milsap.

Em outro canto, a cabeça de Barbara Mandrell, com a peruca que ela criou, está empalada em uma vara. A estátua de George Strait está caída no chão com a cabeça quebrada e o olho arrancado sobre o pescoço. Johnny Cash, todo de preto, encosta-se à parede, com um dos braços pendurado abaixo do joelho. A auto-harpa de Pop Stoneman repousa sobre um banco, coberta por dedos soltos. E os dentes de ouro de Uncle Dave Macon sumiram.

Então, quem é o dono dessas estátuas?
CADEN: O Daniel era o dono do prédio e de muitas coisas que estavam dentro do prédio, e essas estátuas de cera são um pouco dele, da editora e minhas.

Apesar dos danos e do roubo, os vândalos não tocaram nos itens mais importantes da coleção: as roupas. Não apenas são valiosas por causa das estrelas que as usaram, mas muitas delas foram criadas por Nudie the Rodeo Tailor, o famoso designer de roupas country cujos trajes incrustrados de strass e pesadamente bordados estão não apenas no Country Music Hall of Fame, como também em museus de arte. Para determinar o valor da coleção, ligo para Mark Medley, o arquivista do Country Music Hall of Fame, e peço a ele para atravessar a rua.

Ao entrar no porão, ele fica boquiaberto. Ele para diante de uma estátua do pioneiro do country, Jimmie Rodgers, e examina sua famosa roupa.

Isso não pode ser de verdade.
MARK MEDLEY: Não é uma réplica. Tem uma etiqueta da Sears. É um dos ternos originais do *Singing Brakeman.*

Eu vi fotos do Buck Owens usando aquele [outro] terno ali. E as roupas da Carter Family são verdadeiras.

E o chapéu da Minnie Pearl?
MEDLEY: O chapéu me parece verdadeiro. E os chapéus da Minnie Pearl são difíceis de encontrar... E olhe a etiqueta do terno do Johnny Cash. Diz: "Feito para Johnny Cash."

Depois de confirmar a autenticidade da guitarra Gretsch de Johnny Cash, letras escritas à mão pela Stoneman Family e mais de uma dúzia de ternos de Nudie, ele para diante de uma estátua de Kenny Rogers caída no chão com o rosto despedaçado, a mão esquerda faltando e as pernas amputadas abaixo do joelho.

MEDLEY: O Kenny não ficaria feliz com isso.

Ao todo, são 62 estátuas de cera, sem contar os vários bustos e partes do corpo, e quase todas têm trajes de palco, instrumentos ou outros itens autênticos.

Quanto você acha que tudo isso vale?
MEDLEY: Elas têm um valor intrínseco como peças de colecionador, mas o fato de que também pertenceram a estrelas como Hank Snow e Hank Williams o aumenta ainda mais. Essa coleção de roupas é a mais completa que já vi. O valor histórico e monetário é considerável.

Você vai comprá-la para o museu?
MEDLEY: Eu gostaria. É muito mais completa que a coleção do museu. Alguns dos objetos que temos representando essas pessoas podem ser apenas um charuto ou um chapéu (*pausa*). Acho que, quando essas pessoas doaram todos esses itens, acharam melhor entregá-los a um museu do que para a caridade. Mas, para ser honesto, não sei se eu teria dinheiro para comprá-los.

(*Para Caden:*) Então, o que você vai fazer com elas?
CADEN: Não faço a mínima ideia. Só as estou guardando, mas nem sei onde está o Daniel Hsu, para ser honesto. Achei que íamos acabar pensando em alguma coisa. Mas realmente não temos planos.

Durante anos, as estátuas continuaram no limbo, decaindo abandonadas enquanto Nashville corria atrás de seu sonho cosmopolita. Enfim, Caden começou a leiloar itens individualmente até que a coleção inteira, assim como o passado de Nashville, acabou se perdendo. As partes de cera restantes foram destruídas.

[MOBY]

O granizo batia brutalmente na claraboia do apartamento de Moby em Nova York, ameaçando quebrar o vidro. Sua estante, que tinha de tudo, desde Flannery O'Connor a *The Machiavellian's Guide to Womanizing*, chacoalhava com a tempestade. Moby parava de falar de vez em quando e olhava preocupado ao redor.

Seu apartamento era árido e pouco mobiliado. Era o mesmo lugar em que morava quando gravou seu primeiro sucesso techno, "Go", quase uma década antes. Embora seu padrão de vida não parecesse ter mudado, muita coisa acontecera desde então. Por exemplo, do outro da janela um anúncio de jeans com 25 m de altura exibindo a cabeça careca de Moby o encarava.

Na primeira vez que o entrevistei, quando seu primeiro disco saiu, você já morava aqui e o lugar era tão vazio quanto é hoje. Sua vida mudou muito?
MOBY: Eu estava falando disso com um amigo. Faço discos há dez anos, e esse disco foi o mais bem-sucedido de todos. Mas as circunstâncias materiais da minha vida não mudaram em nada. Moro no mesmo lugar. Uso as mesmas roupas. Tenho basicamente os mesmos amigos. E, quando viajo, eu fico nos mesmos hotéis e ando com as mesmas pessoas no mesmo ônibus de turnê. A única diferença real na minha vida é poder conhecer mais gente. E olhar uma foto minha de 25 metros toda vez que saio de casa.

O que você pensou quando colocaram aquele anúncio do lado de fora da sua casa?
MOBY: Eu fiquei muito animado. O primeiro anúncio que colocaram naquele espaço foi da Foxy Brown, e me lembro de andar pela Broadway e pensar: "Porra, aquilo é enorme." Na época, era a maior foto de um ser humano que eu já tinha visto. Lembro de pensar por um milésimo de segundo: "Uau, seria muito legal." E aconteceu. Talvez eu não devesse dizer isso, mas eu adoro.

As pessoas o reconhecem quando você passa pelo anúncio?
MOBY: Eu ainda não sou reconhecido. Homens brancos, baixos e carecas como eu são todos meio iguais. Saí para jantar outro dia e uma mulher me perguntou: "Você conheceu o seu sósia?" E minha resposta foi: "Eu vejo meu sósia vinte vezes por dia."

Um amigo meu passou uns cinco ou dez minutos tirando uma foto minha diante do meu outdoor em uma tarde de domingo, enquanto milhares de pessoas passavam e ninguém me reconheceu. Sério, homens brancos de cabeça raspada parecem todos iguais.

Já teve um daqueles momentos em que pega um relance de si mesmo no espelho, ou se vê na televisão, e por um instante se enxerga como um estranho enxergaria?
MOBY: Isso já aconteceu, e nunca gosto do que vejo. Minha reação normalmente é: "Quem é aquele cara com má postura?" ou "Quem é aquele matuto?"

Eu estava namorando uma pessoa e estávamos sentados em um sofá me vendo falar na televisão, e fiquei ali sentado pensando: "Por que ela gosta de mim?" Eu olhava para mim mesmo e juro que não conseguia entender como alguém podia me achar atraente. Meu primeiro instinto era de cobrir a televisão ou coisa parecida para ela não ver o que eu estava vendo.

Você já ouviu falar da técnica de Alexander?
MOBY: O que é isso?

Uma disciplina que basicamente coloca seu corpo em alinhamento e ajuda com tudo, desde a postura até a voz.
MOBY: Talvez eu devesse fazer isso para a minha postura. No meio dos anos 1980, namorei uma mulher e o pai dela tinha uma má postura inacreditável, e sei que vou acabar assim, um cara curvado com uma má postura terrível andando por aí.

Então você deveria resolver isso agora.
MOBY: Minha avó fazia isso o tempo todo. Ela cravava os dedos na minha coluna e dizia: "Endireite-se!" Mas nunca funcionou. No meu caso, é de tocar: para ver a guitarra, você tem de se curvar para a frente. Talvez eu devesse arrumar um colete postural ou contratar alguém para me seguir o tempo todo dizendo para eu me endireitar. [...]

Aliás, acho que sua fita está acabando.

Como você sabe? Você nem olhou para ela.
MOBY: Eu sei. É estranho. Mas em metade das entrevistas que dou, de repente tenho a sensação de que algo está errado, aí... (*clique*).

A fita acaba.

[PRINCE]

O problema de entrevistar o Prince é que ele não deixa jornalistas gravarem sua voz. Então é preciso ser rápido com a caneta ou ter uma memória muito boa para capturar o momento. Em um encontro, ele tocou músicas novas e depois fez um show particular em sua casa em Los Angeles. Em outro, ele passou 45 minutos falando sobre ser Testemunha de Jeová. Mas meu encontro mais memorável com Prince foi o primeiro, durante uma coletiva de imprensa que aconteceu pouco depois que entrei para o *New York Times.* Na porta, seguranças verificavam se nenhum repórter estava entrando com gravadores.

JORNALISTA ANÔNIMO: Você tem medo que o fato de lançar um disco apenas na internet prejudique sua popularidade nas paradas?
PRINCE: Como recebo todos os lucros, não me preocupo com as paradas e não preciso de um primeiro lugar. Eu sou o número um no banco.
JORNALISTA ANÔNIMO: Quando você decidiu fazer essa turnê?
PRINCE: Acho que quando eu tinha 7 anos.

Se os jornalistas não têm permissão para gravar você falando, por que existem câmeras de TV na sala? Elas também não estão gravando sua voz?
PRINCE: Eu e você podemos falar sobre isso mais tarde.

Presumo que o Prince esteja apenas ignorando a pergunta. Mas assim que a coletiva de imprensa termina, ele desce do pódio e anda diretamente até mim. Então me chama com o dedo.

Vou atrás dele, passando por fileiras de repórteres que soltam risinhos, e entro em uma sala dos fundos. Ele se encosta em uma parede e um grande guarda-costas coloca o braço diante de seu peito, como uma barreira, como se temesse que eu me aproximasse demais do pequeno astro do pop.

PRINCE: Por que você me perguntou aquilo?

Porque não faz sentido. Se as pessoas não podem gravar a sua voz com gravadores, por que podem gravar em vídeo?
PRINCE: É uma boa pergunta. Não deixo as pessoas gravarem minhas entrevistas porque às vezes elas liberam cópias piratas depois.

Mas elas não podem fazer o mesmo com uma fita de vídeo?
PRINCE: Sabemos o posicionamento de cada câmera, então, se fizerem isso, saberemos quem foi.

E se elas liberarem só o áudio pirata?
PRINCE: (*Silêncio.*)*
GUARDA-COSTAS: Ele precisa ir agora.

---

* Minha teoria: não ser gravado também dá a Prince a possibilidade de negar caso tenha problemas por causa de algum comentário seu citado por um repórter. Entretanto, ele se dispôs a quebrar as regras porque queria exposição televisiva nacional.

[O FALSO BOOTSY COLLINS]

Muito antes de pessoas esquisitas fingirem ser celebridades nas redes sociais, elas posavam de celebridades na vida real. Um dos impostores mais persistentes era um homem que alegava ser Bootsy Collins, o espalhafatoso baixista mais conhecido por tocar com o Parliament-Funkadelic.

Eis alguns dos destaques de sua carreira de 17 anos como fraude do funk: foi chamado para participar do talk show de Johnny Carson; o promoter Bill Graham não apenas o agendou para um evento de caridade, como lhe deu alguns milhares de dólares para encontrar mais artistas; o rapper pop Gerard o colocou em sua banda de apoio no *The Arsenio Hall Show*, e depois o Bootsy mau roubou centenas de dólares em equipamentos; e uma mulher até se casou com ele, achando que era o Bootsy verdadeiro e esperando que lhe conseguisse um contrato de gravação.

"Ele apareceu no dia seguinte à nossa inauguração e o segurança disse que era o Bootsy", relembrou o dono de uma boate em Nova York. "Eu lhe dei bebidas e começamos a conversar. Naquele dia, emprestei 50 dólares a ele. Eu o agendei para janeiro e lhe dei 600 dólares de um cachê de 4 mil dólares. Então ele continuou aparecendo para pegar pequenas quantias emprestadas, dizendo coisas como: 'Minha mãe está doente.' Aí comecei a ficar preocupado. Conversei com o empresário do Bootsy e descobri que estava lidando com o Bootsy errado".

A gerente de turnê de Bootsy, Dana Davis, acrescentou: "Ele tem 17 pseudônimos, mas colocamos o FBI atrás dele." Evidentemente, o FBI não levou o caso muito a sério: pouco tempo antes, o Bootsy falso tinha cometido o erro de deixar seu telefone na secretária eletrônica do baterista do Meters, Ziggy Modeliste.

Oi, o Bootsy está?
BOOTSY COLLINS FALSO: Não, ele não está no momento.

Sabe quando ele volta?
BOOTSY FALSO: Ele está gravando um especial em Washington. Não sei quando volta.

Com quem estou falando?
BOOTSY FALSO: Leroy, guarda-costas do Bootsy.*

---

* Quando um promoter chamado Maurice Bernstein tentou localizá-lo, o Bootsy falso se identificou no telefone como Leroy, o guarda-costas. Ao ser perguntado, o Bootsy verdadeiro respondeu: "Uma vez um Leroy trabalhou para mim, mas não sei nada sobre esse cara. [...] Fico lisonjeado por saber que alguém chegaria a extremos para ser como eu, mas, quando ele começa a prejudicar meu nome, é outra coisa."

Você sabia que existe um Bootsy falso por aí?
BOOTSY FALSO: Sim, sabemos. É preciso ter cuidado, mas colocamos a polícia atrás dele.

Encontrei o Bootsy no show do Public Enemy e ele prometeu produzir minha fita demo. Queria saber como posso falar com ele.
BOOTSY FALSO: Ele está muito ocupado no momento. Está indo para Detroit na semana que vem fazer um disco com o George Clinton e depois vai para Londres falar com o Phil Collins sobre tocar com a Brand X. Sabia que estão reunindo a Brand X? Mas se ele prometeu, tenho certeza de que não vai dar para trás. Mas não tenho como prometer nada sobre o dia que ele vai ligar para você.

Existe alguma forma de entregar minha demo para ele?
BOOTSY FALSO: Por que você não deixa aqui? Eu entrego a ele. Sabia que ele está em um filme sobre o *Mothership*? Talvez dê para colocar uma das suas músicas no filme. Deixe a demo aqui.

Onde você está?
BOOTSY FALSO: Na 138th Street com a Edgecombe Avenue [no Harlem]. Sabe onde é? É o prédio 80. Deixe na portaria para o apartamento 26. Entendeu?

Achei que o Bootsy morava em Cincinnati.
BOOTSY FALSO: É, mas ele passa muito tempo aqui. Sabe, estou com uma garota linda aqui e ela começou a tirar a roupa. Melhor eu ir agora, OK.

Devo confirmar com a Dana Davis?
BOOTSY FALSO: Não, não faça isso. A Dana não gosta quando o Bootsy trabalha por fora.

[JACKIE CHAN]

Quando Jackie Chan nasceu, seus pais eram tão pobres que consideraram vendê-lo ao médico que fez seu parto para comprar comida. Eventualmente, eles encontraram outra maneira de se livrar de Chan: mandando-o para uma escola da Ópera de Pequim, notoriamente brutal, onde ele apanhou até se tornar dublê.

Anos antes de Chan se tornar um nome conhecido nos Estados Unidos, passei um mês tentando encontrá-lo para uma entrevista. Na época, seu último filme de Hong Kong estava estreando em um pequeno cinema asiático em Chinatown porque não tinha distribuidor americano. Ele finalmente me ligou de Bangkok.

JACKIE CHAN: Oi, aqui é o Jackie Chan.

Oi.
CHAN: Acho que o telefone está com algum problema.

Deixe eu...
CHAN: Agora está bom.

Oi, Jackie?
CHAN: É, desculpe pela...

Confusão? Não me avisaram que você ligaria, mas estou pronto.
CHAN: Willie?* Está aí, Willie?
WILLIE: Sim, sim. Aqui é o Willie. Desculpe pelos enganos. Quando estamos em turnê de promoção, por causa da diferença do fuso, é muito difícil nos organizar. Você não se incomoda que eu ouça, não é, Neil?

Tudo bem.
WILLIE: OK, então vá em frente.

Eu queria começar perguntando sobre o filme novo, *Arrebentando em Nova York*.
CHAN: Você assistiu ao filme?

Não assisti porque estreia em Chinatown daqui a uma semana.
CHAN: Ah, OK. Você viu algum dos meus outros filmes?

Ah, sim, vi quase tudo nos últimos oito anos.
CHAN: OK.

Alguém já se machucou gravemente durante a produção de um filme seu?
CHAN: Ah, sim, muita gente se machuca.

* Willie Chan, seu empresário (sem parentesco).

Are You Taking a Journey Abroad?

I CAN FURNISH

LIFE *and* ACCIDENT INSURANCE

The JACKIE CHAN COMBINATION ACCIDENT & LIFE INSURANCE POLICY protects you NO MATTER WHEN, WHERE, or HOW.

CHAN'S, HONG KONG — "ALL 206 BONES COVERED."

Sério?
CHAN: Sim, algumas pessoas quase morrem. Eu ainda tenho muitas cenas cortadas, que não posso mostrar porque são violentas demais. Então só mostro a parte bem rápido.* Mas, quando realmente sai sangue da boca ou do nariz, nós os mandamos para o hospital (*ri*). Naquela época, meu empresário não fazia nada além de ir para o hospital todos os dias.

Você trabalha com dublês americanos?
CHAN: Eles têm bons dublês. Realmente calculam tudo. Quando quero que façam alguma coisa, eles checam a carga, colocam um fio ou um airbag. Fazem um monte de coisas. É muito seguro. Mas nós simplesmente fazemos na hora! Vá... e faça!

Então é difícil encontrar dublês para trabalhar com você?
CHAN: É, bem difícil. Várias pessoas que trabalham comigo se machucam. Mas tenho meu próprio grupo de dublês. Então não importa.

Eu li em algum lugar que é impossível para você conseguir um seguro.
CHAN: É, porque na Ásia, onde somos famosos, todas as pessoas vão assistir aos meus filmes. Elas sabem que é muito perigoso. Então, quando tento comprar um seguro, ninguém aqui me aceita. E eu sei... (*fala em cantonês com seu empresário*).
WILLIE: Nas companhias de seguros, quando se trata de filmes, ele está na lista negra.
CHAN: Eu sou o primeiro da lista negra.

(*Risadas.*)
CHAN: É verdade. Mas realmente não me importo. Se eu estivesse mesmo morrendo, o dinheiro que eles me dariam não faria diferença. Seria inútil para mim.

No final de *Supercop*, você é atingido por um helicóptero quando está pendurado no trem...
CHAN: É.

E em *Operação Condor 2*, você se solta das correntes e é derrubado. Você tem alguma sequela permanente de todos esses ferimentos?
CHAN: Ah, várias. Como não escutar bem do ouvido direito por causa da Iugoslávia.

* Ao final dos filmes de Chan, ele mostra os erros, muitos dos quais envolvem ele ou dublês caindo, sendo atingidos ou levados de maca.

O que aconteceu?

WILLIE: Ele teve um ferimento no crânio quando estava filmando na [antiga] Iugoslávia.

CHAN: Você viu *Operação Condor* parte um?

Vi.

CHAN: É, na cena final, não dá para ver, mas estava saindo sangue da minha orelha direita. Eu quase morri daquela vez.

Eu não sabia disso.

CHAN: Foi uma notícia que causou comoção na Ásia. Todos os dias, milhares de ligações, todos os fãs chorando no telefone. As notícias duraram quase uma semana. Então a minha cabeça, o meu cérebro, o meu ombro — tantos machucados, ah, nem dá para contar... Da cabeça aos pés, por causa de todos esses anos fazendo trabalho de dublê.

Em algum momento você pensa em...

CHAN: Mas, não se preocupe, estou muito feliz.

[SLIPKNOT *CENA 2*]

Você sabe que, quanto mais populares vocês se tornarem, mais difícil vai ser manter o foco na sua missão?

SHAWN CRAHAN: Eu posso fazer qualquer coisa. Provei isso aos vermes* e a todo mundo. Viemos de Des Moines, Iowa, cara, e eu olho para onde estamos agora. Acordo todo dia e penso: "Nossa, eu estava no *Conan O'Brien* e me incendiei sem proteção." Dois dias atrás, meu DJ se incendiou. Ele causou uma explosão e o fogo entrou por dois buracos nas calças dele e encheu o macacão. Ele virou um balão de ar quente.

Ele ficou muito machucado?

CRAHAN: Ele se queimou gravemente. E fez a mesma coisa na noite seguinte? O que você acha?

Acho que sim.

* Os fãs.

CRAHAN: Claro que fez. E adorou cada minuto. Viu, cara, eu adoro viagens no tempo e tudo isso. Eu sempre viajo pensando em, sabe, se você e eu voltássemos no tempo agora até a época em que a sua mãe tinha 4 anos e tirássemos o pirulito dela, isso ia afetar a vida toda dela.

Como na teoria do caos?
CRAHAN: Vou ser honesto com você: nós nove no palco somos algo muito mágico. Algo que não pode ser reproduzido. Não pode ser substituído. Quase sempre é uma bola de energia, não há nada mais poderoso acontecendo no mundo. Estou falando de coisas feitas pelo homem. (*Entra Chad Gray, vocalista do Mudvayne.*) E aí, Chad?
CHAD GRAY: Fizemos uma árvore da vida lá fora na terra com umas pedras e outras coisas. Cara, precisamos de presunto, mel e tal para podemos conjurar uns insetos.
CRAHAN: Vamos lá.
GRAY: E tirar umas fotos.
CRAHAN: Tudo bem, vou pegar minha câmera digital. Não vou demorar. (*Sai Chad Gray.*) É o vocalista do Mudvayne. Uma das melhores bandas que vai estourar.

Então o que vocês vão fazer com a árvore?
CRAHAN: Sou fascinado pelo mundo dos insetos. Acredito que o mundo dos insetos é como o Slipknot. Todos os dias você sai pela porta... Talvez você não faça isso porque mora em Nova York, não é?

Existe um mundo dos insetos lá, pode acreditar.
CRAHAN: Então, todo dia você sai para um mundo que você ignora. Mas o mundo dos insetos é fascinante e real. É muito, muito violento e surreal. Imagine viver em um mundo em que você está fazendo uma coisa em um segundo e é comido no outro. Imagine ficar preso em uma teia. Imagine ser levado por um pássaro. Se você se tornasse um inseto médico, passaria dez vidas aprendendo a operar asas, dez olhos, coisas que fazem teias. Que merda é uma teia? Como essa merda é feita? Quantos fluidos eles têm a mais que os humanos?

E então, você estava dizendo...
CRAHAN: Basicamente, estou querendo dizer o seguinte, o Slipknot é um mundo que você tem ignorado. E vou obrigar você a lidar com ele. Você não tem escolha: aqui estou eu. Como você está? Eu sou a porra da aranha camelo, que você não pode deitar em cima, porque se deitar, subo em você, mordo seu rosto e injeto a minha coisa entorpecente tão rápido que você vai achar que era só um arranhão.

Então você vai coçar e eu vou voltar e comer a porra do seu rosto enquanto estiver dormindo, e você não vai sentir. E quanto você acordar, vou comer até o osso, vou deixar todas as artérias e as outras coisas, e você não vai ter rosto, mas vai ser obrigado a lidar comigo. E é isso que o Slipknot é.

O que acontece se a banda se tornar conhecida e não for mais subversiva?
CRAHAN: Não vou mais precisar estar na banda. Mas ainda vou estar envolvido em tudo. Estou envolvido com você agora. Você vai escrever uma matéria.

E você vai se envolver com isso?
CRAHAN: Bom, depende de você. Depende se você vai seguir o molde, se vai fazer as mesmas perguntas que faz para todo mundo, se vai escrever com estilo como sempre escreve. Depende de você. Ou se vai quebrar seu molde e atear fogo nele. Posso lhe dar o fósforo, posso até encharcá-lo de gasolina. Mas depende de você dizer as coisas como são. E se você fizer isso, vai queimá-lo.

Acho que sei do que você está falando.
CRAHAN: É a verdade, cara. Não sei como você se sente falando comigo, mas digamos que você tinha uma carga positiva e esteja feliz por ter vindo. Hoje é um dia importante, porque você vai ver o show desta noite. Você vai ficar em chamas. Mas o que vai acontecer quando for embora se você voltar para *o molde*?

É verdade. Os jornalistas têm uma experiência quando estão cobrindo alguma coisa, depois voltam para a realidade, e ser fiel àquela experiência se torna menos importante que deixar seu chefe feliz.
CRAHAN: Depende de você. Vamos ver o que acontece com você. Porque vou dizer uma coisa, amigo, eu vou estar de olho. Eu vou comprar a revista, vou ler e decidir se eu e você podemos nos falar de novo.

[*Continua...*]

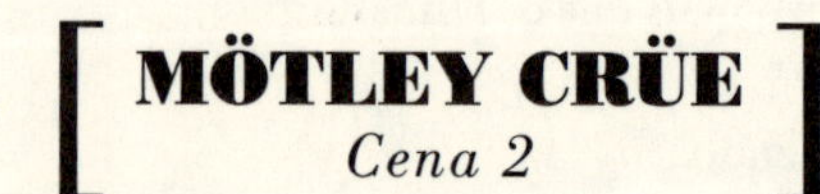

[MÖTLEY CRÜE *Cena 2*]

Ao escrever livros sobre música, ocasionalmente o mundo do rock e o mundo corporativo batem cabeças. Especialmente quando chega a hora de os advogados editoriais lerem o original. O que se segue são alguns dos meus e-mails com Nikki Sixx e Tommy Lee, do Mötley Crüe, durante os estágios finais da produção da autobiografia da banda, *The Dirt*. Obviamente, as palavras em letra maiúscula são as deles.

Nikki,
Mais algumas perguntas dos advogados. Estamos chegando lá.

1. Lovey: Ela está mesmo morta, não é?
ELA ESTÁ MORTA...

2. Aquela cena em que [nome removido] diz que você é o Satã. Tudo aquilo é totalmente verdade?
SIM

3. O advogado está preocupado com todas as coisas que dizemos sobre a [nome removido]. Acha que ela assinaria uma autorização?
ELA PROCESSARIA... ELA É UMA VADIA GANANCIOSA...

4. Esta é boba, mas você pode confirmar que a Lita usava drogas, especificamente Quaaludes?
SE EU POSSO CONFIRMAR??? BEM, EU A VI USANDO...

5. Alguém mais pode confirmar que você comeu a mulher do [nome removido]? Eles querem que eu mande um e-mail para ele e veja se não tem problema.
BOA SORTE

6. Eles estão preocupados com umas coisas do [nome removido] sobretudo quando mencionamos a história dele pagando um boquete para o Fred Mercury. Podemos confirmar?
CARA, EU NÃO SEI... HAHHHAHAHHAA

7. Você poderia confirmar se é verdade que o Ozzy lambeu seu xixi e que ele cagou no banheiro do Tommy e limpou nas paredes?
EU O VI CHEIRAR FORMIGAS E LAMBER MIJO... PERGUNTE AO TOMMY SOBRE A CENA DO BANHEIRO

8. Mudando de assunto, precisamos de uma legenda para a foto de vocês na banheira.
OK, VINCE ESTAVA LOUCO DE COCAÍNA, TOMMY E NIKKI TINHAM ACABADO DE INJETAR 10CC DE HEROÍNA, E MICK ESTAVA TÃO BÊBADO QUE TINHA DE SE SEGURAR PARA NÃO SE AFOGAR

ESTOU COM SAUDADES, AMIGO... Voltei AO AA POR ENQUANTO... EU QUASE ME MATEI...

Tommy,
Estas são algumas perguntas do advogados. Eles são uns idiotas, mas por favor responda todas para mim, para eu poder me livrar deles.

1. Você pode confirmar que o Ozzy cagou no seu banheiro e limpou nas paredes?
... SIM!!!!

2. Você o viu lamber o mijo do Nikki?
COM CERTEZA!!!!!!

3. Quando você diz que encontrou uma "gangue da porra do speed," os advogados querem saber: o que exatamente é uma gangue? E que tipo de speed?
NADA DISSO IMPORTA, DESDE QUE NENHUM NOME SEJA DITO!!

4. E finalmente, esta é minha favorita: você pode confirmar que tinha polaroides da bunda de [nome removido]?
SEM NOMES, PORRA... EU NÃO QUERO NINGUÉM VOLTANDO PARA ME PROCESSAR!!! FODA-SE ISSO!! JÁ FUI PROCESSADO DEMAAAAAAAIS E APRENDI MINHA LIÇÃO!!! SEM NOMES!!! VAMOS SAIR!!!!

[HUGH LAURIE]

Para os fãs dos papéis de Hugh Laurie nos programas da televisão britânica, onde ele geralmente interpreta personagens desajeitados, afetados e burros, de certa forma foi uma surpresa quando ele se tornou um astro nos Estados Unidos interpretado o papel exatamente oposto: um misantropo inteligente e cínico em *House, M.D.* Então a *Rolling Stone* me mandou para o set do programa para conversar com ele sobre isso.

HUGH LAURIE: Você parece estar resfriado. Está?

Um pouco. Fiz um livro com o Mötley Crüe chamado *The Dirt*, então fui com os caras no ônibus da turnê para um show ontem à noite.
LAURIE: Viu, acho que sou uma grande decepção para você; digo, você estava com o Mötley Crüe e agora está falando com um ator de meia-idade de um programa de TV. Isso deve ser tão... eu gostaria de poder lhe dar algo mais parecido com o Mötley Crüe. Gostaria de ter um ônibus de turnê. Eu gostaria de ter... ah, droga, eu gostaria de ter alguma coisa. Em que posso lhe ajudar?

Bom, para começar, qual é a história daquela foto de um balde de antidepressivos [no seu trailer]?
LAURIE: Ah, ah, sim. Sim, um amigo me deu. Um amigo da Inglaterra. É, será que devo deixar ali? Acho que sim. Que olho. Você não perde nada. Agora estou com medo do que mais você viu.

Na verdade, não sei se lhe disse isso, mas sempre segui sua carreia e...
LAURIE: Não!

Ah, sim, eu tenho de...
LAURIE: Ah, meu Deus.

De, sabe...
LAURIE: Isso é meio perturbador.

Não sou um louco obcecado nem nada.
LAURIE: Não, não, não. Mas sinto que você vai dizer: "Acompanho sua carreira e a considero repreensível em diversos pontos."

Era exatamente isso que eu ia dizer.
LAURIE: E depois: "O que passou pela sua cabeça?"

Essa também estava na minha lista de perguntas.
LAURIE: Eu sabia.

Na verdade, sempre achei que você conseguiria papéis maiores nos Estados Unidos mais cedo. Quando o Hugh Grant começou a ficar popular aqui, pensei: "Esta é uma oportunidade para"...
LAURIE: Para qualquer um chamado Hugh.

Exatamente. Eu achava que ele era uma espécie de personagem simpático, desajeitado e romântico, e que você era...
LAURIE: Uma máquina sombria com ambição implacável, não? [...]

Com *House*, você se tornou o tipo de símbolo sexual completamente oposto ao tipo desajeitado que interpretava em filmes naquela época.
LAURIE: É... não aceito isso de jeito nenhum. Não vejo o personagem como alguém sexy, mas ele tem uma espécie de charme byroniano. Ele é problemático e meio solitário.

Talvez, durante a sessão de fotos duas pessoas tenham dito que achavam *você* sexy.
LAURIE: As pessoas que disseram isso estão equivocadas (*pausa*). Quem disso isso?

Acho que foi a...
LAURIE: Eu nem deveria perguntar. Deixe para lá.

Tudo bem. Foi uma das produtoras do programa. E o empresário gay do estúdio, então você tem os dois lados.
LAURIE: Qual era o nome dele?

Não me lembro.
LAURIE: Ah, era o cara de suéter branco?

Achei que você não quisesse saber.
LAURIE: Certo, verdade. Não quero. Não, não me conte. [...]

Você acha que interpretar o House afetou sua personalidade e o deixou mais crítico ou misantropo?
LAURIE: Não, embora tenha percebido que trabalhar na televisão mudou a minha vida. Eu me sinto muito constrangido e tenho a impressão de que não posso sair de casa. Detesto ser observado. Detesto ser fotografado. Havia uma mulher terrível ontem à noite tirando fotos e eu queria gritar: "Só quero... pare de tirar, sabe... eu odeio isso!"

Em que sentido?
LAURIE: Eu tenho uma superstição estranha em relação à câmera roubar parte da minha alma. Na verdade, meio que acredito nisso.

Está falando sério?

LAURIE: Ela rouba. Bom, obviamente, em termos de estrutura molecular, não perdi nada por ser fotografado. Eu entendo as leis da física. Mas acho que entender de física leva você a acreditar que, se o fotógrafo conseguiu alguma coisa, você deve ter perdido alguma coisa.

[RICK JAMES *CENA 2*]

Quando você saiu da prisão, como foi fazer música sóbrio?

RICK JAMES: Ah, cara, quando eu saí da prisão, me perguntei se conseguiria fazer uma turnê, porque não sabia se conseguia me apresentar sóbrio em vez de drogado. Mas, mesmo nos velhos tempos, no ponto mais alto do abuso de cocaína, quando eu gastava 5 ou 6 mil dólares por semana para usar freebase — fumar cocaína — uma coisa que nunca fiz foi fumar cocaína antes de um show. Mas eu cheirava um pouco — muito pouco, porque minha voz ficava horrível se eu cheirasse demais. Também tomava uns drinques, um pouco de conhaque ou coisa do tipo.

Quando foi a última vez que você tocou em Nova York?

JAMES: A última vez que me apresentei em Nova York foi, tipo, em 1991. Eu tinha lançado um disco chamado *Wonderful*, que não foi tão maravilhosamente nas paradas. E queria tocar no Apollo porque não achava que ia ficar muito tempo na terra. Eu achava que ia morrer — que ia ter uma overdose — então queria fazer um monte de coisas que não tinha feito. E uma das coisas que eu nunca tinha feito era tocar no Apollo.

Quais são as coisas que você quer fazer agora que está sóbrio?

JAMES: Quero ir à Rússia. Me convidaram para ir à Rússia em um acordo da Arm & Hammer e tocar, e não me interessou na época porque eu sabia que não ia conseguir encontrar cocaína lá. E gostaria de ir à África. E nunca fui ao Japão, só porque não queria ficar em um avião por tanto tempo e não ter drogas quando chegasse lá. Então quero ir ao Japão.

Sabe, eu pensava na minha vida em termos de, “Bom, vai haver cocaína quando eu chegar lá?” ou, “Qual é a pena se me pegarem com cocaína? Vão me prender para sempre como em *O expresso da meia-noite*?”. Então tudo era baseado em quanta coca tinha no lugar e quanta haveria para mim quando eu chegasse lá, o que é uma forma de pensar muito idiota e insana.

Hotel
Royal Palm

SWAKOPMUND, NAMIBIA

The Perfect Hideaway, Romantically Lit and Ventilated, Room Service Available for All Your Needs.

WRITE FOR FOLDER AND RATES

E esta entrevista?
JAMES: Nunca teríamos feito esta entrevista anos atrás. Naquela época, eu estaria no meu quarto durante uma hora. Depois sairia, passaria uns minutos com você, voltaria para o quarto e fumaria cocaína de novo. Você passaria a noite inteira aqui e sua matéria diria: "Não conversamos muito, mas vimos a fumaça e a vermelhidão nos olhos dele e os loucos correndo pelados" (*ri*). Não, você nunca teria visto crianças correndo e árvores de Natal iluminadas como está vendo agora (*pausa*). Ninguém sabe, mas acabei de me casar.

Parabéns. Mas você não deveria ter se casado com ela enquanto estava na prisão, para poder ter visitas conjugais?
JAMES: Bom, pensei em fazer isso antes, mas toda vez que eu tentava, acredite ou não, acontecia alguma coisa. Como ela também era minha parceira no crime, não a queriam dentro da prisão, independente de qualquer coisa. Então, mesmo que tivéssemos nos casado, não permitiriam visitas conjugais.

Já pensou em escrever um livro sobre suas experiências?
JAMES: Estou terminando um livro. É um livro cronológico, sem hipocrisia, expondo tudo. Sexo, drogas e funk and roll. Não rock and roll, funk and roll! E grandes loucuras.

O segredo para escrever um livro é ser totalmente honesto, mesmo que às vezes você sinta que isso vai afetar sua imagem de forma negativa.
JAMES: Exatamente. Preciso ser, cara. Durante toda a minha carreira, tentei ser o mais honesto possível. Sempre achei que, quando eu chegasse lá, eu não teria medo de dizer: "Eu cago, eu peido e bato punheta de vez em quando. Eu gosto de boceta." Eu nunca seria um desses escrotos que dizem: (*afina a voz*) "Eu não uso drogas. Eu não fumo maconha." Nem fodendo. Eu faço tudo. É, e isso me derrubou, mas e daí? Estou dizendo, cara, muitas celebridades escrotas e muita gente vai ficar puta quando eu escrever isso. A merda vai bater no ventilador. Bem, não estou nem aí. É uma terapia para mim, além disso é a verdade.

Mais algum plano para o novo ano?
JAMES: Meu objetivo básico para o ano é ficar positivo, centrado e focado. E deixar aquela cocaína filha da puta para lá.

Em 2004, Rick James foi encontrado morto em sua casa por causa de um ataque cardíaco. Traços de cocaína — além de Valium, Xanax, Vicodin e metanfetamina — foram encontrados em seu sangue. Ele tinha 56 anos. Sua autobiografia, The Confessions of Rick James: Memoirs of a Super Freak, *foi lançada postumamente.*

[SLIPKNOT CENA 3]

Evidentemente, o palhaço do Slipknot, Shawn Crahan, aprovou o artigo que escrevi sobre a banda. Porque três anos e meio depois, quando lançou um disco inesperadamente melódico de pop-rock com seu projeto paralelo, o *To My Surprise*, ele concordou em conversar outra vez.

Obrigada por dar esta entrevista.
SHAWN CRAHAN: Eu me lembro de você, cara. Tenho uma placa com a sua entrevista na minha parede. Não sei se faz diferença, cara, aprendi muito desde que conversamos pela última vez. Não estou fazendo nenhuma entrevista, mas claro que me lembro de você, nos demos bem e as coisas estão tranquilas. Você tem uma forma de arte, eu tenho uma forma de arte, e hoje é um dia especial porque duas pessoas podem conversar.

Você parece uma pessoa completamente diferente.
CRAHAN: Descobri que não tenho talento para falar com a imprensa. Não tenho medo de dizer que estou meio envergonhado de parte do meu comportamento. Aconteceram todos os tipos de coisa nos últimos dois anos, especialmente aqui nos Estados Unidos, que alteraram o processo de pensamento humano. Hoje em dia, não existe uma pessoa que não entenda que estamos vivendo em um mundo diferente. E não tenho vergonha de dizer que eu era imaturo. E estou melhorando na minha cabeça, e estou ficando mais saudável. Estou calando a boca e ouvindo.

Aconteceu mais alguma coisa que o fez mudar?
CRAHAN: Vivi na outra estrada. Estive na floresta. Perdi um monte de amigos e tive de crescer. Apareci diante de 60 mil pessoas e me senti isolado delas. Eu tinha uma quantidade enorme de poder para fazer a diferença, mas não tinha nem um momento para falar e fazer a diferença. Agora só estou interessado em fazer músicas e conversar com as pessoas. Quero falar com as pessoas de Wall Street. Quero falar com homens de negócios que vendem seguros. Quero falar com professores. Quero ir a faculdades e fazer seminários. Quero sentar com crianças em salas de aula e deixá-las me desafiarem. Quero me comunicar, porque tenho 34 anos e estava barrando a comunicação.

Isso é algo que eu queria perguntar na última vez que nos encontramos: como era seu relacionamento com seus pais quando você era mais novo?
CRAHAN: Eu fui solitário a vida inteira. Sou filho único. Meus pais construíram um pequeno apartamento para mim no porão, não porque quisessem se livrar de mim, mas porque confiavam em mim para ter meu próprio chuveiro, telefone, TV a cabo. Eles me deixaram crescer como um garoto deve crescer, mas cresci muito sozinho. Então agora estou tentando vencer essa palhaçada de filho único mimado e encarar a realidade. Estou entendendo como excluir a palavra *eu*, e posso dizer, Neil, é lindo. [...]

É difícil saber se essa é mais uma fase ou se é um crescimento real, mas de qualquer maneira estou impressionando por ver que você parece estar mais em paz consigo mesmo e com o mundo.
CRAHAN: Você não sabe o que isso significa para mim, cara. Eu não achava que pudesse mudar. Ainda não botei tudo para fora. Vou cada vez mais fundo. Mas você não sabe quanto eu agradeço por você ter gastado seu tempo para vir aqui dizer essas palavras gentis. Você fez meu dia. Vou dividir essa vibração com as pessoas à minha volta, e essa vibração vai se tornar a vibração delas. Com toda a honestidade, obrigado. Tenha um ótimo dia, cara. Se precisar de mais alguma coisa, pode ligar. E se um dia estivermos por aqui e você quiser aparecer, fique à vontade.

Deixe-me mostrar como se faz.

[TOM CRUISE *CENA 3*]

Enquanto entrevistava Tom Cruise em uma sala dos fundos do Scientology Celebrity Centre, perguntei à mãe dele, que um ano antes tinha ingressado na igreja por ordem do filho, se a cientologia entrava em conflito com o catolicismo. "Nem um pouco", respondeu ela. "Acho que Jesus quer que eu esteja aqui agora. Minha igreja pode não concordar, mas pessoalmente eu sei disso."

Por alguma razão, o notoriamente imprensofóbico Tom Cruise tinha passado uma semana me levando a vários endereços da cientologia em Los Angeles e me apresentando a algumas das pessoas importantes. Foi a primeira vez em que ele deixou um jornalista entrar nesse mundo, e a última.

Não sei se você pode dizer, mas em que nível da OT* você está?
TOM CRUISE: Bom, eu não posso dizer. Você sabe o que é OT? Sabe?

Conheço a sigla e sei o que significa, mas provavelmente não como você.
CRUISE: Sim, digo, é... Eu não tenho nada que não possa conversar com você, mas preferiria que você entendesse mais.

Na verdade, uma das coisas que eu queria perguntar era: OK, muita gente inteligente é cientológa e eu queria saber o que...
CRUISE: Simplesmente pergunte.

Quanto a cientologia ajudou na sua carreira?
CRUISE: Me ajudou demais. Eu não teria tido o sucesso que tive sem ela.

Então em que sentido ela tornou seu sucesso possível?
CRUISE: Posso aplicar certas coisas a minha vida que me ajudaram a crescer como artista de maneiras que eu queria e de maneiras que nem sonhava.

Estou perguntando mais sobre maneiras concretas que ela ajudou.
CRISE: Como assim?

Por exemplo, você conheceu alguém na igreja — advogados, contatos ou outras pessoas úteis — que teve impacto direto sobre a sua carreira?
CRUISE: Estou tentando entender.

Deixe-me tentar perguntar de outra maneira: as pessoas sempre dizem que, de certa forma, virar cientólogo ajuda os atores a conseguir papéis em filmes.
CRUISE: Não, não para mim. O que usei foram as ferramentas que eles tinham. Não de outra maneira (*pausa*). Isso não faz sentido para mim. Realmente não sei (*longa pausa*). Se você quer mesmo saber, compre o livro *What Is Scientology?* e dê uma olhada, porque é aquilo que a cientologia é. É um corpo de conhecimento muito grande com ferramentas que estão disponíveis. É, ah... é exatamente isso, cara.

Então o que o atraiu na cientologia?
CRUISE: Bom, cientologia, a própria palavra significa saber como saber. É uma filosofia religiosa aplicada. Não é um dogma. Não tem a ver com crença. Não é

* OT significa Operação Thetan, supostamente o estado mais elevado do ser espiritual. Passando por cursos da igreja, os cientólogos avançam através de níveis que os levam para mais perto desse estado e, finalmente, além.

alguém dizendo: "Você tem de acreditar nisso. Você tem de acreditar naquilo. Você tem de viver desse jeito." Você aprende por conta própria, sai, aplica e vê se funciona para você. E tem a ver com melhorar sua condição de vida. Era o que eu queria. E a cientologia me deu isso e mais.

Mas o que você acha da reputação que a cientologia tem? Sempre que alguém a menciona, a maioria das pessoas pensa coisa negativas sobre ela.
CRUISE: Não, na verdade, não. Não. Eu percebo muito interesse. As pessoas querem saber como é. Ah, e existem outras pessoas que simplesmente não sabem. É como em qualquer outra coisa: é ignorância. Pessoas que só sabem odiar. Existem racistas e intolerantes em todos os campos de todas as classes sociais.

OK, essas pessoas existem. Mas, além delas, a maioria das pessoas fica assustada quando ouve a palavra cientologia. Sente que é um culto e que é difícil sair.
CRUISE: Quem são as pessoas que dizem essas coisas? Porque juro a você, não são todas. Quando você pensa na porcentagem da população, é uma muito pequena. Pode acreditar, eu passei por isso. Mas olho para essas pessoas e digo: "Podem vir. O que vocês sabem sobre isso? Eu sou um cientólogo, cara — o que vocês sabem? (*Mais alto*) O que vocês sabem?" Eu não me incomodo em responder perguntas.

Então, o que as pessoas deveriam saber?
CRUISE: Devo dizer que o Narconon é o único programa de reabilitação das drogas bem-sucedido no mundo. Ponto final. É o único que livra o corpo das toxinas e ajuda as pessoas. E, quando você fala do Criminon, quando você fala do Study Tech*... Qual é a solução [atual da sociedade]? Drogar as pessoas, rotular as pessoas e ciência sem fundamento? E esses programas da cientologia estão disponíveis para qualquer um. Se algumas pessoas, bem, não gostam da cientologia, bom, então vão se foder (*levanta da mesa*). Sério. (*Mais alto, apontando um dedo para um inimigo imaginário:*) Vão se foder. Ponto final (senta novamente, com o rosto vermelho).

OK, eu entendi. E concordo com muitas coisas que você disse, mas por que não simplesmente fazer uso de todos os grandes corpos de conhecimento, em vez de pegar uma coisa e dizer "É isso"?
CRUISE: Bom, quando eu comecei, pensei: "Uau, isso funciona." E então me interessei em saber como funciona. Por que funciona? Foi por isso que me tornei cientólogo.

* Todos esses são programas da cientologia. O Narconon é um programa de reabilitação de drogas; Criminon não um programa de reabilitação de prisioneiros; e o Study Tech é um sistema de aprendizado desenvolvido pelo fundador da cientologia, L. Ron Hubbard.

Também sinto que para mim não basta me sair bem. Eu quero ajudar meus filhos, meus filmes, as pessoas. Tenho um grande prazer em ver as pessoas indo bem na vida. Não tenho nenhum prazer em ver as pessoas fracassarem.

Eu concordo. Gosto de aprender com os outros e gosto de ajudá-los. Mas...
CRUISE: Eu sei. Precisamos de pessoas como você. Precisamos mesmo.

[CORTINA]

ATO SEIS

OU

UM PAGAMENTO DE 100 MILHÕES DE DÓLARES

SYNOPSIS

ENTRAM OS NEPTUNES,
QUE DISPENSAM UMA ENTREVISTA,
ENQUANTO O KORN TENTA PAGAR O JORNALISTA PARA NÃO FAZÊ-LA,
POR QUE A CHER DIZ QUE A INDÚSTRIA DA MÚSICA
PODE MATAR VOCÊ,
O QUE FAZ COM JOSH CLAYTON-FELT
e tenta fazer com os Backstreet Boys,
embora Billy Joel tenha aprendido
A SE PROSTITUIR,
O QUE INSPIRA RZA
A CONDUZIR A PRÓPRIA INVESTIGAÇÃO ETC.

[THE NEPTUNES CENA 1]

Quando a *Esquire* lançou uma edição especial apresentando as melhores e mais brilhantes ideias e mentes do país, o quadro editorial nomeou os Neptunes — a equipe de produção de Pharrell Williams e Chad Hugo, responsável por sucessos de Britney Spears, Justin Timberlake e Snoop Dogg — os músicos mais promissores do momento. Com uma introdução para a edição escrita por Bill Clinton, os produtores estavam em companhia de alto calibre. Então liguei para o assessor de imprensa deles para marcar uma hora com Pharrell. A seguir, a primeira de cinco entrevistas com ele, todas incluídas aqui na sua totalidade.

Oi, aqui é o Neil Strauss da *Esquire*. Obrigado por esta entrevista.
PHARRELL: Oi, estou fazendo uma festa em casa. Podemos remarcar?

Claro, quando você quer que...
PHARRELL: (*Clique.*)

[*Continua...*]

[KORN CENA 1]

Devia ser a maior e mais convencional exposição midiática que a banda de hard rock Korn tivera até então: a capa da revista *Spin*. Mas, duas semanas depois da entrevista, a agência de empresariamento da banda, The Firm, ligou e me ofereceu 10 mil dólares para não escrever a matéria.

Evidentemente, Fieldy, o baixista da banda, tinha saído no tapa com o diretor criativo da *Spin* durante a sessão de fotos, e a banda não queria mais sair na capa.

Uma hora depois, um editor da *Spin* ligou e disse que a revista estava pensando em desistir da matéria porque a banda tinha xingado outro funcionário na sessão de fotos de "escroto".

"É parte do charme deles", expliquei.

A essa altura, eu tinha passado tempo suficiente com aqueles desajustados de Bakersfield, Califórnia, para vê-los irritar quase todo mundo com quem cruzavam. No Fuji Rock Festival, em Tóquio, Fieldy arranjou uma briga com um integrante do Primal Scream por ficar insistindo: "Você parece com o meu tio Bob."

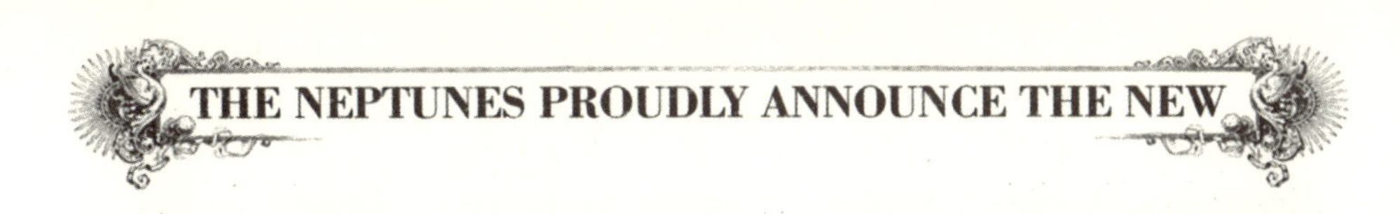

ANSA FONE

Personal Telephonic Answering Service Machine

INVENTED BY THE ESTEEMED
DR. KAZUO HASHIMOTO

Never miss a telephone call again with the new ANSA FONE, using tomorrow's technology today, featuring advanced magnetic sound recording and reproduction. Now you're free to take a long lunch without worrying about missing that important business call or the missus reminding you to pick up milk and butter on the way home.

Call for purchase. Installation and one-year warranty extra. If you do not reach a qualified technician, please leave a recorded message.

For businessmen, professional men, students, and family fun.

Not compatible with all telephones.

Uma hora depois, ele estava irritando a vocalista do Garbage, Shirley Manson, enfiando sem parar um chaveiro de brinquedo na cara dela e disparando vários sons sem uma palavra de explicação. Enquanto isso, o vocalista do Korn, Jonathan Davis, gritava com o astro do drum-and-bass Goldie: "Vá se foder, idiota!" E Junkie XL, um músico dance de Amsterdã, recusou um jantar com o Korn porque achava que os integrantes da banda eram imbecis.

Mas ele estava errado: os caras do Korn não são imbecis. Eles só querem um pouco de amor — e quando não conseguem, eles se comportam mal. Em seu quarto de hotel, delirando bêbado na noite anterior à apresentação da banda em Tóquio, Davis subiu em uma cadeira e explicou.

JONATHAN DAVIS: Nós vamos a esses festivais de merda e nenhuma banda nos ama. Não recebemos nenhum amor. É como se fossemos nosso próprio mundinho. Não somos tão assustadores. Que porra é essa? Pelo menos uma vez na minha vida, por favor, me amem: eu sou do Korn.

Bom, vocês não estavam lá fazendo amigos hoje.
DAVIS: Não somos assim, cara.

Pula da cadeira.

Assim como?
DAVIS: Nada a ver com essa merda!

Nada a ver com que merda?
DAVIS: Nada a ver com essa merda que tem por ai. É muita merda ensaiada. Vemos isso à nossa volta no festival: os músicos odeiam a gente. Odeiam *pra caralho*!

Por que isso é tão importante?
DAVIS: Não sei. Como se chama isso?

Se chama o quê?
DAVIS: [Nossa] música. Como podemos chamá-la? É como o Clash: como definir o Clash? É a porra de um punk, pop, reggae? É uma ótima banda.

As pessoas consideram vocês heavy.
DAVIS: Consideram?

Estou falando da música de vocês.

DAVIS: É, só queremos ser heavy. É isso. Tudo o que queremos fazer é levar o heavy de volta ao rock and roll, porque a porra do Ben Folds Five é uma droga. É música do *Cheers*. Com a gente, é especial. Somos completamente diferentes.* Eu sou basicamente um covarde. O Fieldy é hip-hop, o Head e o Munky são o Head e o Munky, e o David [Silveria] tem peitos**, mas é um ótimo baterista. Tudo o que temos em comum é que todos nós aberrações, todos nós somos loucos, e todos nós usamos drogas.

Mais tarde, Davis toca uma música do seu novo disco, depois explica...

DAVIS: Essa música é sobre virar um astro de rock e ninguém mais implicar comigo, mas minha banda ainda me chama de veado.

Eu percebi.

DAVIS: Todo mundo pensa que eu sou bicha (*suspira*). E eu meio que sou — tirando a parte do pau.

Às 2 horas, o telefone toca no meu quarto de hotel.

Alô.

DAVIS: Sabe o que eu estava dizendo sobre ser excluído? Esqueça.

Por quê?

DAVIS: O Prodigy veio falar com a gente.

Ótimo.

DAVIS: Estávamos bebendo lá embaixo, e todos eles estavam lá. E tinha bundas magras de modelo por todo lado.

As modelos foram falar com vocês?

DAVIS: Não, não mesmo.

Mas o Prodigy foi.

DAVIS: Eles falaram tipo: "E aí, caras?"

---

* Fatos divertidos sobre o Korn descobertos em Tóquio: o guitarrista Munky molhou as calças no palco uma vez, Fieldy não toca em corrimãos de escadas porque tem medo de germes, o segundo guitarrista Head bebe uma caixa de cerveja sozinho na banheira, e Davis se recusa a tocar ou lamber a genitália feminina.

** A maioria das pessoas chamaria aquilo de peitorais.

Que bom.
DAVIS: Acho que as coisas estão mudando, cara. Quer vir aqui em cima e se aconchegar?

Estou morto. A gente conversa depois do show amanhã.
DAVIS: É, provavelmente é melhor. O [meu guarda-costas] Loc me disse que não posso cheirar cocaína hoje porque temos de trabalhar amanhã.

[*Continua...*]

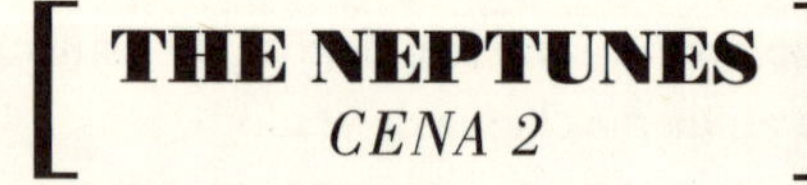

Três dias depois...

Obrigado por remarcar a entrevista.
PHARRELL: Sem problemas, cara.

Uma das coisas que destaca vocês dos outros produtores é que vocês não fazem diferença entre gêneros...
PHARRELL: Cara, posso dizer uma coisa? Eu realmente não estou nem aí para estilos diferentes. Música é música. Nos anos 1980, era assim. Aqui na Virginia ouvíamos a 103 Jamz, o que eu adoraria que você publicasse, e aquela estação tocava todo tipo de coisa.

Com que artistas você tem trabalhado nos últimos tempos?
PHARRELL: Primeiro, tem o Mystikal. Eu adoraria ir para a parte mais isolada da Georgia — mesmo que ele seja de St. Louis.* Eu adoraria ir a uma parte desolada, quase sem população, bem rural, e gravar o disco dele em uma cabana. E depois... Na verdade, tenho de sair para comprar frango. Posso ligar para você da rua?

OK, mas não deixe de ligar desta vez.
PHARRELL: Pode deixar.

[*Continua...*]

* Na verdade, o rapper é de Nova Orleans, embora a colaboração tenha sido adiada quando Mystikal foi preso no ano seguinte por assédio sexual a sua cabeleireira.

CHER
CENA 1

Às vezes, as histórias colidem. Por exemplo, você fala no telefone com a Cher para o *New York Times* enquanto está na casa do guitarrista Dave Navarro escrevendo um livro com ele.

Você se incomoda de falar com o Dave Navarro? Ele está comigo agora e quer dizer "oi" antes que eu desligue.

CHER: Claro, eu adoraria.

DAVE NAVARRO: Como você está?

CHER: Estou bem.

NAVARRO: Eu não podia deixar esse telefonema ser feito da minha casa e não vir dizer oi.

CHER: Ah, estou muito feliz que você tenha feito isso. Meu filho é um grande fã de vocês há muito tempo.

NAVARRO: É mesmo? Já encontrei com ele várias vezes.

CHER: É, ele era pequeno na primeira vez que você o encontrou. Digo, bom, ele tem 23 anos agora, mas é fã de vocês desde o começo. Ele está passando por dificuldades, mas está tudo bem. Você tem de lutar se vai estar na música, porque vai lutar em algum momento de um jeito ou de outro.

NAVARRO: Ah, Deus, é, isso é verdade. Mas ele parece estar indo bem.

CHER: É, acho que ele precisa ficar no caminho certo. Mas é um bom garoto por dentro. É fácil porque ele é muito talentoso, mas não sabe que isso não é o bastante.

NAVARRO: Eu sei. Esse foi um erro meu.

CHER: Espero que ele consiga.

NAVARRO: Eu também. Não sabia que ele estava passando por tantas dificuldades.

CHER: É, meio que está. Ele está tentando resolvê-las, mas mesmo assim não consegue. Você sabe que para resolver qualquer coisa você precisa admitir que tem um problema. Ele está naquele ponto em que gostaria de ter um problema.

NAVARRO: Ir para um grupo de autoajuda nessa idade pode ser muito traumático. É quase pior do que o que qualquer droga pode fazer com você.

CHER: É, sabe, ele está em uma situação em que eu simplesmente não sei para onde me virar.

NAVARRO: Você não pode forçá-lo. Ele tem de fazer isso sozinho.

CHER: Então estou na minha, mas cara, não sou boa em ficar na minha quando o assunto são os meus filhos, especialmente ele.

NAVARRO: Acho que nenhum pai seria. Meu pai não era. Perdi minha mãe quando era muito novo e fui viciado em heroína por muitos anos. E meu pai, por mais que ele soubesse que tinha de sentar e esperar, não conseguia ficar quieto.

CHER: Só não quero ver meu filho ficar como o pai, porque o pai era um homem incrível, fabuloso, maravilhoso, engraçado, especial. E no final ele se tornou a droga. Deixou de ser ele mesmo. Ele usava drogas havia tanto tempo que não tinha restado nada dele.

NAVARRO: Eu o encontrei algumas vezes também, quanto estive naquela situação por um tempo e...

CHER: Feche essa porta e siga em frente.

NAVARRO: Eu sei, é meio necessário, não é? Existe um limite para o que se pode fazer... bom, é o seguinte, agradeço muito por ter dito oi, e sou um grande admirador, então...

CHER: Obrigada. Divirta-se com a sua vida e sua música.

NAVARRO: Muito obrigado. Estou muito animado. Estou fazendo algo por conta própria agora e é a primeira vez que consigo fazer algo assim.

CHER: Ótimo. Quer saber, talvez a gente se encontre quando eu for para casa.

NAVARRO: Eu adoraria.

CHER: OK, ótimo. Vou falar novamente com o garoto que estava falando?

NAVARRO: Você quer? Depende de você.

CHER: Claro, quero me despedir.

Oi.

CHER: Oi. Ele é um doce não é?

Ele é ótimo.

CHER: Bom, desejo tudo de bom para ele, porque ele parece ser muito bom. Cara, sabe, tenho que dizer uma coisa: se essa indústria não matar você, então pode voltar e esperar ser a melhor pessoa que vai ser, porque é a única indústria que devora seus jovens.

[*Continua...*]

[JOSH CLAYTON-FELT]

O que se segue é uma história com moral que mostra como as gravadoras podem ser cruéis.

Começa em 1996, quando Josh Clayton-Felt, que tinha pequenos sucessos com sua banda School of Fish, entregou seu segundo disco solo à A&M Records. O selo o mandou de volta para o estúdio para gravar mais músicas, e então segurou o disco por oito meses, prometendo lançá-lo em breve.

Então, em um anúncio surpresa, a A&M foi comprada como parte de uma fusão corporativa e foi engolida pelo Universal Music Group. Clayton-Felt foi um dos cerca de 250 artistas dispensados na redução de pessoal que aconteceu logo depois. Seria um alívio para ele, mas a gravadora se recusou a devolver suas músicas.

Algum progresso para conseguir os direitos da sua música?

CLAYTON-FELT: Passei os últimos quatro meses dizendo a eles: "Eu sei que fui dispensado, mas posso pegar meu disco de volta? Ou posso lançá-lo de forma independente e dar uma porcentagem das vendas para vocês?" Mas eles basicamente disseram que a única maneira de lançarem o disco é se eu estiver em um selo grande e ele pagar muito dinheiro para a Universal pelo disco. Mas não quero fazer isso: sinto que isso me coloca em uma posição ruim criativamente.

E simplesmente regravar as músicas e lançá-las por conta própria?

CLAYTON-FELT: Também não posso fazer isso. O que eu não sabia é que eles possuem as músicas que eu entreguei. Então não só não estão dispostos a devolver o disco, mas não me deixam regravar as músicas. Segundo eles, não posso regravá-las por cinco anos.

Por que acha que estão fazendo isso? Eles não estão ganhando dinheiro com a música.

CLAYTON-FELT: Tentei entender por que eles querem fazer isso. Acho que conhecem o poder da internet e do artista, e talvez pegar 250 artistas e colocá-los na geladeira seja uma forma de eliminar a concorrência.*

* Falando anonimamente, um executivo da Universal deu uma razão diferente: "Dinheiro é dinheiro. Não somos grandes o bastante para lidar acordos para todos esses artistas." Ou seja, provavelmente o selo não quer pagar os honorários dos advogados envolvidos em devolver a música aos artistas.

Então, o que você vai fazer?

CLAYTON-FELT: É difícil. Cheguei ao ponto de pensar: "E se eu mudasse meu nome, ou tivesse uma banda, ou usasse um vestido e tocasse essas músicas?" Mas, pelo que entendi, deve haver uns cem artistas com os discos arquivados por causa da fusão. Minha ideia é encontrar esses artistas e fazer um disco no qual eu não possa gravar minha música, mas Joe ou seja lá quem for, pode. E Joe não pode gravar a música dele, mas o Paul pode. Cada um de nós entraria com sua melhor música e a daria a outra pessoa. Seria uma declaração de que o todo é mais importante que nossas necessidades individuais. Se isso puder ser transformado em algo positivo, fico feliz.

Acho que, na sua situação, muitos artistas desistiriam e gravariam músicas novas.

CLAYTON-FELT: Não vou desistir dessas músicas. Eu as adoro. Talvez a gravadora veja o artigo e pense mais com o coração do que com a carteira.

Infelizmente, a matéria não influenciou a Universal Music Group. Então Clayton-Felt decidiu entrar no estúdio e regravar as músicas de qualquer forma. Ele explicou por e-mail que pelo menos desse jeito podia fazer o disco como sempre quis, sem interferência de executivos, e talvez a Universal permitisse que ele o lançasse antes que os cinco anos terminassem.

Ele terminou de gravar em 10 de dezembro de 1999 — quase quatro anos depois que entregou o disco original — e disse aos amigos que finalmente estava perfeito. Mas então algo inesperado aconteceu: no dia seguinte, ele sentiu uma forte dos nas costas, que atribuiu ao estresse. Quando foi a um hospital para checar, soube que tinha câncer nos testículos.

Quando a Universal soube da doença no início de janeiro, finalmente concedeu a ele e a sua família controle sobre o disco. Mas era tarde demais: Clayton-Felt já estava em coma. Às 4h45 de 19 de janeiro, ele faleceu aos 32 anos.

Mas a morte não foi o fim da história da música de Clayton-Felt.

LAURA CLAYTON BAKER [irmã dele]: Trabalhamos para lançar o disco durante dois anos. Houve frustrações constantes: esperar papelada, esperar fotógrafos, fazer a arte, marcar datas. Tudo parecia demorar muito porque ele não estava presente para tomar as decisões.

STEVEN BAKER [Cunhado dele e presidente da DreamWorks Records]: Um monte de gente da DreamWorks apareceu, ouviu as músicas e gostou, e tem muito amor e respeito pelo disco. Então consegui que o selo o lançasse. O acordo com a DreamWorks é eles produzirem e distribuírem o disco e nossa família pagar o marketing e a publicidade.

Vários funcionários da A&M que trabalhavam com Clayton-Felt se ofereceram para fazer o marketing e a publicidade de graça. Nesse meio-tempo, a mãe dele coordenou uma rede de fãs em várias cidades para ajudar na promoção local.

MARILYN CLAYTON-FELT [mãe dele]: Ele disse que seu trabalho não estava terminado. Então tentei terminá-lo. Bom, terminar é definitivo demais. Eu tentei levá-lo para o mundo.

[BACKSTREET BOYS *CENA 1*]

Os Backstreet Boys venderam mais de 75 milhões de discos pelo mundo, um número que poucos artistas pop superaram. Em seu auge, eles eram uma força avassaladora do pop, injetando vida nova na MTV, na indústria fonográfica, na rádio infantil e em revistas adolescentes.

Mas, ao longo do caminho, uma banda muito similar com a mesma agência de empresariamento e a mesma equipe de compositores e produtores os superou em popularidade: o 'N Sync. Conforme a fama do 'N Sync crescia, os Backstreet Boys desapareciam. Depois de muita insistência, Kevin Richardson, o integrante mais velho da banda, concordou em sentar e conversar sobre os bastidores da vida de um fenômeno do pop — e o que acontece quando cinco jovens colocados para trabalhar como fantoches do pop crescem e desenvolvem ideias próprias.

Tem muita pressão sobre vocês para esse disco novo. Você sente que esse é o momento decisivo?
KEVIN RICHARDSON: É, sinto que é um disco muito crucial na nossa carreira. Em abril, completamos 9 anos juntos. Em 9 anos, lançamos cinco discos, incluindo um de maiores sucessos. Então só quero lançar algo de que me orgulhe, que me deixe feliz e animado. O último disco, não estou reclamando ou culpando ninguém, porque vendemos muito, mas não me deixou feliz pessoalmente, criativamente.

Por que não?
RICHARDSON: Eu queria experimentar mais. Sinto que deveríamos ter feito isso.

Experimentar em que sentido?
RICHARDSON: Trabalhando com pessoas diferentes — explorando, nos arriscando, tomando o controle, e confiando no *nosso* instinto. Mas, sabe, nem sempre é fácil. Havia muita pressão e muito medo da nossa gravadora e da nossa agência

de empresariamento na época. E eu dizia: "Gente, temos milhões de fãs por todo o mundo. Tudo o que importa é fazemos música boa."

Então me conte uma das suas ideias que eles não usaram.
RICHARDSON: Sabe, tivemos todo tipo de ideia. Pensamos em fazer um disco com estilos de pop. Quase como uma compilação, mas seríamos nós fazendo a música e uma foto de um pirulito na capa com as palavras: "Chupa essa."

[*Continua...*]

[BILLY JOEL]

Nos bastidores do jantar Person of the Year produzido pela organização que dirige o Grammy, Billy Joel estava sentado em uma grande poltrona, suando depois do seu discurso sob as luzes quentes do palco. Ele começou o discurso de agradecimento dizendo que Sting, que estava tentando salvar a "droga das florestas tropicais", provavelmente merecia mais o prêmio. E passou o resto do discurso tratando de uma questão importante referente a artistas do seu calibre: pedindo ao pessoal da indústria que estava na plateia para lhe arranjar um encontro com a Nicole Kidman.

BILLY JOEL: Eu sou um artista que não faz um disco desde 1993, e meu contrato diz que eu devo fazer discos. Mas não se pode tirar leite de pedra, e a gravadora entende isso. Acho que as pessoas ficam imaginando que tipo de poder uma gravadora tem sobre um artista. Nunca tive um relacionamento ruim com a Columbia Records. Tive bastante sorte de começar no início dos anos 1970, quando existiam rádios que davam total liberdade aos DJs e minhas músicas eram tocadas, eu usava as roupas idiotas que queria, tinha um cabelo horrível e todas aquelas coisas.

Mas também tiraram muita vantagem de você na época.
JOEL: Eu tenho de verificar minhas gravadoras sempre. Tive empresários que me deixaram liso. Fui depenado várias vezes. Certos promoters não são nem um pouco honestos. Eu estava com um cara chamado Artie Ripp que durante vinte anos levou parte dos meus lucros, e isso não é certo. Acho que está na hora de os artistas saírem do isolamento, pararem de viver em um mundo de sonhos, irem ao supermercado como todas as outras pessoas e descobrir como o resto do mundo vive.

No sentido de se envolver com o lado burocrático das coisas?
JOEL: É um emprego. E, se você não vê como emprego, está se enganando. Existe muito trabalho acontecendo sob a superfície dessa ponta do iceberg chamada astro. A maior é parte de sua promoção, marketing, política, negócios, parte legal e contabilidade. É a indústria da música. É um negócio, não clube de escoteiros.

Algumas pessoas responderiam que os artistas deveriam se concentrar apenas em fazer música.
JOEL: Por muito tempo, eu não queria encarar o fato de que o capitalismo estava envolvido na música. Achava que isso prostituía a arte. "Ah, meu Deus, existe dinheiro. Não estou fazendo isso por dinheiro. Estou fazendo pela arte." Bom, descobri que existem muitas pessoas totalmente dispostas a aceitar o dinheiro.

[WU-TANG CLAN *CENA 1*]

Conheci o Wu-Tang Clan em um loft no Meat-Packing District de Manhattan, onde os rappers estava assistindo a uma versão inacabada de um clipe novo e lendo livros como *The Mind* e *The Prophet*. RZA, produtor e líder do grupo, me puxou para uma escada cheia de lixo para podermos conversar em particular — e também para ele poder fumar um cigarro feito à mão. Talvez estivesse misturado com haxixe, ou com PCP; talvez com os dois; ou talvez fosse só tabaco; nunca saberemos.
A conversa começou com uma análise profunda de suas letras enigmáticas...

E quanto a [letra] "I stand close to walls, like number four the lizard"?*
RZA: Isso é só para o fã de hardcore. Tem um filme chamado *Os cinco venenos de Shaolin*. Já ouviu falar?

O Woody Allen participa?
RZA: Não.

Então não ouvi falar.
RZA: É ótimo. Você devia ver. Então, tem cinco venenos mortais, e o número quatro é o lagarto. E eles falam que ele sobe pelas paredes. Esse é o meu estilo, andar rente às paredes.

* Eu fico rente às paredes, como o número quatro, o lagarto (*N. da T.*)

抗蛇毒血清
五個致命的毒液
蛇
蠍
蜥蜴
蜈
蟾蜍
RZA
醫生 RZA

Em "Bells of War," você diz "Illegible, every egg ain't edible."* E depois, "Got to catch this paper to buy Shaquasia a glacier / Melchizedek a skyscraper".**
RZA: Você pode interpretar "nem todo ovo é comestível" de muitas maneiras diferentes: da feminina, da bíblica, da ideia de que nem tudo o que você vê é bom para você. É como um conhecimento universal. O resto da letra é sobre os meus filhos. Sabe, eu tenho que ganhar dinheiro para comprar uma geleira inteira para ela. Quero comprar um arranha-céu inteiro para o meu filho. Tenho que ganhar dinheiro.

Você tem dois filhos?
RZA: Nem sei quantos filhos eu tenho.

Não é possível. As mães não estariam atrás de você para arranjar dinheiro?
RZA: De qualquer maneira, é para isso que serve o dinheiro que eu ganho. Não gosto de falar sobre filhos. Digamos que eu tenha cinco filhos com cinco mulheres, estou trabalhando por eles. Não estou trabalhando por mim.[...]

Você ganhou algum dinheiro acrescentando o software da America Online ao CD interativo que vem com *Wu-Tang Forever*?
RZA: Não ganhei um centavo. Não sei quem ganhou, mas eu não ganhei.

Então o que é...
RZA: Espere um pouco, acha que daria para ganhar dinheiro com isso?

Acho que se a America Online vai ganhar dinheiro arranjado novos assinantes entre as pessoas que compraram o CD do Wu-Tang, vocês deveriam receber alguma coisa.
RZA: Eu não tinha ido tão fundo. É uma boa informação. Vou investigar isso.

Então qual é o seu maior plano? Aonde você está tentando chegar com a sua música agora?
RZA: Talvez eu me afaste dela. Meu irmão mais novo está fazendo músicas agora. E tem uns 21 filhos da mãe tentando usar minhas batidas, então não posso mais fazer batidas.

O que você vai fazer?
RZA: Quando eu terminar isso, vou ser médico. Essa é a minha paixão, meu objetivo de vida. Tenho alguns obstáculos a vencer. Mas vou fazer alguma coisa espe-

---

* Ilegível, nem todo ovo é comestível (*N. da T.*)
** Preciso ganhar essa grana para comprar uma geleira para a Shaquasia / um arranha-céu para o Melchizedek (*N. da T.*)

cial para o planeta. Vai ser algo duradouro. Existem 109 elementos — tudo o que você vê é composto por eles. Vou juntar essas coisas. Estou estudando tudo isso — mental, físico e químico. Estou estudando o corpo, circulação, tai chi, tudo isso.

Qual vai ser a sua especialidade?

RZA: Minha especialidade vai ser a paz. Vou conseguir, cara.

[*Continua...*]

[CURTIS MAYFIELD]

Curtis Mayfield é responsável por algumas das mais originais músicas de soul, funk e canções inspiradoras de todos os tempos, desde seu hino “People Get Ready”, com o Impressions, ao tema de *Superfly* e as samples que entraram em mais de cem músicas de R&B e hip-hop. Mas, em 1990, enquanto se preparava para um show no Brooklyn, Mayfield foi atingido por um andaime de iluminação que o paralisou do pescoço para baixo.

Em sua música, você canta sobre paz e diz que anos melhores virão. Agora, quando ouve essas músicas 25 anos depois, você sente que a paz e os anos melhores vieram?

CURTIS MAYFIELD: Bom, acredito em nunca perder a esperança. Nunca perder a fé nos seus sonhos. Apesar do que está acontecendo no mundo, existe muita gente boa — e preciso acreditar nisso. Então nunca vou desistir e simplesmente perder a esperança na humanidade em si. E sou um cara bastante pessimista (*ri*). Mas sou otimista em relação às pessoas e tenho de ser. Especialmente no meu estado de hoje. Se não fosse por muita gente boa à minha volta, eu estaria em *mau* estado. Só mantenho a fé. Era isso que o [congressista] Adam Clayton Powell dizia.

Imagino que algumas coisas tenham melhorado e outras, piorado. Acho que é assim que funciona.

MAYFIELD: A vida não é assim? Mas damos um jeito e, de alguma maneira, se você procurar, ainda pode viver pela felicidade. Pode ser um pouco mais difícil de conseguir, mas você não desiste, sabe. Não pode ceder aos perdedores, cara. Apesar dessas pessoas que puxam você para baixo e criam crime e dificuldades, você tem de acreditar que as pessoas são melhores do que isso.

O acidente mudou alguma das suas ideias sobre a vida ou sobre o que devemos fazer com o tempo que temos?
MAYFIELD: Bom, não, não mudou muita coisa. Sou a mesma pessoa. Só estou paralisado. Claro, é preciso lidar com as complicações de estar assim, mas ainda mantenho o melhor estado de espírito que posso. Ver pessoas bonitas de todas as cores, raças e credos virem me ajudar e ter o amor, o respeito e especialmente as orações delas depois do acidente me faz acreditar ainda mais na humanidade.

Você ainda consegue se apresentar?
MAYFIELD: Ah, não planejo mais me apresentar. Sendo tetraplégico, seria querer um pouco demais. É sempre uma situação de vida ou morte — quase todos os minutos do dia. Depois existe o custo de me deslocar. Sabe, quando levanto e vou a qualquer lugar, pode me custar de 10 a 20 mil dólares entre fazer os arranjos da viagem, levar uma enfermeira, tomar banho e todas as coisas que preciso para sobreviver. Então me apresentar está fora de questão.

Por um lado, tem sido ótimo ver sua música celebrada com três novas compilações e dois discos de tributo, mas, por outro lado, você gostaria que as pessoas estivessem fazendo isso mesmo antes do acidente?
MAYFIELD: Muita gente diz que não recebi o crédito que merecia na minha época, mas também nunca fiquei saturado com o sucesso. Posso não estar feito música nesses tempos em que se ganha 20 milhões de dólares por ano, mas consegui sobreviver. Criei todos os meus filhos e tenho uma vida decente. Acredito muito no ditado: "As coisas podem não acontecer quando você quer, mas sempre acontecem na hora certa."

Qual foi a coisa mais importante que você ensinou aos seus filhos?
MAYFIELD: Viver de forma exemplar.

Pouco depois dessa entrevista, a perna de Mayfield foi amputada por causa de complicações da diabetes, que ele desenvolveu devido ao ferimento. Ele morreu um ano depois no North Fulton Regional Hospital em Roswell, Georgia, aos 57 anos.

BACKSTREET BOYS
CENA 2

Diga se concorda com isto: vocês são seres humanos que algumas pessoas veem como galinhas dos ovos de ouro, certo?
KEVIN RICHARDSON: Mm-hmm.

E por causa disso, as empresas que lançam sua música estão tão preocupadas com o lucro que nem sempre fazem o que é melhor para o grupo.
RICHARDSON: Bom, quando se chega ao nível de sucesso que tivemos, muitas expectativas e responsabilidades são colocadas em seus ombros. E todo esse sucesso comercial bloqueia o lado artístico.

Então talvez [sua segunda agência de empresariamento], a Firm, fosse o lugar certo quando vocês começaram a trabalhar com eles, mas...
RICHARDSON: Quando *Millennium* foi lançado, eles eram o lugar certo. Estávamos todos muito deprimidos, tristes e cansados de lutar contra todo mundo. Estávamos lidando com processos e brigando com a nossa agência de empresariamento anterior — e eles retiveram nosso equipamento de produção, nosso palco, tudo.

Eles retiveram seu equipamento?
RICHARDSON: É, nosso empresário anterior. Estávamos tentando nos livrar dos contratos de empresariamento. Demos um ultimato a eles e mandamos advogados avisarem. E eles trancaram nosso equipamento de produção, de palco e tudo e disseram: "Vocês têm de fazer turnê, mas não vão ter seus equipamentos."

E vocês queriam sair do contrato porque...
RICHARDSON: Nossos contratos estavam apenas nos explorando. Estavam tirando vantagem de nós. Além disso eles estavam nos empresariado e contrataram o 'N Sync, e achamos que era um conflito de interesses.* Não temos nada contra os caras do 'N Sync. Eles são talentosos e nós os respeitamos, mas os estavam direcionando para trabalhos com todos os letristas e produtores com quem trabalhávamos. E os estavam usando contra nós, dizendo: "Ah, se vocês não fizerem esse show, vamos chamar o 'N Sync."

---

* Lou Pearlman, o empresário da aviação da Flórida, que criou ambas as bandas, respondeu: "Os Backstreet Boys ficaram tão grandes que se esgotaram. E, depois de algum tempo, a questão não era mais empresariá-los, mas discutir com eles."

Eu conversei com seu ex-empresário, e ele disse que a Disney quis exibir um show especial dos Backstreet Boys, mas vocês recusaram, então chamaram o 'N Sync. E foi esse especial que começou a carreira deles. Isso tem fundamento?
RICHARDSON: É, recusamos aquele show porque queríamos ficar com a nossa família no Natal. Foi Natal ou Dia de Ação de Graças, e tínhamos acabado de voltar da turnê na Europa, e isso abriu a porta para eles. Mas eles trabalharam duro. Eles mereceram. Todo mundo quer nos jogar uns contra os outros. Tudo mundo quer dizer que... nem todo mundo, mas muita gente diz, "Ah, eles ficaram com a coroa", ou seja lá o que for. Como se houvesse uma coroa.

Então como vocês recuperaram o equipamento e palco com o antigo empresário?
RICHARDSON: Nós basicamente fizemos um acordo. Nós os deixamos, e a Firm nos salvou. Sou grato por isso. Naquela época, eles tinham o Korn e o Limp Bizkit, e eram uma empresa menor. Mas agora construíram uma empresa enorme e poderosa e são boas pessoas. Por favor, não deixe de passar isso na entrevista. Não quero criticá-los, mas no último ano algumas decisões ruins foram tomadas e maus conselhos foram dados.

Como quando sua turnê foi vendida para a Clear Channel* por 100 milhões de dólares...
RICHARDSON: Grande erro.

Grande erro?
RICHARDSON: Perdemos o controle dos preços dos nossos ingressos. Grande erro. Excluímos alguns dos nossos fãs que não tinham dinheiro para ir ao show. Grande erro.

Então por que fizeram isso?
RICHARDSON: Quando colocaram aquele número na mesa, foi tentador. Mas fizemos perguntas. Perguntamos sobre a venda de ingressos. Perguntamos sobre o aspecto do controle. E disseram para não nos preocupar. E fomos prejudicados. Perdemos o controle — e fomos aconselhados a fazer isso.

Então quais foram os prós de ter aceitado?
RICHARDSON: O pró foi um pagamento de 100 milhões de dólares.

---

* A Clear Channel Entertainment era uma empresa de promoção que comprou os direitos da turnê inteira dos Backstreet Boys.

É um bom pró.

RICHARDSON: Vou dizer o que aconteceu. Fizemos um acordo com a Clear Channel por 100 milhões, certo? Fizemos a produção para tocar em arenas, depois expandimos para estádios. Gastamos esse dinheiro — *muito* dinheiro. Bom, aí a economia teve uma grande queda. E além disso, para ser honesto, quando nós e nossos empresários vimos que as vendas de ingressos do 'N Sync não estavam indo tão bem nos estádios — por sinal, o 'N Sync colocava ingressos em promoção de propósito antes dos nossos, que é...

Que é capitalismo.

RICHARDSON: Bom, o que quero deixar claro é que não temos nada contra os caras. Nós os respeitamos. Eles são muito talentosos e trabalham duro.

Tenho certeza de que não foi uma decisão da banda.

RICHARDSON: Quer dizer, eles ainda nem tinha lançado um single. Eles queriam sair na nossa frente, o que é justo. É tático. Mas quando vimos que os ingressos deles não estavam vendendo muito bem e depois a economia sofreu uma grande queda, dissemos: "Quer saber? Não devíamos tocar em estádios." Eu preferia não tocar em um estádio de 60 mil assentos com 30 mil pessoas nele. Então foi um golpe para todos nós. Quando os ingressos não vendem, alguém tem de pagar.

Sabe quem pagou? A House of Blues, porque a Firm os convenceu a dar a turnê da Mary J. Blige para a Clear Channel para compensar o dinheiro que eles perderam com a turnê de vocês.* Sabia disso?

RICHARDSON: Não, não sabia. Isso é... isso é... uau.

Mas no final, vocês foram a terceira turnê mais lucrativa do ano passado, então ainda acho que foi...

RICHARDSON: Não, não foi seguro. Não foi seguro. E essa é uma das razões para não estarmos na Firm agora.

Espere um pouco, tenho de ir ao banheiro.

[*Continua...*]

---

* Mary J. Blige era outra cliente de empresariamento da Firm. E a House of Blues e a Clear Channel Entertainment promoviam shows concorrentes.

[JOHNNY STAATS]

Para entrevistar um dos maiores bandolinistas do country, Johnny Staats, precisei conseguir a permissão do gerente dele — não de seu empresário, mas do gerente da central de envio da UPS, onde ele trabalhava como motorista. Embora Staats tivesse recentemente assinado um contrato de gravação com um grande selo através da Time Warner — um feito extremamente raro para um músico de bluegrass —, ele decidiu não largar o emprego em West Virginia. Então seu chefe me deu permissão para acompanhar de uniforme as rondas da UPS de Staats em uma fria tarde de neve.

"Eu detestaria perdê-lo como motorista", disse Doug Adams, supervisor de Staats. "Mas não sei por que um homem tão talentoso continua trabalhando aqui. Acho que é pela segurança."

Então o que vai fazer se sua gravadora quiser que você entre em turnê?
JOHNNY STAATS: Reservei todos os meus dias de férias para shows, mas acho que não posso fazer uma turnê. Tenho esposa e dois filhos, então estou meio preso entre a cruz e a espada. Este emprego dá um dinheiro muito bom, e o negócio da música é instável. Em um minuto você está vivendo de bife, e no outro só pode comer feijão.

Já pensou em se mudar para Nashville para ajudar sua carreira?
STAATS: Se eu me mudasse para Nashville, teria de viver a vida do country. Sou apenas um caipira velho: adoro tocar e caçar guaxinins. (*Ele para em uma casa vermelha dilapidada e a inspeciona.*) Nesse tipo de situação é quando você tem de tomar cuidado com Totó. Se tiver xixi na varanda, é um sinal de alerta para mim.

Ele deixa um pacote atrás de uma pá na varanda, depois volta rapidamente pelo caminho coberto de gelo até a caminhonete.

Quanto tempo você trabalha por dia?
STAATS: Em um dia normal, trabalho de dez a onze horas. No começo, trabalhava meio período para a UPS e ganhava dinheiro extra com concursos de música. Eu aprendia a tocar tudo o que encontrava: bandolim, rabeca, violão. No Vandalia, fiquei em primeiro lugar no violão, primeiro no bandolim e terceiro na rabeca.*

* O Vandalia Gathering, festival anual das raízes culturais em West Virginia, foi onde Staats foi descoberto por Ron Sowell, diretor musical do Mountain Stage, um show ao vivo transmitido pela National Public Radio. "Tenho orgulho de conhecer o cenário da West Virginia, e nunca tinha ouvido falar de Johnny Staats", relembrou Sowell. "Foi como se ele tivesse se materializado. Ele tocava tão rápido quanto um humano pode tocar bandolim, mas cada nota era articulada e controlada."

Aquele foi um bom dinheiro. Ganhei 1.200 dólares só com o concurso. Fui o campeão de bandolim da West Virginia três vezes. Teriam sido quatro anos consecutivos, mas tive de trabalhar um ano e não consegui sair.

Com que frequência você pratica?

STAATS: Eu praticava muito. No ensino médio, a única coisa que queria fazer era tocar. Eu praticava de sete a oito horas por dia. Não estava interessado em futebol americano, beisebol, nada. Eu tocava durante tanto tempo, que o sabugo das minhas unhas sangrava (*suspira*). Hoje em dia sinto falta de ter todo aquele tempo para praticar.

Muitas vezes, levo meu bandolim comigo, estaciono a caminhonete da UPS em um lugar vazio e passo minha hora de almoço treinando. Já vieram pessoas bater na porta da caminhonete, querendo saber se a música estava vindo de dentro.

Ele estaciona em um escritório de seguros e entra para entregar um pacote.

Você tem alguma influência musical além do bluegrass?

STAATS: Você gosta de música clássica? Eu ouço Mozart e Beethoven. Eles são o que chamo de gênios. Mozart tocava quatro músicas em uma composição. É assim que eu ganho os concursos: toco um monte de músicas e estilos diferentes. Para mostrar a eles que consigo fazer qualquer coisa.

Ele flerta com a secretária, lhe entrega o pacote, depois volta para a caminhonete.

O que você faria se ganhasse dinheiro suficiente para sobreviver com seu novo disco?

STAATS: Nem sei como reagiria se um dia ganhasse dinheiro suficiente como músico para sair deste emprego, porque estou muito acostumado a ir para o trabalho. Bum! Seria um etilo de vida estranho não ter de vir aqui e entregar este pacote. O negócio da música não é o mundo real.
(*Ele mostra as palmas das mãos. Elas estão pretas de sujeira.*) Isto aqui é o mundo real. Lavei as mãos três vezes hoje e mesmo assim a sujeira não saiu.

Mantendo a palavra, Staats continuou no emprego e não fez turnê quando seu CD foi lançado, embora tenha aberto um show da Dave Matthews Band. Quando eu falei com ele um ano depois, ele estava trabalhando em seu segundo CD durante os intervalos do almoço e depois do trabalho, e preparando-se para se apresentar com a West Virginia Symphony Orchestra. Posteriormente ele foi dispensado do grande selo que o contratou.

[JONI MITCHELL]

Joni Mitchell era considerada uma das compositoras mais influentes do século XX e recebeu praticamente todos os prêmios possíveis para um músico, incluindo pelo menos nove Grammys e seu rosto em um selo. Quando eu e os outros críticos de pop do *New York Times* selecionamos os discos mais significativos do século XX, *Blue*, de Mitchell, entrou na lista. Aqueles que assistiram a suas apresentações no final dos anos 1960 e começo dos 1970 ficavam impressionados, descrevendo-a como sublime e celestial. Então, quando passei três dias conversando com ela durante jogos de sinuca em Hollywood e refeições no Brentwood, fiquei surpreso ao descobrir que gratidão e humildade não eram seus pontos fortes.
Eis o que ela tinha a dizer sobre...

...sua composição.
Quer dizer, existem muitas camadas nessa música. A letra tem muita profundidade simbólica, como a Bíblia.

...produção.
Não gosto do título produtor. Mozart não tinha um.

... sua música mais famosa, "Big Yellow Taxi".
É uma rima infantil. Dentre todas as minhas criações, seria uma tragédia se você reduzisse tudo a essa.

...sua gravadora.
A gravadora está embromando para lançar esse disco, mas fazer isso comigo não é má ideia, só para tornar as coisas mais oportunas. Porque às vezes estou muito à frente, e as pessoas ainda não estão prontas.

...abrir o show de outro artista.
Só abro para o Bob Dylan. Ponto final. Ou para o Miles [Davis]. Mas o Miles se foi.

...gênero.
Um cara chegou para mim e disse: "Você é a melhor cantora e compositora feminina do mundo." Isso foi há alguns anos, e eu ri. Ele achou que eu estava sendo modesta. Mas eu estava pensando: "Como assim *feminina*? Isso é como dizer, 'Você é o melhor negro'."

"For those with the highest standards."

12-Pc. Solo Dining Set

"HEJIRA" Design — Pressed glass, brilliant finish, floral and medallion pattern, one set in carton, 30 lbs.

- **1 cup**
- **1 saucer**
- **1 bread & butter plate**
- **1 dinner plate**
- **1 footed tumbler**
- **1 cream pitcher**
- **1 sugar bowl**
- **1 salt shaker**
- **1 pepper shaker**
- **1 vegetable dish, $9^{1/2}$ in.**
- **1 platter, $11^{3/4}$ in.**
- **1 covered casserole, 9 in.**

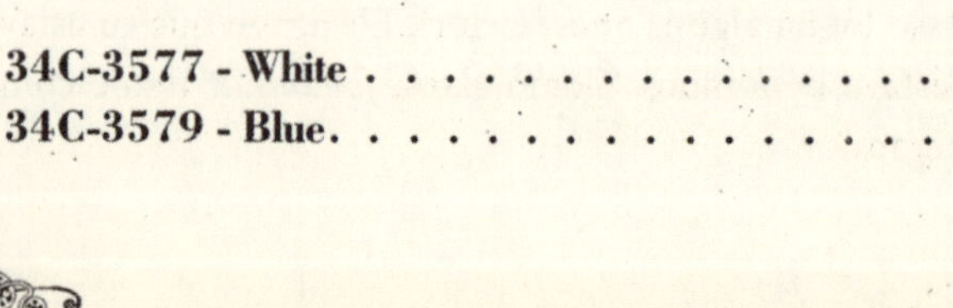

34C-3577 - White . . . . }
34C-3579 - Blue. . . . . } **Set $5.^{50}$**

...astrologia.
Minha filha é de peixes; ela nasceu no dia do explorador. Eu sou do dia do descobridor. Ela é uma seguidora natural. Eu sou uma líder natural. Não posso evitar. As estrelas me colocaram nessa posição.

...seus prêmios do Grammy, *Billboard* e Rock and Roll Hall of Fame.
Honras dúbias. Eles sabiam que tinham de fazer isso, mas eles — pelo menos os oradores — não sabiam bem o que destacar no trabalho.

...caridade.
Depois que a *Billboard* me homenageou, de repente o VH1, que não passava meus vídeos, decidiu me homenagear, o que significa que eles conseguem um show meu de graça. Então me dão um cheque para minha instituição de caridade preferida, eles o levam embora e descontam imposto. Então me recusei a fazer.

...uma matéria sobre ela publicada dois anos antes no *New York Times.*
O cara era um mau observador, até sobre o que eu estava vestindo. Havia sete erros de observação na matéria.

...todas as anteriores.
Você acha que tenho uma mente incisiva ou coisa assim? Acho que tenho. É, sou sensível (*pausa*). Não sou uma criatura lastimável. Apenas sofro de forma muito eloquente.

[JAY LENO]

Pouco antes do que deveria ser sua última apresentação no *Tonight Show*, antes de entregar as rédeas ao mais jovem Conan O'Brien, Jay Leno, usando uma camisa de botão velha e um jeans desbotado, se sentou em uma sala de espera nos bastidores do programa para conversar sobre deixar para trás seu legado de 3.756 apresentações. Eis alguns trechos escolhidos.

Já ouve alguma época em que você chegou ao estúdio e simplesmente não queria fazer o programa?
JAY LENO: Eu gostaria de responder que sim, mas admito que não. Digo, é isso o que o trabalho é. Acredito muito em baixa autoestima. As únicas pessoas que têm autoestima alta são criminosos e atores.

Eu me lembro de ter entrevistado a Joni Mitchell, que estava ganhando vários prêmios, mas não estava nem um pouco grata.

LENO: Adoro quando as estrelas dizem: "250 mil dólares por semana? Eu não vou trabalhar por isso!" Um milhão por mês e você se sente insultado — sério? Acha que não pode ser substituído?

Não posso dizer que já fiquei assim. Tenho vontade de rir quando as pessoas dizem: "Ah, o Jay está exausto." O [comediante] Alan King sempre dizia que a exaustão é uma doença dos ricos. Sabe, se um mineiro diz para o chefe: "Estou exausto", o chefe responderá: "Volte ao trabalho!"

Você já entrevistou alguém de quem não gostava e teve de se controlar?

LENO: Bom, sim, isso acontece muito. Sabe, não posso falar que me vier à cabeça — digo, com a exceção do O. J. e esse tipo de convidado. Mas também existem convidados com quem você não concorda politicamente, mas acha que deve recebê-los. Eu me lembro de ter recebido a Ann Coulter no programa. Na minha cabeça, por causa da natureza do que eu faço, pensei: "Bom, ela é uma satirista mordaz. É um tipo de comentário cáustico com o qual não concordo, mas consigo enxergar sua inteligência." E então, quando ela estava lá, saí para fazer o aquecimento e vi uma espécie de brigada de camisa branca e gravata vermelha na plateia. E tudo o que ela dizia, eles comemoravam e aplaudiam a um ponto que chegava a distrair. Pensei comigo mesmo: "Bom, talvez ela acredite mesmo em toda essa bobagem." Eu não lidei bem com essa.*

Muita gente diz que o segredo para se dar bem no show business é chegar na hora.

LENO: No show business, se você consegue fisicamente subir ao palco durante sete anos, sempre vai trabalhar. A maioria das pessoas não consegue fazer isso. É a cocaína, você é hétero demais, você é gay demais, você é qualquer coisa demais. Vejo muitos comediantes que, depois de cinco ou seis anos fazendo um número, começam a odiá-lo e se ressentir porque a plateia está rindo. Ninguém era mais

* Branford Marsalis, que liderava a banda ao vivo de Leno, tinha uma reação ainda mais forte em relação a alguns músicos que tinha de tolerar. "Não ouvi nada novo que eu goste no programa. Muitas bandas que recebemos são simplesmente ruins, especialmente aquelas de rock alternativo. Elas conseguem tocar em estúdio, mas não ao vivo... vejo a plateia aplaudindo enquanto eles estão tocando, e me pergunto se é só porque são fãs da banda e não se importam, ou por maldade. Porque certamente não é porque a banda é boa."

engraçado do que Sam Kinison com aquele grito enérgico. Mas chegou a um ponto em que ele era apenas cocaína e armas, e de repente você está a 200 km/h na rua e — Bum! Bum! — ele não chegou aos sete anos. Se você conseguir chegar aos sete, está bem.

Quando decidiram, há cinco anos, que Conan O'Brien assumiria o programa, foi estranho para você saber que ia ser substituído?
LENO: Sabe, comandar esses programas é como estar na Rússia czarista. Existe muita raiva e derramamento de sangue. Então eu disse: "Olhe, está tudo bem. Vamos ver o que acontece." Porque, na época, pensei: "Pff, cinco anos... isso nunca vai chegar!" Mas quando aconteceu, eu ainda gostava de fazer o programa. E a ABC, a Fox e todo mundo parecia interessado.

Por que você não considerou ir para outro lugar?
LENO: Sabe, o show business não é tão difícil. As pessoas o tornam extremamente difícil. O problema começa quando você quer ter todo o dinheiro do mundo. Eu não preciso de todo o dinheiro do mundo. Somos apenas minha mulher e eu. Não tenho agente. Não tenho empresário. Eu já disse isso 1 milhão de vezes e é clichê, mas nunca toquei em um centavo do dinheiro da TV. Eu o coloco no banco e vivo do dinheiro que ganho como comediante de stand-up.

Se você tivesse um agente, ele lhe diria: "Vamos tentar arranjar uma contraoferta e começar uma guerra de lances."
LENO: É, é uma idiotice. Para mim, se eu sempre ganhar um pouco menos que o cara mais bem pago, tudo bem. Você não pode comer a torta toda. Se comer a torta toda, vai ficar gordo, engasgar e morrer. Se comer o que quiser e depois der um pouco de torta para outras pessoas, vai ter um monte de amigos contentes porque lhes deu um pedacinho de torta. Não é tão difícil.

Até que ponto você acha que sua moderação e sua longevidade são um resultado da maneira como você foi criado?
LENO: Minha família era extremamente estável. Tive ótimos pais. Não fui um daqueles caras com pai bêbado e mãe vadia. Tive uma infância maravilhosa, e nunca passei por nenhum problema.

Se tive alguma coisa era uma sensação de que a minha mãe tinha chegado a este país aos 11 anos. Minha avó havia fugido com um homem mais novo, e meu avô tinha filhos demais e não podia sustentá-los. Então minha mãe veio para os

Estados Unidos morar com a irmã, e sempre foi permeada pela tristeza. Sua inclinação natural era não ficar rindo. Então quando eu era criança, sempre sentia que tinha de animá-la de alguma maneira. Tirar uma risada sequer da minha mãe era visto como uma grande coisa.

Do que você acha que mais vai sentir falta no *Tonight Show*?
LENO: Não sei. Sou uma pessoa de hábitos e gosto de fazer a mesma coisa todos os dias. Não vou saber até ter ido embora.

Existe alguma coisa que o deixe melancólico? Como, "Esta é a última vez que vou estar neste palco" ou...
LENO: Não, digo, gosto daqui e adoro as pessoas e está tudo bem. Mas o que acontece no dia que formos embora? Um caminhão chega, derruba tudo e isto deixa de existir em algum nível em algum lugar. Desaparece. Então você não pode ficar tão apegado. O principal sobre o show business é: não se apaixone por uma prostituta.

Evidentemente, Leno se apaixonou pela prostituta: nove meses depois, quando tanto o novo programa de Leno quanto o Tonight Show *fracassaram em gerar boas audiências, Conan O'Brien recebeu 33 milhões de dólares para se afastar e permitir o retorno de Leno ao programa.*

[THE GAME *CENA 1*]

O Game não queria tirar a camisa.

Embora não tivesse nenhum problema em posar com os músculos flexionados e o torso tatuado exposto para a capa de seu primeiro disco, *The Documentary*, ele não queria ficar sem camisa para a sessão de fotos da *Rolling Stone*. Também se recusava a posar de regata.

Depois de alguns minutos usando um gorro preto, jeans desbotados e uma camisa branca larga que tinha um volume ao lado direito, com a silhueta do cabo de uma pistola — no que talvez tenha sido a sessão mais rápida da história da *Rolling Stone* — ele entrou em sua Range Rover preta e foi embora do estúdio em West Hollywood, seguido pelo resto da sua entourage em Range Rovers iguais.

Por que você não quis posar sem camisa?
GAME: Meu disco está em primeiro lugar no país, então posso fazer o que quero. Não preciso deixar ninguém mandar em mim (*assente e sorri*). Eu sou platina, cara. Já sou milionário e ainda nem recebi um cheque pelo rap. Isso é só dos meus mixes de música e dos meus contratos de publicidade.

Logo você vai ganhar cheques de royalty.
GAME: Fodam-se esses cheques. Eu nem preciso desses cheques, cara. Não estou tentando ganhar a maior parte do meu dinheiro com o rap; estou procurando investimentos, contratos de publicidade, filmes. Quero mesmo é acabar nos filmes. O Ice Cube deve ter um bom dinheiro.*

Você se vê como artista ou homem de negócios?
GAME: Sou um homem de negócios. No final das contas, sou um jovem empreendedor negro, cara. O rap é minha base. Depois tem vários ramos: o acordo da Nike, o acordo da Vitaminwater, acordo da Boost Mobile, tem a coisa do filme. Quer dizer, até o meu filho está em todo lugar: ele está para fazer um acordo com a Sean Jean e a Huggies está ligando.

Ele pisa no feio e para cantando pneus e vira a esquina da Melrose com a Spaulding.

Então, para onde vamos agora?
GAME: Para o lava-jato. É o melhor lugar de LA para lavar o carro. E só custa 7 dólares.

[*Continua...*]

[THE NEPTUNES *CENA 3*]

Dois dias depois...

PHARRELL: Oi, é o Pharrell. Desculpe ter demorado tanto (*ligação falha*)... É, vá em frente cara.

---

* Ice Cube sobre dirigir: "As limitações de dinheiro são a única coisa que me fez sentir que estava sobrecarregado porque não tínhamos dinheiro suficiente para filmar muitas cenas que eu queria no filme. Se tivesse 2 milhões de dólares a mais, o filme seria mais bem filmado."

Então vou ser rápido; eu só queria...

PHARRELL: Uh-huh (*falhando*). Espere um Segundo... Ben, ligue para 438-7897 e diga a ela que estou indo para lá... OK, cara, posso ligar daqui a pouco? Prometo que vou ligar em seguida. Eu quero fazer essa matéria.

[*Continua...*]

Liderada por um dos poucos cantores afro-americanos de rock psicodélico dos anos 1960, a banda Love, de Los Angeles, lançou um dos melhores discos do gênero, *Forever Changes*, uma obra lindamente orquestrada e entremeada de letras surreais. Atormentada por abuso de drogas, prisões e loucura, a banda mal sobreviveu à era. O que se segue foi tirado de uma entrevista por telefone com o recluso líder do Love, Arthur Lee.

Qual é sua história de bastidores favorita?

ARTHUR LEE: Eu estava nos bastidores, tendo que ouvir a Janis Joplin cantar. O Grateful Dead estava abrindo para nós. Eu usava óculos triangulares, e o Pigpen* voltou para o camarim dizendo: "Sabe o que falam sobre pessoas com óculos triangulares? Elas têm mentes triangulares." Eu meio que assenti, mas depois, quando estava conversando com o resto da banda, me dei conta do que ele tinha dito. Se eu tivesse percebido na hora, teria quebrado as duas pernas dele.

O que ele quis dizer?

LEE: Você sabe.

Acho que não sei.

LEE: (*silêncio.*)

Então, quais são seus planos para o próximo disco?

LEE: Quando eu acordar, quero me ver levantando no horizonte. Quero ser grande.

Isso é bem grande.

LEE: É, o pop precisa de um rei, e eu sou ele.

---

* Ex-integrante do Grateful Dead, que morreu de hemorragia gastrointestinal aos 27 anos.

Uma das minhas letras preferidas de vocês é: "Oh, the snot has caked against my pants / it has turned into crystal".* Um amigo meu ouviu isso uma vez e disse: "Seja quais forem as drogas que ele estiver usando, eu quero usar."
LEE: O quê? Não havia nenhuma droga envolvida.

Ele estava falando metaforicamente, como um elogio.
LEE: Nada de drogas! (*Clique*)

Desliga.

Pouco depois dessa entrevista, Lee foi preso por posse de armas. Ele foi solto cinco anos e meio depois. Em 2006, ele morreu aos 61 anos por complicações de uma leucemia.

THE GAME
CENA 2

A chegada do Game ao lava-jato causou uma espécie de comoção. Adolescentes tiravam a capa do CD dele do carro para ganhar autógrafos; um amigo do Game mostrou seu novo Mercedes-Benz de 75 mil dólares, e um empresário de música conduziu o Game para dentro de sua SUV para ouvir músicas inéditas de um rapper chamado Smitty. Quando saiu da SUV, Game se gabou para o empresário...

GAME: Encontrei com o [produtor de cinema] Joel Silver. Ele quer me contratar para cinco filmes. Ele quer me transformar no próximo DMX (*pausa*), mas sem o crack.

Você já atuou?
GAME: Sou multifacetado. Tenho uma ótima personalidade, então posso atuar. Dá para perceber, durante a entrevista, que consigo fazer praticamente qualquer coisa. Se me mandarem atuar como se estivesse chorando, vou atuar como se estivesse chorando. Não é grande coisa. Não sou nem um pouco tímido. (*Acena para um amigo que passa.*) É o Steve, um dos meus amigos brancos. Também tenho amigos brancos.

---

* Oh, a meleca grudou na minha calça / ela se transformou em cristal. (*N. da T.*)

Notei que, em tudo o que você faz, tem o impulso de ser bem-sucedido, custe o que custar.
GAME: É isso mesmo. Eu dou 100 por cento em tudo o que eu faço, seja vendendo crack ou no estúdio com o Dr. Dre.

Como você começou a vender crack?
GAME: Eu não vendia porque não queria ferrar a vida de ninguém. Minha mãe vai lhe dizer que não lamenta as coisas que eu fazia para conseguir dinheiro, porque fiz o que fiz para alimentar a minha família. E, como homens, precisamos fazer isso, custe o que custar.

Mas se você fosse pego, não poderia alimentar ninguém.
GAME: É, essa é uma maneira de pensar. Quer dizer, ter vendido crack na esquina em Compton não contribui para a epidemia de crack nos Estados Unidos. Se eu não estivesse na esquina, e sim em uma faculdade jogando basquete, haveria outro cara na esquina vendendo crack. Eu tinha que fazer o que era preciso para sobreviver. Qualquer um faria o mesmo. E as pessoas que não fariam são pessoas sem força de vontade, e as vemos como um sinal de que estamos perdendo o rumo.

Qual foi o primeiro dinheiro que você ganhou?
GAME: Acho que o primeiro dinheiro que arranjei não foi ganho. Provavelmente foi roubado.

De quem?
GAME: Da minha avó, cara, ou da minha mãe ou coisa assim. Eu era um idiota com os meus pais, a minha mãe e a minha avó, e passei os últimos três anos tentando compensar. Agora minha mãe está feliz. Ela aparece no vídeo novo.

Existe algum paralelo entre a maneira que você chegou ao topo como rapper e como vendedor de crack?
GAME: Tive sucesso vendendo crack simplesmente por ter o melhor produto, cara. Muita gente não sabe cozinhar o crack. Você tem de fazer direito. E mesmo assim o retorno financeiro não é muito grande no começo, a questão é ter longevidade, sabe. Todo mundo vai para onde a coisa boa estiver. O bom lava-jato fica na Melrose: todo mundo vem de longe e de perto para um lava-jato bom. Os problemas começam quando você está tentando ganhar dinheiro rápido e não faz um produto bom.

Outros traficantes tentaram tirar você de lá?
GAME: É, isso aconteceu. Fui baleado. Bom, não sei se foi por isso que atiraram em mim. Não tive como perguntar antes de eles irem embora. Mas acho que teve

muito a ver com isso, cara. E funcionou. Eles me tiraram do prédio.* Mas e daí? Agora eu sou rico.

Você poderia ter feito alguma coisa diferente naquela noite para impedir que isso acontecesse?
Game: É, podia não ter aberto a porta, o que foi meu primeiro instinto, porque, quando vende drogas, você precisa ter um método de venda e regras. Uma das regras era não vender drogas depois da meia-noite, e já eram quase 2 horas. Eu era ganancioso, cara. Abri a porta, e entraram os invasores. Eles eram como os Decepticons.** Era eu contra eles e eles estavam em maior número. Mas eu sobrevivi, cara. Posso dizer honestamente que não desejaria isso para ninguém, cara. Balas não são a melhor sensação na sua barriga.

Você tem medo de ser morto a tiros como o Billboard?***
Game: Não sou covarde, cara. Sei que a morte está vindo. Não é algo que eu tema ou de que esteja fugindo. Vai acontecer. Então sou eu contra o tempo agora. Estou lutando contra o tempo para fazer todas essas coisas antes que seja a minha hora.

Como você se sente sobre as vezes em que esteve do outro lado da arma?
GAME: Eu atirava do banco do carona com meu irmão Fase. E fomos de gangue por muito tempo. Mas também fui à escola, tirava A e consegui uma bolsa para uma das dez melhores universidades. Até hoje, não tenho nenhum arrependimento sobre as coisas que fiz, boas ou ruins, porque nunca fiz nada a ninguém que não fosse uma ameaça na minha vida ou dos meus familiares. Eu meio que sinto que as pessoas a quem fiz coisas mereciam, porque nunca comecei nenhuma guerra.

Mas você os matou?
GAME: Eu matei alguns, cara.

Percebi que você estava armado.
GAME: Sempre vou estar armado pelo resto da vida, cara. É meu nível de conforto. Eu preferia gastar dinheiro com advogados e tentar ganhar um caso do que estar morto em um caixão sem lutar contra nada.

[*Continua...*]

---

* Em 2001, três homens entraram no conjunto habitacional onde Game vendia em Bellflower (perto de Compton), deram cinco tiros nele e fugiram com seu dinheiro e suas drogas. Quando acordou, depois de três dias em coma, Game decidiu encontrar uma maneira mais segura de ganhar dinheiro, então se voltou para o rap e para os imóveis.

** Os robôs alienígenas malignos de *Transformers*.

*** Um rapper, melhor amigo de Game, que foi morto pelo membro de uma gangue rival.

[ADVOGADOS DE MÚSICA]

Uma das tarefas mais desagradáveis de ser jornalista é lidar com advogados. Chamá-los de mentirosos seria difamatório, então é melhor deixar que falem por si próprios.

Você ia me dar um relato detalhado de...
ADVOGADO: Eu ia falar disso com você.

Certo.
ADVOGADO: Os primeiros relatos, particularmente os da V, tinham as seguintes declarações: 1, ela teve uma overdose de heroína e, 2, ela foi levada para o hospital e estava sob a influência de heroína. Ambos são absolutamente falsos. Antes de mais nada, ela não teve overdose de nada e não foi tratada em um hospital por causa de uma overdose.

Então por que ela estava no hospital?
ADVOGADO: Ela teve uma reação alérgica.

A quê?
ADVOGADO: A, ãhn, er... vou pensar nisso em um instante, mas... vou pensar nisso antes de começarmos. Mas ela teve uma reação alérgica...

Então de onde vem a informação da overdose?
ADVOGADO: Não sei. Eu não posso, ãhn... não posso ser responsabilizado por declarações errôneas da imprensa, sabe, referentes a onde e como...

Eu estava me perguntando se você tinha alguma ideia de quem teria...
ADVOGADO: É, pessoas irresponsáveis da mídia! Ãhn, espere um segundo. Vou lhe dar o nome da coisa ou vou continuar pensando (*sons de movimento e papéis*). Xanax. É um tipo de droga com prescrição. Eu nem deveria dizer droga. É um *medicamento* com prescrição que você toma para lidar com a depressão.

Não acho que seja um antidepressivo.
ADVOGADO: Bom, isso é meio cruel. Meio que parece um Prozac ou coisa do tipo. É uma medicação indicada pelo médico. É uma versão mais suave do

Valium. Algo assim. Mas não chega a ser... não é alguma coisa que cause vício.*
Não é um tipo de droga que dê uma onda.

Acho que não era alguma coisa que ela estivesse tomando anteriormente se ela teve uma reação alérgica.
ADVOGADO: Se estava ou não, não sei, mas ãhn... em outras palavras, não acho que isso ou qualquer outra coisa abra seu passado médico inteiro. Ela teve uma reação alérgica ao remédio.

E quanto à heroína?
ADVOGADO: Ela não estava sob a influência de heroína. Ela não teve uma overdose. Passei duas horas com ela na delegacia e fiquei mais duas horas com ela depois. Exerço direito criminal há 25 anos e vi pessoas sob a influência de todos os tipos de substância, e ela estava absolutamente sóbria. Na verdade, ela não foi fichada por estar drogada.

Por que ela foi fichada?
ADVOGADO: Por quatro coisas. Um, posse de narcóticos. Dois, recebimento de propriedade roubada.

Qual era a propriedade roubada?
ADVOGADO: A acusação era sobre um bloco de prescrição que foi encontrado na suíte de hotel dela. A resposta simples é que conversamos com o médico dela, e ele o tinha deixado lá quando foi visitá-la. Então não é propriedade roubada. Não havia nenhuma prescrição escrita nele. É tarefa da polícia investigar, mas estou confiante de que isso não vai a lugar algum.

E quais foram as outras duas acusações?
ADVOGADO: Outra acusação foi posse de acessórios para drogas. A quarta envolve posse de uma agulha hipodérmica, que é uma acusação à parte.

Mas nada disso tem qualquer relação com a entrada dela no hospital?
ADVOGADO: Não! Ah, ela... não... nada disso mesmo.

Certo. Então as acusações por narcóticos que você mencionou, o que era?
ADVOGADO: Não eram narcóticos! É um... é... a polícia encontra pó branco — ou alguma coisa que parece pó branco. Então prende alguém por posse de drogas. Mas não são drogas! Eu sei o que é. Eu sei de onde veio.

---

* Segundo H. Westley Clark, do U.S. Department of Health and Human Services: "Xanax pode causar e causa vício. Os efeitos não devem ser minimizados." Em 2008, estimou-se que 13 milhões de pessoas estavam viciadas em drogas da família do Xanax.

Você poderia me dizer?

ADVOGADO: Claro! Com certeza. São cinzas... são cinzas hinduístas de boa sorte, que ela recebeu de seu advogado artístico.

Então não é nada que alguém tome ou injete?

ADVOGADO: Bom, não sei o que se faz com cinzas hinduístas de boa sorte. Acho que você...

Também não sei, então estava perguntando.

ADVOGADO: OK, acho que você as carrega para ter sorte.

Então não é algo que você ingeriria.

ADVOGADO: Não, você não ingere! Não. Certamente não é algo que você beba ou coma. Digo, é... eu certamente não decidi estudar a fé hinduísta para representá-la adequadamente. Sei que não são drogas. Eu sei de onde aquilo veio.*

Então acho que o que você está dizendo é que a única acusação que tem algum peso é a agulha hipodérmica?

ADVOGADO: Eles encontraram uma agulha hipodérmica. E explicamos o que ela estava fazendo lá, e não era por causa da administração de drogas.

Por que outro motivo estaria ali?

ADVOGADO: Bom, isso é... é o seguinte: vá ao tribunal e vai descobrir.

[KORN *CENA 2*]

Quando uma banda que está no auge sobe ao palco, poucos espetáculos são mais poderosos e impressionantes. Essa é uma das razões por que as mulheres se jogam em cima das bandas depois. Mas o que muitos fãs e groupies não veem é a confusão em que muitas bandas estão antes de subir no palco. No dia seguinte à reclamação de Davis sobre não ter respeito, o Korn estava em uma van a caminho do Fuji Rock Festival em Tóquio para seu primeiro show ao vivo em 13 meses.

FIELDY: Preciso de uma bebida.

* Uma busca no Google na época da publicação deste livro não produziu resultados independentes para "cinzas de boa sorte hinduístas".

IF YOU WANT YOUR

NERVES *TO BE* **HEALTHY** *&* **STRONG**

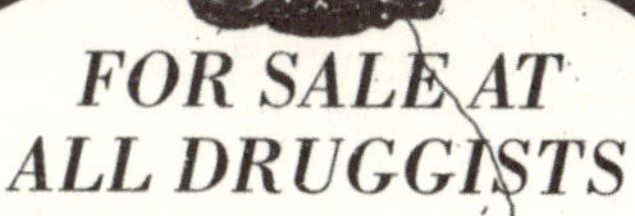

TRY **"EAR OF CORN"** *BITTERS*

CURES SOURNESS OF THE STOMACH, WEAKNESS OF THE STOMACH, BELCHING OF THE STOMACH, DYSPEPSIA, BILIOUSNESS, NERVOUS HEADACHE, DEAFNESS, EFFECTS OF DISSIPATION AND LATE HOURS, CHOLERA MORBUS, CONSTIPATION, DIARRHEA, STAGEFRIGHT, BRUISES, TOOTHACHE, EARACHE, FROST FEET, AND DERANGEMENTS.

JONATHAN DAVIS: Nunca vi você beber tão cerdo. Você está nervoso.

FIELDY: Eu vomitei hoje de manhã. Todos os outros estão tão nervosos que toda vez que pensam no show ficam enjoados. Eu tomei um blister inteiro de Xanax.

MUNKY: Meu coração está batendo a 100 Km/h. Não consigo sentir as mãos. De verdade.

DAVIS: Já fiz 7 mil shows, e ainda estou apavorado. Acordei às 5h da manhã, escrevi a letra de todas as músicas e as cantei de cabo a rabo. Estou enjoado.

HEAD: Seja forte, cara, como o Ozzy. Ele acordaria de manhã, tomaria quarenta garrafas de Jack, e subiria no palco.*

DAVIS: Eu não sou um homem. Sou uma bichinha.

HEAD: É, na verdade estou ansioso pela primeira vez. Sonhei que o Caco [o técnico da guitarra] tinha ferrado meu quadro de pedais e só tinha três lá. Então sonhei que vocês mudavam a ordem das músicas e não me contavam. Eu ficava tocando as músicas erradas.

FIELDY (*agressivamente*): O Head vai estragar tudo na frente de 50 mil pessoas no palco. Seus pedais podem dar uma merda enorme. Se um quebrasse, você estaria fodido.

HEAD: Não, não estaria... depois sonhei que a Rosie O'Donnell era nossa contadora. Ela me ligava e dizia: "Eu odeio essa merda de shows. O que quero mesmo é entregar seu dinheiro."

MUNKY: Alguém está com o pau doendo de tanto bater punheta?

Nos bastidores, o nervosismo da banda não diminuiu em nada.

FIELDY: Vamos entrar no palco juntos, como uma gangue, sabe, irmão. O bando todo. Todo mundo (*a banda começa a andar para o palco*). Andem devagar, isso vai deixar vocês mais confiantes.

DAVIS: Não consigo andar devagar. Estou apavorado demais.

HEAD (*para Loc*): Se eu for uma droga, você vai me dizer que fui ótimo mesmo assim?

LOC [guarda-costas e protetor do Korn]: Não, vou dizer que você foi uma droga e que precisa entrar em forma.

O show, como previsto, é um desastre. Head machuca a própria cabeça com a guitarra, e bate tanto sol no palco preto que a banda inteira parece estar a ponto de desmaiar. Mesmo assim, dezenas de milhares de garotos japoneses, nunca tendo visto o Korn antes, enlouquecem, abrindo inclusive uma roda punk (uma raridade nos shows japoneses). Quando a banda sai do palco...

---

* Na verdade, Ozzy Osbourne morre de medo do palco.

FIELDY: Fomos uma droga. Pode publicar isso.
DAVID SILVERIA: Você vai escrever sobre como fomos ruins?

Sério, vocês não foram tão mal, mas o final se perdeu.
SILVERIA: Eu não me perdi. Fui até o fim. O resto da banda desmoronou.

Meia hora depois, Davis me aborda.

DAVIS: O que eu devo fazer?

Sobre o quê?
DAVIS: Estou de saco cheio.

Não, não está.
DAVIS: Estou, sim.

Não, você está animado. Você fez seu show e teve os equipamentos que queria.
DAVIS: É, eu fui bem. O que você diria sobre a banda? Perdida?

Todo mundo tem dias bons e maus.
DAVIS: Somos o Korn. Nunca estamos perdidos. Como você acha que chegou aqui?

Você precisa fazer uns trabalhos solo?
DAVIS: Nunca. Nunca, nunca, nunca.

Então você está puto com a banda?
DAVIS: Não é culpa deles. É nossa primeira vez no Japão. Faz um ano que não tocamos. O Fieldy está totalmente bêbado e delirante. E o Head acha que se machucou, está perdendo a consciência e vai para o hospital tomar pontos, mas dão um Band-Aid para ele. Você viu com o que estou preso aqui? São quatro contra um.

No dia seguinte, Davis desmorona. Literalmente. Ele tem um ataque de ansiedade e passa o resto da vigem na cama, com Loc servindo de babá. Quando apareço para uma visita, Munky está parado lealmente fora do quarto de hotel.

MUNKY: Estou muito mal por causa do Jonathan. Acabei de fazer massagem nas costas dele. Mas às vezes simplesmente não sei o que fazer por ele.

Dentro do quarto...

Como você está?
DAVIS: Um pouco melhor.

Isso já tinha acontecido antes?
DAVIS: Meu primeiro ataque de ansiedade foi há uns cinco anos: tomei Mini Thins* demais enquanto estava bebendo, e isso me deixou ansioso. Então tiveram de chamar o Loc para mim. Com o álcool, fico bêbado demais e acordo, e é como uma abstinência. Eu fico trêmulo, suado, perco a porra do juízo. E o estresse: estresse extremo. Meu estômago está cuspindo ácido na minha garganta (*sorri debilmente*). Mas acho que tudo tem de ser dramático ou não seria bom.

Ou você poderia simplesmente parar de beber?
DAVIS: Meu psiquiatra disse que deveria estar me ajudando, mas só está procurando maneiras de me deixar alto. Mas talvez eu *devesse* começar a tomar antidepressivos — ou ir para o AA. Quando a banda está toda de palhaçada, a única maneira de me sentir confortável com eles — como se eu pudesse me juntar a eles — é quando estou bêbado.

Se precisar de alguma coisa hoje, me fale.
DAVIS: Tudo bem. Desculpe por não poder sair com você em Tóquio hoje à noite, cara. Eu vou compensar. Vou levar você para Bakersfield.
LOC (*particularmente para mim*)**:** Eu sou médico, psiquiatra, irmão, guarda-costas e pai desses caras. Todo mundo tem medo deles, mas na verdade são só garotos.

[*Continua...*]

Quatro horas depois...

PHARRELL: Oi, quero fazer essa porra de entrevista. O fato de que vocês nos escolheram e o fato de estarem interessados... quero responder o que vocês precisarem... pergunte o que quiser.

* Uma pílula dietética com efedrina que os caminhoneiros usam para ficar acordados.

OK. Você estava começando a me contar antes sobre os projetos em que está trabalhando agora.

PHARRELL: Agora?... Espere um pouco... (*para outra pessoa:*) Veja se conseguimos mais dinheiro... posso ligar para você em um instante?

[*Continua...*]

[BACKSTREET BOYS *CENA 3*]

Kevin Richardson volta do banheiro e vamos para o carro dele, onde ele toca novas gravações dos Backstreet Boys nas quais está trabalhando.

Com seu disco *Greatest Hits*, sinto que sua gravadora ou empresários precisavam de mais dinheiro, então eles o apressaram.

KEVIN RICHARDSON: É o seguinte, nós cinco queríamos lançar um disco com os maiores sucessos no nosso aniversário de dez anos. Era o que queríamos fazer. Achamos que lançar agora seria cedo demais na nossa carreira. Foi por isso que o chamamos de Capítulo Um.*

Sua agência de empresariamento não deveria estar brigando por vocês?

RICHARDSON: Bom, nossa agência de empresariamento apoiou o disco e nós, não. E a gravadora ia lançar de qualquer maneira. Então é promover ou brigar com seu selo, não promover e arriscar ir muito mal. Mas, no final, quem vai sair prejudicado? Não vai ser a gravadora. Seremos nós. Mas é frustrante porque nós cinco estamos tentando criar uma carreira duradoura, e é como se às vezes o nosso selo, cara, sei lá. É um mal necessário. Não quero ficar reclamando, mas...

Mas eles vão fazê-los trabalhar até morrer se vocês deixarem. Você não tem vontade de tirar uma folga e não ser um Backstreet Boy?

RICHARDSON: É verdade, e também foi nossa decisão a princípio. Não paramos durante cinco ou seis anos. Mas quando o Brian [Littrell, primo e companheiro de banda dele] teve de fazer uma cirurgia no coração, eu me dei conta, tipo: "Uau, o que estamos fazendo? Temos de desacelerar e cuidar de nós mesmos." Porque até eu dizia: "Vamos lá, vamos lá, gente, vamos nessa."

---

* Quase uma década depois, o Capítulo Dois ainda não foi lançado.

O problema de saúde do Brian teve algo a ver com a carga de trabalho?

RICHARDSON: Sim. O Brian nasceu com um defeito congênito no coração. Ele tinha um buraco no coração e precisava fazer um check-up todo ano. E esse ano, tínhamos passado tanto tempo em turnê tanto e ele tinha, sabe, trabalhado sem parar, então esse buraco estava aumentando. O médico disse: "Você tem de cuidar disso." E eu me lembro do empresário da época dizendo: "Bom, não dá para adiar até o fim da turnê?" E isso magoou muito o Brian, porque ele pensou: "Cara, é o meu coração."*

Uau, isso foi frio.

RICHARDSON: É, isso abriu os olhos de todos nós. Ainda que, mesmo nessa altura, para ser sincero, eu ainda estivesse estalando o chicote — "Ah, cara, vamos, você tem de ir" —, até que o vi na Mayo Clinic depois da cirurgia. Aquilo realmente me acordou e eu pensei: "Quer saber, esse é o meu primo. Acabaram de abrir o peito dele e tirar seu coração. E aqui estou eu preocupado em voltar para a estrada e vender discos." Foi um grande choque de realidade para mim.

Como o Brian se sentiu por você estalar o chicote naquela época?

RICHARDSON: O Brian ficou magoado, sabe. Eu o magoei. Ele sentiu que todos nós o magoamos, porque não entendíamos. Mas depois daquilo, eu o entendi ainda melhor. Aquilo nos aproximou.

O que você faria se tudo isso acabasse amanhã?

RICHARDSON: Epa, epa. Se tudo isso acabasse amanhã no sentido de ninguém dar a mínima para nós e não vendermos mais nenhum disco?

Sim, exatamente.

RICHARDSON: Acabei de me casar e quero começar uma família em alguns anos ou sei lá. Se você não pode desfrutar seus amigos, sua família e seu sucesso, então de que adianta? Porque, sabe, é legal ter fama e dinheiro no bolso, mas — isso é muito clichê — isso não é o que importa. Ninguém quer ser rico e exausto — mal-humorado, velho e deprimido porque não tem ninguém com quem dividir isso.

Depois que os Backstreet Boys lançaram seu disco seguinte, Never Gone, *Richardson deixou a banda. Um ano depois, ele e sua esposa Kristin tiveram o primeiro filho, Mason.*

---

* Chamado a responder à acusação de Kevin, o ex-empresário Pearlman disse que imediatamente apoiou a banda a tirar um tempo para a operação de Littrell.

[KORN
CENA 3]

Uma semana depois, Jonathan Davis cumpriu sua promessa. Ele e seu protetor, Loc, me pegaram em casa e me levaram para Bakersfield, "onde não há nada além de drogas, bebidas e fodas", como o meio-irmão de 19 anos de Davis, Mark, explicou quando chegamos.

"Podíamos parar e pegar umas vagabundas se você quiser", ofereceu Mark logo depois. "E elas também não são feias — bundas duras que nem a porra."

Davis dispensou as vagabundas. "Estou com a mesma vadia há sete anos", disse ele. "Não pego mais ninguém."*

Depois de um tour pela cidade, incluindo a escola onde ele sofreu bullying e o necrotério onde ele trabalhava, Davis pegou seu pai, Rick, e foi para o estúdio de gravação dele. Os dois eram a cara um do outro.

RICK DAVIS: Quando eu era da idade do Jonathan, tinha o cabelo até as costas e viajava pela região tocando. Quem diria que eu me tornaria velho e gordo, trabalhando em uma estação de TV pública?

Na sua opinião, a música [do Korn] "Dead Bodies Everywhere", sobre você não querer que o Jonathan fosse músico, tem um fundo de verdade?
RICK: Inicialmente, houve um nervosismo da minha parte. Mas [a música] nos forçou a sentar e repassar todos os problemas e resolvê-los. E resolvemos, não foi?
JONATHAN DAVIS (*obedientemente*)**:** Sim.
RICK: Eu tinha perdido tudo em uma falência e estava passando por um divórcio, e naquele momento olhei para o meu filho e disse: "Sempre tenha um emprego convencional para se apoiar." E felizmente ele não me ouviu. Mas está tudo bem agora. Nunca tivemos um desentendimento?
JONATHAN: Não, nós dois éramos uns fodidos.
RICK: Ainda me lembro de quando voltei para casa depois que você se mudou para Long Beach. Quando vi que você estava morando no canto de uma garagem, você nem imagina o quanto chorei voltando para casa. Mas pensei, pelo menos ele está indo atrás do sonho dele. Como você se sentiria se visse o [seu filho] Nathan vivendo assim?
JONATHAN: É, você está certo. Eu não ia gostar.
RICK: Agora você sabe por que eu fiz o que fiz.

---

* Três anos depois, Davis e a "vadia" — sua namorada de ensino médio — se divorciaram, e ele se casou com uma atriz pornô.

JONATHAN: Eu nunca tinha me dado conta de como é difícil ser pai. Compramos lagostas do Maine uma vez. Eu não queria matá-las, então no final, a [minha mulher], Renee matou. Acho que eu estava meio bêbado. E contei ao Nathan como uma piada: "Sua mãe acabou de Matar o Sebastian [de *A pequena sereia*]." Eu me sinto muito mal por isso hoje em dia.
RICK: Ora, ora. Agora você fica meio bêbado na frente do seu filho, faz música e turnê o tempo todo. Exatamente como eu era.

Quando o pai sai para ir ao banheiro, Jonathan balança a cabeça, incrédulo...

JONATHAN: Desde que eu tinha 13 anos, só falávamos de boceta. Só depois que comecei a escrever músicas sobre ele foi que começamos a falar sobre todas essas outras coisas. Ele não é tão ruim agora. Mas naquela época, eu me sentia péssimo. Quando ele me pergunta: "Eu não era um mau pai, era?", o que eu vou dizer? "Você era um idiota"?

Parece que ele está tentando justificar seu comportamento, mas pelo menos você consegue ter um pouco mais de empatia com ele hoje em dia.
JONATHAN: Desde que eu tive um filho, sinto um novo respeito pelo meu pai. De fato ele me ferrou, mas consigo entender por quê. Quando ia para a estrada, ele precisava botar comida na mesa. Precisava pagar contas de hospital. Eu era asmático. Eu fui para o hospital todo mês, dos 3 aos 10. Quando você tem 3 anos, não pensa nessas coisas.

Então você acha que o Nathan vai crescer com ressentimentos porque você está ausente o tempo todo como o seu pai?
JONATHAN: Provavelmente, com certeza. Fiquei louco quando fui para o Japão e meu filho disse: "Você precisa ir trabalhar? Tchau, papai!" Então ele virou de lado como quem diz "não fale comigo". Isso me magoou mais do que qualquer coisa no mundo. Não estou nem aí para a banda. Só quero fazer meu filho feliz.

É uma forma de ver as coisas.
JONATHAN: É uma forma que pode me manter são.

Quando o pai de Jonathan volta, eles passam mais um tempo tentando se conectar, depois o deixamos em casa. Quando sai do carro, o pai de Jonathan dá um sorriso fraco e diz...

RICK: Eu diria que estou orgulhoso de você, mas você já escreveu uma música sobre isso, então não sei o que dizer.

Jonathan acena para o pai de dentro do carro. Quando ele se afasta...

JONATHAN: Então, o que você achou de Bakersfield?

É uma merda de lugar para morar e uma merda de lugar para visitar.
JONATHAN (*triunfante*)**:** Você está puto. E você quer começar uma banda chamada Korn, não é? Agora você entende — e só está aqui há algumas horas.

Durante nossa primeira entrevista, Tricky discute sobre seu trabalho com o coletivo de dance music Massive Attack e sua modesta estreia solo, e como ambos acabaram por definir o gênero conhecido como trip-hop. Para nossa segunda entrevista, ele levou um álbum de fotos a um bar em Los Angeles e passou uma hora e meia contando histórias sobre cada pessoa do lado materno de sua família, voltando cinco gerações. O que se segue são apenas algumas das histórias de sua árvore familiar. Todos os esforços foram feitos para garantir que, na confusão de informações que ele regurgitou, os nomes e parentescos tenham sido descritos de forma exata.

Tataravós
Eram vendedores de cavalos e tinham pomares. Traziam cavalos da Irlanda, e alguém foi enforcado.

Bisavós, Arthur e Maggie
Arthur era campeão de luta em Knowle West [em Bristol, Inglaterra]. Ele lutou com o rei dos ciganos e ganhou. Todos os seus filhos eram boxeadores.

Tio-avô, Martin
Minha tia diz que ele nasceu mau. Eu me lembro de dizer a ela: "Por que todo mundo tem tanto medo do Martin?" E ela respondeu: "Porque quando ele diz que vai cortar a sua garganta, ele vai cortar a sua garganta."

Martin ficava bêbado e destruía a casa de todo mundo. Ele esfaqueou uma pessoa 14 vezes. Quatorze vezes! Ele foi para Manchester e abriu uma boate ilegal, e o que fazia com as boates concorrentes era passar pela segurança com uma lata de gasolina, jogá-la no chão e incendiá-las.

Tias-avós Maureen e Olive

As duas eram totalmente brancas, brancas como a Elizabeth Taylor. Mas pareciam supermodelos. Eu confundo as duas, mas acho que a Olive se casou com um cara rico, dono da Morgan Motor Company. Ela não queria que o Martin aparecesse e destruísse a casa. Então o Martin bate na porta um dia, e ela abre, joga pimenta nos olhos dele e o esfaqueia três vezes.

E acho que foi a Maureen que teve o coração partido. Ela teve dois filhos e entregou um deles para a adoção. Muitas vezes andávamos para a escola e víamos minha tia desmaiada, tipo bêbada, do lado de fora de uma cabine telefônica, e a deixávamos lá. Ela foi expulsa pela comunidade porque ela fazia xixi na entrada da casa das pessoas e coisas do tipo.

Avó Violet

Ela era dançarina do coro, mas também era lutadora. Ela era louca. Uma vez teve uma discussão com a Marlow, agarrou seu braço, fechou a porta nele e o quebrou.

Tia Marlow

A Violet é mãe da Marlow, mas ninguém nunca contou a ela. A Violet a teve quando era muito nova e não era casada, então entregou a Marlow para sua mãe e ela cresceu achando que era irmã da minha avó. E a cabeça dela é *toda* ferrada, cara.

Tio Michael

Quando meu tio foi assassinado, eu estava na cama. Eu nunca dormia quando era mais novo. Ouvi uma batida na porta, ouvi minha avó atender e eram dois policiais, um homem e uma mulher. E eles disseram: "Violet Godfrey?" Ela respondeu: "Sim." E eles disseram: "Seu filho foi assassinado." Assim de cara. Ouvi minha avó começar a perder a cabeça, mas fingi que estava dormindo porque não queria lidar com aquilo.

Tio Tony

O tio Tony se tornou gangster acidentalmente. Em uma noite de ano-novo, quando tinha 16 anos, ele estava em um bar e disse: "Feliz ano-novo, companheiro", e esse cara de uns 30 anos deu uma cabeçada nele. E meu tio só *bang, bang, bang,* apagou o cara. Acabou que o cara era o principal gangster de Manchester. Então meu tio acidentalmente se tornou o cara. Muito depois, um cara arrancou com uma mordida o dedão dele em uma briga por causa de uma boate que ele estava tentando tomar. Mas mesmo assim ele ganhou a briga e ficou com a boate.

Lembro que em um Natal alguém mencionou o irmão dele [Michael] e meu tio disse: "Eu vou matar aquele cara", falando sobre o homem que o tinha assassinado. E minha avó, em vez de dizer, "Tony, não faça isso", diz: "Você está sendo julgado, Tony! Não o mate ainda. Espere para matá-lo depois do julgamento!"

Mãe, Maxine

Minha mãe era uma lutadora muito boa mesmo. Ela e as irmãs eram garotas bonitas, e gostavam de sair e se divertir, e se alguma mulher dissesse alguma coisa para elas, elas a espancavam no banheiro.

Ela morreu quando eu tinha 4 anos, mas ninguém me disse nada. Eu não soube que ela tinha cometido suicídio até ter uns 20 anos. Só sabia que ela estava morta, e pronto. Acho que ela se matou em parte porque tinha epilepsia e por causa do meu pai. Ela não queria que tivessem de cuidar dela por causa da epilepsia, então simplesmente pôs um fim naquilo. Ela deve ter sido muito infeliz, mas agia como se não fosse. Ela visitou a família inteira antes de se suicidar, agindo casualmente e usando suas melhores roupas.

Pai, Roy

Não conheci meu pai até os 12 anos. Ele tinha um temperamento ruim e normalmente carregava um canivete. Ele era um jamaicano alto, escuro e bonito — muito bonito — e acho que era um sedutor. Eu diria que se ele é um sedutor hoje em dia, era naquela época. Acho que ele tem sorte de estar vivo.

Quando minha mãe cometeu suicídio, meu tio queria matar meu pai. Então ele se manteve afastado, porque foi o Martin que o ameaçou. E se o Martin ameaça você, você fica longe.

Adrian (Tricky) Thaws

Fui criado apenas por mulheres. Quando tinha 14 ou 15 anos, me mandaram aprender boxe, como todos os homens da minha família. Mas não fiquei lá. Eu me lembro de ver um vestido em uma vitrine e pensar: "Esse vestido é foda." Tinha mangas curtas, mas era longo, e dei 20 libras a uma garota para ajustá-lo para mim. Eu o usei na mesma noite. Eu tinha cabelo pintado de louro e gostava de coisas como usar vestidos, e não dá para ser gangster fazendo isso.

Arranjei o nome Tricky porque às vezes meus amigos e eu estávamos em uma casa abandonada. Eram uns vinte fumando. Aí eu saía sozinho e ia para uma boate e ficava a noite inteira, e eles não me viam durante semanas.

Decidi fazer música quando ouvi Slick Rick pela primeira vez. Eu nunca tinha ouvido um beatbox humano.* Sentamos lá e estou fumando, certo, e ouvi essa

---

* É mais provável que fosse Doug E. Fresh and the Get Fresh Crew fazendo beatbox, com um jovem Slick Rick fazendo rap.

coisa e aquilo simplesmente me pegou. Eu disse: "Rebobine! Rebobine!" Ouvi sem parar, e disse a um amigo que estava perto de mim: "É isso o que eu vou fazer. Vou ser rapper."

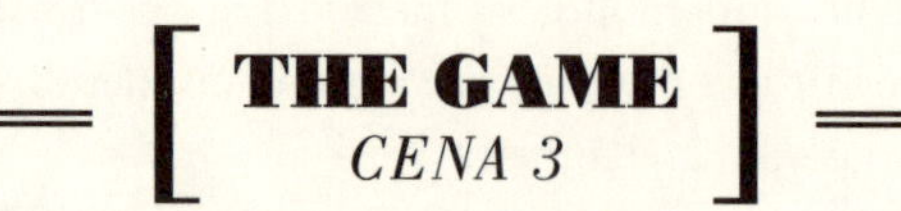

Em uma filmagem três dias depois, Game fala sobre o pai, que foi acusado de molestar suas irmãs quando o rapper tinha 7 anos.

Você ainda fala com seu pai?
GAME: Não, meu pai tenta se aproximar, mas tenho um rancor muito grande dele, cara. Minha família está tentando me encorajar a ligar para ele e conversar, mas tenho uma coisa na cabeça, cara, e não consigo me livrar dela. Ele é odioso... não posso fazer isso, cara.

Um dia será a hora certa para fazer as pazes com ele.
GAME: Agora com certeza não é a hora certa.

Essa coisa toda prejudicou as suas irmãs?
GAME: Está todo mundo bem e ninguém está devastado pelo que teve de passar. Mas isso fica na minha cabeça. Simplesmente não consigo deixar para lá. [...]

Por que você foi para um lar temporário em vez de morar com a sua mãe?
GAME: Na época, minha mãe não saía de casa porque era a nossa casa, e meu pai não saía de casa porque era meio rebelde em relação à coisa toda. Então eles simplesmente nos afastaram, cara. Já havia assistentes sociais no caso, e disseram para mim, meus irmãos e minhas irmãs que iam nos separar em vez de nos mandar para a mesma casa. Eles nos ferraram totalmente. Acho que isso foi o pior de tudo, cara. Elas ficaram com famílias; eu fui mais institucionalizado.

Como era no lar?
GAME: Eu era a pior criança do lar temporário. Havia dois irmãos mexicanos chamados Calvin e Chris, e penso neles de vez em quando. Tinha um cara branco chamado Nathan e um cara negro chamado Andre, que tinha um irmão mais novo chamado Willie. Tinha um cara chamado Herman lá, e outro menino pequeno chamado Chris, cara. Tinha o Ronald, que era o mais novo. Ele me admirava como um irmão mais velho. As crianças implicavam comigo na escola,

dizendo que eu tinha irmãos mexicanos e um irmão branco, porque todos nós morávamos na mesma casa.

Como você era na escola?
GAME: Eu era incontrolável, mas mesmo assim era inteligente. Então ia para a escola e tirava notas boas, mas eu era violento com as outras crianças e fazia um monte de coisas estranhas, cara. Tentaram me expulsar do ensino fundamental porque levei conhaque para a escola no quarto ano. Eu fiz as crianças beberem Capri Sun e conhaque. Estou falando muito sério.

Quando você voltou a morar com sua mãe?
GAME: Depois de um monte de advogados e assistentes sociais, o juiz um dia disse: "Deixe essas crianças voltarem para a casa da mãe." Isso foi quase oito anos depois e, quando voltei, já era adolescente. O meu relacionamento com a minha mãe era diferente de quando eu tinha 7 anos. Dos 7 aos 15 anos, eu fiquei sozinho. Então, quando voltei, praticamente já tinha barba. Eu me rebelei contra ela, e realmente não a escutava. Causei muitos problemas para a minha mãe, e é por isso que hoje em dia cuido dela.

Um dos seus irmãos assinou um contrato com uma gravadora antes de você, não é?
GAME: Está falando do Jevon? Ele teve um contrato com a MCA. Eu só tinha uns 12 ou 13 anos e ainda não gostava de rap, mas achei uma loucura ele ter um contrato de gravação. Mas alguém tirou a vida dele antes da hora.

Por que o mataram?
GAME: Foi por ciúme de uma garota. Foi assim que aconteceu. Acho que ele teria sido ótimo. Eu preferia que ele estivesse vivo e fazendo rap, e não eu. Eu desistiria de tudo se pudesse trazê-lo de volta. A verdade é essa.

Quais são suas primeiras memórias em família?
RZA: De que tipo, boas ou más?

Que tal uma de cada?
RZA: É o seguinte, eu me lembro do aniversário do meu avô. Devia ser 1971 ou 1972. Tinha muita gente pobre lá. E um puta de um bolo. Eu gostei do bolo. Tinha tipo umas flores nele.

Imagino que essa seja uma boa memória.
RZA: Com certeza. Quando você é novo, tudo é bom. Eu digo uma ruim: quando seu pai deixa a sua mãe. Essa merda é muito ruim. Você ainda ama tudo, mas a dor que você sente é real. Aquilo realmente me fez perder tudo. É um sentimento escroto que você não quer sentir. De verdade, de verdade, de verdade. Você pode enfatizar isso quando escrever sobre mim. E eu tinha uns 3 anos e meio. E isso leva a tudo. Isso leva a sua mãe abandonar você e o deixar com um tio durante anos. Um psicólogo pode analisar isso para você. Você não é psicólogo, é? Suas perguntas são pessoais como as deles.

Não, mas acho que estudei psicologia.
RZA: Essas perguntas que você está me fazendo são porque você quer saber ou porque as pessoas querem saber?

Os dois. Por que você acha que as pessoas estão sempre lendo biografias?
RZA: É que essas perguntas parecem as perguntas da polícia. Parte de mim diz que não quero expor essas coisas. Mas tenho o hábito de dizer a verdade. Estamos conversando sobre minha tristeza e tal quando era criança e é, tipo, por que os fãs iam querer ler isso? Ao mesmo tempo, supostamente sou bem-sucedido. Cheguei a um ponto que muitos negros querem chegar. Não me importo de dizer essas coisas porque eles podem pensar: "Eu me ferrei do mesmo jeito que ele." Mas um dia provavelmente vamos ultrapassar o nível das matérias, cara.

Então para que você fez esta? Você não precisava.
RZA: Eu fiz pelo pessoal. Se meu pessoal está aqui, eu estou aqui. E leio essa merda [*Rolling Stone*] desde os 8 anos. Eu tinha essa merda na porra da minha casa. Meu primo tinha na porra da casa dele. Se eu tenho uma chance de estar na capa dessa merda, meu primo vai ver essa merda. Esse é o MC em mim falando, querendo ser o melhor. É preciso controlar esse lado. É um merda ruim.

[JUSTIN TIMBERLAKE]

Como eu não estava tendo muita sorte em falar com Pharrell Williams do Neptunes no telefone, fiz uma chamada de emergência...

Por que você escolheu trabalhar com o Neptunes no seu disco novo?
JUSTIN TIMBERLAKE: Acho que o Pharrell e o Chad queriam mostrar alguma coisa ao mundo tanto quanto eu. As pessoas me rotulam, e eles também têm rótulos.

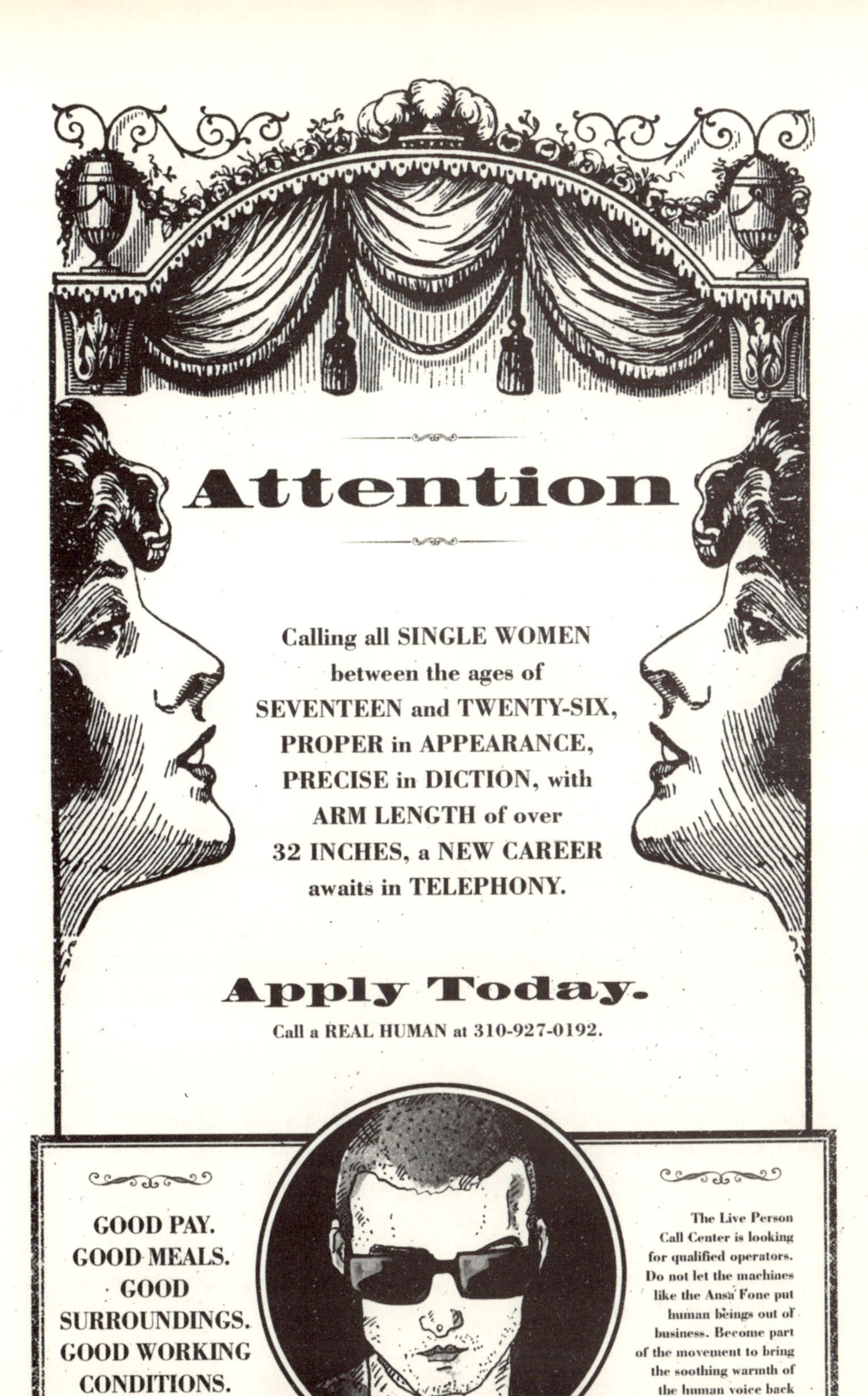

Attention
Calling all SINGLE WOMEN
between the ages of
SEVENTEEN and TWENTY-SIX,
PROPER in APPEARANCE,
PRECISE in DICTION, with
ARM LENGTH of over
32 INCHES, a NEW CAREER
awaits in TELEPHONY.
Apply Today.
Call a REAL HUMAN at 310-927-0192.
GOOD PAY.
GOOD MEALS.
GOOD
SURROUNDINGS.
GOOD WORKING
CONDITIONS.
The Live Person
Call Center is looking
for qualified operators.
Do not let the machines
like the Ansa Fone put
human beings out of
business. Become part
of the movement to bring
the soothing warmth of
the human voice back
to message taking now.

Então estávamos meio que no mesmo barco. Eles têm o rótulo de ser caras do hip-hop, mas quando as pessoas ouvirem esse disco, vão perceber que eles são músicos.

Em algum momento você pensa que é só um cara branco, que as pessoas não vão...
TIMBERLAKE: Não, não, nunca. Digo, isso é inevitável. Só faço a música que gosto. Não faço música para os críticos. Faço meu disco para as pessoas colocarem no carro quando vão trabalhar e tocarem. Sinceramente, eu não dou a mínima quando a mídia tenta dizer alguma coisa. As pessoas estão sempre falando. É o trabalho delas.

Mas então por que todos os títulos dos seus discos são respostas a críticas: *No Strings Attached*, *Justified*?
TIMBERLAKE: Acho que é meu senso de humor estilo Monty Python. Qual é, cara, vamos ser honestos. Se eu fiz um esforço tão grande para resguardar meus assuntos do ano passado, então por que os revelaria nas letras, sabe. Sempre me perguntam: "Você estava pensando na fulana* quando escreveu isso?" E isso é exatamente o que eu queria que as pessoas fizessem. Tenho um lado que vê o valor real de tudo e se pergunta se posso manipular um pouco as coisas. Acho que qualquer um na minha posição faria isso. Veja o Elvis. Disseram: "Não balance os quadris no *Ed Sullivan*!" E o que ele fez?

Você acha que o hip-hop, assim como o Elvis e o rock and roll, criou um vão entre gerações?
TIMBERLAKE: Engraçado, meu pai e eu estávamos conversando sobre isso outro dia. Meu pai nunca tinha ouvido Coldplay, então eu estava tocando um disco para ele, pois achei que ele ia gostar muito porque, sim, é minha banda favorita. Bom, ele adorou, e começamos a conversar sobre isso. E ele disse: "No final das contas, música é só música, sabe."

Quando você era mais novo, ele não gostava da música que você ouvia?
TIMBERLAKE: Estou chegando naquela idade em que gosto de me dar bem com os meus pais. Passei por toda a coisa da rebeldia. Nós nos sentamos e ouvimos o Coldplay — foi um grande passo.

Uma última pergunta: quando você liga para o Pharrell, ele liga de volta para *você*?
TIMBERLAKE: Eventualmente.

---

* Britney Spears.

[THE STANDELLS]

"I'm gonna tell you a big fat story, baby"*, assim os Standells começavam "Dirty Water", seu sucesso de 1966 que tinha três mudanças de acorde e atitude agressiva suficiente para se tornar um dos precursores mais citados do punk rock. Pouco antes da primeira reunião da banda desde a separação mais de três décadas antes, o tecladista original, Larry Tamblyn, falou de seu inesperado legado.

Como a banda começou?
LARRY TAMBLYN: Éramos basicamente uma banda cover de sucessos. Era o que se fazia em *clubs*. Tocamos por um tempo no Oasis club no Havaí, e alternávamos com um show de variedades japonês. Eles tinham comediantes, dançarinos, atores de kabuki e um cara que era o Pat Boone japonês. E entrávamos logo depois da stripper. O nome dela era Mikimoto.

Como vocês evoluíram para o estilo mais sujo de rock and roll que acabaram tocando?
TAMBLYN: Nós voltamos para a Califórnia e, enquanto estávamos tocando em um *club* chamado Peppermint West, lemos um artigo sobre um grupo desconhecido chamado The Beatles. Foi antes que eles chegassem com tudo aos Estados Unidos. Tinham cabelo comprido e tudo, então todos nós deixamos o cabelo crescer. Em algum lugar de uma revista adolescente, aparecemos como os Beatles Americanos, porque fomos o primeiro grupo a fazer isso. Então logo fomos chamados para algumas semanas em Las Vegas no que na época era o Thunderbird Lounge, como uma resposta norte-americana aos Beatles.

Vocês tinham contrato naquela época?
TAMBLYN: Fomos contratados mais ou menos nessa época. Estávamos tocando em um *club* muito popular na Sunset Strip chamado PJ's, e um homem chamado Burt Jacobs apareceu e disse: "Se eu levar vocês para negociar com a Liberty Records, vocês vão me contratar como empresário?" Dissemos "Claro" e assinamos com ele. Depois descobrimos que ele era um bookmaker e que levava todas essas apostas para a Liberty Records. Foi como ele nos colocou no selo, porque eles deviam muitos favores a ele.

* Vou lhe contar uma história daquelas, baby. (*N. da T.*)

Então vocês foram para a Vee-Jay?

TAMBLYN: Na verdade, o Sonny Bono nos produzia lá. E a Cher cantou no background de algumas músicas. Naquela época, o Sonny e a Cher ainda não tinham ficado famosos. Mas não aconteceu muita coisa lá, e a Vee-Jay meio que fracassou.

Você achava que "Dirty Water" ia ser um grande sucesso na época?

TAMBLYN: Isso aconteceu quando assinamos com o Ed Cobb e o Ray Harris como produtores; e não ficamos muito impressionados com a maneira que o Ed apresentou a música para nós.* Só depois de oito meses ela começou a ser tocada no rádio. Uma estação em Orlando, Flórida, começou a tocá-la, e ela chegou ao primeiro lugar lá. Depois se espalhou pela costa e demorou muito para chegar à Califórnia.

Como isso afetou a banda?

TAMBLYN: Estávamos em Seattle, fazendo a mesma velha coisa de cantar sucessos para um bando de bêbados, e eles nos contrataram direto daquela boate para nossa própria turnê, começando na Flórida. Então viajamos para a Flórida, saímos do avião e havia uma enorme multidão de adolescentes histéricas lá.

Isso que é emoção. Elas puxavam nossas roupas e foi ótimo. Então, logo depois da turnê, fomos para LA e entramos na turnê dos Rolling Stones. Acho que foi em 1967.

Por quanto tempo vocês fizeram turnê com os Stones?

TAMBLYN: Ficamos alguns meses, e foi uma loucura. Na época, "Dirty Water" estava entre as dez mais tocadas e éramos muito conhecidos. Quando tocamos perto de Boston, houve um grande tumulto. Todo mundo correu para o palco, e lançaram gás lacrimogêneo. Foi como o Vietnã, sabe. O ônibus teve de passar uma nuvem de gás lacrimogêneo para sair, e todo mundo estava engasgando.

Vocês tiveram algum problema em turnê por causa da sua imagem?

TAMBLYN: Sim, desenvolvemos uma imagem bastante desleixada. Eu me lembro de uma ocasião em que não nos deixaram entrar no hotel porque tínhamos cabelo comprido. E em uma turnê, em alguma cidade do Sul, um bando de caras veio atrás de nós com suas .22.

---

* Cobb também ofereceu à banda a música "Tainted Love", que depois se tornou um sucesso de Gloria Jones e, mais tarde, do Soft Cell, mas os Standells a recusaram.

Por quê?

TAMBLYN: Porque as namoradas deles estavam pelo hotel e eles não gostaram (*ri*). O cabelo comprido era uma espécie de símbolo de liberdade e enfurecia algumas pessoas.*

CHER
CENA 2

Há um ditado entre os que trabalham com a Cher. Se houver uma guerra nuclear, apenas duas espécies vão sobreviver — as baratas e a Cher. A história da produção da música "Believe", que ficou em primeiro lugar em mais de 22 países, dá uma pista de sua solidez e longevidade, assim como um incomum estudo de caso da criação de um sucesso e da ressurreição de uma carreira.

De sua criação a seu lançamento, "Believe" levou cerca de nove anos e precisou dos esforços combinados de mais de seis compositores. Não existem tantas partes na música — um verso simples, um refrão repetitivo, uma batida eletrodisco e o recurso da voz de Cher quebrada por um efeito que a faz parecer a de um robô. Então por que levou tanto tempo e tanta gente para criar uma música pop de quatro minutos?

BRIAN HIGGINS [compositor]: Escrevi o primeiro rascunho da música há nove anos. Eu estava no meu apartamento, onde tenho dois teclados no quarto, e tinha acabado de chegar do meu trabalho de vendas de propaganda para uma empresa de papel. Não sentei para escrever uma música sobre alguma coisa, e a letra e a melodia simplesmente surgiram ao mesmo tempo. Eu gostaria de poder engarrafar isso.

Cinco anos depois, a carreira de Higgins como compositor começou a crescer, e praticamente toda vez que ele encontrava um astro do pop, um empresário ou executivo de gravadora, tocava "Believe" para eles. Mas ninguém se interessava. Nesse meio tempo, Rob Dickins, o diretor da Warner Music em Londres, começou a planejar o disco seguinte de Cher. Na época, ela não tinha um contrato de gravação nos Estados Unidos.

---

* A banda britânica Pretty Things alega ter acumulado cerca de 61 condenações na mesma época. Segundo o vocalista, Phil May, a maioria se deveu ao cabelo comprido da banda. "As pessoas olhavam para você e partiam para cima", relembrou ele. "Pensavam que obviamente éramos homossexuais, pervertidos ou travestis. E éramos considerados sujos. Mas o que não percebiam é que se você tem cabelo comprido, tem de cuidar mais dele do que alguém de cabelo raspado. Tomávamos três banhos por dia."

ROB DICKINS: Eu queria fazer um disco de dance com a Cher. Ela não queria. Eu achava que seus maiores fãs estavam na comunidade gay, mas ela estava sempre fazendo baladas de rock macho. Falei: "Por que não fazemos um disco animado?" Ela disse que não queria porque não havia músicas na dance music. Eu disse: "Existem músicas. Me deixe encontrá-las."

CHER: Ele disse: "Eu quero que você faça um disco de dance." Eu disse que não queria. Mas tenho um problema: se alguém diz que quer que eu faça alguma coisa e eu não tenho certeza, em geral digo que não quero.

DICKINS: Enquanto tentava reunir as músicas, eu estava no escritório da gravadora e esbarrei com um compositor chamado Brian Higgins no corredor. Se o telefone tivesse tocado no meu escritório ou se o Brian não estivesse no corredor naquele exato momento, não estaríamos tendo esta conversa.

Pedi a ele para reunir algumas músicas para mim. Em vez disso, três dias depois, recebi uma fita com 16 músicas. Deitei na minha cama, coloquei a fita e ouvi cada música. Ele é de uma escola de compositores modernos que só escrevem refrões, achando que, se você não gosta do refrão, de que serve o resto da música? Então, basicamente a fita só tinha refrões de um minuto. A nona música era "Believe".

Dickins gostou da melodia e achou que a letra sobre sobreviver a uma decepção amorosa ia tocar Cher, então ele ligou para Higgins e lhe pediu para completar a música.

DICKINS: Mais ou menos uma semana depois, ele chega com a música terminada, e é terrível. Eu tinha um refrão incrível e uma música terrível. Então disse a ele: "Vamos tirá-la de você." Ele disse: "Como assim?" Eu respondi: "Você não fez justiça à sua própria música."

Dickins mandou "Believe" para um estúdio dirigido pelo produtor Brian Rawling, e pediu a ele para fazer justiça à música. Um compositor que trabalhava no estúdio, Steve Torch, fez uma tentativa com os versos.

DICKINS: Fui até o estúdio quando eles terminaram, e ainda estava terrível. Falei: "Qual é o problema de vocês? Tenho o refrão de um sucesso e nenhum de vocês consegue escrever uma música?" Brian disse: "Me dê outra chance."

Dessa vez, Brian Rawling chamou outra pessoa de sua equipe, Paul Barry. Mas as primeiras três tentativas de Barry foram rejeitadas por Dickins e Cher.

No Matter What Your Shape or Figure — BUY

WARNER BROTHERS'

INDESTRUCTIBLE

RUST-PROOF CORSETS

Prevents Weakening of the Boning, Compromising of the Glove-Fitting Shape, and Staining

CHIC *and* **SHAPELY**

Try a Seven Day
FREE TRIAL
at My Risk. Visit for a
Complimentary
Fitting Today.

PAUL BARRY: Eu me lembro de uma versão em especial que a Cher não gostou. Meu filho tinha acabado de nascer e eu estava em êxtase. Uma letra a Cher disse que ela um lixo. Ela disse: "Você está feliz demais. A música é essencialmente triste, e pergunta, 'Existe vida depois de uma decepção amorosa?'." Ela foi bastante direta.

Mais ou menos nessa época, Dickins foi convidado a deixar seu emprego na Warner Music por causa de uma diferença de personalidade com um de seus superiores.

DICKINS: Eu estava na empresa havia 27 anos. Foi difícil. Então provavelmente foi por isso que fui tão inflexível com a música. O foco de tudo era que tinham tirado meu emprego, e esse seria meu último disco na Warner, então eu ia mostrar a eles.

Finalmente, Barry, com a ajuda de outro compositor do estúdio, Mark Taylor, entregou versos que conseguiram a aprovação de Dickins. Entretanto, Cher ainda não estava satisfeita.

CHER: O segundo verso era lamentável. Era uma repetição da mesma ideia da primeira frase. E eu pensei: "Nem a pau, dá para ser triste por um verso, mas não dá para ser triste por dois." Naquela noite, eu estava na minha banheira com o dedo na torneira, brincando com as palavras, e me veio em uma frase. Pensei: "I've had time to think it through / And maybe I'm too good for you."* Era muito melhor — embora eu não tenha recebido crédito por essa parte da letra.

Enquanto Cher melhorava a letra, Barry e Taylor começaram a trabalhar na música, adicionando bateria, uma melodia de teclado e um baixo. Dickins, é claro, ainda não estava contente. Ele não gostava da ponte da música, antes do refrão final.

DICKINS: Eu disse: "Na ponte, vocês estão repetindo demais a letra. O objetivo ali é levar a música em frente."
CHER: Ele queria que mudassem a ponte, mas eu não queria. Somos de leão e de touro, então batemos cabeça.

Entretanto, Cher teve outro problema com a letra.

CHER: Quando terminamos a música, o refrão era muito grande, mas os versos meio que só ficavam ali. Eu a cantava sem parar, vendo se havia alguma coisa que

---

* Tive tempo de pensar bem / E talvez eu seja boa demais para você. (*N. da T.*)

podia fazer. E finalmente eu disse para o Mark: "Não posso melhorar a música. Esse é o melhor que eu posso fazer."

Nesse meio-tempo, o Auto-Tune, um novo plug-in vocal compatível com Cubase, um software de gravação e edição musical, chegou ao estúdio, e Taylor decidiu dar um tempo e aprender a usá-lo.

MARK TAYLOR: Tínhamos acabado de receber o brinquedo. Enquanto o experimentava, saí da zona de conforto. Eu o apliquei à parte da música que diz "life after love". Então depois que fizemos isso, nos perguntamos se devíamos mostrar para a Cher ou ficar quietos para o caso de deixá-la zangada por estarmos mexendo com seus vocais. Eu estava 95 por cento convencido de que seria uma má ideia tocar para ela. Mas tive um clique e, algumas cervejas depois, tocamos para ela e ela enlouqueceu. Cheguei muito perto de não tocar. O acaso que entra na produção dessas músicas é absurdo.
CHER: Nós nos cumprimentamos com um *high-five*. Foi como em um filme *Rocky* idiota.
TAYLOR: Estava tarde, e tínhamos de fazer mixes para a gravadora. Então mandei a versão inacabada para eles porque achei que estava boa.

Mas os executivos da gravadora tiveram problemas com os vocais robóticos do Auto-Tune: não achavam que a voz de Cher estivesse suficientemente reconhecível.

CHER: Eu tive uma reunião com o Rob. Ele disse: "Todos adoraram a música, mas querem mudar essa parte." Eu respondi: "Você pode mudar essa parte... por cima do meu cadáver!" E esse foi o fim da discussão. Antes de sair, eu disse ao Mark: "Não deixe o Brian mudar nada. Não deixe o Paul mudar nada. Não deixe ninguém tocar nessa música, ou eu arrebento sua garganta."
BRIAN RAWLING: Então ninguém mudou a faixa. Aquele mix inacabado se tornou a versão final da música.
DICKINS: Quando liguei para a Cher para contar que ela estava em primeiro lugar, ela estava em Milão fazendo alguma promoção. Enquanto o telefone estava tocando, eu só conseguia pensar em ter 15 anos e ver o Sonny e a Cher usando bocas de sino no programa pop *Ready, Steady, Go!* Eu pensei: "Essa indústria é incrível. Vou ligar para essa garota e dizer que ela está em primeiro lugar?" Era seu primeiro número um em 25 anos.

Depois, liguei para o Brian e contei a ele: "Estamos no primeiro lugar, uma posição fantástica — mas a ponte continua uma droga."

[THE NEPTUNES CENA 5]

Uma semana depois, o telefone toca...

Alô?
PHARRELL: É o Pharrell. Eu peço desculpas. Somos muito ocupados, e não escolho quem organiza minhas coisas. Mas ao mesmo tempo, isso não tem nada a ver com meu interesse em, sabe, dar às pessoas as informações que elas precisam.

Uma coisa que eu queria perguntar era que eu me lembro de ouvir em algum lugar que você achava que a música "The Flower Called Nowhere" do Stereolab era a melhor música para receber um boquete.
PHARRELL: É, são as porras das mudanças de acorde, cara.

Obrigado, isso é tudo o que eu preciso.
PHARRELL: O quê?

Na verdade, tenho de entregar a matéria hoje.
PHARRELL: Você já escreveu?

Você está liberado.
PHARRELL: Sério? Você tem tudo o que precisa?

Tenho, conversei com o Justin Timberlake. Eu só precisava de mais uma citação sua para o fim da matéria.
PHARRELL: Entendo.

[CORTINA]

ATO SETE

OU

DIA DE LEVAR SEU TRAFICANTE DE DROGAS PARA O TRABALHO

SINOPSE

Entra Neil Young, que não está disponível quando as pessoas precisam de ajuda, embora Bonnie Raitt vá estar lá, Ryan Adams vá mandá-las se foder, e Russel Brand vá tomar banho com elas, especialmente se forem drogadas e velhas, embora Nusrat Fateh Ali Khan prefira que as pessoas sangrem em seus shows etc.

NEIL YOUNG
CENA 1

A coisa mais previsível sobre a carreira de Neil Young tem sido sua imprevisibilidade. Suas frequentes mudanças de humor e de ideia significam que um dia ele pode retirar todas as declarações que faz; que eventualmente vai renegar todo estilo de música que toca (só para voltar a ele no futuro); que pode abandonar todo músico com quem toca (e depois voltar a colaborar anos depois); e que toda estrada que pega pode nunca chegar a seu destino.

Era uma tarde ensolarada, e Neil Young estava subindo e descendo as estradas íngremes de Mountain View, na Califórnia, em um Lincoln Continental 1959 em perfeito estado. Com uma das mãos no volante e a outra em suas costas doloridas, ele estava indo para o consultório de seu quiroprático em San José.

NEIL YOUNG: O que está acontecendo agora com as minhas costas é o resultado de eu não me alongar antes de tocar. Tenho uma guitarra muito pesada e me curvo muito quando toco. Isso força minhas costas.

De repente, Young pisa nos freios e o conversível vai para o acostamento cantando pneus. Então ele vira o volante com força para a esquerda e em questão de segundos, volta à estrada, voltando por onde viera.

Você mudou de ideia?
YOUNG: Não tem como eu chegar a San José e voltar para cá, especialmente na hora do rush. Não importa quanto eu precise fazer alguma coisa, às vezes é simplesmente preciso mudar de ideia. E mudar de ideia não é nada de mais.*

Dizem que quando está em uma situação ruim ou tensa, você tende a desaparecer. Acha que é verdade?
YOUNG: É, acho que é verdade. Às vezes é a única declaração que posso dar.

O que isso declara?
YOUNG: Bom, sabe, normalmente não é a primeira coisa que faço. Provavelmente é a última.

* Frank (Poncho) Sampedro, que toca guitarra na banda de Young, a Crazy Horse, sobre a direção de Young: "Você vai perceber que o Neil não fez uma curva para a esquerda, ele fez um giro de 180 graus. As poucas pessoas que trabalham com ele têm um ditado, que ele nunca faz curvas, ele ricocheteia nelas."

For the Man
Who's Man Enough
to Change his Car.
KEEP MOVING.

Young Automotive's New **CONTVOLT**

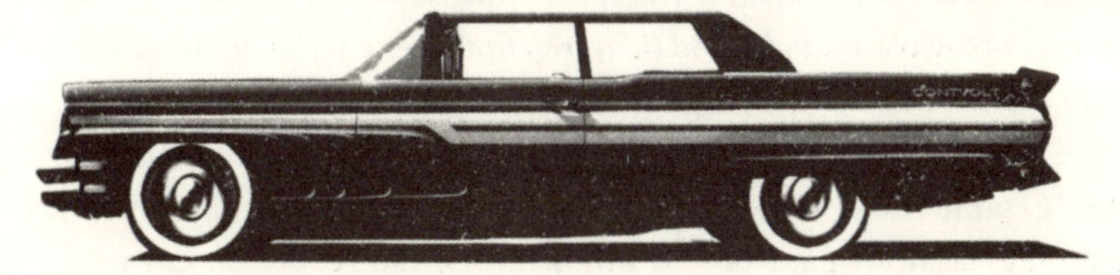

The ContVolt, which weighs over twice as much as a typical hybrid electric car and draws its power from a Bio-Diesel-fueled Capstone Microturbine generator, runs cleaner and emits less Greenhouse Gas Emissions than any hybrid electric car or regular automobile with under eighty miles-per-gallon gasoline fuel economy. Some people accuse us of continually bringing out new models of cars. But that's not what we do here at Young Automotive. We keep reinventing the same car we've always had. It's just a matter of perspective.

Então é porque você está evitando um problema ou porque o problema não pode ser resolvido?

YOUNG: Bom, é que não tenho tempo para resolvê-lo. Às vezes me afasto. Geralmente me afasto em situações importantes.

Percebo que frequentemente as pessoas citam coisas que você disse no passado, e tentam fazer você corresponder a elas.

YOUNG: Isso nem sempre funciona.

E ficam obcecadas com a maneira que você muda de disco para disco...

YOUNG: Aparecem bandas novas toda hora. A música está mudando. O som está se reinventando o tempo todo. Então é lógico que alguém faça discos diferentes. As pessoas estão abertas para o que está acontecendo no mundo. Então só *parece* que faço discos diferentes, mas na verdade não são. Digo, eu canto a mesma música há trinta anos e apenas a canto de maneira diferente a cada vez. Sabe, acho que é só uma questão de perspectiva.

Você é influenciado pelo sucesso do disco, crítica ou comercialmente?

YOUNG: Não dou atenção a isso. Foi o que aprendi. Só sigo em frente. Não me dou ao trabalho de ler. Se você chegar a ler, não leve a sério. As pessoas estão gostando dos discos agora, mas vou ter mais altos e baixos. Vou lançar outros discos e as pessoas vão achar uma merda. Vão rir. É inevitável. Isso sobe e desce, e os altos não são muito melhores do que os baixos, desde que você esteja seguindo em frente.

Logo Young estaciona diante do Mountain House, um restaurante em uma cabana de madeira onde ele começou a viagem abandonada uma hora antes. Ele entra, pega uma Coca-Cola na máquina de refrigerantes e se senta em uma mesa diante de uma lareira, onde discute o legado dos anos 1960.

YOUNG: O ponto de vista pessimista e a angústia que as bandas têm hoje é uma parte do que criamos para nossos filhos. Eles estão refletindo em nós, e agora temos de conviver com isso. E eles têm o direito de ser pessimistas. Não é tão fácil crescer hoje em dia quanto foi nos anos 1960. O mundo é um lugar muito mais perigoso. Muito menos sonhos se tornam realidade.

Talvez sua frase mais citada seja "É melhor se exaurir do que desvanecer", mas em geral é mal-interpretada, como no bilhete suicida de Kurt Cobain...

YOUNG: Não sei. Não quero falar sobre isso.

Eu ia perguntar o que isso significava para você.
YOUNG: Acho que a ideia é continue em frente. Queime! Ande! Continue em frente ou você vai desaparecer. Você pode levar isso ao extremo, e algumas pessoas levaram ao absoluto extremo. Mas a verdade é que só estou dizendo: "Se você quiser ir, vá! Vá com tudo. Tente realizar." Para mim isso é importante em tudo o que vou fazer. E o que ainda vou fazer é tão importante quanto tudo o que já fiz. Mais importante.

É difícil, especialmente por você ser sincero em várias questões, lidar com todos os pedidos que aparecem para fazer trabalho de caridade e eventos beneficentes?
YOUNG: Você precisa ser egoísta. Você precisa dizer não. Você precisa dizer "Não estou disponível", mesmo que não saiba por que não está disponível. Você precisa guardar a parte de si mesmo que é mais importante para a arte, para o trabalho que está fazendo na sua vida. Então você coloca toda a sua energia na arte, e se sobrar alguma coisa, pode doar para algumas das pessoas que querem que você faça essas coisas.

[*Continua...*]

[BONNIE RAITT]

Quando se trata de eventos beneficentes e instituições de caridade, a filosofia da cantora de blues e country vencedora do Grammy, Bonnie Raitt, é exatamente o oposto da de Neil Young. Isso ficou claro quando Raitt estava almoçando no Sunset Marquis em Los Angeles e um menininho louro passou correndo por sua mesa.

BONNIE RAITT: Aww. Você gosta de crianças?

Ainda não.
RAITT: Nem eu. Digo, eu amo crianças, mas fico feliz por não ter de assumir essa responsabilidade 24 horas por dia.

O que você acha mais importante para a sociedade no longo prazo: deixar um legado tendo filhos ou através da sua música?
RAITT: Ambos são importantes. Ter filhos é uma responsabilidade enorme, e a levo tão a sério que não faria de um jeito meia boca. É por isso que não tenho.

Não é justo com a criança se você não vai estar sempre presente, o que significaria parar de fazer turnês. Entendo que, quando você tem filhos, essas decisões se tornam muito fáceis. Mas sinto que meu trabalho é cuidar das causas nas quais estou envolvida.

Poucas vezes ouvi alguém dizer isso.

RAITT: Ei, ouça, definitivamente eu sou uma minoria. Mas acordo todos os dias e tenho meu trabalho. Acho que se você tem filhos, essa prioridade é alterada. E para mim, já é muito difícil dizer não. Não importa se digo sim para cinco organizações e eventos beneficentes, ainda tenho de dizer não para trinta. E é nisso que penso quando vou dormir: "O que vai acontecer com aquela mulher que disse que seu departamento de arte nativo-americana vai fechar se eu não fizer esse show?"

Eu entrevistei o Neil Young, que faz eventos beneficentes e geralmente é o único artista popular que compõe músicas sobre determinadas questões. Mas ele não tem a mesma culpa quando não faz alguma coisa.

RAITT: É, acho que algumas pessoas têm uma tendência a atuar quando veem algo errado, como se aquilo as incomodasse muito. Devo dizer que o que me motiva é uma necessidade quase raivosa de ser igual. Não sei se é porque cresci em uma época feminista ou só não conseguia ver brancos desrespeitando os negros no Sul. Não tolero gente violenta, sabe. Algum psicólogo provavelmente poderia esclarecer isso. Mas a mesma coisa que deixa você maluco é o que o faz querer ajudar. Tipo, se você vir uma criança chutar um cachorro, é muito difícil não querer ir lá e chutar a criança. "Como você acha que ele se sente, companheiro?"

Talvez seja por isso que você não tem filhos.

RAITT: Eu preciso combater a raiva. Por muito tempo, achei que era uma pessoa pacífica e passiva como um Quaker, mas tive de aceitar muito ódio e raiva.

Quando você passou pela fase de drogas e álcool, acha que precisava deles para se apresentar?

RAITT: Para mim isso era verdade. Fico muito grata por não ter me matado nem matado ninguém. Eu realmente achava que precisava estar drogada para cantar o tipo de música que canto. E, sabe, quando tinha vinte e poucos anos, eu odiava meu jeito de cantar. Então bebia Jim Beam. Eu achava que ia apurar um pouco minha voz. Não me arrependo de todos aqueles anos, mas fui uma das afortunadas que conseguiram dizer não para aquilo e não sentir tanta falta.

Então o que a fez decidir ficar sóbria?

RAITT: As pessoas me viam sob controle e não sabiam que eu tinha um problema até eu começar a ficar inchada com trinta e poucos anos. E provavelmente isso me salvou, porque em algum ponto, o orgulho profissional fez a diferença.

[RYAN ADAMS]

Depois de passar um dia entrevistando o cantor e compositor Ryan Adams, é possível prever perfeitamente quais serão as últimas palavras de suas respostas, independente do assunto que ele estiver debatendo.

Sobre os Estados Unidos

Sem querer ser um babaca metido a artista, não concordo com nossa situação social aqui. Não concordo com nossa política. Não gosto do jeito que as pessoas são tratadas. Não gosto do jeito que nossas crianças são criadas. Eu odeio ser daqui. É tipo: "Vá se foder. Tchau."

Sobre Christina Aguilera e Britney Spears

Eu odeio toda essa coisa de dupla mensagem. Uma geração inteira diz: "Olhe para mim, eu sou sexy. Mas espere, não, eu não sou sexy. Não vou fazer sexo até me casar. Olhe para os meus peitos, mas não olhe para a porra dos meus peitos. Você é pervertido." É tipo: "Ah, vão se foder."

Sobre Bonnie Raitt

Eu encontrei a Bonnie Raitt ontem. Cara, ela tem muita classe. Falei que tinha escutado uma das músicas dela na jukebox em um estranho chalé da Moose, e toquei sem parar. Eu estava sentado ao lado de um operário de construção, e então simplesmente disse: "Ah, desculpe", e comecei a chorar. Fiquei completamente destruído por aquela garota. Bonnie disse: "Nossa, cara", e foi embora. Falei: "Espere, eu tenho mais histórias de cortar o coração para contar." Ela deve ter pensado: "Vá se foder."

Sobre Los Angeles

Olhe, eu posso ser superficial, mas essa não vai ser minha experiência em Los Angeles. Minha experiência vai ser: vou ser mais duro do que nunca comigo mesmo. Vou ser melhor do que nunca para mim mesmo. Vou ser mais esperto do que nunca. Não vou dizer: "Vou pegar uma atriz idiota, ficar de bobeira e ser um imbecil.* O sol não é ótimo?" É, tipo: "Ah, vá se foder."

Sobre a realidade

Encontro cada vez menos pessoas que conseguem parar de tentar parecer descoladas, ser verdadeiras, ter medo e ficar sozinhas ou estar na porra do limite por um instante. Tipo, deixe a tempestade se formar e deixe que ela se acalme sozinha — em vez de gente que quer ficar no meio do temporal e dizer: "Isto não está acontecendo. Não estou molhado." É tipo: "Vá se foder e suma daqui."

Sobre drogas e álcool

Se você é destruído e alguém o magoa de verdade, não tem opção além de sair com um amigo, tomar uns drinques e conversar sobre o que aconteceu, isso é uma coisa. Mas não gosto de levantar meu copo a não ser que esteja comemorando. Não vejo objetivo em usar drogas se elas são prejudiciais. Do contrário você é só a porra de um perdedor. Eu já fui esse cara. Cansei dessa merda de cara. É tipo: "Vá se foder."

Sobre o ego

Estou cansado de gente desfilando como se fosse o galo do galinheiro. É tipo: "Você não é ninguém." Quando você começa a pensar que é, definitivamente não é. É tipo: "Não somos os reis do mundo. Ninguém nunca é a porra de um rei. Vão se foder."

[RUSSELL BRAND *CENA 1*]

Russell Brand dança na borda do palco perto do final de um de 13 shows com ingressos esgotados em Edimburgo, Escócia. Ele joga para trás se cabelo preto comprido, e com irreverência pergunta à plateia se eles têm alguma pergunta. Os fãs levam essa pergunta ao pé da letra e começam a gritar. As mulheres começam a implorar para ele tirar a roupa, para beijá-lo, para...

"Eu quero foder com você", grita uma garota perto do palco.

Isso não é rock and roll. É comédia.

Nesse ponto, Brand ainda não tinha estreado nos Estados Unidos, mas já estava totalmente claro que ia se tornar uma estrela aqui. O sexualmente pródigo

* Em Los Angeles, Adams namorou Winona Ryder e Alanis Morissette entre outras antes de se casar com a cantora e atriz Mandy Moore.

Brand dormiu com três mulheres depois do show daquela noite. Quando deixou Edimburgo, um famoso tabloide britânico pagou seu senhorio para tirar fotos do chão coberto de camisinhas.

Seu comentário para a imprensa: "Qualquer um que me conhece sabe que adoro bichos feitos com balões."

Com a ajuda do comediante britânico Steve Coogan, que me apresentou a Brand durante uma noite que terminou com um Coogan cheirado recitando números de comédia por duas horas inteiras, encontrei Brand para sua primeira entrevista norte-americana.

Quando conversei com o Steve, ele disse que você faz comédia há muito tempo, mas até ficar sóbrio era demitido da maioria dos seus empregos.

RUSSELL BRAND: É, é verdade. Eu trabalhei na MTV quando tinha uns 25 anos. Eu era viciado em crack e heroína naquela época e era... eu sempre tive tendências muito destrutivas, era instável. Eu não tinha botão de desligar. Não conseguia lidar com isso. Até então, eu nunca tinha tido dinheiro na vida e, assim que as pessoas me davam dinheiro, apertava o botão do "foda-se" e perdia a linha.

Pessoal ou profissionalmente?

BRAND: Ambos.

Dê um exemplo profissional.

BRAND: Em 12 de setembro de 2001, obviamente o dia seguinte do ataque a Nova York, fui para o trabalho para entrevistar a Kylie Minogue e entrei com meu traficante de drogas, o Gritty. Ele tinha cara de traficante de drogas — inclusive com dentes de ouro — e me pediu para mostrar o lugar ao seu filho. Eu disse: "Claro. Sem problemas."

Dia de levar seu traficante de drogas para o trabalho foi como eu defini mais tarde. Então fui trabalhar naquele dia com Gritty e o filho dele, o Edwin, e nós dois estávamos meio altos. Eu estava todo vestido com uma jaqueta de combate, com calça branca tipo pijama e uma camisa branca comprida que ia até os joelhos. Eu estava com uma barba falsa e uma tolha na cabeça presa com barbante. E enquanto eu andava pela MTV naquele dia e todo mundo dizia: "Que porra é essa?" E eu respondia: "Qual é, aquilo foi ontem. Superem."

Então entrevistei Kylie Minogue usando aquela roupa, e a apresentei ao meu traficante de drogas.

Ela o deixou entrevistá-la com uma fantasia de Bin Laden?

BRAND: Quando a entrevistei diante das câmeras, eles me fizeram tirar a barba e a jaqueta de combate, mas eu ainda estava usando uma espécie de túnica.

Foi uma péssima ideia.
BRAND: É porque eu estava morto para tudo. Eu usava drogas o tempo todo, em casa e no trabalho. Destruía objetos e pulava de carros em movimento depois de entrevistas com aquelas boy bands e fazia um monte de coisas loucas com animais mortos.

O que você fazia com animais mortos?
BRAND: Eu era obcecado por animais mortos e pela morte. A ideologia que motivava o que estava fazendo era bem séria, sabe? E sentia que as pessoas estavam enfeitiçadas, como se tivessem sido hipnotizadas e precisassem acordar. Então fazia coisas para acordá-las. Como ter um monte de ratos ou pintinhos mortos, como filhotes de passarinho, no palco. E eu os esmagava com um martelo e os jogava na plateia e dizia: "Vocês estão com nojo? Eu só rearranjei os átomos deles. Eles já estavam mortos. Nada aconteceu. Vocês estão chocados sem motivo."

Deixavam você fazer isso na MTV?
BRAND: Na verdade, isso causou muito caos para a MTV, especialmente depois do incidente do Bin Laden.

E então você começou a fazer outros shows estranhos, não é?
BRAND: Comecei a fazer um programa de TV no qual a ideia era desafiar tabus culturais. E um deles era que, como não cresci com meu pai, eu lutava boxe com meu pai para analisar a ideia do complexo de Édipo. Outra foi que recebi um drogado sem teto para morar comigo na minha casa. Compartilhei minha cama com ele para ver por que sentimos repulsa pela pobreza e pelos mendigos.

Acho que as pessoas sentem mais repulsa pela falta de higiene do que pela renda ou pelas condições de moradia de alguém.
BRAND: Foi por isso que acabei tomando banho com esse velho demente e drogado. Eu e ele entramos pelados na banheira.

[*Continua...*]

[NUSRAT FATEH ALI KHAN]

Ele pode não ser um nome conhecido, mas Nusrat Fateh Ali Khan foi um dos maiores astros do mundo, tanto figurativa quanto literalmente. Com 160 kg, ele passou a maior parte da vida transformando uma forma esotérica de música, o *qawwali* — estilo de canto dos místicos sufi do Paquistão e da Índia — em uma palavra conhecida internacionalmente. Ele colaborou com Eddie Vedder; Joan Osborne estudou com ele. E Madonna apareceu em um de seus shows para assisti-lo de pernas cruzadas no palco fazendo alguns dos vocais mais arrebatadores do mundo.

No Paquistão, sua terra natal, drogas e álcool não eram necessários em seus shows com ingressos esgotados para mais de 10 mil fãs. A própria música deixava a plateia em transe, levando a incansáveis ataques de dança durante os quais os membros inspirados da plateia renunciavam a seus bens materiais — dinheiro, relógios, joias — jogando-os para Khan.

Usando uma túnica larga e irradiando carisma, Khan chegou duas horas e meia atrasado para nosso almoço em um restaurante paquistanês em Manhattan, provando que dormir até tarde é um traço universal entre a maioria dos músicos. Ele estava acompanhado de seu empresário e assistente, Rashid Ahmed Din, que não apenas traduzia o que acabaria sendo uma das últimas entrevistas de Khan, como também dava sua opinião ocasionalmente.

As pessoas se machucam quando entram em transe em seus shows?
NUSRAT FATEH ALI KHAN: Muitas pessoas se ferem. Às vezes quebram joelhos ou pernas, mas não percebem na hora. Só notam quando saem do transe. Uma vez, em 1979, quando fui à Inglaterra pela primeira vez, um homem estava dançando, bateu com a testa no palco e fez um estrago. Ele estava em um transe verdadeiro, porque continuou dançando.

O que você faz com o dinheiro e objetos de valor que as pessoas jogam no palco?
KHAN: Normalmente doo para a caridade ou para pessoas pobres. Estão abrindo um grande hospital para tratamento de câncer no Paquistão para o qual estou arrecadando dinheiro, e doo para muita gente que se apresentava com meu pai e não tem mais uma fonte de renda. Se sobrar dinheiro, divido com o resto do grupo.

O que coloca as pessoas em transe, as letras ou o ritmo?
KHAN: São as palavras, a recitação das palavras, e o ritmo que afetam as pessoas — juntos. A primeira coisa que afeta as pessoas é a letra, depois o ritmo a fortalece. Mas se você ler as palavras, elas não vão levar as pessoas a um transe. Se são cantadas, colocam em transe.

Elas precisam ser cantadas de uma determinada maneira?
KHAN: Sim, as qualificações técnicas fazem a diferença. Toda vez que eu repito alguma coisa, é de um jeito novo. Assim, com uma boa voz, um ritmo, a letra e

a improvisação, tudo se junta e aumenta o transe. Se você só repetir tudo de um jeito normal, não vai colocar as pessoas em um transe tão profundo e longo.

Já ouvi falar de cantores que conseguiam criar tempestades e fogos através das ragas. O mesmo vale para a sua música?

KHAN: Essas histórias são baseadas na verdade. As pessoas que faziam isso eram sufis. Estavam distantes deste mundo. As coisas materiais não tinham nenhuma importância para eles. Então o que faziam tinha efeitos. Mas hoje em dia nossa vida prática não é tão boa, então não pode causar esses efeitos.

RASHID AHMED DIN: Acho que o Nusrat pode fazer isso. Há alguns anos, ele estava em Toronto em um dia ensolarado — muito quente. E, quando ele começou a cantar, começou a chover. E isso aconteceu em outros lugares muitas vezes. Mas não pode ser provado, e depende da situação. Às vezes a garganta está boa para cantar, mas a mente não funciona tão bem, então ele não consegue. Outras vezes, a mente está funcionando, mas a voz, não. Você precisa das duas coisas juntas para ter um efeito.

Quando foi sua primeira apresentação?

KHAN: Minha primeira apresentação foi no funeral do meu pai. Eu não ia me apresentar, mas sonhei que meu pai me dizia para cantar, e ele tocou minha garganta e despertou minha voz.

DIN: A música afeta o cantor da mesma forma que afeta a plateia. Eu me lembro de que, sempre que o pai dele se sentia muito afetado depois de cantar, ficava em um quarto escuro durante dias. Depois que o pai dele morreu, havia um cantor clássico cantando tão bem e o tio de Nusrat ficou tão afetado que rasgou as próprias roupas. Às vezes, quando está se apresentando, o Nusrat chora ou a improvisação é tão boa que ele fica em uma música por umas quatro horas. E então temos de lhe pedir para parar.

Percebi que sua música é usada em muitos filmes de Hollywood durante cenas de uso de drogas e violência. Como você se sente em relação a isso?

KHAN: Fiquei descontente com o filme do Oliver Stone. Eles pegaram trechos religiosos e os colocaram no lugar errado.* Não eram muito apropriados para aquelas cenas. Quando alguém associa algo religioso a drogas, sexo ou violência, minha reputação sofre.

Um ano depois dessa entrevista, Khan morreu de ataque cardíaco em Londres aos 48 anos.

---

* No filme *Assassinos por natureza*, o canto de Khan foi usado como pano de fundo para um violenta revolta na prisão.

[GENESIS P-ORRIDGE]

Uma das minhas primeiras entrevistas foi com Genesis P-Orridge — o líder do Throbbing Gristle and do Psychic TV, fundador da música industrial e o primeiro de meus heróis que conheci. Eu tinha 19 anos e estava escrevendo meu primeiro livro para uma pequena editora acadêmica chamada Semiotext(e). Meu colega de quarto da faculdade, Scott, me acompanhou porque eu não tinha coragem de encontrar P-Orridge sozinho. Acho que esse é todo o background necessário para apresentar o que vem a seguir — tirando o fato de que me sentei na mesa para fazer a entrevista, o que não seria um problema se...

GENESIS P-ORRIDGE: Saia de cima da mesa, seu babaca. Você está sentado na frente da câmera de vídeo (*muitas risadas a minha custa*). Este é o homem que está escrevendo um livro para a Semiotext(e) com o cérebro, mas obviamente fazendo televisão com o rabo (*mais risadas*). Queremos saber por que você está grudado na lente.

Desço da mesa e me sento em uma cadeira.

Então, seu ônibus quebrou hoje?
P-ORRIDGE: Quebrou?

Foi isso que seu assessor de imprensa disse.
P-ORRIDGE: Não, não. Nós inventamos isso porque queríamos tirar uma soneca hoje de manhã (*mais risadas*). Tivemos três horas de sono em uma cama — bem, em um colchão no chão, o que para nós é uma cama. Foi o sono mais longo que tive em uma semana.

Então, você vê seu novo disco como pop ou experimental?
P-ORRIDGE: Bom, na verdade acho que esse LP é experimental e pop. Uma das músicas, "I. C. Water," que é sobre Ian Curtis.* E essa música foi eleita o single da semana do *Sounds* na Inglaterra. Então o disco tem música pop, apesar do que *você* possa pensar. E a faixa "Bliss" é uma música de nove minutos e meio com os Mestres Músicos de Jajouka. Usa frequências altíssimas, que esperamos que sejam as que liberem muita endorfina. Então é bem experimental.

* Vocalista da banda de dark-rock Joy Division que se enforcou aos 23 anos.

Então você está vivendo nos dois mundos ao mesmo tempo?

P-ORRIDGE: Vivo em vários mundos ao mesmo tempo (*mais risadas*). Em geral as pessoas se perguntam em que mundo estou em determinado momento, mas não sei mais. Sou um psicodélico renascido.

SCOTT: O que você faz para manter sua imaginação correndo solta? Algum conselho para os jovens exauridos?

P-ORRIDGE: Para os jovens cínicos? Nossa, eu faço isso há tanto tempo que já é um modo de vida. Cerquem-se de pessoas que os estimulem. Não sei. Tem um cara chamado Art Kleps, que era da Castalia Foundation for Psychedelic Research com o [Timothy] Leary e todo mundo, e eu estava lendo o livro dele [*Millbrook*] pouco antes de sair da Inglaterra. Ele diz que quando as pessoas tomam coisas como LSD ou drogas empatogênicas acham que estão desenvolvendo telepatia com outras pessoas e sabem o que os outros vão fazer. Mas na verdade estão aprendendo a enxergar melhor a sincronicidade. E isso comprova o que os nativo-americanos dizem, que todas as situações contam uma história — e cada objeto que o cerca lhe diz alguma coisa se você começar a prestar atenção.

SCOTT: Então o melhor jeito de fazer isso é...

P-ORRIDGE: Acho que o segredo é manter os olhos e ouvidos e todos os seus receptores abertos, desejando ver o que está sendo dito a você. Sempre estão acontecendo coisas incríveis. Você todos estão fazendo isso agora (*damos uma risada nervosa*). Viram? Desenvolver a imaginação e mantê-la é o trabalho de uma vida, basicamente. E é algo que temos de decidir na juventude e sacrificar todo o resto.

Eu queria perguntar sobre a coisa do holosom.*

P-ORRIDGE: Por que você quer me perguntar isso? É um saco! Não, isso foi há oito anos. Nunca falo sobre coisas que aconteceram há oito anos. Som holofônico? Pergunte sobre o Brion Gysin.**

Recentemente, recebi uma fita que foi lançada das gravações que o Brion Gysin fez dos Mestres Músicos de Jajouka.

P-ORRIDGE: Sim, eles lançaram sem contar aos Mestres Músicos, mas entramos em contato com ambas as partes e resolvemos tudo. Já está tudo bem. Vamos fazer um disco inteiro com os Mestres Músicos de Jajouka e Bachir [Attar, o líder do grupo] neste ano, e vai ser muito interessante. O Brian Jones*** foi a última pessoa a investigar a fundo e lançar a música deles, então vou ficar longe de piscinas por

* O som holofônico é uma tecnologia que cria áudio tridimensional, como o equivalente acústico de um holograma. Um dos que apoiaram a ideia foi Paul McCartney, que tentou sem sucesso comprar os direitos exclusivos de usá-lo.

** Escritor e amigo íntimo de William Burroughs, que abriu um restaurante no Marrocos basicamente para poder contratar os Mestres Músicos de Jajouka e ouvi-los tocar trance music regularmente.

*** Guitarrista dos Rolling Stone, que foi encontrado morto em sua piscina aos 27 anos.

um tempo (*pausa*). Entenderam a piada? O Brian Jones morreu em uma piscina logo depois de finalizar o disco, antes de lançá-lo. Você não conhece a história do pop (*estala a língua pra mim*).

Eu sabia disso, mas ainda não tinha nascido na época.
P-ORRIDGE: Isso não importa. Eu não tinha nascido na época de Napoleão, mas sei o que ele perdeu (*mais risadas e humilhação*).
SCOTT: Acho que é melhor deixarmos você voltar.
P-ORRIDGE: Acho melhor eu ir escrever uma música pop (*com sarcasmo para mim*). Sabe, tem uma faixa no disco chamada "S.M.I.L.E." e...

Essa é a música pop?
P-ORRIDGE: Não, é a balada (*ri de mim outra vez*). E ao fundo se ouvem gemidos e depois um bebê chorando. Na verdade, é a gravação que fiz da Paula dando à luz [nossa filha] Genesse. Mas eu estava pensando que nossos filhos, ou qualquer criança, são simplesmente o futuro — genética e literalmente.

Você tem alguma previsão para o futuro?
P-ORRIDGE: Tenho (*ri*). No final, quando todos nós tivermos desaparecido, o mar ainda vai ter ondas, mesmo que sejam roxas — e alguma forma de vida ainda vai existir, e as pedras ainda vão estar aqui. O planeta vai existir por muito tempo. E na verdade nós não somos nada. Nós somos (*estala os dedos*) só isso. Quarenta mil anos não é nada. Nem vale a pena mencionar. Somos muito pomposos. Achamos que o destino da humanidade é muito importante, e não é. Seria bom deixar algo digno de respeito para trás. (*Sussurra de forma teatral*) Mas deixaremos?

O que você acha?
P-ORRIDGE: Eu duvido. Alguns de nós vão deixar e isso basta.

Um mês depois, recebi uma carta de P-Orridge. Apesar de ter zombado de mim durante toda a entrevista, ele escreveu: "Não sei por quê, mas sinto que você devia escrever minha autobiografia comigo." Na época, fiquei intimidado demais para seguir em frente, então o projeto não aconteceu. Mas sete anos depois, quando comecei a escrever autobiografias, com frequência lembrava de que ele foi a primeira pessoa a acreditar em mim — mesmo antes de mim mesmo.

Anos depois, P-Orridge começou a tomar hormônios femininos e colocou próteses de seios em uma tentativa de ficar fisicamente parecido com sua segunda esposa, Lady Jaye Breyer, que morreu logo depois de um problema cardíaco que não fora detectado anteriormente.

MESTRES MÚSICOS DE JAJOUKA

Por muitos séculos nas montanhas Rif do Marrocos, os Mestres Músicos de Jajouka tocam música trance em flautas e tambores. Ao longo do tempo, atraíram não apenas os enfermos dos vilarejos próximos na esperança de ser curados pela música, mas também o apoio de escritores e músicos como Paul Bowles, William Burroughs e os Rolling Stones. Na noite da primeira viagem do grupo para se apresentar nos Estados Unidos, conversei com Bachir Attar, que 14 anos antes herdara a liderança dos Mestres Músicos de seu pai.

Eu soube que a música de Jajouka é amaldiçoada. Você pode explicar?
BACHIR ATTAR: Dizemos que a música Jajouka pode despertar os demônios do chão. É porque alguém se casou com uma mulher-demônio, e os demônios ofereceram a meu pai milhares de quilos de ouro para se apresentar no casamento. Meu pai não quis ir, porque se você for para outro mundo sob o chão ou no céu, pode enlouquecer ou nunca mais voltar. Então ele se recusou. Mas agora sabemos que, onde quer que toquemos a música de Jajouka pelo mundo, os demônios ouvem e dançam.

Em que contexto a música é tradicionalmente tocada?
ATTAR: Todo ano, fazemos uma cerimônia para Boujeloud.* E tocamos a música todas as sextas-feiras para honrar um santo, Sidi Ahmed Sheikh, e para pessoas doentes e loucas que perderam a cabeça. E depois que tocamos, as pessoas passam a levar uma vida normal. Fazemos isso há milhares de anos. É como um hospital. Muita gente que chega já foi a médicos na Europa e não se curou. Então a pessoas ficam no vilarejo, nós as amarramos e tocamos toda semana, e elas melhoram.

Muita gente ouviu a música pela primeira vez através do Brian Jones. Você se lembra de ele ter ido ao vilarejo?
ATTAR: Eu tinha quase 5 anos quando o Brian Jones apareceu, e me lembro como se fosse ontem. Ele era o primeiro hippie que ia ao vilarejo, e o primeiro branco de que consigo me lembrar. Todos o adoraram. Não sabíamos quem eram os Rolling Stones, mas ele usava um casaco que parecia uma pele de cabra, calças malucas e tinha cabelo grande. Outras pessoas tocaram para mim a música dos Rolling Stones na época, e foi a primeira vez que ouvi uma música que não era marroquina. Na época, eu dizia que queria ser como Brian Jones. Ao mesmo tempo, aquilo me

* Uma entidade meio homem, meio cabra (similar ao deus grego Pan) que representa a fertilidade.

inspirou a aprender a tocar a música de Jajouka. Então ir para os Estados Unidos é como um sonho antigo que se torna realidade.

[TIMOTHY LEARY]

Depois da entrevista com Genesis P-Orridge, ele me deu uma lista de leitura, que incluía *Flashbacks* de Timothy Leary, o guru da contracultura dos anos 1960, que logo depois consegui puxar para um canto em um festival onde ele estava falando.

De onde veio seu slogan "Se ligue, sintonize e caia fora"?
TIMOTHY LEARY: Na verdade, eu não inventei isso. Quem me passou esse slogan foi o [teórico da mídia] Marshall McLuhan. Eu estava almoçando com ele em Nova York. Ele tinha muito interesse em ideias e marketing, e começou a cantar algo parecido com "Psicodélicos acertam em cheio / Quinhentos microgramas é muito", com a música do comercial da Pepsi. Então começou a dizer: "Se ligue, sintonize e caia fora."

Como você interpreta essas palavras?
LEARY: Cada um dá um significado a elas, mas "se ligue" para mim significa voltar-se para dentro e ligar sua luz interior. Depois, "sintonize", para nós, significava entrar em contato com o que estamos fazendo aqui e ressintonizar. E "cair fora" é a declaração mais velha do mundo. "Caia fora" significa deixar de lado a conformidade. As pessoas achavam que, quando dizíamos "caia fora", estávamos falando de ficar sem fazer nada, fumar erva e ouvir os Beatles. Bom, não era disso que estávamos falando. Cair fora significa mudar.

Você tem alguma preocupação por ser publicamente conhecido como alguém que usa drogas ilegais?
LEARY: Assim como um católico vai para a comunhão uma vez por ano, tento usar todas as drogas ilegais uma vez por ano. Sou a favor da legalização de todas as drogas para adultos. Cara, outras pessoas também acreditam nisso. Mas, se você tiver algum tipo de trabalho assalariado, não pode dizer isso em público.

O movimento psicodélico acabou há mais de vinte anos. Você acredita que ele atingiu seu potencial?
LEARY: O problema do movimento psicodélico foi que, quando milhares de pessoas começaram a aprender a abrir sua consciência, não havia metáforas, modelos

ou linguagem para lhes explicar o que fazer com isso. A questão com as drogas, plantas e comidas psicodélicas é que elas sempre eram usadas de forma comunitária. Com a maconha, você passa o baseado. Isso não vale para a heroína ou a cocaína. Pode imaginar alguém em Woodstock injetando heroína ou fumando crack? Essas são experiências solitárias: você se tranca no banheiro. Então intuitivamente voltamos às tradições comunitárias e xamânicas e aos rituais pagãos do passado. Era por isso que tínhamos comunas.

Que papel a música desempenhou em suas explorações?

LEARY: Tive a sorte de passar por várias gerações de música, e tenho orgulho de ter conhecido, convivido e ficado alto com alguns dos melhores músicos desde os anos 1960. As primeiras pessoas que fizeram experimentos comigo foram o Miles Davis e o baixista de jazz Charlie Mingus. E me lembro do Dizzy Gillespie abraçando e beijando seu trompete na minha sala de estar. Não há dúvida de que a sociedade evolui através da música. Os poetas mudaram mais vidas do que os políticos.

Com uma câmera de vídeo ligada para capturar o momento, Timothy Leary morreu de complicações de câncer de próstata em sua casa em Beverly Hills em 1996. Ele tinha 75 anos. Segundo um de seus filhos, sua última palavra foi "lindo".

[RAVERS]

Para uma matéria do *New York Times*, fui a uma rave de quatro dias chamada Even Furthur em um campo em Wisconsin. Essas foram algumas das coisas que entreouvi naquele final de semana.

"Gente, a última célula do meu cérebro já está por um fio e ainda é sexta... ou sábado."

"A última coisa que ele fez foi tomar um copo de suco de laranja. E agora está em um hospital psiquiátrico achando que é uma laranja."

"Acabei de ver um circo em um pingo de chuva."

"Odeio escovar os dentes quando estou chapado. Sempre acabo escovando outras coisas."

"Pode ver se a minha orelha está sangrando? Uns alto-falantes enormes caíram em cima de mim."

"Alguém tem leite... ou vitamina B12?"

"Não consigo achar meu carro. Cara, nem sei se eu vim de carro."

[MEAT PUPPETS]

Nos bastidores do Beacon Theatre, em Nova York, Curt Kirkwood e Derrick Bostrom, do Meat Puppets, estavam compartilhando um bong. Em outro lugar, Howard Stern treinava guitarra para se juntar à banda na música "Lake of Fire", da qual o Nirvana fez um cover famoso no disco *Unplugged*.

Em um cômodo adjacente, o terceiro integrante do Meat Puppets, o irmão mais novo de Curt, Cris Kirkwood, fumava um baseado. Ele estava irritado e reclamava sobre os namorados e maridos da mãe, sete dos quais dizia terem batido nele, no irmão e na mãe. Um, lembrou ele, espalhou gasolina pela casa e ateou fogo com eles dentro.

"Estou preso entre um anão traiçoeiro e idiota que toca bateria como um macaco a corda, um irmão que é a porra de um hippie exaurido e incompetente e um casamento que fui forçado a aceitar", concluiu ele. Ele deu um trago gigante no baseado. "Provavelmente vou dar um tiro na cabeça em breve."

Eu tinha de entrevistar a banda para a *Rolling Stone*, mas Cris não estava em condições de ser entrevistado. Então decidi conversar com Curt, que estava usando os restos da sessão de fotos da banda para a *Rolling Stone*: uma minissaia de vinil, meias-calças rasgadas, um sutiã vermelho, batom borrado e gigantescos brincos de argola.

Você escreveu muitas músicas sob o efeito de ácido?
CURT KIRKWOOD: Ah, sim, toda hora. Mas mantenho as viagens na minha mente. Elas não afetam muito minha personalidade (*arrota*). Merda de Dr. Pepper.

Você já viajou com a intenção específica de escrever uma música?
KIRKWOOD: Nosso primeiro disco inteiro tinha a intenção expressa de ser gravado em uma viagem de ácido, e foi. Não sabíamos se algum dos nossos discos psicodélicos preferidos tinha sido feito enquanto as pessoas estavam drogadas. Precisávamos fazer um com essa certeza. O primeiro disco foi feito conceitual-

mente enquanto estávamos usando aquilo, e o segundo foi feito não tão intencionalmente com uma tonelada de MDA, que foi meio que uma predecessora do ecstasy. Tínhamos umas 30 g daquela merda e gravamos o disco quase todo com a ajuda dela.

Estar viajando afeta a maneira como você toca ao vivo?
KIRKWOOD: Sim, sim, sem dúvida. Para nós. Mas não sei se a plateia percebe.

Qual é a diferença?
KIRKWOOD: O braço da guitarra se dobra. Se curva completamente. Essa é a coisa que eu sempre consegui ver...

Você já atirou com uma arma de fogo?
KIRKWOOD: Já.

Ainda atira?
KIRKWOOD: A-hã, é muito divertido. Atiro desde criança. No Arizona, você pode sair da cidade, passar uma tarde bonita no deserto e estourar coisas. As pessoas de respeito não atiram nos cactos. Quando éramos crianças, saíamos e atirávamos em qualquer coisa que se movesse. Mas mesmo assim nunca atiramos em cactos. Os cactos não se reproduzem como os coelhos. Coelhos são meio como moscas. Você pode usá-los à vontade. Não existe escassez daqueles merdinhas.

Você já viu um cadáver?
KIRKWOOD: Já vi até demais. É, é horrível. Digo, vi o primeiro quando tinha 5 anos. Meu amigo se afogou enquanto estávamos nadando. Foi meio bizarro. Não me incomodou de verdade.

Você poderia ter feito alguma coisa para salvá-lo?
KIRKWOOD: Eu tentei tirá-lo da água, mas ele era pesado demais (*dá um grande trago no bong*). Consigo me visualizar tentando puxá-lo pelos degraus da piscina e olhando ele cair de volta na água porque não consegui tirá-lo. Assim que ele chegava à superfície, a gravidade o pegava e (*tosse*)...

Você contou à sua mãe o que aconteceu?
KIRKWOOD: O que aconteceu foi que fiquei cansado de tentar puxá-lo sozinho, então fui contar aos meus pais — que estavam almoçando em um restaurante a menos de 5 metros de distância — que ele estava dormindo na água. E eles piraram. Minha mãe mergulhou de roupa na piscina e o tirou de lá, mas eles não

conseguiram ressuscitá-lo. Mas tenho certeza de que isso influenciou consideravelmente meus anos seguintes.

Você se sente culpado?
KIRKWOOD: Não, nem um pouco. Nunca me senti.

Alguns anos depois, o Meat Puppets se separou por mais ou menos uma década, durante a qual os irmãos sequer se viram. Naquela época, a mulher de Cris Kirkwood morreu de overdose, e ele ficou preso por 18 meses depois de ter pegado o cassetete de um segurança e começado a espancá-lo. O segurança, segundo a Associated Press, atirou nele pelas costas.

[RUSSELL BRAND *CENA 2*]

Que outras ideias você explorou no seu programa?
RUSSELL BRAND: Bom, eu dizia: "Vocês sabem que só consigo transar com prostitutas por causa do anonimato. Se conhecemos uma prostituta, ainda conseguiríamos transar com ela?" E para avaliar isso, morei com uma prostituta. E conheci também a família dela.

Todos eram viciados em heroína, eu também era na época. E o maravilhoso é que eu estava no jardim com o namorado dela dizendo: "Você tem de ficar sóbrio, companheiro." Ele estava chorando. Eu estava chorando. Tenho tudo isso gravado. E então a filha pequena dele chega correndo — a filha de 3 anos — e senta no colo dele. Ele a envolve no pulôver de forma que a cabeça dele e a dela saem pela gola como uma Hidra. Ele a abraça e os dois choram. Eu falo: "Você tem de ficar sóbrio, companheiro." Então paramos de gravar e eu disse: "Venha, vamos injetar até cair."

Isso é horrível.
BRAND: Fica pior. No final dos três dias com aquela prostituta e conhecendo-a melhor, eu disse: "Tudo bem, conheci vocês e vocês são pessoas ótimas. Aqui estão 50 pratas. Agora vou comer você." E ela era uma prostituta acabada.

Como eles reagiram?
BRAND: Eles desabaram. Aquilo destruiu o momento. Fiquei aniquilado, sabe, aquele programa nem pôde ser transmitido porque era intenso demais. Ainda o tenho. Em outra, eu saí com um grupo de grupo de jovens do BNP [Partido

Nacional Britânico, na sigla em inglês] — nazistas — e acabei brigando com eles, e eles não nos deixaram mais filmar. Tentei seduzir uma senhora, e fiz um monte de coisas loucas para desafiar o jeito que as pessoas pensavam.

Funcionou?
BRAND: Bom, eu fiz todas essas coisas, mas não estava bem. Eu estava tendo um colapso. Levei um monte de sem-teto para o estúdio, e era um programa no domingo à tarde, e li pornografia no ar. Foi algo como: "Ei, se você é um mendigo, sou o conselheiro sentimental para todas as suas necessidades de mendigo." Claro que ninguém ligou com problemas de mendigo porque mendigos não têm rádios. Era só sujeira e tipo, sexo anal, e eles me demitiram na hora. Então perdi aquele emprego.

Foi isso o que o fez ficar sóbrio?
BRAND: Foi mais tarde, depois que fui demitido de outro trabalho. Eu estava fazendo um filme com o Steve Coogan, o David Walliams e o Rob Brydon, chamado *Cruise of the Gods*. Eu só tinha um papel pequeno. Estava insano nessa época, e estávamos em um navio de cruzeiro no mar Egeu. E, antes mesmo de o Steve chegar lá, eu estava indo para, tipo, boates de strip-tease em Atenas, onde enfiava o dedo nas dançarinas, batia punheta e fazia todo tipo de coisa. E acabei entrando em uma briga com o dono de uma boate de strip-tease e ele meio que me deu um soco na cara. Depois fomos a Istambul, entramos em um bordel e comemos umas prostitutas, e acabei esmagando o telefone de uma prostituta na parede.

Como isso aconteceu?
BRAND: Eu estava transando com a prostituta e ela não parava de atender o telefone, então peguei o telefone e esmaguei conta a parede, depois voltei para o bordel e exigi meu dinheiro de volta de uns turcos filhos da puta. Tive sorte de não terem me matado. E descobri que também tinha dançarinas na boate, então comi uma das dançarinas e a filha de um dos passageiros do cruzeiro. E os produtores descobriram tudo e me demitiram.

Você teve um ataque quando isso aconteceu?
BRAND: Acho que eles sabiam que eu teria. Então o irmão do Steve, o Brendan, me deu uma carona para o aeroporto, dizendo: "Não, é só uma licença de uma semana em terra firme. Você está tendo uma folga de uma semana. Você tem se saído muito bem." Eu nem entendi. Falei: "Quer que eu traga alguma coisa para você quando voltar da Inglaterra?" E o Brendan disse: "Não precisa." Como disse um amigo meu, eu parecia um cachorro sendo levado ao veterinário para ser sacrificado.

Então, como você finalmente ficou sóbrio?
BRAND: É, o resumo de tudo isso é que eu fiquei completamente maluco. Perdi tudo, e meu vício saiu completamente de controle. Aí arranjei um novo empresário, o John Noel, e ele me forçou a ir para um centro de tratamento. Passei três meses lá, fiquei sóbrio, e estava usando metadona para me livrar da heroína e soníferos para me ajudar a dormir. Eu fiz isso por três meses, depois voltei como um velho tímido e frágil. Mas eventualmente me acostumei a ser uma pessoa normal outra vez.

[*Continua*...]

[SPARKLEHORSE]

Por alguns meses, Mark Linkous, o lacônico vocalista que grava como Sparklehorse, achou que seu primeiro disco seria o último. Enquanto estava em turnê, ele desmaiou em um hotel de Londres depois de misturar Valium com seu antidepressivo. Quando os paramédicos chegaram, 12 horas depois, encontraram-no inconsciente com as pernas dobradas sob o corpo. Quando desdobraram suas pernas, uma onda de potássio disparou para os rins e o coração. Linkous ficou morto por vários minutos antes que conseguissem reanimá-lo. Ele passou três meses no hospital e depois seis meses em uma cadeira de rodas, antes de voltar a andar com a ajuda de suporte para as pernas.

Cachorro uiva.

MARK LINKOUS: Cale a boca! O que está acontecendo com você? Acalme-se.

Então, você estava dizendo...
LINKOUS: Desculpe. É, tomei um monte de pílulas, ãhn, e do nada desmaiei em um quarto de hotel em Londres.

Você compôs alguma coisa no hospital?
LINKOUS: Não, eu não conseguia compor. Digo, fiquei com muito medo que quando eu, tipo, fiquei morto por uns minutos, as células da composição do meu cérebro tivessem morrido por falta de oxigênio ou coisa assim, mas...

Mas?
LINKOUS: Mas estavam me dando tantos remédios que eu não conseguia pensar direito.

Ser confrontado com a perda de algo que você considerava garantido lhe deu alguma nova ideia sobre a vida ou sobre o que você deve fazer com ela?
LINKOUS: Bem, sim, deu. De certa forma, confirmou que preciso estar aqui para fazer discos, só porque muita gente me escreveu dizendo que foi tocada pelo meu primeiro disco.

Nas suas músicas, você gosta de mexer com o som da sua voz e dos instrumentos...
LINKOUS: É, gosto de destruí-los às vezes. Como em "Happy Man". Escrevi essa música antes [do disco anterior]. Então coloquei muita estática de rádio nela.

Por quê...?
LINKOUS: Eu estava cansado da música. De certa forma, queria sabotá-la. [...] Mas recentemente fui a Memphis e gravei, acho, uma versão amena de "Happy Man". Ficou muito boa.

Vai colocá-la no disco?
LINKOUS: Acho que é só para o rádio. A gravadora queria.

Então você parou de sabotá-la?
LINKOUS: Eu quero muito uma moto cara, então...

Quando você canta que só precisa de "água, uma arma e coelhos", qual é a ideia por trás disso?
LINKOUS: Bom, o mundo está de um jeito que as coisas se tornaram muito complicadas e velozes. E até me sinto culpado de comprar todas essas coisas de que não preciso, como cinco motos antigas. E também tem um monte de fatores que surgem quando se tem uma casa, plano de saúde e toda essa merda. Às vezes simplesmente sinto que tudo o que eu quero fazer é ir viver nas montanhas... e comer coelhos.

Você tem medo de ser abandonado ou de se perder na confusão por causa de todas as mudanças que estão acontecendo na sua gravadora?
LINKOUS: Se você começar a pensar nesse tipo de coisa, vai ficar deprimido, querer se esconder ou coisa assim.

Acha que fazer turnê com o Radiohead o influenciou de alguma forma?
LINKOUS: Ãhn, na verdade não me influenciou. Quer dizer, eles dizem que "No Surprises" foi a música Sparklehorse deles, mas nunca poderíamos competir com

o Radiohead. Eles fazem músicas pop majestosas como ninguém, sabe, e a nossa ideia é ser pequenos e patéticos.

Em 2010, Linkous estava na casa de um amigo em Knoxville, Tennessee, quando recebeu uma mensagem de texto que o irritou. Ele saiu da casa logo depois e deu um tiro fatal no próprio peito com seu rifle. Ele tinha 47 anos. O conteúdo da mensagem e a identidade de quem a enviou não foram revelados.

[RADIOHEAD]

Existem algumas bandas que vemos se tornar algo muito maior do que qualquer um poderia esperar, e o Radiohead é uma delas. Em sua primeira apresentação em Nova York, parecia que só teria um sucesso, tocando para uma multidão que não estava familiarizada com muito mais que o novo single, "Creep". Quando eles voltaram a Nova York com a própria turnê depois de lançar *The Bends*, tinham se firmado como uma banda agitada e poderosa para se observar com atenção. E na época que visitou Nova York antes do lançamento de seu terceiro disco, *OK Computer*, já estava claro que o Radiohead era uma das bandas mais importantes de seu tempo. Sentados na traseira de uma van a caminho de uma sessão de fotos na ponte do Brooklyn, o vocalista do Radiohead, Thom Yorke, lutava para colocar sua música em palavras.

Precisei ouvir várias vezes o disco para entender. É muito...
THOM YORKE: É um disco estranho. Quando o mostramos à Capitol [Records] pela primeira vez, eles ficaram chocados. Não sei por que isso é tão importante agora, mas estou animado com ele.

O que acha que as pessoas estão ouvindo nele?
YORKE: Ele tem uma atmosfera própria. Meio que desconcerta você, e acho que isso é bom. Quando estávamos gravando, só tínhamos um som na cabeça e... sei lá.

Qual era o som?
YORKE: Parece *Spinal Tap* ou sei lá, mas (*suspira*) quando estávamos gravando o disco novo, tínhamos esse som na cabeça, o som de vidro e metal ressoando e tipo... É meio difícil de explicar. É uma espécie de cruzamento entre *What's Going On* do Marvin Gaye e *Bitches Brew* do Miles Davis. Meio denso, mas também bem

leve. Isso tudo é em retrospecto. Eu o estou considerando do mesmo jeito que você, porque levamos um ano para fazer o disco e não consegui explicar o que estávamos fazendo para ninguém na época.

É surpreendente vocês terem gravado o disco em tantos lugares diferentes e mantido um som tão consistente.

YORKE: Basicamente, isso teve a ver com umas placas de reverberação antigas incríveis que compramos e levamos para todo lado. Têm mais ou menos o tamanho de um carro grande e não param de quebrar. Mas valeu a pena. Para mim era como o som de uma ferroviária ou aeroporto. E era isso que eu queria ouvir.

Você ouviu os raps que usam o refrão de "Creep"?

YORKE: Acho empolgante termos chegado ao ponto em que a música é propriedade pública. Qualquer coisa que fizermos vai acabar assim. Digo, estávamos em... onde estávamos? Acho que era Bangcoc. E em um bar e nos sentamos, e uma banda tocou "Creep" bem na nossa frente. Nós nos levantamos diante da banda e batemos palmas, olhando nos olhos deles. E eles pensaram: "Quem são essas pessoas que a gente não conhece?"

Eles não reconheceram vocês?

YORKE: Não, também é ótimo poder nos afastar dela. Como se agora fosse propriedade de alguma banda cover tailandesa, sabe.

Existe alguma banda mais antiga que você use como modelo para continuar a compor música importante que faça diferença?

YORKE: Fizemos turnê com o R.E.M., e é muito inspirador pensar que é possível fazer tudo aquilo e não virar um bando de babacas.

[R.E.M.]

Mais cedo, provavelmente com a matéria do Led Zeppelin, aprendi a evitar entrevistar integrantes de banda juntos. Quando se conversa com todos de uma vez, eles não falam mais para você, mas uns para os outros. Com algumas bandas, isso significa um monte de piadas internas acumuladas na estrada. Com o R.E.M., que fez questão de dar esta entrevista em conjunto, como iguais, significa um medo de sequer se autodenominar uma banda, para o caso de outro integrante discordar. Na época, o grupo estava enfrentando a partida de seu baterista original, Bill

Berry, que teve um aneurisma cerebral em uma turnê e, depois de se recuperar, decidiu se tornar fazendeiro e passar mais tempo com a família.

MIKE MILLS [baixista]: Você já está nesse ramo há um tempo. Que tipo de banda diria que o R.E.M. é? Uma banda de rock? O que nós tocamos? Tocamos rock and roll? Como você nos definiria?

Se eu tivesse de generalizar, diria que é uma banda de rock.
MILLS: Sempre tenho de responder a essa pergunta. Quando as pessoas me perguntam que tipo de música eu toco, normalmente digo: "O tipo de música que eu toco."
PETER BUCK [guitarrista]: Éramos uma banda punk e depois fomos uma banda new wave e depois de rock universitário, seja lá o que isso for. Não temos nem diploma universitário. E então veio o indie rock. Não somos indie.
MILLS: Somos tudo isso e muito mais.
MICHAEL STIPE [vocalista]: Nem sei mais se somos uma banda. Eu quase sinto que somos um coletivo musical a esta altura. Não tenho certeza.
MILLS: Eu chamaria de grupo. Combo é bom. Coletivo parece pretensioso.
STIPE: Não foi minha intenção.
BUCK: Somos três caras que compõem músicas juntos, e existem outros caras que nos ajudam a gravá-las. E não sabemos quem são os outros caras em cada disco.
STIPE: É uma porta giratória, mas o vidro está do lado de fora.
BUCK: Não sabemos o que somos, e não podemos nos preocupar com isso. Mas eu penso sobre o assunto: Onde eu me encaixo? O que tenho de entender é que não consigo acompanhar as tendências. Por mais empolgante que seja ouvir o DJ Shadow, seria uma idiotice seguir por esse caminho ou virar techno.
MILLS: Talvez usemos calças baggy e bonés virados para trás.
BUCK: Eu estava conversando com o Neil Young sobre isso e falamos de uma turnê na Europa em 1987 em que tivemos de cancelar metade dos shows porque não conseguíamos vender mais do que cem ingressos. Nos últimos dois anos, temos vendido 60 mil ingressos. Varia.
MILLS: Desde que você faça um trabalho muito bom, vai ser reconhecido.
BUCK: Estamos em uma grande jornada, e acredito muito que, se continuarmos firmes como banda e mantivermos nossa visão, em algum momento vamos vender 10 milhões de discos. Eu adoraria ter 50 nos e ouvir as pessoas dizerem: "Nossa, esses caras nunca fizeram um disco ruim." E de repente, você vira uma lenda. Ainda não somos uma lenda. Estamos entre ser novos e ser uma lenda. Estamos presos ali.

NEIL YOUNG
CENA 2

Às vezes encontramos músicos em um bom dia e conseguimos uma ótima entrevista. Em outras vezes, os encontramos em um dia ruim.

Você está fazendo um vídeo para o single?
NEIL YOUNG: Estamos fazendo um vídeo, mas não estamos nele.

Qual é o conceito?
YOUNG: Não sei. Não estamos lá.

"Fallen Angel" é sobre uma stripper?
YOUNG: Acho que cada um imagina um cenário diferente.

Qual é o seu cenário?
YOUNG: Meu cenário é o *meu* cenário.

Você não vai compartilhá-lo?
YOUNG: Não.

Você vai fazer 50 anos este ano...
YOUNG: Vai ser uma grande festa.

Você tem alguma reflexão sobre chegar aos 50?
YOUNG: É inevitável.

Aquela frase que você escreveu no novo disco, "On the ocean people my age, they don't do the things I do".*
YOUNG: É.

* O mar de gente da minha idade não faz as coisas que eu faço. (*N. da T.*)

Ao que ela se refere?
YOUNG: Ah, sei lá. Isso saiu um dia.

Não faz referência a nada específico?
YOUNG: Não, é o que é. Escrevi isso tarde da noite, de manhã cedo.

Quando você estava em Seattle, encontrou outros músicos ou coisa assim?
YOUNG: Encontrei, conheci alguns músicos de várias bandas.

Manteve contato com alguém?
YOUNG: Não me comunico muito bem. Mas quando os vir, vou saber quem são.

Em que ponto da sua carreira você pôde fazer basicamente o que queria sem ninguém para dizer não?
YOUNG: Bom, às vezes você quer fazer coisas que não funcionam. Normalmente acaba vendo que não era mesmo uma boa ideia. Mas existem outras maneiras de fazer as coisas. Então ainda sinto que posso fazer o que quero. Não parece que isso vai mudar.

E em que ponto da sua carreira você conseguiu essa liberdade?
YOUNG: Quando comecei a fazer isso? É uma boa pergunta. Há muito tempo.

Você ainda se sente limitado tecnicamente como músico?
YOUNG: Não. Digo, tecnicamente sou limitado. Não sou o melhor instrumentista do mundo. Mas não ligo.

Então o que o fez decidir dar esta entrevista para promover o disco?
YOUNG: Sabe, só para mostrar que é possível. Simplesmente faça. Não fiz isso no último ou no penúltimo disco... ou no anterior a esses. É bom não exagerar.

Depois da entrevista, Young vai para o estacionamento, onde um fotógrafo e um câmera de TV estão esperando por ele. Quando ele se senta lá, sendo colocado em várias posições, vai ficando cada vez mais desconfortável até mostrar o dedo ameaçadoramente na direção da câmera de TV e dizer para o público:

YOUNG: É melhor vocês comprarem a droga do meu disco, idiotas.

[DOLLY PARTON]

Uma noite, assisti por acaso ao cantor country Dwight Yoakam em um programa de entrevistas. O apresentador fazia um monte de perguntas sobre seu novo disco, mas Yoakam queria debater outras coisas como, se bem me lembro, a teoria de que na cadeia evolucionária os cachorros são mais próximos dos humanos que os macacos. Foi tão divertido ouvi-lo que me tornei fã instantaneamente. No extremo oposto, artistas que passam a entrevista inteira tentando voltar a conversa para um produto que estão promovendo tendem a ter o efeito contrário, não importa quão charmosos tentem ser. É parte do jogo mental da entrevista: a maior parte dos músicos estabelecidos não faz isso se não tiver algo novo a promover, mas a maioria dos entrevistadores não falaria com eles se não estivesse interessada em seu passado e em conhecer a pessoa por trás das músicas.

Notei que você mudou parte da letra de "After the Gold Rush", do Neil Young, em seu novo disco.
DOLLY PARTON: Eu não entendia o significado, então precisava deixá-la um pouco mais clara para mim. No original, diz algo sobre uma rainha, então mudei para um rei, como Jesus. E tinha alguns versos sobre "I felt like getting high"* no original. E eu disse: "I felt like I could cry".**

Você não quer nenhuma referência a drogas nas suas músicas?
PARTON: Eu pensei, bem, existe uma coisa antidrogas acontecendo, as pessoas iam cair em cima de mim se eu dissesse que queria ficar alta. Você entendia o significado da música?

Acho que fala que estamos destruindo o meio ambiente.
PARTON: É uma música muito abstrata. Acho que ninguém nunca entendeu o significado, nem mesmo o Neil Young. Então tentei personalizá-la um pouco para

---

* Queria ficar alto (*N. da T.*)
** Queria chorar" (*N. da T.*)

que fizesse mais sentido e eu pudesse explicar se alguém me perguntasse o que dizia. Agora, para mim, é sobre o retorno de Cristo, uma invasão alienígena ou coisa do tipo. Acho que se houver um retorno, será um esplendor de glória em algum tipo de nave espacial (*ri*). Você ficou fascinado pelo fato de eu cantar "Peace Train", aquela música antiga do Cat Stevens?

Sim, e você acrescentou os [cantores zulu sul-africanos] Ladysmith Black Mambazo a ela. Como os conheceu?
PARTON: Na verdade, eu os encontrei na TV. Ouvi um comercial dos Life Savers na TV, então liguei para o produtor e disse: "Quero quem quer que esteja cantando naquele comercial em 'Peace Train'." E eram eles.

Recentemente, eu visitei Dollywood, e é impressionante porque muitos músicos falaram em abrir um parque de diversões, mas poucos o fizeram.
PARTON: Dollywood é um parque temático, não um parque de diversões. Seu objetivo é preservar nossa herança das Smoky Mountain. As pessoas não entendem isso. E temos um dos cinco melhores parques, incluindo a Disney.* Enfim, é simplesmente um ótimo lugar, então fui sortuda e, gosto de pensar, esperta por começar onde comecei. Eu sempre quis fazer alguma coisa pela minha terra natal e criar muitos empregos, porque existe muita gente pobre naquela área.

Não sei se é verdade ou não, mas...
PARTON: Esta entrevista é sobre a música, acho eu.

Eu ia perguntar se você se envolveu em algum tipo de acidente.
PARTON: O quê? Não! Está falando da Barbara Mandrell?**

Não, conversei com sua assessora de imprensa. Tenho certeza de que ela não confundiria isso.
PARTON: Não, você deve ter... A única coisa que pode ter sido é que três meses atrás fiz um peeling a laser no rosto. E saí da clínica com um véu sobre a cabeça porque estava com uma tonelada de vaselina no rosto, já que o procedimento meio queima sua pele. Então tiraram uma foto minha com esse véu na cabeça e depois todos os tabloides tinham manchetes dizendo: "Dolly ficou com cicatrizes permanentes por causa de alguma cirurgia bizarra", e todas essas bobagens.

---

* Um porta-voz de Dollywood, assim como porta-vozes da Associação Internacional de Parques de Diversão e Atrações, não confirmaram essa estatística.
** Doze anos antes, Mandrell sofreu um acidente de carro. Ela quebrou vários ossos e teve amnésia e dificuldade de fala temporárias.

Mas é mentira. Não aconteceu nada. Eu já estava de volta ao estúdio quando a matéria saiu.

Sua assessora de imprensa disse que tudo o que falaram no programa do Jay Leno foi sobre a cirurgia plástica e algum acidente, e que você ficou irritada por não falarem do disco...
PARTON: Nunca sofri um acidente. Deve ter sido isso. Eu nem sequer preciso...

OK, podemos voltar ao disco. [Quinze minutos de perguntas e respostas sobre o novo disco omitidos.] **Muito obrigado por reservar este tempo para conversar.**
PARTON: Obrigada a você por reservar este tempo para conversar comigo, porque fui eu que pedi o favor. Então espero que fique bom. Se não, bem, vou chutar sua bunda quando o encontrar. Talvez a gente se encontre na próxima vez que eu for a Nova York. Estou sempre lá.

Espero que você goste da matéria. Não me espanque.
PARTON: É, tudo bem, mas se eu não gostar, *vou* bater na sua cabeça como um filhote de cachorro.

[THE WHITE STRIPES *CENA 1*]

Jack e Meg White, a dupla de ex-marido e ex-mulher conhecida como White Stripes, olhavam hesitantes pela porta de seu camarim do MTV Movie Awards, no Shrine Auditorium em Los Angeles. Sharon Osbourne estava no corredor, e não estava contente. Aparentemente, os guarda-costas de Eminem tinham se atrevido a pedir que ela tirasse os filhos do corredor para o rapper poder passar. "Abra um sorriso, menininho", alardeou ela quando Eminem e seu musculoso séquito passaram. "Fiquem de cabeça baixa. Não olhem para mim."

Como os guarda-costas e Eminem obedeceram e olharam para o chão, Jack e Meg balançaram a cabeça, incrédulos. "Entramos em alguma outra dimensão", murmurou Meg.

"Não consigo nem entender por que fomos convidados para nos apresentar aqui", resmungou Jack. "Odeio show de premiações."

Esse relacionamento relutante com o próprio sucesso é o que torna o White Stripes — que estava para caminhar sobre o tapete vermelho pela primeira vez na vida — um dos tipos mais difíceis de entrevistar da música. Eles não só temem estar sob os holofotes como também ser julgados e criticados por velhos amigos e inimigos por isso.

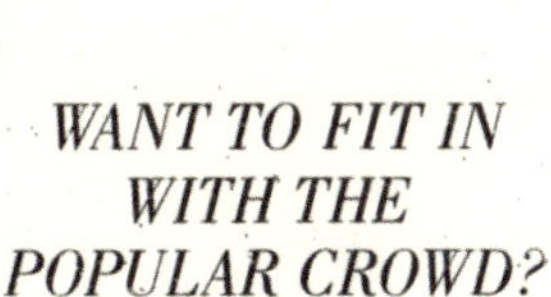

WANT TO FIT IN
WITH THE
POPULAR CROWD?

HOW?

with

SANITIZED

TAPE WORMS

These Little Friends will Help You Lose Weight so People can See the Real YOU: Beautiful, Charismatic, Dateable. No Strict Diet or Tedious Exercise Necessary. Just Swallow These Hungry Fellows and Let Them do the Eating for You. The Fat You Consume Doesn't Have to End Up in Your Body.

Prepared by J & M Co.
Detroit, Michigan

Write for pamphlet for more details on the eggs, hatching, and praziquantel de-worming pills.

Desde que vocês se conheceram, o Jack mudou muito?

MEG WHITE: Acho que somos mais ou menos os mesmos. É difícil saber, porque vivemos tão próximos um do outro que as pessoas de fora perceberiam melhor que nós mesmos.

JACK WHITE: O que deveria mudar, mesmo que tivéssemos vendido apenas mil discos ou 1 milhão? Digo, algo deveria mudar? Na verdade, acho que não.

O ideal é que algo mude. Que você aprenda com suas experiências, cresça e mude para melhor.

JACK: É, acho que sim. Você pode se tornar uma pessoa melhor. Normalmente, esse tipo de sucesso tem um efeito oposto. As pessoas se tornam piores — mais arrogantes e egoístas. Acho que nós dois continuamos os mesmos.

Onde vocês moram em Detroit?

JACK: Na cidade. Ambos moramos na cidade.

Em que parte vocês cresceram?

JACK: No lado sudoeste de Detroit.

MEG: Eu moro perto da universidade, tipo, mais perto do centro.

Vocês...

JACK: Não queremos falar sobre nossas coisas de infância.

Não que faça diferença, mas é interessante você ter virado os olhos quando disse isso.

JACK: Não é isso. Não gosto de entrar nesse assunto porque meio que envolve essa coisa toda de rapper branco *você-é-mesmo-do-gueto?* [...] O objetivo da banda não é saber se somos mesmo irmãos ou marido e mulher. E se somos mesmo da cidade ou estamos fingindo ser? Ou se gostávamos de caixas de areia ou de outros brinquedos quando éramos crianças?

Acho que existe uma diferença entre perguntar que tipo de roupa de baixo alguém usa e perguntar como a pessoa foi criada, porque isso afeta quem ela é como artista.

JACK: É possível, mas quantas vezes você ouviu a Jewel dizer: "Eu morei no meu carro durante um ano"? OK, sinto muito por você ter morado no seu carro por um ano. Mas não vou fazer uma reverência e dizer que sua poesia é incrível porque você morou no seu carro. Grande coisa, milhões de pessoas fazem isso o tempo todo. E se dissermos coisas como essa, não quero que sejam mal-interpretadas como: "Ah, nos ame porque crescemos no bairro mais pobre de Detroit." Não me agrada.

Então em vez disso, vocês querem manter uma atmosfera de mistério?
JACK: Bom, não sei. Tenho medo de debater esse assunto. Digo, se o tópico da discussão é se o White Stripes quer manter uma atmosfera de mistério, isso em si já destrói o mistério (*solta uma risadinha*).

Talvez você tenha internalizado críticas do passado, porque muitas vezes quando faço uma pergunta, percebo que você leva para o lado negativo, como um julgamento. Como quando perguntei se você tinha mudado, você presumiu que era para pior.
JACK (*ri*): Não sei. É verdade. Mesmo que eu sinta que agora sou uma pessoa melhor do que era há dois anos, não vou dizer isso porque os outros vão julgar, "Ah, olha quem tem muito dinheiro e sucesso agora. É por isso que você está tão feliz".

OK, vamos jogar "e se": e se todo mundo soubesse tudo sobre você — cada coisinha, desde suas origens até sua cor preferida a detalhes da sua vida pessoal, assim como sabem tudo sobre o Backstreet Boy preferido?
JACK: Certo.

O que aconteceria?
JACK: Estaríamos completamente acabados.

[*Continua...*]

[JEWEL]

"Às vezes quero pegar aquele furgão da Volkswagen e prendê-lo em uma cruz em chamas", disse Jewel quando nos conhecemos no hotel Four Seasons em Manhattan, referindo-se à história de ter morado no seu carro durante um ano enquanto tentava fazer sucesso como cantora e compositora. "Eu simplesmente me sinto como uma história em quadrinhos."

Quando comecei a escrever matérias, lia um monte de revistas para me inspirar. E um artigo que sempre se destacou foi um perfil de Neneh Cherry na *Details*, que começava com a cantora na cama da escritora. Como substituto do fã, pensei, um redator de perfis não poderia ficar muito mais perto de seu objeto. Mas a matéria seguinte acabaria sendo meu nadir como jornalista jovem e impressionável.*

Então, depois de uma entrevista que começou em Nova York e parecia estar terminando em um evento beneficente em San Diego, Jewel fez um convite que eu não podia recusar. "Você devia dormir lá em casa", sugeriu ela.

No rancho da mãe dela, tirei a miríade de almofadas de cima da cama de hóspedes e me preparei para ir dormir enquanto ela conversava com a mãe na cozinha. Quando eu estava deitado sob as cobertas, folheando um reluzente livro de fotos do Alasca, Jewel entrou no quarto de moletom verde com zíper e se deitou sob as cobertas comigo. Foi isso: meu momento Neneh Cherry. O gravador foi respeitosamente ligado.

JEWEL: Quando eu era criança, tinha um panfleto mórmon que dizia que você tinha de ficar a um braço de distância de uma mulher na cama, e um marido não podia ficar de conchinha com a esposa por mais de vinte minutos.

Ela vira de lado e começa a discutir mulheres, insegurança e imagem corporal.

JEWEL: Quando saí do Alasca e fui para LA pela primeira vez, as mulheres de lá pareciam árvores de bonsai ou coisa parecida. Sabe, todas aparadas e arrumadas. E ver aquelas mulheres com aquelas bocas assim (*estufa os lábios*) era inacreditável. Hoje em dia ninguém tem permissão de envelhecer.

Elas acabam parecendo muito duras por fora.

JEWEL. Eu sei. Fiz pilates por um tempo e fiquei apavorada. Essas donas de casa chegavam, e eram simplesmente saradas. Eu cresci em um lugar em que as mulheres podiam ter quadris e seios. E elas tinham uma vitalidade natural, construíam as próprias casas e ordenhavam as próprias vacas. Eram mulheres mais velhas, radiantes. Em LA é muito triste.

Você acha que se tivesse 40 anos e ainda fizesse sessões de fotos constantes, consideraria fazer uma plástica?

JEWEL: Não tenho a mínima intenção de envelhecer nos Estados Unidos. Quero voltar para o Alasca. Muito poucas mulheres envelhecem com graça. Eu acho que... só agradeço a Deus por Bonnie Raitt. Foi por isso que recentemente cheguei à seguinte conclusão: "Jewel, é melhor você entender agora quem e o que você é, porque vai ser horrível chegar aos 40 e ainda tentar ter 18."

---

* Sem contar, é claro, a época em que eu achava que *nadir* significava pico, e no perfil do Ryan Adams eu disse que sua ex-banda, a Whiskeytown, era "o nadir do country alternativo".

O problema é que a maioria das pessoas pensa no envelhecimento apenas em termos de perder a aparência, mas não em termos de ganhar sabedoria e compreensão.
JEWEL: É, e além disso seria muito constrangedor estar no seu leito de morte... eu penso nisso. Não sei por quê.

Todo mundo pensa.
JEWEL: Só não quero chegar ao meu leito de morte e perceber que todo o foco da minha vida estava levemente errado. Seria muito constrangedor perceber isso, tipo, eu me envolvi com o que era frívolo.

Acho que a maioria das pessoas se envolve com coisas que não importam, inclusive nós dois.
JEWEL: Isso é pesado. Minha melhor amiga acabou de morrer de câncer. Foi louco. Realmente nos faz questionar tudo. Eu questiono coisas que nunca pensei que questionaria. Isso não vai aparecer na minha composição por muito tempo. Aconteceu meio rápido — em uns quatro meses, no máximo — e me fez pensar, não é bom eu ter feito sucesso em quatro anos. Não está certo.

Por quê?
JEWEL: Não sei como descrever. É que em quatro anos eu passei de, sabe, dura a garota riquíssima na capa de revista. É insano, e isso não é sucesso. Não sei por que, mas a morte dela me fez entender que isso não importa nem um pouco. Simplesmente não importa.

Então o que você acha que importa?
JEWEL: A qualidade da sua vida e a qualidade da vida das pessoas é tudo o que importa. Existem pessoas próximas a mim dormindo no carro ou na esquina, e elas não ficam ricas em quatro anos. E não mereço isso mais só porque tenho um talento que o mundo pensa que merece receber uma quantidade absurda de dinheiro. Isso não torna a situação correta para mim.

Não sei. Parece culpa. Você trabalhou para isso.
JEWEL: Mesmo assim não me parece justo quando todas essas pessoas ainda estão preocupadas com coisas como roupa e casa. Não me parece certo. Ultimamente, quando olho para o meu passado, percebo que vou medir meu sucesso de acordo com a quantidade de pessoas que eu ajudar a subir comigo.

Minutos depois, a mãe de Jewel, Nedra Carroll, entra no quarto para colocá-la para dormir.

NEDRA CARROLL: É assim que se chega ao topo, dormindo com as pessoas certas?

[DJ JUBILEE]

Quando a Louisiana foi brevemente a capital do hip-hop do país, rappers de selos locais como Cash Money cruzavam Nova Orleans à noite no próprio helicóptero, usando joias que valiam dezenas de milhares de dólares. Enquanto isso, o DJ Jubilee, o astro local que foi o primeiro a popularizar muitos dos bordões que aqueles rappers levaram às paradas de sucesso, acordava às 5h30 todas as manhãs para pegar o ônibus da escola.

De dia, Jubilee dava aulas de educação especial na West Jefferson High School em Nova Orleans. Mas à noite ele dominava as boates e festas ao ar livre, reconhecido como o mestre de estilo de hip-hop interativo e rebolativo chamado *bounce*. Juvenile, um rapper de Nova Orleans, tirou o título e o refrão de seu popular single, "Back That Azz Up", de um sucesso local de mesmo nome de Jubilee. E Master P lançou um sucesso com seu grupo 504 Boyz, "Wobble Wobble", também tirado de uma letra do DJ Jubilee. Em nenhum desses casos Jubilee recebeu royalties ou crédito.

Em uma manhã de segunda-feira, o DJ Jubilee se sentou atrás da mesa do professor na sala de educação especial da escola, usando uma camiseta branca e um grande pingente promovendo seu selo, Take Fo' Records. Em seu calendário havia uma citação de George Eliot à qual ele sempre se volta para ter inspiração: "Seja verdadeiro, nunca tenha vergonha de fazer o certo." Sentado a seu lado estava um aluno, Chad, que usava um capacete de proteção.

Há quanto tempo você trabalha com o Chad?

DJ JUBILEE: Estou com ele há três anos. Somos camaradas. Eu sei tudo o que ele faz. Ele vem de um cenário em que a mãe é gay e o pai não o quer. Quando fica doente, eu digo às outras crianças: "Vocês não sabem como têm sorte por ter tudo funcionando."

Então que tipo de coisas você ensina a ele?

DJ JUBILEE: Ele acabou de aprender meu nome no ano passado. (*Para Chad:*) Qual é o meu nome?

CHAD (*lentamente, sorrindo*)**:** Jubilee.

DJ JUBILEE: Quantos anos você tem?

CHAD: Dezessete.

DJ JUBILEE: Ele tem 21, mas não tira o número 17 da cabeça. Ele tem um problema de convulsões. Outro aluno é parcialmente cego, e outro é muito inteligente, mas é esquizofrênico e está sempre rindo das vozes da própria cabeça. Tentamos ensinar a eles as habilidades de sobrevivência básicas: nome, endereço, data e hora, e que feriados estão chegando. Queremos ensinar a eles o conceito de se virar na rua.

Eles conhecem sua música?
DJ JUBILEE: Todos eles conhecem minha música. (*Para outro aluno, Glenn:*) Quais são os nomes das minhas músicas?
GLENN: "Get Ready, Ready", "Back That Thang Up", "Do the Jubilee All". Quando sai seu próximo disco, Jube?
DJ JUBILEE: No verão.

O que os pais deles acham de você fazer festas muito sexuais à noite?
DJ JUBILEE: Todos eles me amam. Eu sou um cara positivo. Não fumo. Não bebo. Não faço coisas negativas para me encaixar com outras pessoas. Não bebo nem drinks leves. Mas é muito mais difícil manter os garotos positivos hoje em dia. Estamos em menor número: existem mais modelos negativos do que positivos. E vai demorar muito para recuperar o terreno que perdemos. Estou combatendo isso, e me dói ver garotos perderem a vida como acontece em alguns desses bairros.

É perigoso para você ficar na rua até tarde no seu bairro, ainda mais porque todo mundo sabe que você está carregando equipamento de DJ e de estúdio?
DJ JUBILEE: Eu poderia passar o dia no meu bairro sem temer nada. A comunidade me adora.

Quanto você ganha trabalhando aqui?
DJ JUBILEE: Um bom dinheiro. Entre ensinar, trabalhar como DJ e venda de discos, eu ganho entre 23 e 24 mil dólares por ano. Além disso, tenho seguro, benefícios e plano de saúde.

Como você se sente com o fato de alguns rappers estarem usando sua música e andando por aí com joias que valem mais que isso?
DJ JUBILEE: Eu gosto do meu emprego. Estou aqui há seis anos. Componho minhas músicas aqui. Escrevi meus três últimos sucessos nesta mesa.

Dá um tapinha em um caderno aberto sobre a mesa.

Mas às vezes você deve ficar irritado por ver suas letras nas paradas de sucesso sem seu nome ao lado.

DJ JUBILEE: Tive um bloqueio criativo uma vez porque toda vez que dizia alguma coisa no microfone, as pessoas pegavam e colocavam em discos ou começavam a dizer em festas. Elas sempre diziam que tinham inventado ou passado para mim. Então estou me esforçando para ficar de boca fechada. Nas entrevistas, perguntavam de onde eu tirava minhas ideias, e eu respondia que era de paradas informais e bailes do ensino médio. E no dia seguinte, um monte de rappers estava lá procurando ideias novas. E agora pegaram outra.

Está falando de outra música sua?

DJ JUBILEE: O 504 Boyz pegou "Wobble Wobble". É como se eu estivesse dando informações para eles usarem nos sucessos. Vi o Master P na TV e perguntaram a ele: "Qual é o significado de 'Wobble Wobble'?".* E tive vontade de chutar a TV. Ele disse: "significa quando você está com os seus amigos, você está agitando" (*pausa, balança a cabeça*). Vá dizer "wobble, wobble" e veja o que acontece.

Dez anos depois, o DJ Jubilee ainda dava aulas de educação especial na West Jefferson High School enquanto continuava a gravar, trabalhar como DJ e fazer turnês.

[LUDACRIS]

A ocasião foi a primeira (e última) Ho'lympics anual, uma competição épica na qual dois grandes poderes — a nação hip-hop e a grande mídia — se envolveram em uma feroz batalha de inteligência, vigor e libido. Representando a nação hip-hop estava Ludacris, a nata do Dirty South, com mais de 10 milhões de discos de rimas rápidas com sotaque sulista vendidos. Representando a grande mídia estava eu. A sorte estava claramente do lado de Ludacris, especialmente quando ele designou seu assistente como árbitro.

Antes que os jogos começassem em sua nova casa palaciana de três andares perto de Atlanta, Ludacris reparou no meu cinto, que tinha uma fivela prateada redonda que servia como isqueiro, e aumentou a aposta.

LUDACRIS: Me deixe ver esse cinto? (*Mostro a ele como funciona.*) Eu quero para mim.

---

* Wobble em inglês significa balançar, agitar. (*N. da T.*)

Imagino que sim.
LUDACRIS: É o seguinte, se eu vencer hoje, fico com o cinto.

O que eu ganho se vencer?
LUDACRIS (*esquadrinha o cômodo*)**:** Os tênis do Jam Master Jay.*

DESAFIO 1: ABRIR SUTIÃ COM UMA MÃO SÓ

Diante de uma pequena multidão de assistentes, artistas, funcionários do selo, amigos e o filho de 10 anos do empresário de Ludacris, Chaka Zulu, a primeira competição é armada. Cinco mulheres se ajoelham em um sofá de couro preto. Ficamos diante delas, prontos para ser cronometrados na rapidez com que abrimos os sutiãs delas com uma das mãos nas costas. Seriam duas rodadas.

LUDACRIS: Cara, quem teve essa ideia? Ah, fui eu.
ÁRBITRO: Prontos?
LUDACRIS: A única razão para você talvez ganhar é porque as garotas sempre tiram o sutiã para mim.

Na primeira rodada, o tempo de Ludacris é de 1m36 e o meu é de 45 segundos. A segunda rodada foi muito melhor para Ludacris.

LUDACRIS: Como pode?
ÁRBITRO: Dezoito segundos.

Ludacris percorre a sala, jogando os punhos no ar, correndo para o vestíbulo e socando as paredes — até eu também fazer 18 segundos.

LUDACRIS: Droga.
ÁRBITRO: Então é empate.
LUDACRIS: Só queria agradecer à moça número três por tornar isso possível.

PONTUAÇÃO
Rapper: 1
Jornalista: 1

* Jam Master Jay, o DJ de 37 anos do Run-DMC, fora morto a tiros recentemente em um estúdio de gravação no Queens.

DESAFIO 2: SCRABBLE DE HIP-HOP

Alguém trouxe um tabuleiro de scrabble?
LUDACRIS: Eu tenho um. (*Corre para o andar de cima e pega uma edição de luxo do jogo, ainda fechada.*) Tenho muita coisa assim porque gosto de entretenimento.

Ludacris se senta a uma mesa perto do seu home theater, o Ludaplex, e espalha as peças do scrabble. Ele entrega as instruções ao árbitro. A regra: só pode ser usado o dialeto do hip-hop.

*Ludacris pega sete peças, arranja as letras em seu tabuleiro e bate palmas. Lentamente, ele monta sua primeira palavra no tabuleiro: N-E-G-R-O.**

LUDACRIS: Taí uma palavra hip-hop!

*Monto uma palavra ainda mais longa: S-E-R-V-I-N. Ludacris retruca com M-O-F-O.***

FILHO DE 10 ANOS DE CHAKA ZULU (*para Ludacris*): O que é *mofo*?
LUDACRIS: Uma pessoa louca.

*Eu monto C-R-A-Z-Y. Depois Ludacris monta N-I-G-G-A-S. e por aí vai até eu montar a palavra H-O-Z.****

LUDACRIS: Não está certo. Só pode soletrar H-O-E-S ou H-O-E-Z.

E aquela música do Juvenile, "Hoz Ain't Nuthin' but Hoz"?
LUDACRIS: Árbitro!

A referência é verificada na internet, e a palavra é validada. Então Ludacris monta J-E-N.

O que isso tem de hip-hop?
LUDACRIS: É de "Jen From the Block", a música da J. Lo.

---

* As palavras foram deixadas em inglês para uma melhor compreensão do jogo. (*N. da T.*)
** Respectivamente, gírias para "venda de drogas" e "filho da puta". (*N. da T.*)
*** Respectivamente, "louco" e gírias para "negros" e "vagabundas". (*N. da T.*)

"Jenny From the Block"?
LUDACRIS: Mesma coisa. E é pontuação dobrada, desgraçado.

O árbitro permite, e Ludacris ganha o jogo, 256 a 236. Existem bons vencedores, mas Ludacris não é um deles. Quando pega o peito de frango da vitória das mãos de um funcionário da Def Jam, ele se gaba...

LUDACRIS: Vocês não entendem nada de palavras. Ganhei de você no scrabble!
FILHO DE CHAKA ZULU: Estou com sede.
LUDACRIS: Aww, deem alguma coisa para o neguinho beber.

PONTUAÇÃO
Rapper: 2
Jornalista: 1

DESAFIO 3: TIRO AO ALVO EM GARRAFAS

Ludacris anda pela margem de seu lago segurando um rifle calibre .22.

LUDACRIS: Existem duas coisas na vida, ter medo e ter preparo, e eu estou preparado que nem a porra.

Um funcionário da Def Jam, incapaz de encontrar garrafas de cerveja grandes na loja, comprou um engradado de Corona. Mas cada gota já tinha sido bebida. Então uma pirâmide de refrigerante diet foi erguida. Ludacris se posiciona, polindo amorosamente a boca de seu rifle.

LUDACRIS: Vivemos pelo lema "Bateu, levou".

Ele dispara seu primeiro tiro e demole tanto a primeira quanto a segunda fileira de latas. Com mais três tiros, a pirâmide inteira é derrubada.

LUDACRIS: Supere isso!

Com o primeiro tiro, derrubo só a lata de cima. A segunda bala elimina a segunda fileira, e um terceiro tiro explode o restante do refrigerante diet. É pura sorte, porque nunca na vida eu imaginaria que atiraria melhor que um rapper gangsta.

PONTUAÇÃO:
Rapper: 2
Jornalista: 2

DESAFIO 4: CORRIDA DE QUADRICICLO

Chaka Zulu me dá uma rápida lição de direção, já que eu nunca havia dirigido um quadriciclo, e começa uma corrida ao redor do lago de Ludacris. Na verdade, corrida não seria a palavra certa. Digamos apenas que Ludacris vence por uns 25 sutiãs.

PONTUAÇÃO
Rapper: 3
Jornalista: 2

A CERIMÔNIA DE PREMIAÇÃO

Ludacris se senta no canto de sua sala de gravação e passa vários minutos debatendo os detalhes da cerimônia com Chaka Zulu. Finalmente, ele se levanta, pronto para receber as honras. Modelo de sutiã nº 4 chega com uma medalha de ouro para Ludacris e uma de prata para mim.

LUDACRIS: Por que você está ganhando uma medalha de platina?

Na verdade é prata. O vencedor leva o ouro.
LUDACRIS (*para, pensa*): No hip-hop, é platina. Então eu devo ficar com a medalha de platina.

Modelo de sutiã nº 4 coloca a medalha da vitória no pescoço de Ludacris. A nação hip-hop derrotou a imprensa sensacionalista. Quando me afasto com a infame medalha de outro no pescoço, Ludacris me detém.

LUDACRIS: Você esqueceu uma coisa.

Enfio a mão sob a jaqueta e entrego a ele o cinto que tirei da calça. Nada mais justo.

[THE WHITE STRIPES *CENA 2*]

Ocasionalmente, sou obrigado a perguntar algo específico quando escrevo uma matéria. Alguns artistas, como Ludacris, gostam de cooperar, por mais ridículo que seja o conceito. Outros se irritam com a mais simples das sugestões.

Agora a *Rolling Stone* tem uma barra lateral em todas as matérias. E para esta, eles querem fazer uma lista com seus cinco discos ou bandas preferidos.
JACK WHITE: É um quadradinho estilo *Teen Beat* no canto da página com, tipo, minha blusa preferida (*ri ironicamente*).
MEG WHITE: (*ri ironicamente*).

Detesto pedir para vocês fazerem isso depois de tudo que conversamos.
JACK: Diga que somos completos idiotas e nos recusamos (*ri outra vez, acompanhado por Meg*).

Vão me fazer colocar alguma coisa ali. Podíamos falar de algumas músicas que vocês fazem cover e por que as escolheram, de um jeito significativo.
JACK: Não sei. Faça o que achar melhor. Aquelas coisinhas sempre me parecem idiotas.

Sei que vocês escolhem fazer cover das músicas por boas razões.
JACK: Eu tenho medo disso, porque não quero atenção pelo fator descolado das músicas que escolhemos para fazer cover. Não quero que as pessoas digam que nos consideramos descolados por tocar "Jolene" [da Dolly Parton]. Não é por isso que a tocamos. Não tentamos ironizá-la ou coisa do tipo. Esse é um território assustador.

Não acho que seria visto assim. Mas você é quem sabe. Acho que você só precisaria dizer onde ouviu a música pela primeira vez e a impressão que ela causou.
JACK: Vamos escolher outra coisa.
MEG: Que tal bandas de Detroit?
JACK: Bom, não sei. Desculpe. Não tenho a intenção de ser um cara negativo, mas estamos em uma situação muito idiota hoje em dia. Se começássemos a dizer como as bandas de Detroit são boas, seria como se estivéssemos perpetuando a ideia da nova cena de Seattle. É patético.

É divertido demais ficar com vocês.

JACK: É uma guerra, cara. É uma guerra. Fomos empurrados para uma situação que nunca quisemos. Nunca pedimos toda essa atenção. Acho que meu dever é não me dobrar a tudo isso.

Posso parafrasear Joseph Campbell aqui?

JACK: Por favor (*rindo*).

Rebelando-se, você apenas se dobra ao sistema de forma negativa. Você ainda está permitindo que o sistema controle seu comportamento.

JACK: Viu, quando você for embora vai dizer: "Sabe, o White Stripes vai ter problemas porque vai continuar tendo de combater toda essa gente, e isso só pode acabar mal para eles."

Não estou pensando nisso. Para ser honesto, estou pensando que em algum momento no futuro, todas essas batalhas de vocês vão parecer bobas porque elas não têm importância.

JACK: É, mas cara, se você for entrevistar o Blink-182 e eles falarem qual deles tipo, ãhn, tirou a calça do outro no ônibus da turnê na noite anterior... esse é um elemento da cultura popular que não temos no nosso cérebro e nunca vamos querer por perto. Se você quer saber como somos e como nos relacionamos com os outros, é assim.

Talvez seja a natureza humana, mas percebi que você pode receber mil elogios e uma crítica, e só vai se lembrar da parte negativa.

JACK: Gosto de aprender com maus exemplos. Gosto de aprender o que não fazer. Então consigo apreciar o comentário negativo. Acho que o aprecio mais do que cem comentários positivos.

[RUSSELL BRAND *CENA 3*]

O interessante é que normalmente uma pessoa com a sua personalidade, seus objetivos e seu apetite sexual entraria para o rock and roll, mas você escolheu a comédia stand-up.

RUSSELL BRAND: É, porque frequentei a escola de teatro e queria ser ator. Mas era inevitável: as pessoas riam de mim. Por causa da minha infância, nunca me senti descolado. Nunca me senti aceito. Sempre fui esquisito e meio nerd, e os outros sempre riram de mim, e muitas vezes não era minha intenção e eu estava tentando ser descolado. Mas agora sei que a comédia está em mim. É essencial para mim. E é nisso que sou bom.

Como quando você diz no show que o Prince personifica o rock and roll?
BRAND: Digo isso de forma deliberada para pelo menos 1 por cento da plateia achar que eu personifico a comédia, porque sinto que eu sou a comédia. Quando as coisas estão correndo bem, quando estou em contato com ela, sinto que consigo personificá-la completamente, sem obstáculos ou amarras. Sou feliz sendo engraçado e bobo. Mas também sinto que me exponho e, por exemplo, [o cantor e ativista] Bob Geldof me chamou de escroto ou algo do tipo, e coisas como essa foram humilhantes.

Você acha que recebe esse tipo de reação porque astros do rock devem ser arrogantes, mas talvez os comediantes não devam?
BRAND: Acho que é completamente diferente. Quando o astro do rock está no palco, diz: "Olhem para mim, eu sou maravilhoso. Vou comer você com meu pau imenso." Quando estou no palco, digo: "Não olhe para o meu bilauzinho. Eu o enfiei entre as pernas como o Buffalo Bill de *O silêncio dos inocentes*."

Acho que algumas pessoas como o Howard Stern fazem isso, mas você tem uma androginia e uma arrogância sexual que não vejo em comediantes, mas vi no David Bowie ou no Mötley Crüe.
BRAND: Eu entendo. É algo que me interessa transmitir, e desde que conheci você tenho pensado sobre o assunto, tipo, "como as mulheres percebem isso?"* É como se fosse um longo exercício de sedução, e imagino que quero passar ideia de que, "É, esse cara sabe foder". Quero deixar claro que não fico confuso ou perplexo diante de uma mulher nua. Mas é meio sem querer, na verdade. Não era tipo...

Mas você parece se esforçar para provar isso.
BRAND: Bom, eu estava na parte de perguntas e respostas no final de um grande show como aquele que você viu, e uma garota fez uma pergunta: "Russel, quero dar para você. Como você me comeria hoje?" E eu respondi: "Bom, me deixe olhar para você." E ela se levantou, deu uma volta e tinha uma bela bunda. E falei: "Eu ia deitar você no chão com as pernas fechadas e ia lamber seu cu e sua boceta até você ficar molhada, e ia comer sua boceta e seu cu" (*ri*).

---

* Eu tinha mencionado para Brand que o show, com sua audácia sexual, parecia ser um ato intencional de sedução para inspirar as mulheres da plateia a dormir com ele.

É bem direto.

BRAND: Mas havia um elemento cômico na descrição do que eu ia fazer, não é? Porque eu estava sendo completamente honesto. E as pessoas aplaudiram e gostaram. E foi uma loucura da porra, porque era isso que eu teria feito, sabe?

[CORTINA]

ATO OITO

OU

O CANIBALISMO *É A SOLUÇÃO*

SINOPSE

Entra a máfia, que ameaçou um jornalista enquanto Sacha Baron Cohen alega ser mais gângster, então Paris Hilton não vai dormir com ele quando ele entrar disfarçado para lutar contra a intolerância com o Upright Citizens Brigade e Stephen Colbert, embora o Hanson esteja com medo, Steely Dan seja velho demais e Ozzy Osbourne seja um maluco etc.

[A MÁFIA]

Nos mercados das pequenas cidades montanhosas que cercam Reggio di Calabria, no sul da Itália, um músico chamado Mimmo Siclari geralmente é encontrado vendendo fitas cassete na traseira de sua van, como faz há várias décadas. As fitas, muitas das quais ele mesmo produz, são arrematadas com capas explícitas que retratam homens com um tiro no coração, viúvas de luto e piscinas de sangue. As fitas em si são transparentes, porque apenas fitas transparentes são permitidas na prisão, onde estão muitos dos fãs.

Siclari não vende rap gangsta ou heavy metal: vende música popular. E suas fitas representam uma tradição popular muito específica e incomum, *il canto di malavita*, cuja tradução literal é "o canto do submundo". Mais coloquialmente, as canções são conhecidas como música da máfia.

Por mais de cem anos, os membros da máfia calabresa criaram e cantaram as canções da *malavita* entre si, tradicionalmente em festejos pra celebrar a admissão de um novo recruta, a libertação de um membro da prisão, ou depois de um ato de vingança especialmente bem-sucedido.

"Se um homem tomou a liberdade de negligenciar seus deveres, vou matá-lo como um animal", diz a letra de uma das músicas. "E se um homem se atrever a falar, vou afiar minha faca para ele."

Viajei para a Calábria e visitei vários *dons* da máfia para aprender sobre suas tradições. Mas, antes da primeira entrevista, meu guia, Francesco Sbano, definiu algumas normas de conduta.

NORMAS DE CONDUTA E ORIENTAÇÃO

1. Não mencione o nome dos vilarejos para onde eu levar você nem identifique as pessoas que entrevistar.
2. Você pode tomar notas, mas não pode usar gravadores ou câmeras.
3. Vamos ser controlados do começo ao fim da viagem. Eles vão saber onde almoçamos, onde jantamos e onde dormimos.
4. Vamos conhecer muitas pessoas, e você nunca vai saber se a maioria delas faz ou não parte da máfia. É apenas gente de respeito.
5. Isto é muito importante para mim: não sou casado, mas tenho uma família grande. Haverá consequências se uma entrevista ou matéria não correr bem.

ENTREVISTA 1

Encontramos Mimmo Siclari em um mercado onde ele está vendendo fitas. Embora não pareça ser um mafioso, ele é basicamente o responsável por espalhar sua música para fora do âmbito da máfia, graças a sua incansável dedicação para encontrar e reconstruir as músicas. Muitas vezes, ele não teve permissão de gravar ou transcrever as letras que eram recitadas por membros da máfia, então lembrava o máximo que conseguia e montava cada composição usando as lembranças de várias pessoas.

O que o atraiu para essa música?
MIMMO SICLARI: Era um mundo lindo por causa da ideia de respeito e honra. E quando encontrei uma fita do Fred Scotti* e vendeu muito bem, percebi que era possível vender esse tipo de música, então procurei mais.

Como a ouviu pela primeira vez?
SICLARI: Um dia, um homem me perguntou uma coisa na linguagem especial da máfia.

O que ele perguntou?
SICLARI: Ele perguntou para quem eu estava trabalhando. E fiquei perplexo ao descobrir por ele, e depois por outros, que essas músicas — essas palavras — eram uma realidade. Descobri que as canções estavam falando da vida real, de um mundo no qual as pessoas obtêm seus direitos lutando contra um governo que é apenas um fantasma. Eu aperfeiçoei a música e coloquei rimas em tudo, e as pessoas ficaram animadas ao descobrir sua autenticidade.

ENTREVISTA 2

Nas colinas próximas a Reggio di Calabria, há uma longa mesa posta em uma clareira isolada, onde acontece uma festa da máfia. Cerca de trinta homens jantam carne e queijo, bebem vinho, e músicos tocam a *malavita* em violão, percussão e um instrumento de sopro parecido com uma gaita de fole feito com pele de cabra.

* Um dos mais famosos cantores da *malavita*, Fred Scotti foi assassinado nos anos 1970 por causa de seu interesse pela namorada de um mafioso.

Um homem em particular se destaca — dançando, tocando o instrumento de pele de cabra e contando histórias. Sbano explica que é um *don* da máfia de 76 anos, uma lenda por ser o único mafioso a escapar de um recente incursão policial, na qual quase sessenta outros foram presos. Para minha surpresa, o musical *don* concorda em dar uma entrevista, mas apenas sob a condição do anonimato. Assim que chega a hora de falar, entretanto, o senhor tagarela repentinamente não tem nada a dizer.

Como você ouviu a música da *malavita* pela primeira vez?
VELHO DON: Não conheço a música da *malavita*.

Mas você estava tocando a música ainda agora...
VELHO DON: Nunca ouvi a música da *malavita*. Apenas a tarantela [música de danças tradicionais].

Tudo bem, eu entendo. Foi assim que você sobreviveu por tanto tempo neste mundo?
VELHO DON: Próxima pergunta.

A entrevista seguinte, com alguns dos outros músicos, não é muito melhor. Evidentemente, as únicas pessoas que fazem perguntas a esses homens são policiais e informantes.

Você se preocupa com sua associação com a máfia?
MÚSICO DA MÁFIA: É mais seguro assim. Se alguém roubar meu carro, vou até o chefe, não à polícia.

E o que acontece com a pessoa que roubar seu carro?
MÚSICO DA MÁFIA: Onde você mora?

Nos Estados Unidos.
MÚSICO DA MÁFIA: Onde?

Ãhn, Nova York.
MÚSICO DA MÁFIA: Mas em que endereço?

Para que você quer saber isso?
MÚSICO DA MÁFIA: Vou muito a Nova York. Talvez eu visite você.
OUTRO MÚSICO DA MÁFIA: Uma visita assim (*bate na mesa três vezes com força*).

Todo mundo ri, menos eu.

ENTREVISTA 3

Na tarde seguinte, Sbano me leva a uma sorveteria de um vilarejo próximo, onde encontramos o chefe de uma família mafiosa local, que é identificado como um dos braços direitos do chefão da região na hierarquia da máfia. Ele usa short da marca Champion e na perna tem a tatuagem de uma cobra enroscada em uma adaga e um crânio.

Qual a importância da música para você?
BRAÇO DIREITO: A música é uma tradição muito importante para o povo. É como o macarrão. A máfia sem a música é como pratos de macarrão sem sal. O sal é a música da máfia.

Pelo que entendi, as canções não são apenas música, são uma forma de passar mensagens e ensinar.
BRAÇO DIREITO: As músicas estão em código. É como ouvir que um barco tem "cinco mais sete", que significa cinco membros e sete regras de sociedade. Tudo é código. Quando a máfia admite um novo membro, toda prisão recebe um telegrama. O telegrama diz que uma nova flor nasceu e dá o nome específico da flor. Então todo mundo que ouviu seu nome sabe quem ele é se for para a cadeia.

O que a sua tatuagem significa?
BRAÇO DIREITO: Se você vê uma cobra, significa que você fala a língua das cobras, a língua da honra. O crânio significa que você não tem medo de morrer.

O telefone dele toca. O ring tone é "Smooth Criminal" do Michael Jackson.

ENTREVISTA 4

Mais tarde, no mesmo dia, conhecemos o homem que supostamente comanda toda a máfia local. Ele também está usando um short da Champion combinado com uma camisa da mesma marca. Em um de seus braços, há uma tatuagem de um leão alado. Passarinhos fazem uma barulheira em gaiolas de seu apartamento e sua esposa lhe prepara um Martini.

As coisas mudaram muito na máfia desde que você começou?
***DON* NÚMERO UM:** Antigamente era muito diferente de hoje em dia. Naquela época, o respeito era o principal. Quando a sociedade tinha problemas, resolvia internamente sem envolver outras pessoas. Na maior parte do tempo, o problema era resolvido com uma faca ou um pedaço de madeira. Ninguém morria, era o suficiente para tirar um pouco de sangue. E, no dia seguinte, estavam todos juntos de novo, bebendo vinho. Hoje, tudo acontece por causa de dinheiro. Mas não quero falar disso.

O que tornou tudo diferente?
***DON* NÚMERO UM:** Os novos tempos trouxeram cocaína e heroína. A tradição de hoje é tentar manter o vilarejo livre de drogas e novos problemas, e isso é muito difícil. Não sei por quanto tempo vou conseguir controlá-los. A nova máfia usa a velha máfia para ficar no poder — e a maior parte da velha máfia está morta porque não quis trabalhar com eles.

Você pode fazer alguma coisa?
***DON* NÚMERO UM:** Quem tenta manter viva a tradição arrisca não apenas a própria vida, mas a vida da família inteira. Não existe nenhuma música explicando o que a máfia faz hoje em dia. Quem consegue entender alguém que vai para a rua e mata uma pessoa como um animal? Só se pode explicar respeito e honra. Não existem músicas sobre assassinato e drogas, porque não existe razão ali. O dinheiro não tem razão.

Por que é importante salvar a música?
***DON* NÚMERO UM:** É uma tradição. Há alguns dias ouvi uma música e quase chorei depois. É muito estranho, e talvez você não consiga entender, mas não se canta essas músicas com outras pessoas. Você sente o que a música diz. É uma lição.

Como você definiria um homem de honra?
***DON* NÚMERO UM:** Pode parecer um pouco duro, mas um homem de honra é uma pessoa neutra que mantém a honra da própria família e do resto das famílias. Então se alguém comete um erro na família, é preciso reagir. Não precisa matar sua irmã, mas se o erro for muito grande, o homem de honra deve reagir de forma extrema. É isso o que faz um homem de honra — autoridade para tomar uma decisão.

[SACHA BARON COHEN
CENA 1]

Quando Sacha Baron Cohen chegou aos Estados Unidos para filmar seu primeiro programa de TV do personagem Ali G, a paródia de um aspirante a gângster suburbano, liguei para a HBO e pedi uma entrevista com ele. Explicaram que ele não dava entrevistas fora do personagem, mas que eu podia assistir a uma gravação e depois mandar perguntas por e-mail.

Olá.
ALI G: E aí, West Staines Massiv tá na área.

Na Inglaterra, como as pessoas que você entrevistava reagiam depois que o programa foi ao ar?
ALI G: Um bando de caras que eu tinha entrevistado ligou, não pra bater papo, mas perdendo a linha e pedindo para devolver as fitas de vídeo, saca.

Qual foi sua entrevista preferida?
ALI G: Foi quando fomos examinar um negócio chamado "machismo" (que pra todos os ignorantes que estão lendo significa que você é racista com as vadias). Eu entrevistei uma mulher chamada Naomi Wolf — que é uma intelectual, uma pensadora independente, e surpreendentemente magra e bonita para uma sapata.*

Quando você começou a fazer rap?
ALI G: Saca só, quando eu saí do matagal pompom da minha mãe, já comecei a chorar em ritmo de jungle. Minha primeira palavra foi "vadia". Na real, maternidade umas mães gatas gostaram tanto de mim que pediram pras enfermeiras me deixar mamar nelas.

Você tem interesse em gravar um disco?
ALI G: Na real, eu passei anos tentando conseguir um contrato de gravação. Naquela época diziam "não, sua voz é ruim", "você não tem ritmo", "suas orelhas são grandes demais pra sua cara". Mas todo mundo sabe o motivo. Racismo. Olha em volta, a indústria da música está cheia disso. Me diz se você já viu um negro se dar bem no mundo do rap? Tá falado, meritíssimo.

---

* Na época dessa entrevista, Wolf era casada com David Shipley, o ex-redator de discursos de Bill Clinton.

FEATURING OUR

WORLD FAMOUS
Panda Pounder Burger

ONE POUND of 100% PANDA MEAT from the FORESTS of SOUTH-WESTERN CHINA

FREE-RANGE, BAMBOO-FED, and FLAME BROILED to PERFECTION

Sacha's

EXOTIC BURGERS

Almaty, Kazakhstan

TRY TO BEAT OUR MEAT!

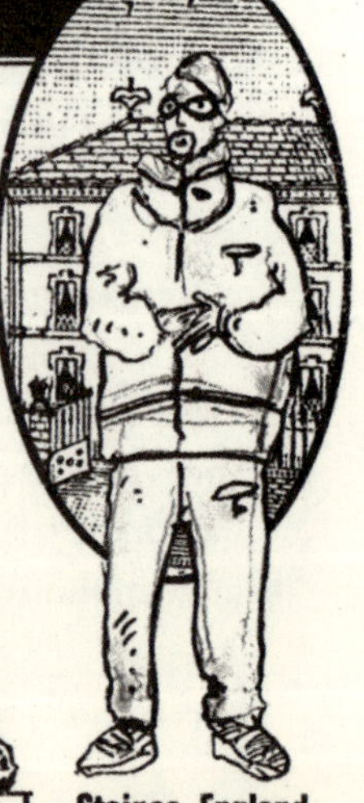

Staines, England

FRANCHISES AVAILABLE

Quem é Sacha Baron Cohen?

ALI G: Ele é um palhaço que fica por aí tentando ser eu, deve ser porque ele tá tentando comer todas as vadias gostosas que eu nunca vou pegar porque sou 120% fiel a minha Julie, saca. Aliás, se alguma vadia gata leu isso e ficou com tesão e quer experimentar a Torre de Londres de verdade, liga pro meu celular 917-428-3819. Quem tiver uma vontade crônica de tomar remédio de erva também pode ligar, valeu. Tô indo porque a minha Julie está esperando e tô ficando meia-bomba. Respeite a sua vó.

[*Continua*...]

[PARIS HILTON]

Em 1999, pouco depois de ir morar em Los Angeles para cobrir cultura pop para o *New York Times*, acabei em um quarto com alguém de quem nunca tinha ouvido falar. Ela personificava a jovem Hollywood. Não queria ser atriz, cantora ou estrela... embora logo fosse se tornar tudo isso. A forma de arte que ela tinha escolhido era a diversão. Ela estava com uma amiga modelo e falava sobre terem feito um show de sexo para alguém chamado Artie na noite anterior, depois ter tirado fotos obscenas. Ao fundo, enquanto conversávamos, passava o filme *O resgate do soldado Ryan*. Depois dessa conversa, ela começou a se embebedar com Midori sours (cada um com seis cerejas por copo), se agarrou com David Faustino, de *Married... with Children,* tomou um ecstasy, tocou músicas da Britney Spears praticamente sem parar e fez sexo a três. Talvez ela tenha dito o que se segue para provocar e chocar. Talvez, não. Você decide...

PARIS HILTON: Fiz uma plástica nos seios aos 14 anos, mas minha mãe me obrigou a tirar as próteses.

Quantos anos você tem agora?

HILTON: Dezoito.

Você está trabalhando?

HILTON: Estou pensando em posar para a *Playboy*. Eles adoram filhos de gente famosa.

Como quem?
HILTON: Não sei. E eu só faria isso porque, quando meu pai descobrir, ele vai me pagar o dobro para não fazer.

Mais tarde...

HILTON: Eu saí com aquele cara ontem à noite.

Que cara?
HILTON (*aponta para um ator de* O resgate do soldado Ryan): Estávamos ficando, mas fomos para um lugar iluminado e vi que ele era negro, dei uma desculpa e fui embora. Não suporto negros. Nunca tocaria em um. É nojento (*pausa*). Aquele cara parece negro para você?

Quão negro um cara tem de ser?
HILTON: Um por cento já é o suficiente para mim.

[RACISTAS]

Enquanto estava em Nashville para o *New York Times*, recebi uma ligação de uma amiga chamada Kim, que estava em turnê com a Charlie Daniels Band. O grupo tinha acabado de se apresentar em um novo anfiteatro ao ar livre em uma obscura cidade do Tennessee chamada Skullbone.

KIM: Foi como voltar no tempo. Nunca fiquei tão assustada.

O que aconteceu?
KIM: Chegamos à cidade lá pelas 14h30, e o Charlie foi almoçar com a mulher. Alguém do restaurante foi até ele, começou a falar do show e disse: "O pessoal não gosta de negros por aqui." O Charlie é um bom cristão e disse: "Não gosto nada dessa atitude." O outro respondeu: "É assim que as coisas são. Não permitimos negros aqui."

Como era o lugar?
KIM: As pessoas que estavam na fila, até garotos de 14, 15 anos usavam camisetas com slogans racistas. Diziam coisas tipo "Só brancos" ou "Árvore genealógica dos negros" com uma árvore cheia de cordas de forca. Depois da primeira música de

Charlie, ele disse: "Não gosto de pessoas que odeiam pessoas", e a plateia ficou meio irritada.

Houve algum problema?
KIM: Saímos de lá bem rápido. Nos bastidores, quando o Charlie estava se preparando para voltar ao palco para o bis, ele falou: "Quando eu terminar, entramos no ônibus e vamos dar o fora de Skullbone." Conheci um cara chamado Allen, que é dono do lugar. Ele disse que tinha cinco shows no dia seguinte, e o Lynyrd Skynyrd era o primeiro. Mas não acho que as bandas saibam que tipo de lugar é esse.

Ligo para algumas pessoas da indústria dos shows, incluindo Steve Hauser, da William Morris Agency, que marcou a turnê da Charlie Daniels Band, para ver se algum deles tinha ouvido falar de um anfiteatro que só aceitava brancos em Skullbone. Nenhum deles tinha a mínima ideia do que eu estava falando.

STEVE HAUSER: Ouvimos falar desse pequeno anfiteatro que estava fazendo shows, mas não ouvimos nada parecido com isso. O show correu muito bem. Falariam disso em Nashville se algo assim estivesse acontecendo.

Você fez alguma pesquisa sobre o lugar?
HAUSER: Desde que forneçam som e luzes, não verificamos mais nada.

Um livro chamado Tennessee's Last Kingdom,* *do historiador de Skullbone Ernest R. Pounds, confirmou o legado da cidade, conhecida localmente como Reino de Skullbonia.*

TENNESSEE'S LAST KINGDOM [**trecho do livro**]: Segundo os rumores, um bando de "pretos" foi enforcado na área de Skullbone há muitos anos. É por isso que por muitos, muitos anos, nenhum negro se atreveu a por os pés no Reino de Skullbonia. Ainda há uma regra tácita de que negros não devem se tornar residentes permanentes.

Quando começa a temporada seguinte de shows no Skullbone Music Park, vou de carro até o show conjunto do Nazareth e do Eddie Money para expor o que estava acontecendo. Depois de parar no estacionamento, pego carona em uma carroça com outros pagantes até o portão da frente. Do outro lado, uma agourenta bandeira

---

* *O último reino do Tennessee.* (N. da T.)

preta com a figura gigantesca de uma caveira com ossos cruzados pende sobre o palco. Há duas áreas delimitadas por cordas no terreno: uma para menores e para aqueles que não querem ficar perto de quem está bebendo; a outra para os Hells Angels. Ali perto, encontro o dono da propriedade, Allen Blankenship, um homem grande com um bigode preto, uma pança e jardineira jeans.

Como Skullbone obteve esse nome?
ALLEN BLANKENSHIP: Nos anos 1920 ou 1930, faziam lutas de punhos nus aqui, e era ilegal acertar abaixo no maxilar. Era só soco na cabeça. Então foi assim que Skullbone* recebeu seu nome. Adoro esta área. O povo de Skullbone sempre foi conhecido por ser durão. Não estou dizendo que ainda alegamos isso. Somos apenas tradicionais.

O que o fez começar um local de shows aqui?
BLANKENSHIP: Uma noite, eu estava sentado aqui e fiquei pensando: "Vou fazer 40 anos e esse é o sonho da minha vida. Se eu quiser realizá-lo, este é o lugar certo." Isto aqui não passava de um pântano coberto de mato. Você batia palmas e não fazia eco, então percebi que tinha uma ótima acústica.

Como conseguiu o dinheiro para tornar isto realidade?
BLANKENSHIP: Nem de longe sou um homem rico. Minha mulher quase me matou, deve ter tido uns dois ou três colapsos, e disse que eu não passava de um apostador. Mas peguei minhas economias e coloquei cada centavo neste sonho.
WENDY [esposa dele]: Hoje em dia entendo muito melhor a visão dele. Ele é muito focado. Não para nunca, mas fica furioso porque às vezes não vem gente bastante.
BLANKENSHIP: É assim que eu penso como promotor: para o show desta noite, o Eddie Money tem um monte de sucessos. Mas quem gosta do Eddie Money são as mulheres. Velha regra básica: onde existe uma mulher, sempre vai haver dois homens. E os homens o acham meio fraco, então para eles temos o Nazareth. Assim você atrai os dois lados da plateia.

O que você faz para manter a segurança se alguém ficar bêbado ou se descontrolar?
BLANKENSHIP: Usamos uma empresa de segurança de Nashville por um tempo, mas não a uso mais porque esse pessoal traz aquela atitude da cidade para a atmosfera do campo. Eles não sabiam se relacionar com os caras daqui. Então convenci meus amigos a tirar licença.

---

* Que significa "osso do crânio" (*N. da T.*)

O principal quiosque, o Skullshop, é operado pela mãe de Blankenship, Mona McNeely. Ela vende crânios de cerâmica, cantis, cartas, lanternas, baquetas e bandanas, tudo gravado com o proeminente logo do crânio com os ossos cruzados.

Como você se sente vendendo todos esses crânios?
MONA MCNEELY: Para ser sincera, não gosto deles. Sou cristã e vou à igreja. Também não gosto muito de algumas palavras que essas bandas dizem.

*Quando o show começa, o anfiteatro se enche e outros vendedores montam suas barracas. Em uma delas, um homem vende cruzes de ferro. Sua camiseta também tem o logo de uma cruz e diz "A KKK está crescendo. Não é bom não ser preto?". Um membro da plateia que está por perto usa uma camiseta com a imagem de um membro encapuzado da Ku Klux Klan e as palavras "The Original Boys in the Hood".**

VENDEDOR: Vendíamos mais itens aqui, mas o Allen nos disse para não vender coisas ostensivamente racistas porque alguém pode tirar uma foto, parar no jornal e as pessoas terem a ideia errada. Vou lhe dar isso. (*Pega um boné com uma insígnia dourada da CSA — Estados Confederados da América, na sigla em inglês*). Você pode levar para a cidade e usar, e os pretos não vão nem saber o que é.

Um motoqueiro junta-se à conversa e me convida para fumar metanfetamina com ele no área quatro, depois sorri e me dá mais uma informação sobre a festa...

MOTOQUEIRO: Nada de pretos.

A alguns metros de distância, outro vendedor oferece equipamentos menos racistas para motociclistas.

O que você acha que aconteceria se algum negro da comunidade viesse ao show?
VENDEDOR: Aconselho a não vir. Não é uma boa ideia. Eles ficam sujeitos a ser espancados. No ano passado, tinha dois negros na área onde é proibido álcool, e quando o sol se pôs, as pessoas começaram a dizer coisas como: "Aquelas duas árvores ali estão me parecendo bem fortes." Eles foram embora rapidinho.

Depois do show, encontro Eddie Money em seu ônibus de turnê e pergunto se ele percebeu alguma coisa estranha no show. Ele diz que ficou chocado com alguns dos

* Trocadilho intraduzível com a palavra "hood", que tanto pode significar "Os primeiros caras do gueto" quanto "Os primeiros caras encapuzados". Neste contexto, a frase usa ironicamente uma gíria de origem negra para enaltecer a Ku Klux Klan. (*N. da T.*)

fãs, especialmente com um que tinha tatuada no braço a imagem de um homem negro dentro de um círculo, atravessado por uma linha vermelha. Durante a curta entrevista, Money se comporta de forma bizarra, esquecendo várias vezes o nome da cidade de chamando-a de Headbone ou Crossbow.

EDDIE MONEY: É melhor você ter cuidado lá fora.

Você é convidado para essas coisas com frequência?
MONEY: Por alguma razão que não entendo, os motoqueiros me amam. Eles sempre querem que eu toque nesses eventos. Eu odeio esses merdas.

É mesmo?
MONEY: Mas gostei muito do show. Achei que era um parque de diversões quando vi o nome. Achei que ia fazer um show estilo Tampa Bay Buccaneers. Choveu o dia inteiro, mas mesmo assim as pessoas vieram. E ganhamos 2 mil dólares só em camisetas. O melhor porco desfiado que já comi.

Mas você não se sente mal ou desconfortável por se apresentar em um lugar com esse tipo de preconceito?
MONEY: Eles podem ter uma mentalidade meio atrasada — você sente que o Bobby Kennedy ainda é ministro da Justiça — mas são filhos de Deus. Eu me diverti.

Mais tarde, Blankenship me convida para beber no Southfork Bar and Grill, apelidado de Cut 'n' Shoot, por causa do que os clientes geralmente fazem. No bar, as janelas têm bandeiras da Confederação servindo de cortinas, e o quadro-negro diz: "Feliz Aniversário, Preto Joe." Uma garota chamada Krystal diz sobre os negros: "Você não pode olhá-los nos olhos. Se olhar para eles, eles gostam de você." Seu amigo, Eric, diz que o problema com os negros é que eles se acham superiores a todo mundo. Enquanto eles falam, a jukebox não está tocando Molly Hatchet ou Lynyrd Skynyrd. Está tocando DMX e Nelly.

Blankenship pede uma cerveja e diz que está procurando outras maneiras de fazer o parque da música dar dinheiro. Ele está planejando uma trilha dos horrores no Halloween, um passeio entre luzes de Natal, piqueniques de empresas e uma reencenação da Guerra Civil.

Que batalha você pretende reencenar?
BLANKENSHIP: Não sei qual batalha vai ser. Mas vai ser uma que os confederados venceram, porque não aceitamos o contrário aqui em Skullbone, você entende o que estou dizendo.

Logo depois, o Skullbone Music Park foi fechado devido a problemas financeiros, e Blankenship vendeu a propriedade em 2008.

= [UPRIGHT CITIZENS BRIGADE] =

Em algumas ocasiões, eu tinha a intenção de relatar uma história, mas acabei me tornando parte dela. Isso aconteceu quando fui encontrar o Upright Citizens Brigade, que estava no porão de um hotel em Aspen, Colorado, planejando um trote. Na época, o quarteto de improvisação e comédia era relativamente desconhecido, embora considerado pelos críticos como uma das melhores trupes de comédia ainda não descobertas do país. Eles tinham viajado para o U.S. Comedy Arts Festival em Aspen, esperando conseguir um programa de televisão. E, depois do festival, não apenas conseguiram a própria série no Comedy Central, mas um de seus integrantes — Amy Poehler — eventualmente se tornou um nome conhecido, transferindo-se para o *Saturday Night Live* e depois para o horário nobre da TV e o cinema.

Às 10h30 daquela manhã, o integrante do grupo Ian Roberts tinha visitado lojas da cidade e pedido às pessoas que assinassem uma petição censurando o U.S. Comedy Arts Festival por impedir a apresentação de um grupo com valores familiares chamado Hong Kong Danger Duo por causa de racismo. Com um pouco de insistência, ele conseguiu que os funcionários de várias lojas assinassem. Duas horas depois, o grupo colocou em mim um microfone e uma câmera escondidos, e me mandou para as lojas junto com o fotógrafo do *New York Times*.

Oi, eu sou do *New York Times*. Estamos fazendo uma matéria sobre um grupo daqui chamado Hong Kong Danger Duo que vai se apresentar no festival de comédia. Já ouviu falar deles?
FUNCIONÁRIO UM: Estiveram aqui mais cedo dizendo que eles não iam poder se apresentar.

Exatamente. É por isso que estamos fazendo esta matéria. Eu queria saber se podemos fazer uma sessão de fotos aqui com eles.
FUNCIONÁRIO UM: Não sei. Tenho de verificar.

Os integrantes do Upright Citizens Brigade entram na loja vestidos de Hong Kong Danger Duo, usando macacões, capacetes e óculos de proteção. Note que são três.

FUNCIONÁRIO DOIS: Vocês não podem fazer isso aqui!

O Hong Kong Danger Duo começa a experimentar roupas, rolar pelo chão, espirrar água uns nos outros e incomodar os clientes.

AMY POEHLER: Somos Hong Kong Danger Duo!
MATT BESSER: Vocês não podem escapar do nosso perigo!
FUNCIONÁRIO UM (*para mim*)**:** Você precisa tirá-los daqui...
FUNCIONÁRIO DOIS: Vocês têm de ir embora!
POEHLER: O quê? Você expulsa a gente porque não somos do seu país?
BESSER: Isso é racismo!
POEHLER: Você racista igual o festival.

É porque eles são asiáticos? Esse é o problema?*
FUNCIONÁRIO UM: Não.
BESSER: Vocês não têm problema quando pessoas brancas entram na sua loja e experimentam roupas.
POEHLER: É! Você má pessoa.
FUNCIONÁRIO UM (*para mim*)**:** Preciso que você entenda que não sou racista. Eles estão espantando os clientes.

[SACHA BARON COHEN *CENA 2*]

Um Escalade parou no meio da 65th Street no West Side de Manhattan e um homem alto com um bigode estranho e um terno azul-acinzentado com péssimo caimento saiu. No último mês, com uma série de eventos na imprensa e publicidade pesada, esse homem se transformara em um nome conhecido nos Estados Unidos: Borat.

Era Halloween, e centenas de Borat vagavam pelas ruas da cidade e fantasias que homenageavam o falso jornalista do Cazaquistão, mas esse Borat era o verdadeiro. Uma multidão de assessores de imprensa de cinema, fotógrafos, colaboradores e assistentes o cercou enquanto ele se dirigia para as escadas rolantes que levavam ao Walter Reade Theater, onde uma exibição do filme que levava o nome do personagem estava para começar. Ele parou a meio metro da escada rolante, virou-se para mim e estendeu a mão. "Oi", disse em um sotaque britânico profundo e distinto, inconsistente com seu rosto bigodudo. "Eu sou o Sacha."

---

* Todos os integrantes do Upright Citizens Brigade são caucasianos.

E com essa única palavra — "Sacha" — ele me informou que eu estava sendo levado para trás da cortina, para dentro da mente do homem por trás do bufão, para dentro do mundo particular do mais popular enigma inglês, Sacha Baron Cohen. Desde que atingira o estrelato na Inglaterra em 1998 com seu outro alter ego, Ali G, Baron Cohen nunca tinha sido ele mesmo em uma entrevista em seu país natal e nunca tinha feito uma entrevista tão longa em lugar algum.

Estou surpreso por você ter concordado com isto.
SACHA BARON COHEN: É assustador para mim, mas me sinto seguro com você. Eu lembro que você foi ao estúdio há uns quatro anos. Você foi o primeiro jornalista importante a demonstrar interesse, e agradeço muito. Você gostou do filme?

Gostei. BARON COHEN: É, seria péssimo se você não tivesse gostado.

Acho que nunca ri tanto no cinema.
BARON COHEN: Sério? Foi difícil. Digo, foi um filme difícil de fazer. Você sabe mais sobre o processo do que...

...a maioria das pessoas?
BARON COHEN: É, mais do que qualquer um que não tenha feito parte dele. É um desastre. Terrível para mim.

Por que você não quer que saibam como você consegue fazer as pessoas que entrevista acreditarem que é tudo verdade?
BARON COHEN: Acho que seria como um mágico revelando seus truques. Eu vou ter mais dificuldade no futuro se as pessoas souberem como fazemos.

Acha que, se fosse simplesmente você mesmo, conseguiria ficar em situações tão constrangedoras quanto as do filme?
BARON COHEN: Imagino que eu acharia difícil. Você pode se esconder atrás dos personagens e fazer coisas que acha difíceis.*

Por curiosidade, você foi criado em um ambiente rigoroso?
BARON COHEN: Meus pais eram incrivelmente amorosos, e acho que isso lhe dá a força para sair em meio a uma multidão de gente que o odeia (*pausa*). Se você quiser analisar, deve ser isso.

---

* Um exemplo que apareceu mais tarde na entrevista: "Achamos que seria engraçado se o pênis do Borat chegasse até o joelho. Infelizmente, não fui abençoado com um pênis comicamente grande.

O que seus pais faziam?

BARON COHEN: Meu pai tinha lojas de roupas. Minha mãe era, e ainda é, professora de ginástica e aeróbica — assim como minha avó. Ela criou o próprio estilo. Originalmente, minha avó era bailarina na Alemanha nazista e partiu em... não me lembro... e foi para Israel.

Por falar nisso, você poderia não mencionar o nome dos meus pais? Há alguns anos sofri ameaças de morte de grupos neonazistas e não quero colocar em risco a segurança da minha família.

Eu entendo.

BARON COHEN: Por mais estranho que pareça, a Liga Antidifamação apareceu... Você viu a declaração que fizeram? Digo, você acha o filme antissemita?

Não, não achei.

BARON COHEN: Também foi banido de todos os países árabes. Não estão entendendo o filme.

De certa forma, eu acho bom, porque eles provavelmente nos odiariam mais se assistissem e vissem todos os americanos aplaudindo o Iraque destruído.

BARON COHEN: Quer dizer, eu queria que eles... Eu gostaria que o filme fosse visto em países árabes. Porque acho que parte do filme mostra o absurdo de ter qualquer tipo de preconceito racial, seja o ódio por afro-americanos ou judeus.

Enquanto Baron Cohen está falando, um garçom coloca um aperitivo de cortesia diante dele. Ele bombardeia o garçom com perguntas até ter certeza de que os ingredientes são kosher, aí começa a comer.

Sua família está irritada por causa do antissemitismo fingido do filme?

BARON COHEN: Eles adoram humor. Minha avó viu o filme há duas semanas. Ela tem 91 anos. Ela viu em Israel, em uma exibição à meia-noite em Haifa. Liguei para ela e disse: "Ouça, quero avisar que é um filme muito extremo e eu não acho que seja uma boa ideia você assistir." E ela disse: "Olhe, sou sua avó e tomo as decisões." Então às 4 horas da manhã ela me ligou e disse que tinha adorado.

O interessante sobre o Borat é como as pessoas se dispõem a concordar com coisas racistas ou antissemitas.

BARON COHEN: Essencialmente, o Borat funciona como uma ferramenta. Por ser antissemita, ele deixa as pessoas baixarem a guarda e exporem o próprio preconceito, seja antissemitismo ou uma aceitação do antissemitismo.

Eu me lembro de quando estava na universidade, estudei história. E havia um grande historiador do Terceiro Reich — acho que ele se chamava Ian Kershaw— e sua frase era: "O caminho para Auschwitz foi pavimentado com indiferença." Sei que não é muito engraçado um comediante falar sobre o Holocausto, mas acho interessante a ideia de que nem todos os alemães tivessem de ser antissemitas convictos. Só precisavam ser apáticos.

[STEPHEN COLBERT]

Ao conhecer Stephen Colbert, esperava que fosse interpretar o personagem ironicamente egocêntrico que estrela seu programa noturno de comédia política, *The Colbert Report*, ou fosse o intelectual inteligente, sarcástico e politicamente inteirado que provavelmente é na vida real. Mas o Stephen Colbert que conheci não era nenhum dos dois.

Ele era o Ned Flanders.

Estava usando uma camisa rosa de mangas curtas enfiada na calça cáqui — suas roupas casuais. Quando falou sobre sua abordagem de comédia improvisada no programa e como ele vive pelo decreto de dizer sim para tudo, ele foi honesto, gentil e bem-intencionado, palavras que nunca seriam usadas para descrever sua persona televisiva. Ele não falou palavrões, preferindo exclamações como "caramba", "poxa" e "nossa". E em seu computador havia uma plaquinha: "A alegria é o sinal mais infalível da presença de Deus." Não era sarcástica.

Você dá aulas na escola dominical?

STEPHEN COLBERT: Dou aulas para crianças de 7 anos. Sou o catequista para a primeira comunhão.

Quando entrevistei o Sacha Baron Cohen, ele disse que só consegue se colocar em situações em que uma arena cheia o odeia porque sabe que tem a fé e a estabilidade dos pais para apoiá-lo. Você sente o mesmo quando desempenha esse tipo de bufão em seu programa?

COLBERT: Provavelmente, em certo nível. Sempre penso em algo que minha mãe me disse há muitos anos, quando eu era criança: "Para a eternidade, que importância isso tem?" Nesse sentido, é muito difícil me envergonhar. Realmente não me incomodo em fazer papel de bobo, porque tenho noção de quem sou além desse bobo... espero. E acho que um pouco disso vem da minha mãe. Não acredito que a atual norma social seja algum tipo de verdade eterna.

Como assim a atual norma social?

COLBERT: Tipo, como deve ser sua aparência. Por exemplo, estou usando uma calça cáqui e uma camisa rosa de botão. Completamente mauricinho, porque é assim que sempre me visto, não tenho noção de estilo. Isso não tem a mínima importância para mim. O interesse pela aparência das pessoas ou pelas normas sociais é um bom passatempo, mas não tem sentido. Não me incomodo de estar feio ou parecer um idiota. Isso me ajuda muito. [...]

Você já perdeu a fé em algum momento?

COLBERT: Já, em um momento de angústia na faculdade. Mas, quando me formei, um gideão literalmente me deu uma caixa com o Novo Testamento, Salmos e Provérbios no meio da rua em Chicago. Peguei um e abri direto em Mateus, capítulo 5, que é o começo do Sermão da Montanha. Aquele capítulo inteiro fala essencialmente sobre não se preocupar. Não o li — ele falou comigo, e foi uma absorção da ideia sem esforço. Não tive uma revelação repentina, mas pensei comigo mesmo: "Eu seria um idiota por não reexaminar isto."

O que o fez passar por esse período negro?

COLBERT: Bom, minha infância teve vários eventos tristes. Dá para imaginar que a morte do meu pai e dos meus irmãos [em um acidente de avião] foi uma experiência esmagadora com a qual não lidei de forma alguma. E chega uma hora em que você é psicologicamente capaz de fazer isso. Ainda não gosto de falar do assunto. Ainda é recente demais.

Acha que passar por isso o ajudou de alguma forma a fazer o que faz, ou tornou mais difícil?

COLBERT: Não vou me profundar demais, mas a coisa mais valiosa em que consigo pensar é ser grato pelo sofrimento. É um sentimento sublime, e completamente inexplicável e ilógico. Mas todo mundo sofre. Você toma consciência da sua própria humanidade conforme aceita, com os olhos abertos, seu sofrimento. Ser grato por seu sofrimento é ser grato por sua humanidade, porque o que mais você vai fazer — dizer "Não, obrigado"? O sofrimento existe. "Sorria e aceite", disse Madre Teresa. E ela estava falando com pessoas que sofriam de verdade. Mas não é assim que se faz piada.

[HANSON]

Para muitos, os três irmãos louros supercertinhos do Hanson pareciam uma fabricação para garotas adolescentes quando apareceram, abrindo caminho para os Backstreet Boys e o 'N Sync. Mas eram mais do que isso, e aqueles que observaram com mais atenção descobriram que eles eram músicos talentosos e motivados.

"Jurei que nunca mais ia fazer um clipe", disse o diretor Gus Van Sant enquanto se preparava para filmar seu mais recente clipe. "Mas amo a música deles." Em outro ponto do set, Danny Goldberg, presidente da gravadora dos irmãos, preparava-se para fazer uma palestra sobre Woodstock para eles como parte de seu programa de estudos domiciliar.

Sentados em seu trailer, os irmãos discutiam os outros assuntos que tinham aprendido. Mas se Stephen Colbert era aberto em relação a suas crenças religiosas, os irmãos Hanson, que são evangélicos, eram um pouco menos acessíveis.

Vocês têm aulas sobre a Bíblia?
TAYLOR HANSON [15 anos]: Sim, também estudamos um pouco disso.

Qual é sua parte favorita?
TAYLOR: Da Bíblia? Acho que... sei lá.
ISAAC HANSON [17 anos]: Não sei. Não é... nunca pensei no assunto.
TAYLOR: Er, sabe... digo, é que... sempre a lemos inteira.
ISAAC: (*Faz menção de falar, mas se interrompe.*)

Você tinha mais alguma coisa a dizer?
ISAAC: Ah, ah, desculpe. Eu ia...
ZAC HANSON [12 anos]: Demora um tempo para ler. (*Todos eles riem*)
TAYLOR: É como ler quatro vezes *A revolta de Atlas*.

Vocês rezam todo dia?
(*Silêncio constrangedor. Os irmãos se entreolham, nervosos.*)

Vocês ficam constrangidos com essas coisas de religião?
ZAC: Sabe como é...
TAYLOR: Gostamos de manter isso, sabe, à parte, porque as pessoas... isso se torna... A questão é que atrapalha as pessoas, tipo mesmo se...
ZAC: Às vezes.

TAYLOR: ... mesmo que não importasse, sabe, as pessoas diriam: "Bom, eu não gosto deles porque, sabe..." Então gostamos de nos concentrar, tipo, na música. O que fazemos é música.

Mas muita gente já critica vocês.
TAYLOR: A questão é que sempre que você é querido de alguma forma ou que algo vai bem, acho que é odiado na mesma proporção.
ZAC: Alguém quer ser você.
TAYLOR: É como na internet, você tem toneladas de sites de fãs do Hanson. Mas também tem toneladas de sites de gente que odeia o Hanson. É só a opinião das pessoas. Não podemos dizer: "Ei, você é obrigado a gostar da gente."
ISAAC: Além disso, todo mundo tem a própria opinião. E se não gostam da banda, não gostam.
TAYLOR: Se você gostar da gente, tudo bem. Se não, melhor ainda.

E existem muitos boatos...
ISAAC: É que nós somos gays. Ou sofremos acidentes de carro. Já fizemos de tudo.
ZAC: Eu estava morto e eles estavam em coma. Desde então, me sinto um pouco mais leve.
TAYLOR: Na noite em que nossa irmã mais nova nasceu, trinta minutos depois estava no rádio.
ISAAC: É bem assustador.

Vocês acham que estão perdendo parte da infância?
ZAC: Você pode olhar para trás depois de tudo isto e dizer: "Não pude ver tanto meus amigos, e não pude cortar a grama para ganhar 10 dólares, e não fiz isso e aquilo." Ou pode pensar: "Pude viajar pelo mundo inteiro, tocar para milhares de pessoas, ir ao Grammy, ganhar o MTV Europe Awards."
ISAAC: Ah, nossa, eu sou um coitado. Sofri abuso quando era criança.
ZAC: Eu sofri abuso por ficar em bons hotéis.

[STEELY DAN]

Nos bastidores do Grammy Awards, Donald Fagen e Walter Becker, membros centrais da Steely Dan, banda de rock fusion dos anos 1970, pareciam genuinamente confusos ao ficar diante da imprensa segurando Grammys — seus primeiros prêmios do tipo em toda a carreira, incluindo um para Disco do Ano.

"Acha que vão tomá-los de nós ou nos fazer devolver?", perguntou Fagen antes de agradecer a Eminem — o vencedor previsto da noite — por ter desviado deles as críticas pelas letras picantes do disco *Two Against Nature*, que incluem temas como incesto, misoginia, sexo grupal e estupro presumido. Depois, conversei com eles separadamente sobre a inesperada honra.

É estranho que, depois de trinta anos de trabalho, de repente vocês estejam recebendo tantos prêmios e elogios?
WALTER BECKER: Bom, acho que é um padrão bem típico. Estamos recebendo muito crédito só por termos sobrevivido e persistido fazendo mais ou menos o mesmo tipo de música, o que, dependendo de com quem você fala, é considerado integridade ou falta de imaginação, ou ambos.

Mas você inova ao cantar "Let's roll with the homies" no disco novo.
BECKER: É, é verdade, Neil. É exatamente assim que me sinto. Podemos não estar na tendência dos conceitos musicais, mas estamos dispostos a usar qualquer expressão popular que aparecer, por mais idiota que seja.

O Grammy foi interessante, porque certas partes de *Two Against Nature* eram tão tabu quanto o disco do Eminem, mas como as letras estavam em músicas de sonoridade mais adulta, ninguém percebia.
DONALD FAGEN: Para nós, é mais fácil colocar essas coisas sorrateiramente na letra, acho que por causa das várias formas pop que usamos. E pelo fato de sermos tão velhos que ninguém se importa.

Mas o tema pode ser ainda mais assustador vindo de adultos do que de artistas mais jovens, porque garotos são assim mesmo.
BECKER: Acho que usar a palavra "adultos" para se referir a Donald e a mim deveria ter algum tipo de nota de rodapé.*

Talvez porque a indústria da música seja uma espécie de mundo do Peter Pan, e seus integrantes nunca cresçam.
BECKER: Ah, sem dúvida é, e isso priva as pessoas de muitas experiências que talvez produzissem alguma espécie de maturidade. Donald e eu somos assim desde a adolescência. Tínhamos um empresário antes de ganharmos dinheiro e tal. Posso dizer tranquilamente que nenhum de nós dois jamais fez o balanço de um talão de cheques.

---

* Becker, sobre ser adulto: "Claramente alguns dos processos aconteceram, mas outros, não. Não sei por quê."

E, por alguma razão, estar no mundo da música tende a manter as pessoas com aparência mais jovem. De alguma forma, vocês são as únicas exceções.
BECKER: Acho que é verdade, embora conserve nossos pensamentos jovens.

Eu estava brincando.
BECKER: Mas é verdade que chegar à nossa idade produz um efeito meio indesejável e você meio que pensa: "Cara, por que ainda estou em uma banda de rock?"

[OZZY OSBOURNE]

Antes de se tornar o velho rabugento preferido dos reality shows, Ozzy Osbourne lutou contra o vício em estimulantes, álcool e ácido. Ele foi expulso de bandas, impedido de entrar em escritórios da própria gravadora e forçado a tomar vacinas contra a raiva. Ele foi acusado de incitar adolescentes ao suicídio, tentar assassinar a mulher e urinar no Alamo memorial. Mas, apesar desses eventos tanto trágicos quanto ridículos, o pioneiro do heavy metal não apenas sobreviveu, mas prosperou.

O que você acha desta última rodada de audições de letras de música no Senado?
OZZY OSBOURNE: Eles não percebem o que estão fazendo? Na minha opinião, ter essas audições no senado vai fazer alguma banda de garagem pensar: "Uau, isso é sucesso! Se os outros conseguem entrar no Senado com isso, vamos escrever uma música chamada 'Mate sua mãe duas vezes'." Nunca me sentei conscientemente com a intenção de fazer nada parecido.

Mas você foi processado depois de dois suicídios de adolescentes...
OSBOURNE: Eu estava vendo no VH1 a entrevista com o advogado que me processou pelo garoto McCollum*. Ele disse: "É como Nuremberg." E eu pensei: "Esse cara deve estar viajando de ácido. Ele precisa de ajuda psiquiátrica." Ele disse: "Você pode claramente ouvir o Ozzy dizer no disco, 'Pegue a arma, atire, atire'."

O que você nunca disse.
OSBOURNE: Posso colocar a mão no coração e jurar pela porra da vida dos meus filhos que essas palavras nunca foram ditas. Podem me interpretar mal dizendo que tive um efeito de eco e estou dizendo "shhht, shhht," que reverbera de alto-

* Jack McCollum processou Osbourne porque achava que a mensagem subliminar da letra de "Suicide Solution" tinha sido responsável pelo suicídio de seu filho de 19 anos. A corte concluiu que a música não fora responsável pela morte.

falante em alto-falante. Declaro com a mão sobre uma pilha de Bíblias — de qualquer porra de religião que queiram que eu use — e juro solenemente que aquela música "Suicide Solution" falava sobre mim mesmo, me matando de beber depois que um amigo meu, o vocalista original do AC/DC, morreu por causa do álcool. Muita gente dessa indústria morreu por causa de drogas e álcool.

Você se sente responsável quando as pessoas fazem coisas idiotas por causa da sua música?
OSBOURNE: Nunca me senti responsável. Nem pensar. A última coisa que digo nos meus shows na maioria das noites é: "Vão para casa em segurança, porque quero ver vocês no ano que vem e botar para quebrar outra vez." Se minha intenção fosse compor músicas que fariam alguém se machucar, por que diria isso?

Conversei com uma pessoa que disse que estava fazendo um filme sobre sua vida. É verdade?
OSBOURNE: Não sei quem vai fazer, qual é o meu papel ou qual é o esquema, mas sei que está acontecendo alguma coisa. Mas se o filme sair, não quero que seja parecido com a porra do filme do Doors ou com a porra do *A rosa*, quero que seja como foi. Porque foi muito empolgante. Sempre comparo isso a: se você é o homem mais forte do mundo e joga uma pedra o mais alto que consegue, ela vai cair a uma distância correspondente, sabe. Houve muitos altos e muitos baixos.

Já pensou em fazer um livro?
OSBOURNE: Eu tinha o contrato para um livro há um tempo. Mas tenho que falar com um monte de velhos amigos e pedir para eles reavivarem minha memória. Se tenho um arrependimento é não ter feito um diário, sabe, porque passava o tempo todo drogado.

Então você esqueceu tudo?
OSBOURNE: Eu me lembro de algumas coisas, mas tem uma porrada de coisas que não me lembro. As pessoas me dizem: "Lembra disso?" E eu respondo: "Ah, porra."

Então como você mantém...
OSBOURNE: Graças a minha mulher. Minha mulher é minha maior fã e maior conselheira — e a pessoa que eu amo. Digo, metade do Ozzy é a Sharon, sabe. Não tenha essas ideias fantásticas nem monto toda essa logística. Fico com o trabalho fácil. Eu só apareço, toco, dou entrevistas, e passo a porra do dia inteiro em quartos de hotel. Ela parece uma workaholic. Ela não tem o corpo da Pamela Anderson, mas não me importo, porque ela é minha mulher e eu a amo mais do que tudo no mundo.

[QUEENS OF THE STONE AGE]

Existem certas regras na estrada. E sem querer o Queens of the Stone Age acabou de violar uma delas. Eles descobriram isso quando dois ônibus da turnê chegaram a Los Angeles, finalmente em casa depois de uma turnê longa e difícil que envolveu roadies fazendo muito chá de cogumelo psicodélico.

No ônibus um, o vocalista Josh Homme e o baterista temporário Dave Grohl, do Foo Fighters, tentavam encontrar sapatos do mesmo par e guardavam as garrafas de bebida remanescentes para usar em casa. O baixista Nick Oliveri, que pegara o segundo ônibus com a namorada, Deborah, entrou coçando a cabeça careca.

NICK OLIVERI: Alguém viu a Deborah?
DAVE GROHL: Não, ela não estava viajando com você?
OLIVERI: Estava, mas paramos em um posto de estrada, ela saiu do ônibus e não voltou. Então achei que ela estava no ônibus de vocês.
GROHL: Não, eu não a vi.
OLIVERI: Merda!
GROHL: É, cara, acho que você a deixou no posto.

[THE FUNERALS]

A ORIGEM

Foi uma ideia maluca que começou, como a maioria das ideias malucas, no final de uma longa noite de porre. Em uma festa em casa, na Islândia, terminando o resto da cerveja e do uísque, os integrantes de uma banda de Reykjavik chamada The Funerals decidiram começar uma turnê pelo país.

A ideia era maluca por várias razões, sobretudo por ser outubro e as estradas estarem cobertas de neve e gelo. Além disso, com exceção de Reykjavik, o país quase não é povoado. E as únicas bandas que saem regularmente da capital são grupos cover de pop que tocam para fanfarrões beberem, dançarem e cantarem junto. O Funerals, em contraste, é uma banda de country lento e triste — provavelmente o único grupo do tipo na Islândia — cujas músicas falam sobre ser patético e ter medo de adolescentes.

Segundo Ragnar, o vocalista, a banda se formou depois que ele terminou com a garota que namorava havia cinco anos. "Ela levou a TV, então não podíamos assistir TV", explicou ele. "Então começamos a tocar guitarra e compor músicas. Eu nunca tinha escrito uma música."

Como um jornalista se juntaria a eles na turnê, o Funerals decidiu chamá-la de "Turnê Quase Patética", uma combinação do filme *Quase famosos* e do disco *Pathetic Me*. Antes mesmo de a turnê começar — uma semana depois do porre que a iniciou — já fazia jus ao nome. Isso aconteceu quando Ragnar tentou retomar seu romance com sua ex-ladra de TV.

RAGNAR: Fiz um jantar para a minha ex-namorada na minha casa, tentando reconquistá-la. Mas depois toquei algumas das nossas músicas e ela foi embora. É estranho fazer música que causa brigas.

Que músicas você tocou para ela?
RAGNAR: "Unappreciative Man" e "Rich Bitch."*

A BANDA

Ragnar, vocais e guitarra — o primeiro homem da história a se formar na Husstjornarskolinn, uma escola islandesa para donas de casa.

Thor, bateria — neto do médico que fez o parto de Ragnar.

Doddi, teclados — filho de um padre que inventou o onipresente molho para aperitivos servido nos restaurantes da Islândia. Trabalha como assistente de zelador.

Lara, acordeão e vocais — entrou na banda porque o namorado, Doddi, tirou uma soneca durante uma gravação, então ela acabou cantando no lugar dele.

Vidar, baixo — conhecido por desmaiar de bêbado quase todas as noites depois de se ajoelhar, depois acordar de repente e dar vários socos na barriga da pessoa mais próxima antes de desmaiar de novo.

Olaf, guitarra — diz que, enquanto está tocando um solo, com frequência sua mente se desliga e ele se vê pensando em comer um sanduíche.

* "Homem incompreensivo" e "Vadia rica". (*N. da T.*)

OLAF: É meio surpreendente eu estar na banda. Nunca entendi de música country.

Mas você deve entender música country agora.
OLAF: Não, não, nem de longe.

PREPARAÇÃO DA TURNÊ

Antes de pegar a estrada, a banda para perto na estação nacional de rádio islandesa para uma entrevista. As portas de correr de vidro do estúdio se fecham diretamente em Ragnar quando ele está passando, um presságio da turnê. Em questão de horas, mais azar: o motorista do ônibus da turnê liga para dizer que vai se atrasar porque o ônibus já quebrou, e Thor, o baterista, bate com o carro em um muro de tijolos quando está indo encontrar a banda.

DODDI: Não faz sentido sair em turnê assim. As pessoas só querem bandas cover. Vão odiar a gente.

ARON [empresário]: Não tem problema. Tudo o que começa meio complicado normalmente acaba dando muito certo.

Um ônibus de turnê branco e sujo, com uma propaganda desbotada de rum na lateral, chega ao estacionamento de um hotel para pegar a banda. Uma das janelas está quebrada, e ainda há lixo dos ocupantes anteriores nas camas que parecem caixões. O ônibus solta tanta fumaça pelo escapamento que o gerente do hotel sai para reclamar que a fumaça vai matar os hóspedes. A banda de seis integrantes e sua entourage de quatro pessoas se apertam dentro do ônibus minúsculo e param em uma loja de bebidas para comprar suprimentos.

VIDAR: Só conseguimos tocar bêbados.

PRIMEIRO SHOW: GRUNDARFJORDUR

O Krakan é um restaurante familiar em Grundarfjordur, uma cidade com 952 habitantes. O dono serve à banda sopa de aspargos, cordeiro e cerveja, enquanto uma

as que ele trocou com uma universitária da plateia, que o acusou de ser machista durante um painel de discussão que também incluía Chuck D do Public Enemy e o guitarrista de jazz Sonny Sharrock.

ICE-T: Bom, deixe-me explicar uma coisa para você. Minha luta não é entre mulheres e homens. Minha luta é entre mulheres e feministas. Veja a capa do meu álbum com a mulher de biquíni fio-dental: metade das garotas olha para aquilo e diz: "Nossa, eu queria estar na capa do disco." E outras garotas dizem: "Isso é horrível", porque queriam ficar bem de biquíni e têm um problema. Não entendo o que você vê de tão machista em uma mulher de biquíni.
MULHER: Que tal um homem de biquíni?
ICE-T: Eu colocaria um biquíni se tivesse pedidos suficientes, querida, mas deixei minhas coisas em casa. E tenho mais fãs mulheres do que homens. Quando não faço uma gravação sexy no meu disco, as garotas reclamam: "Ice, diga como você quer me comer."
CHUCK D (*incrédulo*): É, o Ice-T é um deus do rock and roll.
MULHER: Mas você ofende as mulheres.
ICE-T: O que é ofensivo para as mulheres? OK, vou perguntar para você: dizer para as garotas que estão aqui hoje, "Quero ficar pelado e transar" é ofensivo para as mulheres? Algumas podem querer transar comigo, porra. Se uma mulher diz que quer um pau, está ofendendo um homem? Sabe, qual é, pare com essa merda. Se nos discos eu falasse de estuprar garotas, atirar em garotas ou jogar gasolina nelas — mesmo que falasse de matar minha mãe, e acho que posso matar a porra da minha própria mãe se eu quiser — é uma coisa. Mas não estou tentando fazer isso. Não quero machucar as mulheres. Eu adoro mulheres, porque ainda não encontrei nada que eu possa fazer com um homem em um quarto de hotel (*várias exclamações da plateia*). Se isso é machista, não posso fazer nada. Eu simplesmente gosto de sexo.

Ele se levanta e aponta o pênis para a plateia, como se quisesse ilustrar o que está debatendo.

MULHER: Ah, meu Deus.
ICE-T: Desculpe, cara. Qual é, só estou tentando ser sincero. Adoraria poder fazer discos dizendo que todos os homens são bons e gostam de tratar bem suas mulheres. Mas, assim que você sair daqui, todos os caras vão dizer: "Você viu os peitos dela?", é assim que os homens são. Você gostaria que nós fôssemos diferentes, mas não conseguimos porque o pau maligno não deixa. E para as mulheres que estão assentindo, acabei de fazer o melhor anúncio público que vocês vão ter na vida.

Não pensem: "Nem todos os homens são assim." Balela! Homens só querem foder o tempo todo.

Sonny Sharrock esconde o rosto entre as mãos enquanto Chuck D balança a cabeça, sem acreditar. Ice-T pega uma revista na mesa, se recosta na cadeira e começa a ler tranquilamente.

[COPIDESQUES]

Em uma prévia dos shows do final de semana para o *New York Times*, escrevi sobre um show duplo com os grupos Friggs e Jackass. Quando peguei o jornal no dia seguinte, a prévia só mencionava "duas bandas" e, embora a descrição continuasse intacta, os nomes dos grupos tinham desaparecido da matéria. Evidentemente, um copidesque achara os nomes obscenos e simplesmente os removera. Foi apenas um exemplo dos muitos desafios de escrever sobre rock, hip-hop e cultura popular para o *New York Times.*

Em outra ocasião, escrevi sobre uma duvidosa delicatéssen de esquina onde "os vizinhos ouviam o som de viciados em crack fazendo sexo em troca de drogas grátis". Quando olhei o jornal no dia seguinte, a frase tinha sido alterada para o seguinte: "Os vizinhos ouviam o som dos viciados em crack."

Eis mais alguns exemplos de como os padrões de decência são impostos no jornal.

*Editando uma matéria que cita a letra de Courtney Love que diz "I'm eating you / I'm overfed"...**

COPIDESQUE: Temos de remover essa frase.

Qual é o problema com ela?
COPIDESQUE: É sobre sexo oral.

A matéria inteira depende dessa letra.
COPIDESQUE: Se quiser, eu posso mostrar para a Redação ver o que eles dizem.

Dez minutos depois...

* Estou comendo você / Estou cheia (*N. da T.*)

COPIDESQUE: A Redação disse que é sobre sexo oral.

Editando a resenha de um show no qual o cantor Francis Dunnery descreve a si mesmo como "um escroto desclassificado do norte da Inglaterra"...

COPIDESQUE: Não podemos usar a palavra escroto.

Por quê?
COPIDESQUE: Porque se refere ao órgão sexual masculino.

Qual é o problema do órgão sexual masculino?
COPIDESQUE: É um jornal de família. Você e eu podemos gostar de falar sobre escrotos, mas no nosso tempo livre.

Editando uma resenha do Rage Against the Machine...

COPIDESQUE: Você escreve aqui as letras da banda atacam misóginos e homofóbicos.

Sim.
COPIDESQUE: A banda diz homofóbicos?

Não, esse é o meu resumo das letras.
COPIDESQUE: Temos uma regra de que homofóbico é uma palavra que só pode ser usada no jornal por homossexuais.

Isso não é injusto?
COPIDESQUE: Também tem o problema do direito religioso. Não queremos acusar ninguém de ter um problema psicológico que causa seus atos.

Editando a crítica do grupo inglês Laika...

Por que você tirou a frase em que a vocalista fala que os homens carregam uma arma na calça?
COPIDESQUE: Porque é obsceno e este é um jornal familiar.

Mas não existe nenhuma palavra obscena.
COPIDESQUE: Está implícito.

Qual é. Havia cadáveres na primeira página do jornal outro dia. Isso é muito mais prejudicial para as crianças.
Copidesque: Parece que você está irritado por tirarmos a frase. Mas pode continuar irritado ou entender que nunca vamos publicar algo assim, então não se dê ao trabalho de tentar de novo.

Editando uma matéria na qual o cantor country relembra Garth Brooks dando autógrafos por "24 horas seguidas sem uma pausa para fazer xixi"...

COPIDESQUE: Vamos ter de mandar para a Redação.

Por causa da palavra *xixi*?
COPIDESQUE: É.

Dez minutos depois...

COPIDESQUE: O que você quer colocar no lugar?

Você está dizendo que a palavra xixi é inaceitável?
COPIDESQUE: Não vamos discutir sobre isso.

Editando uma entrevista com Master P...

COPIDESQUE: Existe algum motivo para você ter escrito g-â-n-g-s-t-e-r?

Sim, porque sempre que escrevo *gangsta* você muda para *gângster*.
COPIDESQUE: Bom, o Al [Siegal, editor de padrões do *New York Times*] liberou o uso da palavra *gangsta*. Ele encontrou um precedente em uma crítica de 1924. Então agora você pode usar.

Editando a entrevista com Mike Tyson, na qual ele diz: "Nós fizemos a indústria, mas não temos controle sobre o destino da música"...

COPIDESQUE: Não está claro a quem "nós" faz referência.

Obviamente são os afro-americanos.
COPIDESQUE: Ok, vamos mudar para: "Referindo-se aos negros, o Sr. Tyson disse, 'Nós fizemos a indústria'."

Não, não faça isso.
COPIDESQUE: Precisa de uma referência. Não faz sentido.

Fica racista. E meu nome está na matéria.
COPIDESQUE: Então me dê outra referência para usar.

Não sei.
COPIDESQUE: Bom, de quem ele está falando se não é dos negros?

De qualquer pessoa envolvida na cultura que originou o rap.
COPIDESQUE: Ok, então vamos colocar: "Referindo-se ao mundo do rap, ele disse, 'Nós fizemos a indústria'."

Editando a crítica de um festival de música irlandesa com a frase "No palco principal, Hootie & the Blowfish — cujo próprio nome evoca um súbito desejo de bocejar e passar à próxima matéria — tocou rigidamente uma versão de 'Black Magic Woman' que pareceu mais longa do que as filas dos banheiros químicos"...

COPIDESQUE: Simplesmente não acho que está bom.

Qual é o problema?
COPIDESQUE: As últimas palavras.

Não fazem sentido para você?
COPIDESQUE: A ordem aqui não é significado e contexto, que estão bons, mas o gosto.

E se eu disser "mais longa do que a fila na tenda da Guinness"?
COPIDESQUE: Tudo bem.

Mas isso é perpetuar um estereotipo irlandês. É pior?
COPIDESQUE: Talvez, mas é aceitável.

Apesar dos esforços dos copidesques, algumas poucas obscenidades entraram nas matérias, começando com a música "Nutz Onya Chin" de Eazy-E. A palavra "pussy"** usada como insulto, também acabou publicada. Parece que ninguém percebeu ainda, então, se você for a primeira pessoa que conseguir encontrar e me passar a matéria para o e-mail manofstyle@gmail.com, vai ganhar um exemplar gasto do livro* How to Talk Dirty and Influence People, *de Lenny Bruce.*

[U2]

Quando se faz crítica de música, correspondências raivosas são esperadas. Mas, de vez em quando, elas vêm de uma fonte inesperada. Depois de uma crítica negativa de um show de Phil Collins, o vocalista e baterista escreveu à mão um discurso de duas páginas no papel do hotel Peninsula de Nova York, que começava admitindo: "Não foi um bom show, mas não pelas motivos que você deu", e terminava com um menos comedido: "Bem, Neil, vá se foder."

De forma mais criativa, em resposta a uma matéria crítica sobre uma turnê do U2, Bono me mandou um ursinho de pelúcia recheado de calcinhas e um bilhete condescendente. Entretanto, depois de ler uma crítica positiva a um show subsequente, ele mandou uma carta amistosa com uma ilustração bonita. Assim, quando conheci o Bono em uma festa em Miami depois de escrever sobre o disco *All That You Can't Leave Behind*, do U2, não sabia que tipo de reação esperar.

BONO: Você fez uma crítica muito generosa.

Não acho que fui generoso. O disco é ótimo.
BONO: Eu ia escrever uma carta para você depois que li. Não achei que foi justo com o disco. Faltaram as partes sombrias do trabalho.

---

* Bolas no seu queixo (*N. da T.*)
** No contexto, "maricas". (*N. da T.*)

Foi mais um ensaio, usando seu disco como um ponto de partida para a ideia de que os músicos tentam encontrar um propósito e um significado para o próprio sucesso.

BONO: Sim, e ao tentar provar sua tese, você não fez uma resenha real do disco. Nem todas as músicas são do tipo "não se preocupe, seja feliz". "Grace" tem um tema sombrio.

É verdade, mas...

BONO: No final, decidi não escrever a carta. A matéria foi bem-escrita, mas não tão bem-escrita.

Você ficou satisfeito com a crítica do *LA Times*?

BONO: Los Angeles é assim. Quando vamos para lá, as pessoas não param de dizer como somos bons. Mas em Dublin, você entra no táxi e o taxista lhe diz que o disco novo é uma merda.

Durante a hora seguinte, Bono fala de tudo, desde as origens do U2, tocar covers dos Ramones, James Joyce e a Bíblia até a reputação arrogante da banda.

BONO: O problema é que, quando estamos nervosos, ficamos presunçosos.

De repente, o empresário do U2 se aproxima e avisa Bono de que sua voz está ficando rouca e que ele precisa cuidar dela para a turnê. Mas ele continua falando, até seu empresário sugerir irmos para um quarto silencioso ali perto.

No quarto, Ed Kowalczyk, vocalista da banda de rock Live, está descansando com dois homens de aparência conservadora que parecem ter uns vinte e poucos anos. Eles se apresentam como Shawn Fanning e Sean Parker, fundadores do Napster, que na época era o flagelo da indústria da música por espalhar, praticamente sozinho, o download ilegal de músicas pelo globo.

BONO: Não estou preocupado com o que eles estão fazendo.

Sério? Estive com o Trent Reznor uma noite, e ele estava praticamente chorando por causa disso.

BONO: Em algum momento, sei que vou ter de começar a me aproximar diretamente dos fãs em vez de passar pela gravadora. Não estou ansioso por isso, mas é inevitável.

SHAWN FANNING: Muitos artistas querem trabalhar com a gente. O problema é que as gravadoras estão nos processando em vez de tentar encontrar uma forma de nos usar de um jeito que beneficiasse os artistas.

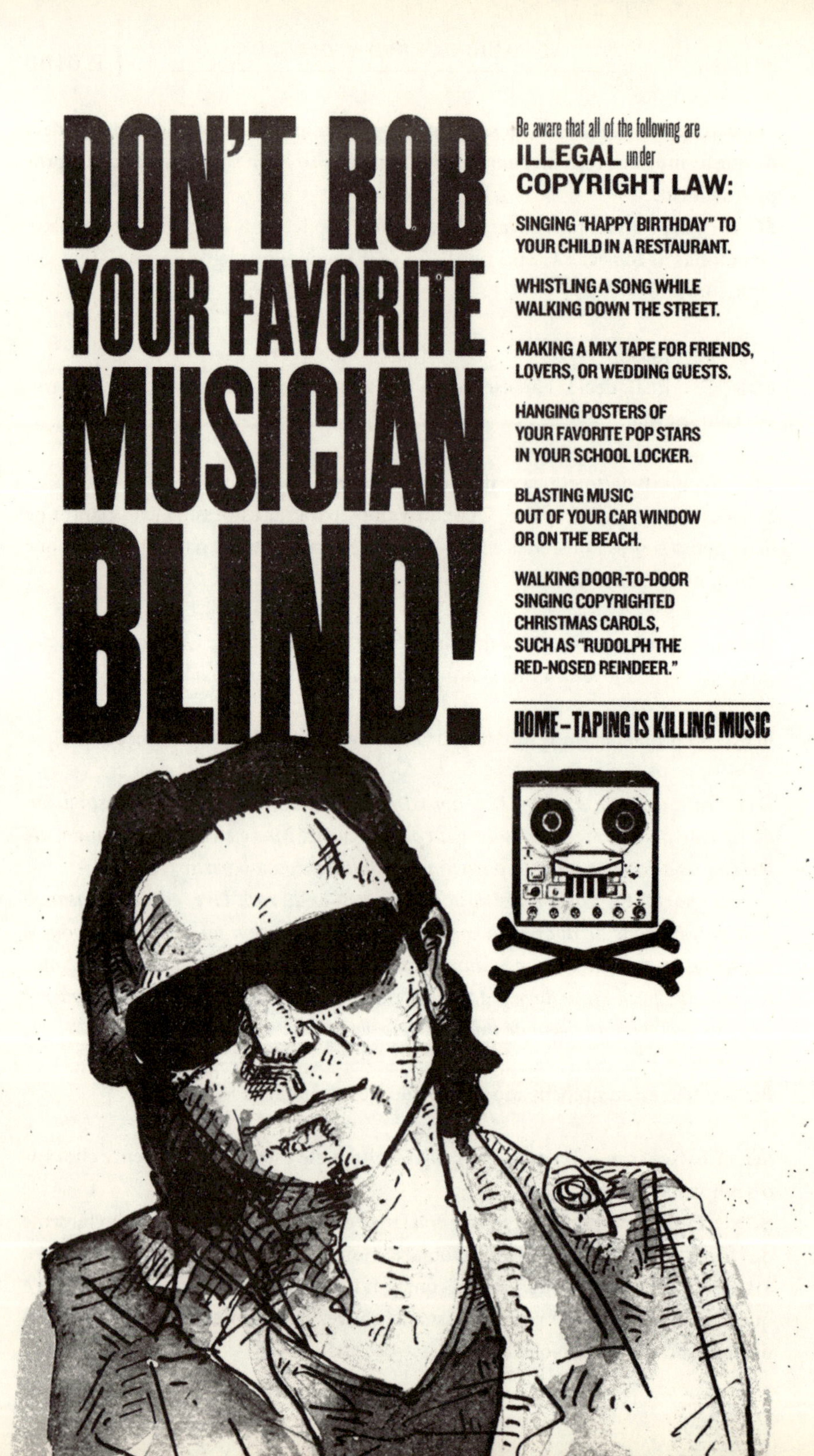
DON'T ROB
YOUR FAVORITE
MUSICIAN
BLIND!
Be aware that all of the following are
ILLEGAL under
COPYRIGHT LAW:
SINGING "HAPPY BIRTHDAY" TO
YOUR CHILD IN A RESTAURANT.
WHISTLING A SONG WHILE
WALKING DOWN THE STREET.
MAKING A MIX TAPE FOR FRIENDS,
LOVERS, OR WEDDING GUESTS.
HANGING POSTERS OF
YOUR FAVORITE POP STARS
IN YOUR SCHOOL LOCKER.
BLASTING MUSIC
OUT OF YOUR CAR WINDOW
OR ON THE BEACH.
WALKING DOOR-TO-DOOR
SINGING COPYRIGHTED
CHRISTMAS CAROLS,
SUCH AS "RUDOLPH THE
RED-NOSED REINDEER."
HOME–TAPING IS KILLING MUSIC

SEAN PARKER: Nossa intenção é de dar royalties dos downloads para os artistas, mas os selos não querem nem ouvir falar nisso.
FANNING: Se a indústria fonográfica destruir o Napster, as pessoas vão se transferir para um servidor não centralizado como o Freenet, o que só vai acabar tornando mais difícil de impedir.
BONO: Vocês deveriam conversar com o Chris Blackwell. Acho que ele pode ajudar vocês.*

O grupo continua a conversar sobre downloads de música, e Bono tem uma atitude muito positiva, embora não esteja claro se ele realmente se sente assim, até que finalmente...

FANNING: Vamos para a praia.
BONO: O que tem na praia agora?
FANNING: Garotas.
PARKER: É, garotas.

Fanning e Parker saem.

BONO: Eles têm 20 anos, são milionários e estão destruindo a indústria fonográfica. E o que vão fazer hoje? Vão pegar garotas. Acho que estamos ficando velhos.

[BILLY CONNOLLY]

Evidentemente, o talento do comediante e ator escocês Billy Connolly para shows improvisados nos quais fala sobre o que lhe vem à cabeça, sem script nem cortes, se estende às entrevistas. Fomos jantar, dirigimos por Los Angeles inteira e passamos horas em uma charutaria, onde aconteceu a conversa a seguir. Quando ele terminou, eu tinha gravado horas de Connolly comentando sobre tudo, de canibalismo a ensino de masturbação a crianças e golfinhos estupradores,** mas apenas um momento verdadeiro.

---

* Chris Blackwell, fundador da Island Records (gravadora do U2), respondeu: "Se você não gosta de um supermercado, não pode simplesmente incendiá-lo. Primeiro é preciso ter um jeito novo de vender mantimentos para as pessoas". Mais tarde, Bono teve os próprios problemas: um futuro disco do U2 vazou para os sites de compartilhamento de arquivos da internet quando ele tocou as faixas avançadas tão alto em sua casa, que um fã que estava do lado de fora gravou-as com o celular.

** "Todo programa sobre a natureza que você vê culpa os humanos por tudo. Não é verdade. Os golfinhos estupram, sabia? E fazem estupros coletivos."

Quando você era mais novo, conseguia comentar sobre tudo, como faz hoje em dia?

BILLY CONNOLLY: Isso começou na minha adolescência. Descobri que tinha um ponto de vista sobre as coisas que era um pouco diferente do dos outros garotos, e isso causava gargalhadas. O problema é que os homens adoravam, mas assustava as mulheres. Tive de me controlar para ter namoradas. Humor inteligente assusta as mulheres.

Por que acha que isso acontece?

CONNOLLY: Porque elas têm medo de ser humilhadas. Um homem que se dispõe a exibir seu cérebro é aterrorizante.

Você teme que, ao dizer tudo o que lhe vem à cabeça, em algum momento você passe dos limites e fale alguma coisa que o deixe marcado como racista ou machista?

CONNOLLY: De vez em quando percebo que vou longe demais sem querer quando digo alguma coisa que acho muito engraçada. E as pessoas considerariam racista ou machista, mas estou pouco me fodendo.

Tem algum exemplo de quando você foi longe demais no palco?

CONNOLLY: Fiz um número sobre drogados e disse que devíamos comê-los. Sabe, colocar todos os drogados na cadeia e na reabilitação é um desperdício de tempo e dinheiro. Ah, o que deveríamos fazer em vez de ir atrás do traficantes, porque eles são bons no que fazem e as pessoas que estão no topo são difíceis de encontrar, era matar os drogados. Anunciamos heroína grátis e, quando eles forem buscar, os matamos e comemos. Porque sem dúvida metade do mundo não tem comida suficiente, e o canibalismo é a solução. Se cada faminto pudesse comer uma pessoa, resolveríamos dois problemas da noite para o dia.

A comédia serve a algum propósito para você no sentido de influenciar a sociedade?

CONNOLLY: Eu a uso para entreter. Não tem outra utilidade. É baixa. É pequena. Mas pelo fato de que tão poucos de nós termos esse talento, é muito divertida e catártica.

Então, no final das contas, é um ato egoísta que só serve para obter risadas como forma de aprovação?

CONNOLLY: No final das contas, acho que tudo é uma necessidade egoísta. Para mim, é chegar mais perto que os outros do microfone e ser alguém, fazer diferença. Evitar de viver e morrer sem ser notado é meio que o que me move.

Dizer isso é muito honesto.

CONNOLLY: É, mas sabe, sinto um desejo, um ímpeto doloroso se ser lembrado. Quando era mais jovem, eu me lembro de pensar que isso era o paraíso, ser bem lembrado — e o inferno era ser lembrado como um escroto.

[**CORTINA**]

ATO NOVE

OU

ESFAQUEAR

SUA MÃE PARA CONSEGUIR UM DISCO EM PRIMEIRO LUGAR

SINOPSE

ENTRA TRENT REZNOR,
QUE ESTÁ COM BLOQUEIO CRIATIVO
PORQUE CANSOU DE RASPAR SUA ALMA,
embora Robyn Hitchcock cure seu bloqueio
COM A AJUDA DE UM CADÁVER,
QUE É O QUE O DJ MARLBORO ACIDENTALMENTE CRIA COM SUA DANCE MUSIC,
ENQUANTO KAZEM TENTA IMPEDIR O ASSASSINATO
E OS AMIGOS DE KHALED
são assassinados por fundamentalistas etc.

[NINE INCH NAILS CENA 1]

O melhor momento para entrevistar músicos não é quando eles estão promovendo um disco novo. O melhor momento é quando estão com dificuldade de criar um disco — e lutando com o material, questionando o próprio valor e não recitando respostas ensaiadas. Descobri isso quando dirigi até uma casa na beira de um penhasco em Big Sur, na costa da Califórnia, para onde Trent Reznor tinha acabado de se mudar em uma tentativa de compor um disco do Nine Inch Nails que deveria ter terminado um ano antes. O fato de haver dois consoles de vídeo game e vários jogos dentro das caixas que ele estava desempacotando não era um bom sinal para os fãs.

Então, que jogo é melhor, Quake ou Doom?
TRENT REZNOR: A tecnologia do Quake é muito superior à do Doom.

Você já entrou em algum fórum de jogos na internet com um apelido e postou mensagens pedindo ajuda quando ficou emperrado?
REZNOR: Ah, sim, sem dúvida. Eu roubo muito. Sou viciado em vídeo games. Poderia ter composto mais 15 discos no tempo que passei jogando Doom. [...]

Seria correto dizer que você está tendo um bloqueio criativo?
REZNOR: Sou inerentemente meio preguiçoso e tenho medo de me obrigar a compor porque tenho medo de fracassar. Quando estava fazendo *The Downward Spiral*, fiquei meio apavorado e o [produtor] Rick Rubin, que produziu o disco novo, tentou conversar comigo. E eu só queria me matar. Detestava a música. Só pensava em voltar para a porra da estrada porque odeio ficar sentado em uma sala tentando... tentando... ãhn, como se diz isso?... raspando a porra da minha alma.

Pode explicar melhor essa expressão?
REZNOR: Você precisa raspar até chegar a um ponto tão doloroso que acontece uma revelação, sabe como é? E explorar áreas do seu cérebro aonde você não quer ir. O grande momento é quando você escreve alguma coisa e pensa: "Porra, eu não posso dizer isso. Não quero que os outros saibam disso." É tão nu e honesto que você tem medo de deixar sair. É abrir mão de parte da sua alma, expor parte de si mesmo. Eu evito. É por isso que componho uma música por ano. Detesto compor. Detesto compor.

PLAY SOLITAIRE
ANYWHERE
WITH MY PATENTED SOLITAIRE TRAY
With my lightweight board of sturdy plastic, you will never have to worry about solitaire cards blowing away or being re-arranged by jealous haters. Hours of fun, so you will also never have to worry about pursuing a higher education or a day job. 24-hour solitaire soundtrack included.

Mas deve existir uma sensação de realização ao terminar uma música.

REZNOR: Adoro quando é ótima, mas odeio aquela sensação de mandar uma fita para alguém e sentir: "Eu abri minha alma. Aqui está. Dê uma olhada. Critique. A letra é uma merda?"

Mas você *pode* aprender e crescer com críticas construtivas.

REZNOR: Não tenho essa resistência toda. Não me encaixo no molde do astro do rock porque não tenho a porra de uma casca grossa para lidar com as consequências. Não gosto da porra da fama. Eu preferia apenas compor e sumir. Nenhum dos meus amigos é astro de rock. Não saio com supermodelos. Não quero morar em LA.* Não quero ser assim.

Você tem medo de que, entre o lançamento do seu último álbum e o do próximo, nesses três anos...

REZNOR: Se a música ainda vai ser importante? Se vou continuar pertinente? É um fator real em que pensar, mas esse é o desafio: fazer alguma coisa que importe. É algo real para se pensar. Só posso fazer o que posso fazer. (*Uma buzina toca do lado de fora. Ele grita para a namorada:*) O que você está fazendo? (*Depois continua:*) Se funcionar, funcionou. Se não, não.

Esta é uma pergunta jornalística, mas você arrancaria as asas de uma borboleta para garantir que seus próximos dois discos chegassem ao primeiro lugar?

REZNOR: Estou pouco me fodendo. Estou e não estou. Não estou reclamando do fato de que posso alugar esta casa, pagar a conta de gás e não me preocupar com essas merdas, mas também é bom dormir sabendo que fiz isso do meu jeito. Então sim, se o próximo disco saísse e vendesse cinco cópias, eu ficaria deprimido? Sim, ficaria.

Na verdade, perguntei porque alguém me perguntou se eu arrancaria as asas de uma borboleta por uma viagem ao redor do mundo, e eu disse que não. Então perguntaram se eu esmagaria uma barata pela viagem, e eu disse que sim. Então achei interessante.

REZNOR: Eu esfaquearia a minha mãe por um disco em primeiro lugar, sim.

[*Continua...*]

---

* Em 2007, Reznor comprou uma casa de 4 milhões de dólares em Beverly Hills, e logo depois foi morar com uma cantora e modelo da *Playboy* que estava namorando.

[ROBYN HITCHCOCK]

Por mais de vinte anos, Robyn Hitchcock foi um dos melhores compositores ingleses — pelo menos para aqueles que gostam de músicas com títulos como "My Wife & My Dead Wife" e "(I Want to Be an) Anglepoise Lamp"*. Na época desta entrevista, eu tinha acabado de vê-lo apresentar meia dúzia de músicas novas ainda não lançadas que faziam jus a seus melhores trabalhos, e fiquei surpreso por descobrir depois que ele não tinha contrato com nenhuma gravadora e não lançava um disco havia três anos.

Quantas músicas você acha que compôs desde seu último disco [*Respect*]?
ROBYN HITCHCOCK: Depois de *Respect* entrei em uma menopausa. Acho que só estava exausto. Meu pai tinha morrido, eu estava inquieto por viajar demais. Então me mudei para os Estados Unidos e morei em Washington por um tempo com alguém com quem ia me casar. Mas não deu certo, e simplesmente não compus nada por oito meses. Achei que era o fim: eu ia ter de ser pintor.

O que o fez voltar a compor?
HITCHCOCK: Aceitei o fato de que ela pertencia ao mundo dela e eu, ao meu. Então voltei para meu mundo em Londres e comecei a compor novamente. Agora devo ter umas quarenta músicas, o que significa que estou pronto para lançar um disco.

Qual foi a última ideia ou experiência que o fez pensar em compor uma música?
HITCHCOCK: Bom, estive no Rio de Janeiro recentemente. E havia um cadáver na praia quando cheguei ao pôr do sol. Estava caído lá totalmente imóvel com moscas nos pulsos e calcanhares e uma toalha sobre a cabeça. Não estava apenas quieto como as pessoas ficam quando tomam sol ou dormem. Estava imóvel. Dava para ver que estava morto. Foi a primeira vez que eu vi um humano morto (*pausa*). Estranho, é isso que vou me tornar um dia, e eu nunca tinha visto um.

Então, em que música isso se transformou?
HITCHCOCK: Na verdade, o engraçado é que não escrevi sobre o cadáver. Voltei para o quarto do hotel e escrevi... Para ser sincero, não sei se escrevi ou não. Acho que escrevi uma música sobre um pulso.

---

* "Minha esposa e minha falecida esposa" e "(Quero ser uma) luminária Anglepoise". (*N. da T.*)

Então o cadáver não inspirou diretamente uma música?
HITCHCOCK: Não, não inspirou.

Ah, OK.
HITCHCOCK: Só falei por falar.

Tudo bem, porque a princípio eu perguntei...
HITCHCOCK: Eu teria escrito sobre isso no passado, mas não tanto hoje em dia. Alguns dias depois, fui nadar na mesma praia quando já tinham retirado o corpo, e primeiro notei que o mar estava cheio de folhas mortas e depois cheio de umas coisas médicas de plástico. E então alguma coisa boiou até mim e era uma cabeça de peixe.

E então você decidiu não escrever uma música sobre o assunto?
HITCHCOCK: Sabe, é o tipo de coisa que eu teria colocado em uma música no passado, mas hoje em dia não sei.

Já compôs alguma música que achou desconfortável tocar ao vivo, que achou muito...
HITCHCOCK: Inteligente ou melosa demais?

Não importa — inteligente, melosa, cafona, imatura demais.
HITCHCOCK: Nunca quis fazer nada cafona *demais*. Eu luto contra os clichês nas letras. Mas não tocaria algumas das minhas primeiras músicas hoje em dia porque acho que eu era meio misógino. Algumas das pessoas que eu gostava quando era mais novo eram bem misóginas, e eu meio que tocava os discos delas bem alto se estivesse zangado com a minha namorada ou irritado com a minha mãe. Não sei se funciona do mesmo jeito para as mulheres e os homens, mas acho que às vezes as mulheres são muito mais assustadoras do que os homens. E tenho ressentimento de certas mulheres que conseguem afetá-lo de um jeito que um homem não consegue. Um homem pode socar você, mas uma mulher pode penetrar como ácido.

Parece que você está muito melhor agora...
HITCHCOCK: A verdade é que eu não gostava mesmo das pessoas. Eu era, sabe, um garoto branco de classe-média que vinha de uma família rica e me *odiava*. Eu não queria ser humano. Então passava muito tempo discursando sobre bobagens — ou me sentindo como uma cabeça decepada, como se estivesse andando sem cabeça, mas segurando minha cabeça como um balão de gás. Ficava lá no alto,

solta; ou me sentia como a cabeça de um anjo costurada ao corpo de um babuíno, o que acho que é basicamente a condição humana. Mas agora me sinto mais humano e menos cruel.

O que acha que o fez mudar?

HITCHCOCK: Sabe, eu simplesmente não conseguia aceitar a humanidade. E agora que estou quase na metade da minha vida, vejo que é inútil tentar esmagar o restante dela como uma guimba de cigarro. Posso aproveitar o que me resta.

[DJ MARLBORO]

Era domingo à noite em uma festa ao ar livre na Cidade de Deus, uma das favelas mais perigosas do Rio de Janeiro. O DJ Marlboro, com dois celulares na mão, andava pela multidão. Uma mulher grávida lhe pediu para beijar sua barriga, lindas dançarinas lhes davam seus números de telefone, e um garoto de 9 anos implorou um contrato de gravação. Em volta, os traficantes já tinham se aglomerado, segurando metralhadoras, rifles AR-15 e espingardas, vendendo cocaína e maconha na entrada.

Uma hora depois, o DJ Marlboro fazia outra aparição. Essa em uma boate na cidade pobre de Duque de Caxias, onde espectadores lotavam a galeria, observando o espetáculo na pista de dança abaixo. No meio, dois pódios haviam sido montados, com um segurança em cima de cada. Os clientes observavam homens fazendo trenzinhos e depois atravessando a multidão como em uma roda punk. Às vezes, quando dois trenzinhos se encontravam, começava uma explosão de socos e chutes. Quando isso acontecia, os seguranças pulavam dos pódios, desfaziam os trens e o ritual recomeçava.

Esse é o reino dos bailes funk, talvez a cena de dança mais controversa do mundo. O seguinte aconteceu na última parada do itinerário do DJ Marlboro: a favela Rio das Pedras, onde uma parede com mais de cem alto-falantes e subwoofers brancos retumbavam a música eletrônica explícita local.

O que você acha da violência na pista de dança em algumas das festas?

DJ MARLBORO: Eu me sinto como o cara que inventou o avião, e depois ficou decepcionado quando viu aviões serem usados para jogar bombas na Segunda Guerra Mundial. Ainda não está tão ruim, mas tenho medo que fique.

O que você pensou quando viu o primeiro baile de corredor?*
DJ MARLBORO: Pensei: "Vai dar merda." É uma energia impossível de interromper. Mas entendo a atração que a violência pode ter: é a maneira de mostrar aos seus amigos que você é forte.

Toda a cobertura negativa da imprensa afetou as festas?
DJ MARLBORO: Fizemos quinhentos bailes, e quase cinquenta foram bailes de corredor. Mas, depois de todas as notícias, alguns juízes proibiram a entrada de menores de idade. Então vários de bailes que não eram de corredor acabaram.

Um rapper chamado LG, um ex-traficante de drogas que está usando uma camiseta do Wu-Tang Clan, sai da festa e entra na conversa.

LG: Eu ganhava muito mais dinheiro com drogas do que ganho com a música.

Quanto dinheiro você ganhava?
LG: Uns mil dólares por mês. Mas vi vários amigos e parentes morrerem. Quando uma saraivada de tiros passou por cima da minha cabeça e quase me matou durante um tiroteio na favela em 1995, percebi que tudo termina de um segundo para o outro. Pensei: "Como posso usar melhor minha vida?"

Um MC de baile funk, o Mr. Catra, aparece e começa um debate acirrado sobre a música permanecer fiel ao gueto ou evoluir para ser aceita por um público maior.

DJ MARLBORO: Eu me preocupo com a qualidade da música. Qualidade é longevidade, e a voz, a equalização e a gramática das letras ainda precisam evoluir. O funk nacional ainda é muito jovem. Mas os promoters só querem tocar os que as pessoas gostam, como o "Rap do Pokémon".

O que é isso?
DJ MARLBORO: É um garoto que deve ter uns 12 anos cantando sobre uma garota que o convidou para ir ver um filme do *Pokémon*. Mas ele diz que preferia ir para um quarto de hotel com a garota e brincar com as partes dela.

---

* Nos bailes do corredor, os clientes escolhem de que lado da boate (lado A ou lado B) querem entrar. Entre as duas seções existe um espaço de três metros conhecido como "corredor da morte". De cada lado, adolescentes de gangues rivais se alinham virados para o lado oposto, mandando estrategicamente esquadrões de funkeiros para a linha inimiga, chutando, batendo e tentando puxar rivais até o outro lado do corredor para tomar uma surra. Quando a briga fica violenta demais, um segurança com um cinto de couro enrolado no pulso se enfia entre a multidão, chicoteando os funkeiros, em geral com tanta força que contusões enormes se formam em seus corpos.

MR. CATRA: Mas essa é a realidade das favelas e das crianças de hoje. O que está acontecendo é que agora o nosso som é completamente original. Não é uma cópia da música americana. Só a praia é igual à de Miami.

De repente, um tiro corta o ar e as pessoas começam a correr. Um policial algema um adolescente, empurra-o com brutalidade para dentro da viatura e acelera, quando a multidão começa a se juntar furiosamente ao redor do carro. A alguns quarteirões de distância, vemos outro carro de polícia. Ao lado há um plástico preto cobrindo o que parecem ser dois corpos. Sangue escorre de baixo do plástico e desce pela calçada.

DJ MARLBORO: Isso acontece demais. Essas pessoas vão estragar as oportunidades da música antes que ela consiga evoluir.

[DISC JOCKEYS]

Uma semana antes da entrevista a seguir, um dos disc jockeys da Radio Zid, Karim Zaimovic, foi ferido por uma bomba. Outro foi morto por um explosivo, um se machucou enquanto andava de moto, e um terceiro levou um tiro na perna.

Essa era a vida dos disc jockeys da Radio Zid (o que significa "parede" em servo-croata), que tinham o comprometimento de levar música alternativa a Sarajevo durante a guerra da Bósnia. Toda semana, o disk jockey Srdan Vuletic saía de sua casa, perto da linha de frente, e caminhava uma hora para transmitir música de suas bandas favoritas. Como muitos dos DJs, para chegar à estação de rádio ele tinha de atravessar um parque perigosamente exposto (no qual todas as árvores haviam sido cortadas para virar lenha) ou um campo de futebol que fora convertido em cemitério. Por causa do toque de recolher às 22 horas, quando transmitia à noite ele era obrigado a ficar na estação até amanhecer.

O Karim sobreviveu?
SRDAN VULETIC: Ele teve dano cerebral, mas está vivo, em coma.*

O que aconteceu?
VULETIC: Ele estava andando no centro de Sarajevo e uma bomba explodiu. Era de um daqueles lança-foguetes que lançam dez ou doze bombas.

* Cinco dias depois, ele morreu por causa dos ferimentos.

O que motiva você a correr esses riscos para tocar música?

VULETIC: Amamos música e queremos compartilhar com a comunidade todas as coisas que não são tocadas nas estações do governo. As pessoas que estão trabalhando no rádio são verdadeiros heróis, porque a maioria arrisca a vida só para chegar aqui. Tem as bombas, tem atiradores nas ruas, tem o caos, mas o rádio continua.

Você toca bandas inglesas e americanas ou música local?

VULETIC: Tocamos os dois. Centenas de novas bandas apareceram na Bósnia desde o começo da guerra. É uma situação paradoxal. Neste momento depressivo, todo mundo quer usar a energia para fazer algo criativo.

Quantos dos seus DJs foram recrutados para o exército?

VULETIC: Recentemente, o governo tentou alistar vários dos nossos disk jockeys. Não sei se foi aleatório ou em retaliação por algo que eles disseram no ar em protesto. Então eles se esconderam até conseguirmos convencer o governo de que eram jornalistas e não podiam ser recrutados.

Então...

VULETIC: Então, no final, eles foram salvos por uma pequena estação.

Quando a guerra terminou, a Radio Zid parou de transmitir. Muitos dos disc jockeys foram contratados por outras estações locais, enquanto Vuletic se tornou diretor de cinema. Seu primeiro longa-metragem ganhou o prêmio Golden Iris no festival de cinema de Bruxelas; seu segundo foi selecionado para abrir o festival de cinema de Sarajevo.

[KAZEM AL SAHER]

Kazem Al Saher não apenas é o maior astro pop do Iraque como também um dos cantores mais populares do mundo árabe, um homem elegante e romântico que vendeu mais de 30 milhões de discos. Quando os Estados Unidos se preparavam para entrar em guerra contra o Iraque depois do 11 de Setembro, ele escolheu fazer uma coisa que seus amigos e família consideravam perigosa: uma turnê pelos Estados Unidos.

Em sua primeira parada da turnê, o Palms Casino Resort em Las Vegas, cujos donos, da família Maloof, são grandes fãs, ele se sentou para discutir sua decisão.

Esta é sua primeira entrevista em inglês?

KAZEM AL SAHER: Sim. Nos últimos dois anos tenho estudado inglês durante duas horas por dia, três vezes por semana.

Por que você decidiu fazer uma turnê aqui?

AL SAHER: Quero mostrar às pessoas que os iraquianos são reais. Eles querem paz. Eles têm o direito de viver como todos os outros. Eles me dão respeito e amor no Iraque, então não posso esquecê-los. Preciso fazer o mundo se lembrar deles.

Você tem alguma segurança enquanto está aqui?

AL SAHER: Não pensei nisso. Meus amigos não queriam que eu viesse para cá agora. É uma época difícil, mas estou aqui pela paz. Se você escutar minha música, essa é a mensagem. Me ofereceram guarda-costas para quando eu estiver no palco, mas recusei. Gosto de estar entre amigos ou sozinho.

Você estava no Iraque durante a última Guerra do Golfo?

AL SAHER: Passei 41 dias em Bagdá durante a Guerra do Golfo. Não havia eletricidade nem combustível. Eu tinha de pedalar duas ou três horas para ver meus amigos. Mas compus minhas melhores músicas naquela época. Coloquei minha música em um quarto e dormia em outro quarto nos fundos da casa. Assim, se a casa fosse bombardeada, eu ou minha música sobreviveríamos. Escrevi um bilhete e coloquei com a música, pedindo que se alguém a encontrasse por favor a lançasse.

Se você pudesse falar com o presidente Bush, o que diria a ele?

AL SAHER: Pense nas pessoas, pense nas crianças, nas pessoas inocentes. Por favor, não se esqueça delas. Não as deixe sofrer. Encontrei Kofi Annan em um avião uma vez, dei a ele um CD e escrevi: "Não se esqueça das crianças iraquianas." Quero saber que minhas crianças vão estar seguras. E quero o mesmo para o mundo todo.

E o que você diria a Saddam Hussein?

AL SAHER: (*Ri e baixa os olhos*).

Você teria problemas se dissesse o que realmente pensa?

AL SAHER: (*Silêncio*).

[KHALED]

Abençoado com uma voz que lembra uma flor oscilando ao vento, Khaled é conhecido como o rei do rai, a forma dominante de música pop da Argélia. E, por isso, Khaled foi condenado à morte. Os fundamentalistas islâmicos alegam que as letras do rai são sexualmente explícitas, tolerantes com o álcool e levam a juventude para o mau caminho.

Como resultado, não apenas a música foi banida de táxis e cafeterias, mas dois astros do rai foram assassinados: Cheb Hasni levou um tiro a queima-roupa perto da casa dos pais, e Rachid Baba Ahmed, que produziu vários sucessos de Khaled, foi morto com tiros de metralhadora diante de sua loja de discos em Oran. Até mesmo em um show de Khaled fora da Argélia, um fundamentalista lançou uma bomba de gás lacrimogêneo no palco. Falando através de um tradutor, Khaled discutia seus dois tópicos favoritos — mulheres e álcool — quando a conversa começou a ficar mais séria.

Qual foi a reação emocional mais forte que você já viu em alguém da plateia?
KHALED: A maior reação que tenho é quando mulheres jogam sutiãs no palco. É verdade. Eu gosto de ver essa liberdade e ver garotas da minha terra natal ser um pouco livres. Sempre temos restrições na Argélia.

É verdade que você está proibido de tocar na Argélia?
KHALED: Sou convidado para tocar com frequência, mas por causa da situação não há muito que eu possa fazer. Porque, se eu for para lá, vão acontecer brigas e talvez algum louco coloque uma bomba no meio da multidão.

Quando foi a última vez que você esteve na Argélia?
KHALED: Em 1990. Voltei para Oran, onde nasci, porque estava nostálgico e queria ver as pessoas de lá.

O que você achou que mudou na cidade desde a sua partida?
KHALED: Não era tão feliz quanto na minha infância. O que está acontecendo agora já estava começando em 1990. As pessoas tinham envelhecido. Não era um massacre, que é o que acontece agora. Tudo era permeado por certo medo.

Por que você acha que eles consideram a música rai maligna?
KHALED: Não é só o rai. Qualquer tipo de música. Até os vendedores ambulantes de música são mortos se abrirem suas barracas. Se virem uma casa com antena de

TV, eles atormentam a família. Até mesmo atletas, campeões mundiais, deixam a Argélia porque não conseguem viver lá. Eles querem que nossas corredoras participem das competições usando o hijab.*

Você tem guarda-costas ou algo assim?
KHALED: Sei que estou no topo da lista de pessoas conhecidas que os fundamentalistas querem matar. Não tenho guarda-costas, só uma boa segurança durante os shows. Mesmo assim tenho medo. Pode acontecer em qualquer lugar.

Você se preocupa com sua família lá?
KHALED: Às vezes perco o sono por causa disso, mas estou sempre em contato. Ligo para eles frequentemente.

Você era próximo de Rachid Baba Ahmed?
KHALED: Sim, é alguém muito próximo. Ele era cantor e produtor, mas não ligava para política. Dois meses antes de sua morte, tentei convencê-lo a se mudar para a França. Mas ele disse: "Eles não vão tocar em mim." Ele confiava muito na sorte. Mas foi morto porque essas pessoas não têm respeito pelos seres humanos. Eles matam pessoas conhecidas só para obter publicidade.

Estamos voltando à Idade Média. Essas pessoas não respeitam nada. Também sou muçulmano, mas você precisa respeitar todas as religiões. A Argélia é um caos. Nunca sabemos se são os extremistas ou os militares que estão fazendo isso para motivar movimentos contra os extremistas.

A situação afeta a música que você está fazendo?
KHALED: Ainda não sei como ela vai aparecer na música, mas é algo que sem dúvida me afeta. Tenho pensado muito no fato de agora haver crianças envolvidas nesse movimento e que muitas veem pessoas serem mortas por nada. Fico perplexo quando vejo jovens de 20 ou 21 anos com a vida inteira pela frente fazer missões suicidas.

O que você acha que vai acontecer com sua cultura e sua música no futuro?
KHALED: As mulheres são as mais fortes agora. São elas que têm a coragem de reagir, reivindicar e fazer coisas assim. Então talvez o futuro esteja com elas. Elas estão prontas para lutar porque não aguentam mais.

---

* A pessoa que estava transcrevendo a entrevista anotou aqui: "A esta altura, a entrevista passou de uma conversa alegre e risonha para algo sombrio. Não consigo entender o que Khaled diz, mas o tom de sua voz me deixa com lágrimas nos olhos, muito triste. Parece não ter esperança."

[GWEN STEFANI]

Enquanto o No Doubt atravessava o tapete vermelho do Billboard Music Awards em Las Vegas, os paparazzi não gritavam pela banda, mas por "Gwennnn", que os satisfez abrindo o casaco de pele e mostrando o peito, coberto apenas por uma minúscula parte de cima de biquíni. Ela deu um grande sorriso condescendente, oferecendo seu corpo como um osso aos cachorros. Mais tarde, um fã adolescente correu até o baixista da banda (e ex-namorado da vocalista Gwen Stefani), Tony Kanal. "Cara, eu amo a sua banda", disse ele. "Você é o meu herói. Preciso perguntar uma coisa: quando formaram a banda, você pensou, 'Uau, ela é gata!'?." Kanal não respondeu.

Em um restaurante japonês de Nova York na semana seguinte, Stefani discordava do conceito de ser um símbolo sexual.

Então, você estava falando sobre o disco novo...

GWEN STEFANI: É, acho que é um bom disco. Tem uma sensualidade e um vanguardismo que nunca tivemos antes. A questão do lado sexy, para mim, é que eu fiz por merecer (*ri*). Acho que não abri o jogo antes porque não me sentia confortável.

Quando você começou a se sentir confortável com esse lado de si mesma?

STEFANI: Só há uns dois anos me senti confortável usando salto alto, porque quando você está de saltos — cara, você deveria experimentar — de repente fica sexy. Não importa quem você é. Muda o jeito de andar. Eu nunca tinha sentido que tinha idade suficiente. Finalmente um lado de mim mesma pensa: "Agora sou uma mulher", o que é legal. É divertido.

Isso é muito bom, você tem 32 anos.

STEFANI: É, nunca me senti realmente forte quando era criança. Acho que foi o jeito que meus pais me criaram, de um jeito muito católico. E talvez o fato de ficar insegura por ser uma garota no cenário musical daquela época. Eu não sabia onde me encaixava. Todas as mulheres que estavam à minha volta e podiam me servir de exemplo eram de bandas como o L7 ou o Hole. E eram garotas duronas, raivosas e irritadas, e eu não me sentia assim. E as outras eram da música folk. Então não havia ninguém, até descobrir o Blondie. Ela era sexy e não tinha vergonha de se divertir. E, na minha opinião, ela tinha tudo, porque todos nós queremos ser sexy, até os homens. É a natureza humana, porque precisamos ter filhos.

GWEN'S
NOODLE
SOUP
Suck it!
GWEN'S
NOODLE
SOUP
Just add hot water and serve.

É interessante, porque, quando fomos para o Billboard Awards, você flertou, exibiu o corpo e mostrou aos fotógrafos o que eles queriam, mas fez isso de um jeito meio irônico.

STEFANI: Acho que ser sexy a sério é ridículo. O único momento em que isso se torna sério é quando você está sozinho com a pessoa que ama, e aí não dá para brincar — com exceção de dizer, tipo: "Qual é, cara. Você me viu quando eu acordo?" Ninguém é perfeito. Eu não entendo. Não entendo essa coisa toda.

GARÇOM: Está tudo bem? Você gostou dos noodles?

STEFANI: Gostei! É estranho pensar que os noodles vieram do Japão, não é? E que acabaram chegando à Itália e se transformaram em macarrão.

Uma coisa que percebi depois de conversarmos é que você é uma pessoa muito tradicional.

STEFANI: É por causa da minha família. Você vai conhecer minha mãe, e não existe ninguém mais tradicional.

O que seu irmão faz?

STEFANI: Meu irmão sempre foi um artista — desde o dia em que nasceu — e sempre recebeu toda a atenção. Ele ganhava todos os prêmios da escola. Eu não precisava fazer nada, porque tinha meu irmão. Era minha fonte de popularidade.

Você era popular na escola?

STEFANI: Sempre fui uma pessoa muito passiva. Eu era uma pessoa mais reservada. Tinha minha melhor amiga, e não tinha muitas amigas. Nunca tive. Ainda lembro o nome de todos os meus melhores amigos: as três garotas da infância e adolescência, meu primeiro namorado — que foi o primeiro cara que eu beijei — e depois o Tony. E é isso. Não aconteceu muita coisa antes da banda. Eu não usava drogas, não fazia sexo fora do casamento nem nada disso.

Você era mais o tipo estudioso?

STEFANI: Sempre fui uma ótima garota, mas era péssima na escola. Então decidi que assim que me formasse ia recomeçar. Fui para a faculdade e levei muito a sério. Eu queria, tipo, ficar inteligente. Fiz todas as aulas desde o começo: Inglês básico, Matemática básica. Demorou um tempão.

O que você queria fazer com a sua educação?

STEFANI: Acho que nunca tive nenhum sonho e nunca pensei muito à frente. Naquela época, eu simplesmente decidi: "Ok, vou me formar em Artes, e decido o que fazer depois que tiver explorado a área." Mas aí entramos em turnê, e foi isso. Nunca voltei. Não precisei decidir merda nenhuma.

O garçom volta.

GARÇOM: Esta é a última parte. Normalmente, depois de terminar de comer, você bebe isto à sua saúde.
STEFANI: OK, preciso de saúde. (*Vira a bebida em segundos.*)

[NINE INCH NAILS *CENA 2*]

Quando a entrevista começou a se arrastar pela madrugada, Reznor me convidou para dormir lá. Felizmente, ao contrário de Jewel, ele preferiu camas separadas. Enquanto estava guardando os travesseiros e papéis, reparei em um envelope. Escritas em caneta preta estavam as palavras "músicas novas". Não o abri, embora tenha reparado que era muito fino.

Você se arrepende de ter largado a faculdade?
TRENT REZNOR: Depois que o Nine Inch Nails conseguiu um contrato de gravação, passei uma fase levando uma vida ideal que todos os meus amigos da faculdade invejavam. E por um tempo pensei: "Seus idiotas da porra. Por que acreditar nesse conceito de se formar, entrar em pânico, casar com a porra da sua namoradinha de faculdade e comprar um apartamento que você leva trinta anos para pagar?"

Eu tinha uma atitude muito escrota. E quando voltava a minha cidade natal para os feriados, olhava o mundo da minha única irmã, que fica a dez minutos de onde ela cresceu. E em certo ponto falei umas merdas, tipo: "Você não sabe como a porra do mundo é grande! É ilimitado. Como você pode se rebaixar por essa realidade idiota que aceitou?" Depois percebi: "Porra, cara. Eu sou mais infeliz do que todos eles."

Aceitar as escolhas de vida dos outros é algo que a maioria das pessoas aprende com a idade.
REZNOR: Talvez seja a idade, porque me sinto diferente hoje em dia. Quando assinei meu primeiro contrato, recebi um monte de elogios e era tratado como uma aberração — e aquilo era tudo que eu sempre tinha desejado — eu tratava muita gente mal só porque podia. A indústria da música treina você para ser um filho da puta de elite e ninguém... sei lá. É um problema meu. Eu só...

Não, não. Continue.
Reznor: Eu tinha medo de conhecer o David Bowie porque eu tinha conhecido o Prince e algumas outras pessoas que eu adorava, e elas eram umas idiotas. E

fiquei triste para caralho porque não conseguia mais vê-los da mesma forma. Mas o Bowie é um cavalheiro do caralho e um cara ótimo. Por isso, passei várias noites horríveis conversando com gente que eu odeio. Mas sou o homem mais sortudo do mundo, cara.

Em certos sentidos.
REZNOR: Em vários sentidos. Não estou feliz, OK. E isso é a porra da minha loucura. Mas valorizo a minha situação e me considero sortudo por estar nela. Acho que a mereço. Acho que trabalhei duro para chegar aqui, mas ao mesmo tempo sei que existe um grau maior de sorte envolvido.

É, você alguma vez pensou...
REZNOR: Tipo, *foda-se isso*?

Não, não tipo *foda-se isso*. Mas como...
REZNOR: Porque eu penso, na verdade. [...] Minha cabeça é simplesmente errada. Tem alguma coisa errada comigo. Não estou tentando me fazer de Artista Atormentado. Queria conseguir ficar mais satisfeito com a minha situação. É uma situação complicada, e vejo contemporâneos — meus companheiros — muito felizes com a própria vida. Mas minha cabeça não funciona como a deles.

Mas precisamos necessariamente lutar para ficar satisfeitos?
REZNOR: A questão não é ficar satisfeito. E se você tivesse conseguido tudo o que sempre quis e nunca achou que ia conseguir — e mesmo assim sua vida fosse uma merda? É essa a questão. Eu vejo o Oasis: uns imbecis simplesmente vivendo a vida. Sem querer ser escroto com eles, mas acho que os piores querem ser idiotas e burros. Sabe, a ignorância é uma bênção e existe certa verdade nisso. Acho que não quero isso, mas ao mesmo tempo sempre desejei conseguir me encaixar e fugir.

A ideia de se encaixar é uma ilusão. Ninguém se encaixa de verdade.
REZNOR: Acho que quero e ao mesmo tempo não quero me encaixar. Quando estava no ensino médio, era uma porra de um desajustado maluco. Eu pensava: "Quando for para a faculdade, vou entrar para uma fraternidade. Vou ser o cara mais normal do mundo". Dois meses depois, sou um pária. É algo que tive de aceitar na minha própria cabeça. O sonho de me encaixar é balela, eu sei disso. Mas, ao mesmo tempo, seria bom só uma vez... O que estou dizendo é uma idiotice.

Já achou que não merece a popularidade que conseguiu, que talvez seus fãs estejam se iludindo e você não seja grande coisa?
REZNOR: Eu digo uma coisa sobre isso: quando o Nine Inch Nails assinou o primeiro contrato, eu não sabia dar entrevistas. Continuo não sabendo. Eu falo demais e digo idiotices. Na época, meus heróis eram o Jane's Addiction e outros, e leio que o Perry [Farrell] era garoto de programa e tinha um estilo de vida drogado. E penso: "Eu fumei maconha uma vez quando tinha 18 anos."

Tudo bem, mas...
REZNOR: Eu sou um saco. Não sou um ícone. Adoro o Kiss pelo mesmo motivo. O Gene Simmons enxertou uma língua de vaca na dele. Isso foi incrível.* E eu meio que jurei a mim mesmo que só ia ser honesto. Tenho 31 anos. Eu cresci na Pensilvânia. Não fui garoto de programa. Não sou gay. Minha língua é minha.

[*Continua...*]

[DAVID BOWIE]

Pergunte a praticamente qualquer roqueiro com quem ele gostaria de se parecer quando for mais velho, e a resposta será sempre a mesma...

Toda vez que entrevisto um músico novo e mais jovem, ele sempre indica você como um exemplo de envelhecer bem...
DAVID BOWIE: Argh!

O que isso significa?
BOWIE: Nunca tinha pensado nisso. Acho que os 40 foram muito piores para mim. Foi um período em que percebi que era difícil abrir mão do que eu considerava essencial na juventude. E não é coincidência ter sido a mesma época que tive uma grande depressão sobre minha composição, em 1987. Todo aquele período foi extremamente difícil, mas depois de passar por aquilo e relaxar em um novo platô de idade [aos 50], tudo o que posso dizer é que é possível ser tão feliz e satisfeito com seu estilo de vida nesta idade quanto aos vinte e poucos. Na verdade, para mim em especial, acho que sou muito mais feliz hoje do que naquela época.

---

* E, infelizmente, não foi verdade: a língua de Simmons é real, e Farrell nunca foi garoto de programa.

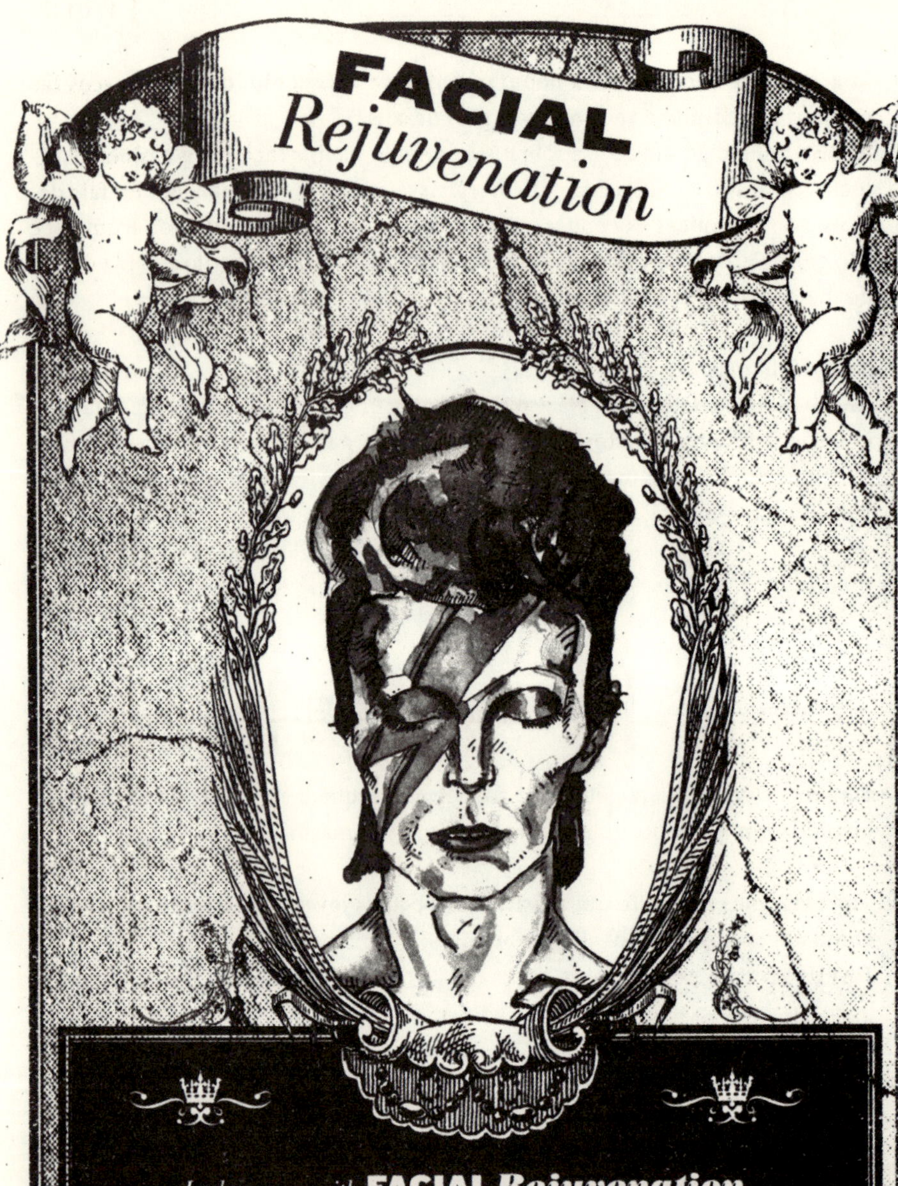

Look younger with **FACIAL *Rejuvenation.***
Fifteen **EASY** *exercises help to* **PREVENT** *or* **CORRECT**
the damaging effects of being mortal, imperfect, and narcissistic.
Amazingly effective – long used by famous beautiful celebrities.
Try it yourself. It works! Tightens up important muscles of face, neck, chin.
If you're over 21, you need this booklet of **FACIAL *Rejuvenation.***

— Only $1.00 —

Aos vinte e poucos, você tinha alguém como modelo?

BOWIE: Era o William Burroughs. Ele nunca parou de pensar, e aquilo realmente me impressionava. E, claro, o Picasso: é impossível olhar para Picasso e não ficar completamente inspirado. Ele estava sempre brincando com a mente e as próprias reações à vida, e era sempre novo e infantil. Acho que é o elemento de sempre se maravilhar com o as possibilidades do mundo. Quando você perde essa capacidade de se maravilhar por estar vivo, já está praticamente de saída. [...]

E o Velvet Underground? Você se lembra da primeira vez que os ouviu?

BOWIE: Ah, sim. Meu empresário de meados dos anos 1960 tinha ido a Nova York e conhecido o Andy Warhol, que lhe dera um demo do primeiro disco do Velvet Underground. Ele trouxe para mim, disse que era horrível e provavelmente o tipo de coisa que eu ia gostar (*ri*).

E ele estava certo.

BOWIE: Eu adorei e — o que é engraçado — comecei a tocar algumas músicas do disco no palco. Então fiz covers do Velvet Underground antes de o disco ser lançado. Sem dúvida fiz cover do Velvet antes de qualquer outro artista do mundo. Ainda tenho aquele disco com a assinatura do Warhol. Não é incrível? Sempre guardei meus vinis porque sou um fanático por vinil. Adoro vinil.

Você já tinha ido aos Estados Unidos?

Bowie: Eu não conhecia ninguém nos Estados Unidos. Ainda não conheço (*ri*). Fui totalmente sozinho da primeira vez, em 1971. Fiquei enfiado no meu quarto de hotel. O Paul Nelson, meu relações-públicas na Mercury Records, aparecia com discos para mim. Então falei com ele sobre o grande amor que eu tinha pelo Velvet, que eles eram muito importantes na minha vida e que eu achava que tinham mudado toda a minha ideia de compor meu tipo particular de rock. Eu queria um tipo de sensibilidade como a do Velvet, mas queria que tivesse um jeito inglês.

E ele disse: "Nesse caso você deveria ir à Electric Circus." Eu disse: "O que é isso?" E ele respondeu: "É um sucesso aqui em Nova York, mas hoje é a última noite. Está fechando. E a última banda no último show é o Velvet Underground." Não consegui acreditar que ia ver o Velvet Underground.

Foi aí que você se tornou amigo de Lou Reed?

BOWIE: Não exatamente. Eu fui ao Electric Circus, depois entrei nos bastidores e bati na porta. Conheci o John Cale [baixista, tecladista e violista do Velvet] e perguntei se podia falar com o Lou Reed. O Lou Reed apareceu na porta, conversamos muito, e eu disse quanto o admirava.

Enfim, encontrei o Paul no dia seguinte ou depois e disse: "Muito obrigado. Aquilo fez a minha viagem." Eu não conseguia expressar minha gratidão por ter conversado com meu herói.

Ele riu e disse: "Quer saber?" E eu disse: "O quê?" E ele respondeu: "O Lou Reed saiu da banda. Você conversou com o Doug Yule, substituto dele" (*ri*). Ele não admitiu que não era o Lou Reed. Simplesmente se tornou o Lou Reed durante nossa conversa.* Fiquei falando da droga da composição dele e que eu tinha vindo lá da Inglaterra (*rindo tanto que não consegue falar*)...

E isso foi antes de toda a coisa do glam começar...
BOWIE: Nessa viagem a Nova York, eu definitivamente estava com o cabelo comprido. Eu era um cara meio bobão na época. E fiquei desse jeito até voltar à Inglaterra. Sei que cortei o cabelo em janeiro de 1972. Toda a coisa do glam se consolidou para mim nessa época. De uma forma muito clara. Qualquer um que convivia comigo em janeiro de 1972 viu uma imensa mudança em mim (*pausa*). Você já viu a exposição do Henry Darger no American Museum of Folk Art?

Não.
BOWIE: Ah, meu Deus, você *precisa* ir ver! Eu levei o Lou Reed, e ele ficou impressionado.

Henry Darger é o artista excluído?
BOWIE: Exatamente. Ele morreu com pouco mais de 80 anos. Durante toda a vida foi um homem desajeitado e estranho que vivia recluso em Chicago. Ele tinha um apartamento lá, e quando o arrombaram depois de sua morte, descobriram que ele existia um manuscrito de 19 mil páginas baseado em uma força alienígena que escravizava crianças em um planeta de bondade e luz. E para ilustrar isso ele criou pinturas de 3x1m que estavam por todo o quarto. Estão em exibição, e posso garantir que é um trabalho extremamente interessante.

Sem dúvida vou ver.
BOWIE: Vá, sim. Garanto que vai lhe causar uma reação. Você vai entender o que estou dizendo.

* Provavelmente, Bowie também não conheceu John Cale, que tinha deixado o Velvet Underground um ou dois anos antes.

[MINGERING MIKE]

A história começou em uma manhã, em uma feira de antiguidades em Washington, onde dois homens encontraram uma caixa cheia de estranhas capas de discos pintadas à mão. Eles eram conhecidos como escavadores, termo usado para designar almas obcecadas que reviram caixas de brechós e vendas de garagem em busca de discos raros.

Quando tiraram os discos da capas, ficaram surpresos por descobrir que não eram feitos de vinil, mas de papelão. Cada um fora cortado no formato de um disco, com ranhuras e um selo pintados. A capa interna era uma sacola de compras meticulosamente colada com fita para guardar um disco, e alguns discos incluíam até papel celofane, etiquetas de preço e frases promocionais falsas. No total, havia 38 discos, quase todos creditados a um músico desconhecido chamado Mingering Mike, e eram datados entre 1968 e 1977.

O que esses dois escavadores tinham encontrado era um suprimento de música aparentemente inexistente: as capas anunciavam trilhas sonoras de filmes, shows beneficentes, álbuns duplos com capas dobráveis, músicas de protesto e até discos de Natal, Páscoa e músicas em homenagem ao bicentenário da independência dos Estados Unidos. Em resumo, eles tinham descoberto um artista excluído.

Assim que ouvi falar da descoberta, liguei para os dois escavadores — Dori Hadar and Frank Beylotte — e os fiz prometer não falar com mais ninguém da imprensa até eu chegar. Quando aterrissei em Washington, alguns dias depois, eles tinham encontrado Mingering Mike, que era tão tímido e recluso que se recusava a divulgar seu nome verdadeiro ou deixar seu rosto ser fotografado para a matéria. Tudo o que me deixou publicar foi que ele trabalhava como segurança em algum lugar de Washington.

Como vocês o encontraram?

FRANK BEYLOTTE: Por sorte, além de comprar os discos e fitas falsos, também comprei o maior número de cartas pessoais e álbuns de fotos que consegui. Alguns tinham nomes e endereços de pessoas com quem ele mantinha contato.

DORI HADAR: Então achamos um de seus primos e fomos à casa dele em Landover; eu bati na porta e tentei explicar que estava procurando o Mingering Mike. Ele foi muito simpático, e deixei meu telefone com ele. Não sei se ele deu para você.

MINGERING MIKE: Deu.

HADAR: Foi mesmo?

MINGERING MIKE: A-hã. Eu estava no trabalho, e em geral não ligo de lá para ouvir as mensagens da secretária eletrônica. E alguma coisa me disse para fazer isso naquele dia.

HADAR: Ah, e você ouviu a mensagem dele?

MINGERING MIKE: Eu pensei: "O quê?" Eu não acreditei. Depois, falei com alguns amigos, e eles disseram: "É, sei, tome cuidado."

Então você não retornou a ligação?

MINGERING MIKE: Não.

HADAR: Não sabíamos se o primo tinha passado a mensagem, mas ele falara que o [acidentalmente diz o nome verdadeiro de Mingering Mike] morava no sudeste. Ops, desculpe.

MINGERING MIKE: Você não ouviu nada!

HADAR: Desculpe mesmo. Ele não quis dizer exatamente onde você morava. Mas então voltei para o escritório e pesquisei seu nome. Como sou investigador para um escritório de advocacia de defesa criminal, tenho recursos à minha disposição, então achei seu endereço.

BEYLOTTE: Não conseguimos encontrar um telefone, então fomos lá.

Se você tivesse o número do telefone, teria ligado?

HADAR: Provavelmente teria ido pessoalmente, por causa do meu trabalho. Se você liga para alguém, é muito fácil ser dispensado. É muito difícil simplesmente fechar a porta quando você está cara a cara com alguém.

BEYLOTTE: Ficamos muito nervosos por aparecer do nada: Ali estavam dois caras brancos chegando a um conjunto habitacional não muito bom sem ter como entrar. Tivemos de bater à porta, e as pessoas estavam olhando.

MINGERING MIKE: Ouvi cliques lá fora. Provavelmente os joelhos deles.

O que você pensou quando os viu?

MINGERING MIKE: Eu disse a mim mesmo que as possibilidades eram infinitas: cobradores de contas, polícia, ou uma intimação.

HADAR: Soubemos que era você imediatamente, porque tínhamos sua foto e o reconhecemos. Aí, quando mencionamos as capas dos discos, seus olhos se iluminaram.

BEYLOTTE: Foi como se estivéssemos falando sobre seus filhos.

MINGERING MIKE: Quando eles me disseram que as coisas tinham sido postas à venda, falei: "Mas aqueles eram meu bebês."

Como todos os discos acabaram em uma feira de antiguidades, para começo de conversa?

BEYLOTTE: Muitas vezes, os vendedores de antiguidades compram de depósitos que estão leiloando os bens de alguém que não pagou a conta. Eles dão um lance por todo o conteúdo de uma unidade e depois levam direto para a feira de antiguidades. Então ele atrasou o pagamento do depósito e pensou que tinha um acordo com a gerência. Aí foi leiloado.

HADAR: Eu disse ao Mike que tinha postado algumas das capas dos seus discos na internet, que houvera uma reação impressionante e as pessoas tinham adorado seu trabalho. Ele ficou muito quieto. Eu disse: "Achei que podia ajudar você a fazer alguma coisa e realizar seu sonho."

Qual era seu sonho original com os discos?

MINGERING MIKE: Eu estava compondo música. Mas sentia que simplesmente compor não era suficiente. Eu queria ir um pouco além e fazer os discos. Então, se tudo se encaixasse um dia, eu estaria pronto.

Como você conseguiu o celofane dos discos?

MINGERING MIKE: Eu tirava de discos que comprava. Demorava mais ou menos uma hora para colocá-los em cada disco.

Então como você se sente por finalmente ter sido descoberto?

MINGERING MIKE: Teria sido a realização de um sonho há vinte anos. Mas agora é estranho. Tenso.

Desde a entrevista, as capas de disco de Mingering Mike foram exibidas em várias galerias de arte; ele lançou um disco de música de verdade, Super Gold Greatest Hits*; e um livro com sua arte foi publicado pela Princeton Architectural Press.*

[CHARLES GAYLE]

Se você já ouviu Charles Gayle tocar saxofone, nunca vai esquecer, porque ele quebra tudo— música, clubs, mentes. Ele foi, sem sombra de dúvida, um dos maiores saxofonistas de free-jazz de seu tempo, tinha contrato com uma gravadora suíça e ocasionalmente se apresentava na Europa. Apesar do reconhecimento, na época desta entrevista Gayle era um sem-teto havia mais de 15 anos e ganhava dinheiro tocando nas ruas e estações do metrô de Nova York.

Depois de convencer um editor a me deixar escrever sobre Gayle, procurei o saxofonista em estações do metrô, deixei recados com seus amigos e verifiquei listas de clubs, mas ele não estava em lugar nenhum. Depois de algumas semanas, comecei a ficar preocupado, até que um dia meu telefone tocou. Era Gayle, ligando de um orelhão para explicar que passara dois meses com hepatite A (que tinha contraído no bocal de um instrumento) e estava se recuperando em um imóvel abandonado no Lower East Side de Nova York.

Uma semana depois, com sobretudo cinza, boné azul de beisebol, uma barba branca de alguns dias e um grande crucifixo no pescoço, ele me encontrou para um café.

Como você está?

CHARLES GAYLE: Agora estou bem. Mas quando tive aquela hepatite achei que ia para o outro lado. Só pensei: "Tudo bem", e aceitei. Mas não aconteceu. Apenas alertei algumas pessoas, para lhes avisar de que eu não sabia o que ia acontecer comigo e que eu podia não estar mais por aqui.

Você passou todo esse tempo tocando na rua por dinheiro?

GAYLE: Eu fazia desenhos na rua e tive alguns empregos, mas basicamente toquei por dinheiro.

Na estação da Times Square?

GAYLE: Só nos últimos dois ou três meses as pessoas tiveram permissão de tocar no metrô. Antes disso, você tinha de tocar na rua, independente da época. Eu até conseguia tocar durante o inverno ao ar livre. Às vezes ficava tão frio que meu saxofone congelava.

E o que você fazia?

GAYLE: Não sei. Só ficava ali e olhava para ele, acho.

Onde você fica quando precisa de abrigo?

GAYLE: Moro em um edifício abandonado na 9th Street. Não quero ficar lá, mas o que mais posso fazer? É isso ou a rua. Mas estou tentando sair da rua, cara. Se não vou acabar morrendo. Estou pensando em fazer alguma coisa este ano, fazer uma mudança de um jeito ou de outro, porque não toco o suficiente aqui.

E a Califórnia?

GAYLE: A inovação está lá. Só quero sentir essa inovação, cara.

Você ganha mais em *clubs* ou na rua?
GAYLE: A verdade é que não ganho quase nada. Ganho o suficiente para comer. Essa é a verdade. Nos *clubs*, divido o dinheiro por três — com o baixista e o baterista — então, se ganhar 40 dólares, é sorte. Quando toco ao ar livre, são tipo cinco ou seis dias por semana, e ganho 7 ou 5 dólares. Dez dólares é um bom dia — um excelente dia. Tenho de ficar lá o dia inteiro para ganhar isso. Às vezes não consigo os lugares certos, mas depois de um tempo, para onde eu vou?

Alguém já roubou seus saxofones enquanto você estava dormindo?
GAYLE: Eu durmo com eles na rua, e nunca roubaram meu saxofone nem nada.

O que mais você tem?
GAYLE: Tudo o que tenho são meus instrumentos e algumas mudas de roupa. É isso. O único livro que leio é a Bíblia. Leio o jornal, e só porque gosto. Mas, veja, essa é a chave para tocar free-jazz, porque eu posso me dar ao luxo de ser livre.

Depois de tocar, você preferiria uma plateia aplaudindo de pé ou esvaziar o lugar?
GAYLE: Para responder a essa pergunta vou me levantar e dançar, porque essa é boa. De certa forma, eu gostaria de conseguir esvaziar o lugar, entende? Para mim, quando o público vai embora do *club* também é uma forma de aplauso, porque você consegue abrir a cabeça das pessoas, e elas gostam.

Já vi pessoas saírem dos seus shows, incluindo o presidente da sua própria gravadora, mas você já esvaziou completamente um lugar?
GAYLE: Acho que não toco de uma forma radical bastante só com aquele saxofone. Vou ser mais. Quero fazer isso. Quero lançar alguma coisa tão pesada que não possa ser negada. Sim, eu gostaria de esvaziar o lugar todas as vezes — só para saber que sou muito perturbador. Sim, vou trabalhar nisso.

O que você faria se ganhasse muito dinheiro?
GAYLE: Não sei o que ia mudar, cara. Eu ia arranjar um lugarzinho para morar. E tenho filhos, então daria dinheiro a eles. Acho que nada ia mudar. Eu me sinto bem. De verdade, cara. Eu me sinto muito forte às vezes. Então talvez eu esteja onde deveria estar.

Desde a entrevista, Gayle gravou mais de 26 discos para vários selos, além de fazer parte de discos de várias lendas do rock e do jazz. Eventualmente, ele ganhou dinheiro suficiente como músico profissional para alugar o próprio apartamento no East Village.

[TOM PETTY]

Tom Petty estava sentado em sua casa de Malibu em uma tarde quente de verão, bebendo café frio e usando uma jaqueta de camurça com franjas, mocassins marrons e meias pretas. A distância, parecia que ele não tinha mudado nada em um quarto de século, mas de perto seu rosto estava marcado com profundas linhas de experiência. Apenas seus olhos azul-claros (que raramente faziam contato visual) e um esporádico sorriso tímido traíram os sinais de vida vibrante. De tempos em tempos, ele arqueava as costas como um gato, esticava bem os braços e alongava os ossos. Depois ficava parado na mesma posição por vários constrangedores segundos, ocasionalmente deixando seu cigarro cair no chão.

Você nunca passou tanto tempo sem lançar um disco. Por que demorou tanto?
TOM PETTY: Sabe, isso só me ocorreu recentemente. Não sei se eu estava só cansado de tudo ou o quê, mas não senti vontade de sair correndo e fazer outro disco. Só pensei: "Não vou ter pressa." Então outro dia me disseram que fazia três anos.

Na verdade, foram quatro anos.
PETTY: Foram? Quatro anos? É muito tempo. Fico surpreso por ter esperado tanto. Mas devo dizer sinceramente que nem sequer percebi o tempo passando. E não demorou muito para fazer o disco, só alguns meses. Acho que estava em turnê e não tive pressa de compor.

Todas as músicas do álbum parecem ter temas similares sobre vagar perdido pelo mundo e procurar algo sólido para se segurar.
PETTY: Qual é aquela música [do meu disco]? O verso é "It's hard to say who you are these days but you run on anyway, don't you?".*

"Saving Grace"?
PETTY: Isso, é mais ou menos assim que vejo os dias de hoje. Muita gente não sabe mais quem é, então só está tentando sobreviver porque as coisas são velozes demais hoje em dia. Existe muita informação sendo transmitida e muita gente grudada no celular (*pausa*). Não sei por que demorei tanto [entre os discos]. Estou surpreso por ter levado tanto tempo.

---

* É difícil saber quem você é hoje em dia, mas você segue em frente mesmo assim, não é? (*N. da. T.*)

Eu lembro que, pouco antes de você se mudar para cá, as pessoas estavam preocupadas porque você tinha se separado da sua mulher e estava morando em uma cabana em algum lugar.

PETTY: É, eu estava morando em uma cabana bem velha. Não me importava. Ficava em uma parte de Pacific Palisades, no bosque. E eu morava lá e tinha galinhas e todo tipo de coisa. Em alguns lugares, eu conseguia ver a luz do sol passando através das paredes da cabana. Mas foi meu apartamento de solteiro, sabe. Precisei fazer um grande ajuste, e talvez as pessoas estivessem certas em se preocupar comigo. Eu tinha muito tempo livre naquela época, e não foi o melhor período da minha vida. Mas já passou. Está tudo bem.

Qual foi o choque de realidade que o fez tentar se livrar das drogas?

PETTY: Ah, é, sabe, foi: "Um de nós morreu."* É uma merda. É, foi um grande choque de realidade. Eu vivi a vida ao máximo. Quando era mais jovem, espremi uma porção da vida adulta em um período muito curto. Vivíamos ao máximo, não dormíamos muito, viajávamos o tempo todo. É este trabalho, você não percebe até ficar mais velho. Então, na época em que casei de novo, pensei: "Agora vou tentar agir de acordo com a minha idade." Ainda estou tentando me acostumar, mas não é muito difícil.

Qual é a parte mais difícil de se acostumar?

PETTY: O difícil é perceber que lhe resta uma quantidade limitada de tempo. Foi a primeira vez que me dei conta disso: "Ah, merda, meu tempo vai acabar." Essa é uma das razões para eu não querer passar o resto da vida em turnê. Já fiz isso. Assim, um dia você se dá conta de que grande parte da sua vida passou e tudo o que você fez foi ficar por aí fazendo shows de rock and roll.

Entre a internet, o rádio por satélite e a televisão via satélite, existem mídias e meios de promoção demais hoje em dia para tomar o tempo do artista.

PETTY: Não pretendo lidar com tudo isso, eu garanto. Sou direto. Na verdade, para mim acabou. Esta é minha última entrevista, porque tenho de viver a vida. Não posso passar todos os dias atendendo às necessidades da gravadora ou da mídia para divulgar o disco; sabe, adoro o disco e me importo muito com ele, mas em certo ponto você começa a não gostar de si mesmo (*ri*).**

---

* O baixista Howie Epstein, que morreu aos 47 anos de complicações por causa do vício em heroína.

** Esta entrevista era uma das poucas que ele dava em anos, e o disco que estava promovendo era *Highway Companion*, que não apenas não tinha sido lançado ainda, como ele não tinha terminado de masterizar nem definido a sequência das faixas.

Tentei explicar à gravadora. Tenho certeza de que é por causa da vida que levei, mas minha mente é tão delicada que não aguento ser parte disso. É como ficar depois do show para conhecer gente. Não consigo.

Se você tivesse aceitado mais essas obrigações, talvez fosse ainda mais famoso, mas seria muito menos feliz.

PETTY: Acho que eu não ia conseguir lidar com mais fama. Se eu fosse mais famoso ou mais bem-sucedido, seria demais.

Esses astros pop de hoje passam todo o tempo se promovendo, mas só sabem fazer isso. Tenho pena dessas pessoas, porque um dia vão se dar conta de que passaram a vida inteira fazendo isso vai esgotá-las. Elas vão se acabar. Então para mim chega. Esta é a última entrevista que vou dar em um bom tempo.

Veja artistas como o Sly Stone e o Captain Beefheart. Eles não falam com a imprensa e ainda são lendas.

PETTY: É, consigo me ver assim com muita facilidade. Um eremita de Malibu.

[SYSTEM OF A DOWN]

Com um cabelo comprido e oleoso preso mostrando uma testa alta, olhos arregalados como os de um inseto e a postura de um babuíno, Daron Malakian — compositor e guitarrista da banda de hard rock armênio-americana System of a Down — é um astro do rock estranho. Sentando em sua casa de dois andares em Glendale, Califórnia, ele abriu a tampa de um frasco de maconha medicinal rotulada Night Queen e começou a encher um cachimbo de vidro enquanto conversava sobre sua propensão a ficar dentro de casa durante meses a fio.

Quando você era mais novo, era mais sociável?

DARON MALAKIAN: É, acho que me tornei menos sociável. Digamos que eu entre em um lugar, sinto que cinco pessoas podem saber quem eu sou e cinco podem não saber. E isso me deixava meio desconfortável. Quando me olho no espelho, vejo um cara diferente do que eles veem. Vejo o Daron. E esqueço que o Daron é alguém que toca em uma banda que um monte de gente ama. Então, sempre que alguém se aproxima de mim, tem de entender que está falando com alguém dez vezes mais nervoso que ele.

Você acha mesmo?

MALAKIAN: Acho. Minhas palmas da mão ficam suadas (*ri*). Não tenho toda essa confiança. O único momento em que me sinto confiante é no palco. Quando estou no palco, aquele Daron pode fazer qualquer coisa e dizer qualquer coisa. [...]

Você já usou medicação psiquiátrica?

MALAKIAN: Aos vinte e poucos tive um monte de ataques de pânico e coisas do tipo. Tentaram me fazer usar essas drogas que transformam as pessoas em plástico — Prozac e tal. Mas agora, quando a coisa fica pesada demais, eu medito. Não posso dizer que medito constantemente, mas sei como desacelerar minha mente se precisar.

Então o que você faz quando tem pensamentos supersombrios, como ferir alguém?

MALAKIAN: Eu tive... Não quero entrar em detalhes, mas tive momentos sombrios na vida. Quando era criança, tive muitos, muitos momentos sombrios. Precisei de me tornar adulto muito rápido. Eu bebia café em encontros do AA aos 9 anos. Estou acostumado com isso, cara. Tomei ácido uma vez na vida, e assisti a *O Exorcista* e todo mundo que estava na sala começou a se apavorar. E eu pensava: "Não estou confortável, mas sei como lidar com isso porque já estive no inferno."

Inferno em que sentido?

MALAKIAN: Eu sabia que aquilo não era muito diferente de ser criança, sentir medo, solidão ou o que quer que seja. Tipo, como tenho caveiras e coisas assim, minha namorada tem medo de ficar na minha casa sozinha. Mas eu vejo essas coisas quase como uma forma de proteção espiritual. Simplesmente me sinto muito confortável com esse tipo de clima, esse tipo de vibração. Dito isso, adoro ir à Disney. E a jogos dos Dodgers.

Não imaginava que você era fã de esportes.

MALAKIAN: Sempre gostei de esportes. Nos anos 1980, eu era surtado pelos Lakers. Se você me perguntar qual é a minha maior influência além do meu pai, a resposta sincera provavelmente vai ser o Kareem Abdul-Jabbar, mais do que qualquer outro músico. Só porque eu via o jeito como ele se comportava, seu estilo, como ele se conduzia, o papel que desempenhava para o time. Eu realmente achava que o Kareem Abdul-Jabbar estava acima dos outros — e não só porque ele tem 2,18.

Essa é uma resposta muito legal.

MALAKIAN: Às vezes sinto falta de conversar. Como eu disse, não saio muito. Então às vezes é bom conversar com alguém que não seja um idiota.

[HENRY GRIMES]

Nos círculos do jazz de vanguarda da metade da década de 1960, Henry Grimes foi um dos baixistas mais respeitados em atividade. Educado na Juilliard, ele tocou com lendas como John Coltrane, Thelonious Monk e Miles Davis na juventude, antes de participar de alguns dos discos mais seminais da era do free-jazz.

Mas por volta de 1968, Grimes desapareceu. Por mais de três décadas, ninguém no mundo do jazz ouviu falar dele. Várias de referências até o davam como morto.

E a história de Henry Grimes poderia ter acabado aí se não fosse por um fã determinado de Athens, Geórgia, chamado Marshall Marrotte, que o encontrou trinta anos depois de seu desaparecimento.

Grimes estava morando em um quarto-e-sala no centro de Los Angeles. Não apenas não possuía mais qualquer instrumento musical, como também nunca vira um CD e não sabia da morte de vários colegas, incluindo seu lendário ex-companheiro de banda, Albert Ayler (que foi encontrado boiando no East River em 1970). Marrone ajudou Grimes a arranjar um baixo, marcou seu primeiro show em Nova York em três décadas e me deu o número de um orelhão que ficava no lobby do hotel em que Grimes estava morando.

Você achou que ia fazer música outra vez?
HENRY GRIMES: Esperava que sim. Mas não sabia bem quando e como.

O que o fez parar de tocar?
GRIMES: Economicamente, eu estava mal. Não tinha quase dinheiro nenhum. Foi só por esse tipo de coisa. Economicamente, eu não estava no tom certo. Então vim para a Califórnia, onde é ensolarado. Basicamente a ideia era essa. Eu não queria ficar sujeito ao frio. Descobri que LA, com o calor e tudo, é bom.

O que aconteceu com seu baixo?
GRIMES: Eu o vendi para um homem daqui que fazia violinos. Eu estava trabalhando com um grupo liderado pelo [pianista] LaMont Johnson. Foi o último grupo em que trabalhei. Depois vendi meu instrumento.

E vender o ajudou a sobreviver?
GRIMES: Não foi o suficiente, mas mesmo assim vendi. Senti que era isso o que tinha de fazer, então fiz. Assim consegui ter uma visão muito boa de tudo.

Foi difícil abrir mão da música desse jeito?
GRIMES: Não me preocupei com isso. Tudo o que eu sabia era que tinha de sair de Nova York e daquele clima frio. Era a única coisa em que estava pensando.

O que você fez para ganhar dinheiro nesse meio-tempo?
GRIMES: Fiz muito trabalho braçal, como zelador em uma sinagoga de Beverly Hills e em uma escola. E trabalhei em um boliche em Long Beach. E, entre esses empregos, trabalhei um pouco na construção civil. Isso me deixou em forma, sabe.

Alguém sabia que você era músico nesses lugares?
GRIMES: Ninguém sabia.

Alguém o procurou naquela época para tentar levá-lo de volta à música?
GRIMES: Ninguém conseguiu entrar em contato comigo até o Marshall ligar e descobrir onde eu morava. Ele fez um bom trabalho de detetive.

Você sabia que tinha influenciado tantos músicos?
GRIMES: Não. Fiquei perplexo, porque ouvi alguns dos CDs [com a minha música] que o Marshall e outras pessoas me mandaram. Na época, não dei muita atenção a eles, mas quando os escutei novamente há duas semanas, o que ouvi foi maravilhoso. Aquilo era mais do que eu imaginava.

Talvez você precisasse tomar distância para apreciar.
GRIMES: Acho que foi por isso que fui embora e me isolei, porque, quando ouvi aquela música, percebi que era fantástica. Às vezes você precisa desanuviar suas percepções. As emoções podem atrapalhar e meter você em muitos problemas e confusões. E você pode se deixar incomodar por elas ou pode encontrar uma maneira de tirar algo delas.

Você tem algum arrependimento por causa de todo o tempo que passou fora de cena?
GRIMES: Só sei que aconteceu. Agora estou tentando consertar as coisas. Mas voltei para ficar.

Fiel a sua palavra, quando falei com Grimes sete anos depois, ele estava trabalhando constantemente, fazendo shows em mais de 23 países, ensinado em escolas e conservatórios, e participando de mais de uma dúzia de discos. Embora na época ninguém soubesse por que Grimes tinha desaparecido, mais tarde foi revelado que teve um colapso nervoso e passou vários anos internado por causa de uma doença mental.

[JAMES TALLEY]

"Todas as coisas não terminadas ou desordenadas ao meu redor me lembram de que ainda estou vivo."
— Frase presa na parede do escritório de James Talley

Nos anos 1970, James Talley era um dos mais eloquentes porta-vozes dos trabalhadores, da vida rural e do resistente espírito humano, gravando um grande disco atrás do outro para a Capitol Records. Os fãs o colocavam na linhagem de Jimmie Rodgers e Woody Guthrie. Jimmy Carter até o convidou para se apresentar em seu baile de posse. Mas quando o encontrei para uma entrevista duas décadas depois, Talley, a voz da classe trabalhadora, estava atrás de uma mesa em Nashville vendendo imóveis.

JAMES TALLEY: Quem diria que um compositor populista como eu faria isto? Digo, eu nunca teria imaginado.

Onde você imaginou que estaria agora?
TALLEY: Acho que anos atrás eu esperava esgotar shows em poucas horas hoje em dia. Mas não aconteceu, e se as coisas não acontecem do jeito que você espera, você segue outro caminho. Ou faz como o Phil Ochs e se mata.*

Você já pensou em fazer isso?
TALLEY: Sabe, provavelmente pensei nisso uma ou duas vezes durante os piores períodos. Mas depois você diz: "Bom, se eu fizer isso, quem vai tomar conta dos meus filhos e da minha mulher? E, talvez, eu ainda consiga criar alguma coisa boa. Só preciso continuar firme, manter a fé."

Então o que tirou sua carreira dos trilhos?
TALLEY: Não sei quanta fita você quer gastar, mas quando saí da Capitol em 1979, ainda devia mais três discos a eles. Na época, eu tinha um empresário que me convenceu de que eu devia fazer algo melhor. Eu era muito jovem e ingênuo. Nunca vi um advogado na vida. E quando saí da Capitol, eles apagaram meu catálogo,** algo que eu não tinha previsto.

---

* Em 1976, com 35 anos, o cantor popular de protesto Phil Ochs se enforcou depois de um longo período de alcoolismo e problemas mentais.
** Em outras palavras, o selo parou de produzir e distribuir seus discos.

Como você finalmente recuperou os direitos da sua música?

TALLEY: Em 1990, quando a *Rolling Stone* elegeu meu primeiro disco como um dos discos essenciais dos anos 1970, eu pensei: "Por que não ver quem está na Capitol e tentar relançar os discos?"

Minha mãe era uma fazendeira arrendatária; o pai dela nem sequer possuía sua terra. Quando você vê de onde ela veio, percebe a determinação incrível que foi necessária para obter um diploma de faculdade, se tornar professora e lecionar por 38 anos. Ela me ensinou a determinação pelo exemplo. E esses caras da Capitol sabem que sou um filho da mãe determinado. Eles nunca conheceram ninguém tão persistente quanto eu. Desperdicei mais de nove antes da minha vida até recuperar aqueles discos.

Você tentou assinar com outra gravadora?

TALLEY: Não procurei mais lugar nenhum, porque as pessoas não estão interessadas em lançar música de um artista de 55 anos. Então decidi começar meu próprio selo. Primeiro o financiei com imóveis, depois tive de pedir um empréstimo para lançar o disco do Guthrie.*

Mesmo se fosse mais jovem, não acho que você conseguiria assinar com um selo de Nashville hoje em dia, porque eles não lançam mais country tradicional.

TALLEY: Eu sei. A vida seria fácil demais se fizessem esses discos em Nashville. E não deve ser assim. Deve ser difícil e brilhante. O coração não se move pelo metrônomo; a vida não tem um ritmo constante. A vida é cheia de momentos em que você caiu e machucou o joelho, sua mulher o deixou, sua namorada jogou suas roupas no jardim e seu carro foi apreendido ou bateu. Não é perfeita.

Então todos os altos e baixos para lançar sua música valeram a pena para você?

TALLEY: A gente se admira e perde as esperanças, e passa por muita dor e sofrimento. Você arrisca sua fortuna. Você hipoteca sua casa. Você pega o pouco que conseguiu economizar e coloca na reta para fazer alguma coisa porque acredita nela (*suspira*). Meu Deus, eu queria ter estado no lugar certo na hora certa que em algum momento da minha vida. Mas se você não desistir, tudo é possível.

Dez anos depois dessa entrevista, Talley ainda vendia imóveis enquanto gravava e lançava discos com seu próprio selo.

---

* Uma das melhores capas de disco folk de sua época: *Woody Guthrie and Songs of My Oklahoma Home.*

[NINE INCH NAILS CENA 3]

Durante o café da manhã no dia seguinte...

Você teme que alguma coisa ou alguém interrompa sua vida ou sua carreira antes que você diga tudo o que tem a dizer?

TRENT REZNOR: Por causa da minha personalidade autodestrutiva ou algum ato aleatório de violência?

Qualquer um dos dois.

REZNOR: Existe toda a noção romântica do Ian Curtis ou até do Kurt Cobain morrerem antes de dizer tudo o que tinham a dizer. Mas não penso muito nisso. Eu tenho um longo caminho pela frente no sentido do que quero realizar pessoalmente. Quero dizer muito mais. Mas ia ser triste se eu morresse amanhã (*ri*).

Quando exagera nas drogas ou coisa do tipo, você pensa, "E se eu for longe demais? E se estiver perdendo a parte de mim mesmo que é importante para a criatividade?"?

REZNOR: Já pensei nisso. Em algumas vezes me droguei tanto que pensei: "Por que estou fazendo isto? Vou perder meu dom? Qual é o objetivo?"

E o objetivo, como para qualquer pessoa que usa drogas, é fugir. Acho que a natureza do rock cria uma situação tão surreal e potencialmente opressiva que muita gente se volta para as drogas e segue esse clichê. E foi essa ideia que me fez parar: não é original, sabe. Preciso pensar em algo novo. Ninguém pulou de um prédio.*

Com certeza já pularam.

REZNOR: Você entendeu, nenhum astro do rock. Mas sou melhor que isso. Então de vez em quanto me dou um tapa na cara e digo: "Você é um sortudo da porra. Você está em uma situação ótima. Por que está triste, cara?"

Seu sucesso o deixou mais paranoico?

REZNOR: Sem sombra de dúvida. Me fez não confiar em ninguém. Sempre que conhece alguém, você tem de presumir que essa pessoa quer alguma coisa de você. Muita gente próxima de mim já me ferrou. Pedem para ir para a estrada comigo e filmar o show, depois dizem: "Ei, eu fiz uma fita com uma compilação

---

* Nota para Puffy Combs: não sou só eu. Ver também Marilyn Manson, cena dois, última resposta.

de todos os momentos em que você foi um imbecil. E preciso de uma boa grana como reembolso." Merda, tipo, outro dia um me instigaram a brigar e eu joguei um copo no rosto de um cara. E ele disse: "Vou processar você, filho da puta."

Como ele o instigou?
REZNOR: Foi o amigo de um amigo, e ele apareceu tarde da noite, bêbado e sem ser convidado, agindo como um idiota, insultando minha visita, e aí mijou na porta do meu hotel. Eu pirei e (*faz a mímica de jogar o copo no rosto do homem*)...

Quem você considera seus verdadeiros amigos?
REZNOR: Não tenho muitos amigos íntimos. Não é por ser paranoico. Só não sou aberto a isso. Anos atrás, eu estava com uma namorada e conhecemos um cara de uma banda, e ele era muito legal.

Quem era?
REZNOR: Era o Billy Corgan. E ele realmente me pareceu um cara legal. Trocamos telefones. E alguns dias depois ela disse: "Vai ligar para ele?" Eu pensei: "Talvez." Mas sabia que não ia ligar. Ela disse: "Que pena, porque ele é alguém que podia ser um amigo." E eu não estava aberto. Simplesmente me conheço, e sei que não ia encontrar tempo. (*Imita um papo-furado com Billy Corgan.*) Eu me lembro disso porque me pareceu estanho. Comecei a pensar: "Por que me comporto assim?" [...]

Quanto do que está acontecendo no pop você vê como concorrência?
REZNOR: Eu assisto à MTV e acho uma merda, e acho a maioria dos vídeos ruins. Mas quero ficar atualizado. Eu preciso ficar atualizado. Quero saber que o último vídeo do No Doubt foi uma merda para não fazer a mesma coisa. Como estou consciente do elemento comercial das coisas, sou meio competitivo. Por exemplo, eu gosto do Beck agora. Mas quando ele apareceu, senti aquele arrggh, de um ponto de vista ele-é-a-concorrência — não por estarmos fazendo a mesma coisa. Eu me achei idiota por sentir aquilo. Mas quis não gostar dele. Depois pensei: "Sua música é boa."

O gravador está ficando molhado. É normal chuviscar assim a manhã inteira?
REZNOR: Podemos entrar.

[*Continua...*]

[BECK]

Descansando em seu ônibus da turnê, Beck conta a história de um show que fez. Foi o último de uma turnê decepcionante, e ele e sua banda estavam determinados a fazer a plateia final se levantar e dançar. Mas, por mais que se esforçassem, as pessoas das primeiras fileiras permaneceram sentadas. Antes do bis, Beck e sua banda se encontraram nos bastidores e disseram que não iam para casa até a plateia inteira estar dançando. Eles voltaram e fizeram de tudo, chegando a até a tentar tirar da cadeira as pessoas da primeira fila. Como não deu certo, Beck fez algo muito pouco característico: Ele gritou "vão se foder" no microfone, cuspiu na plateia e saiu furiosamente do palco.

Só depois do show Beck descobriu que tinha sido um evento beneficente para pessoas deficientes, que haviam ficado com as primeiras filas.

Peguei uma crítica no jornal sobre seu show em Houston. Adivinhe que palavra foi usada em excesso para descrever você?
BECK: Ah, não. Devem ter dito que faço muito mal os passos do Elvis. Realmente acham que estou tentando imitar o Elvis, mas não tem nada a ver com o Elvis. Isso é uma droga.

Não falaram disso.
BECK: Foi *excêntrico*?

Não, mas eles podem ter usado essa.
BECK: *Preguiçoso*?

Não, é uma palavra usada quase exclusivamente para descrever você.
BECK: A maioria das palavras que usam me deixa muito chateado. Tipo, se eu fosse o leitor, não gostaria de mim mesmo e não procuraria minha música.

Vou dar uma pista. Quando tocou em Nova York, você trocou o refrão de "Asshole"* para essa palavra, porque disse que era tão ofensiva quanto.
BECK: Ah, *moleque*! Claro. Comecei a substituir porque toda crítica que eu lia dizia "o moleque do Beck". O que tenho de fazer? Tenho cabelo no peito, sabe. Tenho 26 anos. Quer dizer, tudo bem, eu pareço jovem. Sempre acho isso meio desrespeitoso. É como não ser levado a sério. Não gostamos de ler as críticas. Fica-

* Idiota (*N. da T.*)

mos chateados. Você se sente derrotado. Você se esforça muito e tenta fazer todo mundo se divertir, e alguém simplesmente destrói tudo.

Existem muitas percepções errôneas sobre você...
BECK: Muitas, meu Deus.

Então como você quer que as pessoas o percebam?
BECK: Ãhn, bom, essa é difícil, porque a natureza humana diz que você não quer ser categorizado, com *Beck* escrito na testa e selado com cera. [...] Muitas gente por aí vai acabar com a sua vontade de encostar em uma guitarra novamente. Em todo lugar tem alguém dizendo: "Eu gosto do que você está fazendo", e aí você se volta para o lado oposto e outras pessoas dizem que você não merece viver. Literalmente.

Quem disse isso?
BECK: Bom, dê uma olhada na matéria da sua revista sobre o Kurt Cobain, em que a jornalista diz que preferia que eu tivesse me matado em vez dele. Em retrospecto, vejo isso como um comentário malicioso, e às vezes é difícil não resistir. Mas não tem como não se deixar afetar de algum jeito. Depois que fiz a turnê e tal, voltei e fiquei só com a música. Do contrário, nunca mais ia tocar.

[GARY WILSON]

Em 1977, um músico de 24 anos de Endicott, New York, chamado Gary Wilson lançou um estranho e maravilhoso disco proto-new wave chamado *You Think You Really Know Me*. O disco lançado de forma independente logo encontrou seguidores. Em seu single "Where It's At", Beck diz que Gary Wilson "bota para quebrar". Conforme a reputação do disco crescia, os fãs naturalmente procuraram seu criador. Alguns até contrataram um investigador particular para encontrá-lo. Mas ninguém conseguiu achar qualquer traço da existência de Wilson desde o começo dos anos 1980.

Então, um dia no *New York Times* recebi uma ligação dizendo que Wilson fora localizado, mas não tinha celular nem telefone fixo. Então fui até seu trabalho: o turno da madrugada em uma livraria adulta e peep show atrás de duas camadas de vidro à prova de balas em San Diego.

Ele era baixo e pálido, com o cabelo preso em um rabo de cavalo. Ele concordou em dar sua primeira entrevista em mais de vinte anos e me disse para encontrá-lo em seu apartamento no dia seguinte.

Por que você não tem telefone?

GARY WILSON: Às vezes eles trazem más notícias. Ou nos distraem de alguma coisa. Seria bom ter um para emergências, mas assim está ótimo. Se alguém quiser falar com você, vai falar.

Você se considera um recluso?

WILSON: De fato, eu sou. Sou muito reservado. Mas, sabe, é só meu jeito de ser. Você também fica mais velho, as coisas se acalmam um pouco e você não sai tanto.

Você guardou alguma cópia do seu disco?

WILSON: Bem, eu quebrava e esmagava meus discos no palco — os quebrava ao meio e jogava. Aí um dia percebi que não tinha mais nenhum.

Como eram seus antigos shows?

WILSON: Às vezes pegávamos os objetos de cenas e coisas para esmagar e jogar pelo palco. Quando eu estava fazendo coisas mais experimentais, tinha de ser cuidadoso porque muitos caras da banda acabavam precisando de pontos. Nós jogávamos 5 a 10 kg de farinha em nós mesmos. Mas então, em um evento beneficente de rádio em Seattle, fiquei tão sujo de farinha que passei meses coçando o olho. Dali em diante, tinha de usar óculos de proteção no palco se jogasse farinha.

Mais tarde, Wilson vai para o Rancho Bernardo Inn, onde tem um show mensal com uma banda de lounge que faz covers de músicas como "The Girl from Ipanema" para clientes mais velhos. Durante a pausa entre os sets, Wilson debate sua criação.

Você era mais sociável quando era mais novo?

WILSON: Na escola, eu era do fã-clube do Dion. Eu tinha um cabelo igual ao dele. Mas um dia, na piscina, um monte de garotos partiu para cima de mim, me segurou e cortou meu cabelo. E quando estava no ensino médio ou um pouco antes, eu tinha com um livro inteiro de poesias. Mas uma garota pegou meu livro, o despedaçou e jogou fora. É engraçado, por que isso não me afetou muito.

Como eram seus pais?

WILSON: Eu me dava bem com meus pais. Minha mãe morreu quando eu tinha 19 anos, mas meu pai tem uns 83 ou 84 anos. Não o vejo há 24 anos.

Você deveria ir vê-lo enquanto pode.

WILSON: É, você está certo. Provavelmente vou me arrepender se não o tiver visto. [...]

Quando foi a primeira vez que você foi a Manhattan?
WILSON: Fui uma vez aos 17 anos. Acabei dormindo sob um prédio, depois peguei uma carona para casa na rodovia de Nova Jersey. Uma asiática gentil me deu carona. Ela parou no McDonald's e comprou hambúrgueres, mas não consegui comer o meu porque tinha um picles.

Um picles?
WILSON: Eu gosto de coisas simples. Sou um cara simples. Só faço uma refeição por dia e não como legumes nem frutas.

Foi nessa época que você tentou assinar um contrato com a Columbia?
WILSON: Isso foi mais tarde. Entrei na Columbia Records em Nova York, passando sorrateiramente pelo porteiro e pelo guarda. Então virei meu casaco do avesso, coloquei um turbante e tentei entregar minhas fitas para as pessoas. Acharam que eu devia ser inofensivo, já que estava ali dentro. Mas nunca consegui um contrato. Não sabiam onde me colocar ou o que era. Por isso é engraçado as coisas terem meio que se invertido nos últimos 25 anos, e agora acho que as pessoas estão me procurando. Acho que são outros tempos.

É interessante que a maioria das músicas do disco seja musicalmente *avant-garde*, mas tematicamente sejam canções de amor sobre mulheres.
WILSON: Todas as mulheres das minhas músicas são reais, exceto pelo fato de que eu tinha uma manequim chamada Cindy que sempre andava no meu carro. Muitas das minhas músicas novas são sobre a Linda. Eu estava sonhando com ela há pouco. Não sonhava com ela havia trinta ou quarenta anos. Foi uma das minhas primeiras namoradas no oitavo ano. Espero que não tenha morrido.

Trabalhando em um livraria adulta, você viu alguma coisa que o tenha chocado?
WILSON: Acho que sim. Uma vez, um cara que estava em uma das cabines se sujou com os próprios excrementos como um soldado. Aquilo foi muito *avant-garde.*

Desde sua redescoberta, o disco de Wilson, You Think You Really Know Me, *foi relançado, seguido por uma gravação adicional de material perdido e raro, um documentário sobre sua vida e seus primeiros discos em 27 anos com músicas novas.*

[NINE INCH NAILS CENA 4]

Entramos em casa e nos sentamos no sofá com a cadela de Reznor, Daisy, que peida praticamente sem parar durante a entrevista inteira...

O Marilyn Manson sobe ao palco e faz teatro, enquanto você, quando sobe ao palco, é uma coisa mais da emoção do momento.

TRENT REZNOR: Bom, às vezes me sinto culpado, porque todo mundo naquela arena para 20 mil pessoas pagou 20 dólares para me ver, e eu lhes devo um show bom pra caralho. E sei que se jogar a guitarra alguém vai gritar, e você começa a se basear em coisas assim. Detesto admitir isso. Mas acho que na maioria das vezes que me criticaram, foi injusto, porque era real.

Como Woodstock?

REZNOR: Nunca fiquei tão nervoso na vida quanto no momento em que subimos ao palco de Woodstock. E nós simplesmente ficamos de bobeira e nos sujamos de lama antes para relaxar. Então, cinco minutos depois que o show começa, me dou conta de que não consigo tocar guitarra porque as cordas estão cheias de lama e não consigo enxergar porque meus olhos estão ardendo. Estou escorregando. Tudo está uma merda. Mas saí do palco e comecei a chorar, porque no final realmente senti que tinha me conectado. Só depois, quando vi a fita percebi que nosso som tinha sido horrível.

A maioria dos músicos julga os próprios shows por padrões técnicos, embora a plateia normalmente só queira uma experiência autêntica.

REZNOR: Se você se conectar, existe uma sensação estranha semelhante a quando você ouve uma música e fica arrepiado. Pegar seu momento mais triste, sombrio e solitário e ver todo mundo gritando para você — uau, faz toda a palhaçada valer a pena. Toda vez que canto "Down In It", quero matar alguém no final e é sério, sabe. E tenho de me livrar daquele personagem, seja bebendo meia garrafa de tequila antes de subir ao palco ou outra coisa. E depois saio do palco, ligo para casa e sou legal e educado, porque passei duas horas gritando. Eu elimino aquilo de dentro de mim, sabe. (*Para a cadela:*) Daisy, o que foi isso que saiu da sua bunda? [...]

Por que acha que a *Spin* encolheu você como o artista mais vital da música?

REZNOR: Não sei. Não faço ideia. E, sinceramente, esse foi mais lisonjeiro que alguns outros prêmios. Como quando ganhei o Grammy. Tudo bem, eu ganhei do Jethro Tull naquele ano por alguma coisa como melhor clipe de hard rock com calças de borracha. Mas fiquei muito chocado quando você me disse: "Ei, você é o número um." Eu pensei: "Isso é bom?" Porque já imagino as cartas do mês que vem dizendo: "Porra nenhuma, cara. Por que vocês não escolheram o Fulano?"

Claro, não importa o que...
REZNOR: Não estou dizendo que eu não mereça. É bom ter o reconhecimento da grande mídia. Então é lisonjeiro. É bom saber que... não sei o que estou dizendo. Sabe, sou só o cara que se sujou de lama em Woodstock. Sou uma nota de rodapé na história do rock. "Onde eles estão agora: anos 1990."

Você já se perguntou, "Como ser um capítulo e não uma nota de rodapé, e ainda fazer diferença na próxima década?"?
REZNOR: Não sei. Quando você pensa no mundo do rock, existe uma janela de tempo na qual o que você faz é pertinente e significativo. Espero que daqui a dez anos eu esteja fazendo trilhas sonoras, produzindo ou algo do tipo. Não quero estar esfregando lama pelo corpo na porra do Sands Lounge em Las Vegas.

[**CORTINA**]

ATO DEZ

OU

O QUE TODO MUNDO PRECISA PARA DORMIR NESTES TEMPOS TURBULENTOS

SINOPSE

Entra a Morte, porque um dia todos nós temos de partir, e nem sempre podemos escolher quando ou como, mas podemos escolher o que fazer até lá etc.

[GENTE MORTA
CENA 1]

Uma tarde, eu estava no elevador do *New York Times* com o editor da seção de obituários. Uma copidesque voltou-se para ele e comentou: "É muito triste quando alguém morre."

Ele olhou para ela, confuso por um instante, e depois respondeu de forma concisa: "É só mais um assunto para uma matéria."

Nos meus dez anos no jornal, entreguei muitas matérias para aquele editor. Algumas vezes, escrevia obituários para pessoas poucos meses depois de entrevistá-las. Em outras, fazia seus obituários enquanto elas ainda estavam vivas: se o Bob Dylan ficava doente ou a Courtney Love se descontrolava nas drogas, o editor requisitava um obituário com antecedência — só por precaução.

Mas, ao contrário dele, eu achava tenso escrever obituários, porque queria fazer justiça à vida daquelas pessoas, sabendo que a família podia ler a matéria em busca de consolo, de algum sinal de que a passagem de seus entes queridos por este planeta tinha importado para os outros.

A seguir, trechos de obituários bem mais longos que escrevi para o jornal.

DARREN ROBINSON

Darren Robinson, também conhecido com o Beat Box Humano, o membro de 200 kg do grupo de rap Fat Boys, conhecido por imitar vocalmente os sons de uma caixa de ritmos, morreu no domingo em sua casa no Queens. Ele tinha 28 anos. A causa da morte foi ataque cardíaco durante uma gripe, informou Charles Stettler, que nomeou e empresariou a banda. O Sr. Robinson estava fazendo rap para os amigos quando caiu da cadeira e perdeu a consciência...

GLENN HUGHES

Glenn Hughes, que cantava com roupa de couro de motoqueiro no grupo disco Village People, morreu no dia 4 de março em sua casa em Manhattan. Ele tinha 50 anos.

A causa da morte foi câncer de pulmão, segundo relatórios de imprensa.

O Sr. Hughes, que cresceu no Bronx, estava trabalhando no pedágio do túnel Brooklyn-Battery quando os amigos o desafiaram a responder a um anúncio que procurava "cantores e dançarinos gays, com ótima aparência e bigode". A pessoa que publicou o anúncio era o produtor francês Jacques Morali que, depois de assistir a um grupo de machões dançando em uma boate do Greenwich Village, decidiu montar um grupo de disco no qual cada membro representasse um diferente estereótipo do fetiche masculino americano...

WENDY O. WILLIAMS

Wendy O. Williams, líder da Plasmatics, uma banda punk dos anos 1980 mais famosa pelo comportamento destrutivo no palco do que pela música, morreu em sua casa em Storrs, Connecticut, no que oficialmente foi definido como suicídio. Ela tinha 48 anos. A causa foi um ferimento à bala na cabeça, disse o porta-voz do legista do Estado.

Nascida em Rochester, NY, filha de um químico da Eastman Kodak e sua esposa, a Sra. Williams teve o primeiro gostinho da fama sapateando no *The Howdy Doody Show* aos 6 anos e seu primeiro, mas não último, problema com a lei, aos 15, quando foi presa por tomar sol nua. Ela abandonou o ensino médio logo depois e foi de carona para o Colorado e para a Flórida, ganhando dinheiro com a venda de artesanato e trabalhando como salva-vidas. Perambulou pela Europa, trabalhando como bartender, dançando e sendo presa por roubar em lojas e passar dinheiro falso. Em 1976, Wendy aterrissou em Manhattan como artista do Captain Kink's Sex Fantasy Theater, onde conheceu Rod Swenson, um graduado de Yale que fazia shows de sexo na cidade.

O Sr. Swenson se tornou seu empresário em 1978 e a ajudou a montar o Plasmatics. [...] A Sr. Williams, com um impressionante moicano louro e uniforme de enfermeira, fita isolante ou apenas creme de barbear, atacava guitarras com serras elétricas, atirava contra amplificadores e destruía televisores com marretas. Em uma performance, ela pulou de dentro de um Cadillac momentos antes de ele explodir e afundar no Hudson River...

ROBERT PILATUS

Robert Pilatus, integrante do Milli Vanilli, a dupla alemã de pop que desistiu de seu Grammy Award de 1990 quando descobriu-se que os dois não cantavam uma palavra em seu disco, morreu na quinta-feira em um hotel em Frankfurt. Ele tinha 32 anos.

A causa foi um ataque cardíaco, segundo a polícia de Frankfurt. Embora seu produtor, Frank Farian, tenha dito a repórteres alemães que o Sr. Pilatus vinha misturando pílulas com álcool, a autópsia ainda não foi realizada.

O Milli Vanilli foi uma das histórias mais extremas de ascensão e queda da música pop. O primeiro disco da dupla, de 1989, teve três singles em primeiro lugar nas paradas, vendeu cerca de 10 milhões de cópias e permitiu que os dois integrantes dessem entrevistas se gabando de ser mais talentosos do que Bob Dylan e Paul McCartney. O disco lhes valeu um Grammy de melhor artista novo no ano seguinte.

Mas, quando um veterano quarentão do exército apareceu e anunciou que era o verdadeiro cantor do disco, a carreira do Milli Vanilli despencou. A banda devolveu o Grammy em uma humilhante coletiva de imprensa, se separou e começou a fazer terapia. No ano seguinte, o Sr. Pilatus cortou os pulsos, misturou pílulas e álcool e tentou pular do nono andar de um hotel em Los Angeles. "O mais difícil foi aguentar crianças em um ônibus escolar mostrando a língua para mim", disse ele uma vez...

[*Continua...*]

[LORETTA LYNN *CENA 1*]

A cantora country Loretta Lynn cresceu rápido. Aos 13 anos, estava casada. Aos 14, era mãe. Aos 29 anos, era avó. Então talvez faça sentido que aos 65 já estivesse lidando com a morte.

Sabia que faz mais de 15 anos que você se apresentou pela última vez em Nova York?

LORETTA LYNN: Bom, comecei a voltar à estrada no ano passado, porque meu marido ficou doente por cinco anos antes de morrer. Ele tinha diabetes, e eu não sabia que essa doença deixava as pessoas surdas e cegas. Ele sempre me dizia que não conseguia mais ouvir a música. Então fiquei com ele e não trabalhei.

Acho que o último disco que você lançou foi em 1993, com a Dolly Parton and a Tammy Wynette...

LYNN: Conversei com a Tammy apenas duas noites antes de sua morte, e ela estava se sentindo muito bem. Conversamos por um bom tempo, sabe. Estávamos planejando fazer uma turnê pelos grandes estádios: eu, ela, o Merle Haggard e o Johnny Cash. O Johnny está mal, sabe.

É, eu soube.

LYNN: Então ela ficou muito feliz por causa da turnê, comprou um monte de roupas e, bom... acho que Deus sabe o que aconteceu.*

Em um período muito curto, você enfrentou muitas perdas.

LYNN: Sim, perdi 12 pessoas em quatro anos, e isso sem contar a Tammy. Perdi dois irmãos, tios e tias, e um primo de primeiro grau com quem cresci como irmã. Foi muito difícil. E também teve o Conway [Twitty]. Eu e o Conway nunca dissemos uma palavra desagradável um para o outro durante toda a vida. Meu marido o adorava. Ele veio ver [meu marido] Doo, e eu fui buscá-lo. Quando cheguei ao lugar onde seu ônibus estava estacionado, o estavam levando para o hospital com sangue saindo da boca. Foi uma imagem terrível.

Isso é muito triste.

LYNN: E ele tentava olhar para mim e não tinha como me ver. Os olhos dele... Sabe, *foi* triste. Ainda é difícil para mim. Hoje em dia não consigo nos assistir cantando juntos. Sinto muito a falta dele, sabe. E você sabe que o Shel Silverstein,** morreu. Ele teve um ataque cardíaco gravíssimo.

Eu não sabia disso. Cresci com muitas das palavras dele.

LYNN: Ele teria feito 66,*** anteontem. Ele escreveu "A Boy Named Sue" para o Johnny Cash.

Se você parar para pensar, o Owen Bradley também morreu recentemente.

LYNN: Ah, é, e ele foi meu produtor durante a vida inteira. Não durante toda a minha vida, porque comecei a cantar quando tinha 27 anos. [...] Eu tinha quatro filhos na escola antes de começar a cantar. Era apenas uma mãe. Foi muito difícil ir lá e cantar. Meu marido disse: "Cante por dois anos e vamos ganhar dinheiro suficiente para construir uma casa e você pode parar." Ora, dois anos depois que comecei, só ganhávamos o suficiente para comer, e foi isso (*ri*). Não acontecia da noite para o dia como é hoje. Já faz três anos que o perdi.

Você ficou com ele por mais de quarenta anos...

LYNN: Sim, faria cinquenta este ano.

---

* Wynette morreu aos 55 em sua casa. Embora o médico tenha dito que a causa foi um coágulo no pulmão, três de suas filhas exumavam o corpo porque acreditavam que a morte se devera a uma prescrição de medicamentos injetáveis. A alegação não foi provada.

** Silverstein, um poeta, ilustrador e compositor que escreveu vários dos sucessos de Lynn e morreu aos 68 anos.

*** Twitty, que gravou vários duetos de sucesso com Lynn, ficou doente durante uma turnê e logo depois morreu de um aneurisma de aorta abdominal.

Tammy cantava "Stand by your man", mas se divorciou quatro ou cinco vezes. Suas músicas são mais sobre independência e direitos das mulheres, mas você acabou ficando ao lado de seu homem.

LYNN: Bom, acho que é o certo. Acho que quando você canta sobre alguma coisa, deve ser para valer. Seja qual for o significado da vida, é sobre isso que deve cantar. Digo, ainda cantamos country. Quando o amor, o country e a Bíblia saírem de moda, acabou. Os homens ainda traem, ainda mentem, ainda saem da linha, e ainda vão a bares e bebem. Então tudo o que você tem de fazer é atualizar a linguagem — e, sabe, talvez um pouquinho a melodia.

[*Continua...*]

[CHUCK BERRY *CENA 1*]

Sem dúvida, Chuck Berry é uma das figuras mais importantes da história do rock. Seus sucessos pioneiros forneceram um modelo para os Beatles, os Rolling Stones e mais milhares de outras bandas de rock. Ele também é o bad boy original do rock, tendo cumprido três penas de prisão: uma por assalto à mão armada, a segunda por cruzar a fronteira do estado com uma menor para propósitos imorais e uma terceira por sonegação de impostos.

Ao longo do caminho, ele desenvolveu a reputação de ser amargo, irritável e difícil — raramente dando entrevistas. "Ele é uma pessoa muito reservada", explicou Bob Lohr, seu pianista por mais de 14 anos. "Desde que comecei a tocar com ele, só o vi dar três ou quatro entrevistas."

Então, foi com pouca esperança de sucesso que liguei para Joe Edwards, dono do Blueberry Hill, um restaurante e club de St. Louis onde Berry sempre está, e pedi uma entrevista. Por sorte, Edwards pegou Berry, com 83 anos, de bom-humor, e no mês seguinte viajei a St. Louis para conhecer a lenda.

"Se ele não gostar de você ou ficar desconfortável, a entrevista só vai durar cinco minutos", avisou Edwards quando cheguei. "E fale devagar. Ele fica frustrado quando não consegue ouvir e pode ir embora."

Quando nos sentamos a uma mesa no fundo do salão do Blueberry Hill, a entrevista começou instável. Mas quando o assunto se encaminhou para as apostas, Berry começou a se abrir.

CHUCK BERRY: Eu jogo em um caça-níqueis, e anteontem consegui quatro prêmios. Fiquei ali sentado esperando para ver se conseguia cinco. Bom, se isso é

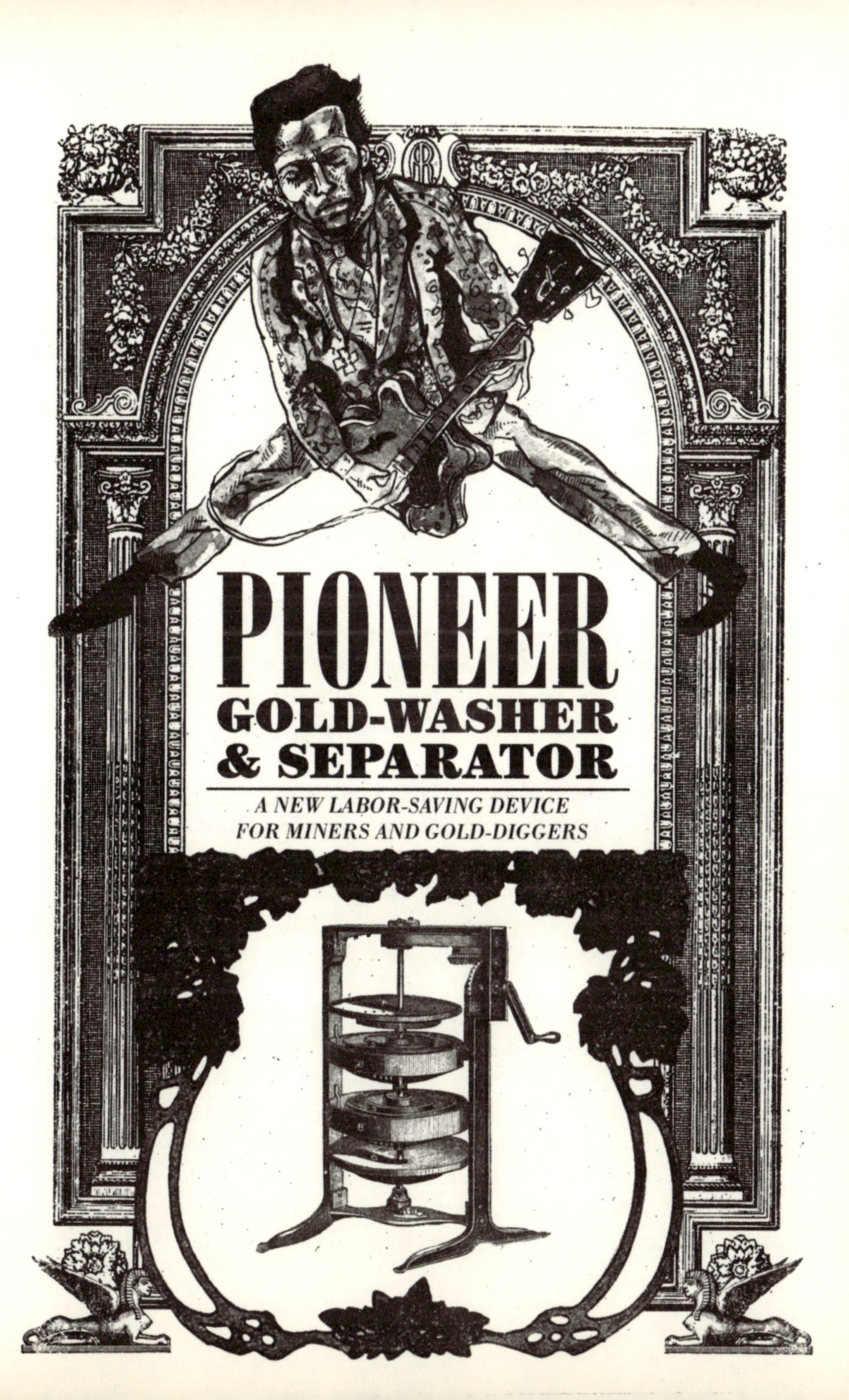
PIONEER
GOLD-WASHER
& SEPARATOR
A NEW LABOR-SAVING DEVICE
FOR MINERS AND GOLD-DIGGERS

ganância, eu sou ganancioso. Eu me pergunto se existe alguma coisa além de arrasar em um show. Existe? Caso exista, eu quero experimentar! Se isso é ganância, sim, eu tenho um pouco de ganância.

Você poderia ver isso como ambição.
BERRY: Bom, eu tenho muita ambição, hum-hum, sim!

Como rio de sua piada, Berry repentinamente retira os óculos escuros, coloca o aparelho de audição e abre um sorriso largo — e todo o clima da entrevista muda.

BERRY: Já estou percebendo que você é um bom entrevistador, e esse tipo de entrevista dura um tempinho. E vamos falar de coisas que estou querendo dizer há anos!

Ótimo, porque uma coisa que eu queria perguntar é: as pessoas sempre dizem que você inventou o rock and roll. Você concorda com elas?
BERRY: Não. Também tentei dizer isso. Tem o Louis Jordan. Tem o Count Basie. O Nat Cole, sem dúvida. Aquele cara, o Joe Turner. Tem o Muddy Waters, Olhos Azuis [Frank Sinatra], Tommy Dorsey. Eu amava a música deles.

A música deles inspirou você, mas a maioria deles não tocava rock and roll.
BERRY: Eu volto à matemática, e não existe nada de novo. Então sinto que consegui minha inspiração, educação e tudo o mais com outros que vieram antes de mim. E acrescentei meu... nem se se acrescentei alguma coisa. Eu tocava o que eles tocavam e tinha um som diferente, acho. Isso significa alguma coisa para muita gente, mas não sei o que significa para eles.

Acho que você teve suas influências, mas como é muito bom em interpretar a plateia, foi o primeiro a captar o que estava no ar e dar às pessoas o que elas queriam.
BERRY: Essa última frase que você disse, "dar às pessoas o que elas querem", é verdade. Procuro quem está atento na plateia. Posso estar cantando "My Ding-A-Ling", olhar em volta, parar e cantar "The Lord's Prayer" porque algumas pessoas estão sentadas lá parecendo ser da igreja. Existem algumas músicas — e ideias, aliás — que quase as fazem chorar. Eu daria isso a elas se fosse o que queriam.

Então talvez sua plateia tenha inventado o rock and roll e você tenha sido o primeiro a ouvi-la, entender o que ela queria e fornecer.*

BERRY: Isso é muito bom. Não sei se foi consciente, mas eu tentava dar isso a eles. Você acertou em cheio. Hm-mmm.

Berry é interrompido pelo toque do seu iPhone. Dick Alen, seu agente de shows há mais de cinco décadas, está ligando para falar de um possível show com Jerry Lee Lewis.

BERRY (*para Alen*): Você ligou no meio de uma entrevista — sabe, aquilo que o Chuck Berry não faz.

Depois da ligação, a coisa que Berry não faz recomeça...

As pessoas que trabalharam com você dizem: "O Chuck Berry não entende o quanto ele é importante, significativo e influente."

BERRY: Já ouvi isso. Acredito que sou apenas uma pequena parte da música. É como o sol e uma folha de grama. Existe grama por toda a terra, mas agradeço por terem me escolhido...

Acho que você está olhando a questão de uma perspectiva diferente. As pessoas pensam apenas no rock, e não em toda a música do mundo.

BERRY: Acho que devem estar falando do que eu fiz, e não de mim. Porque sou um baaaaaad boy (*ri*).

[*Continua...*]

[N.W.A]

Em meio à gravação de um novo disco, Eazy-E, ex-integrante do N.W.A, o grupo que colocou o rap gangsta — e Compton — no mapa, foi hospitalizado. Quatro semanas depois, tinha morrido de AIDS — o primeiro rapper conhecido a morrer da doença. Antes de morrer, ele disse aos amigos que não sabia como tinha

* Em muitos dos lugares em que Berry tocou, segundo ele explicou mais tarde, os brancos ficavam de um lado, e os negros, do outro. E os brancos reagiam bem à música negra (o blues), enquanto os negros reagiam bem à música branca (country). Então, em parte, o rock and roll surgiu na tentativa de agradar a ambas as audiências simultaneamente.

contraído o HIV. Entretanto, era pai de sete filhos com seis mães diferentes, então sexo seguro definitivamente não era seu forte.

Para rappers que sempre disseram que sua música tinha a intenção de expor a realidade da vida nas ruas, seus ex-companheiros de banda tiveram dificuldade de encarar sua doença e morte. Cada uma dessas entrevistas aconteceu separadamente — MC Ren e DJ Yella por telefone, Ice Cube durante um almoço em Beverly Hills, Dr. Dre em um cenário de clipe. Note que quando saíram do N.W.A, Ice Cube e Dr. Dre desdenharam Eazy-E em suas letras com veemência, enquanto MC Ren se distanciara publicamente do ex-amigo.

Você fez as pazes com o Eazy-E antes de ele morrer?

ICE CUBE: Eu e o Eazy nos reconciliamos. Não éramos mais amigos, mas não éramos inimigos. A última vez que o vi foi em uma boate de Nova York chamada The Tunnel, três meses antes de ele morrer.

DJ YELLA: A última vez que o vi foi em uma convenção em Vegas em janeiro. Depois disso, só conversei com ele por telefone. Ele sempre desaparecia e eu não o via.

DR. DRE: Fizemos as pazes, e falamos em fazer alguma coisa no disco dele.

MC REN: A gente não se falava tinha dois anos, e aí logo depois que o Dre e o Cube fizeram "Natural Born Killaz", ele ligou e foi tipo: "Cara, vamos fazer uma música juntos." No começo achei que ele estava de sacanagem, porque ele estava tendo um comportamento instável e fazendo umas coisas loucas. Mas retornei a ligação e começamos a trabalhar nisso. Fizemos aquela merda em três dias. Uma semana depois ele foi para o hospital. Alguma coisa juntou a gente para fazer aquela merda.

Você o visitou no hospital?

ICE CUBE: Eu passei pelo hospital, mas ele estava inconsciente. Eu não queria só ir lá e olhar para ele, então disse a ele que ia ficar em um hotel na mesma rua. Aí disse à mulher dele: "Se ele acordar, me ligue que eu volto." Mas ele não acordou mais.

MC REN: Eu ia ligar para ele uns dias depois que saímos do estúdio, mas quando finalmente liguei ele não retornava. Então liguei para outra pessoa e perguntei: "Onde ele está?" E ela disse: "Ele está no hospital. Vai sair esta noite." Então decidi ligar no dia seguinte.

DR. DRE: Quando cheguei ao hospital para vê-lo, ele já estava em coma. Então não cheguei a falar com ele.

Você sabia que ele tinha AIDS?

MC REN: No estúdio, eu sabia que tinha alguma coisa errada com ele, mas não sabia o que era. Porque, quando estávamos trabalhando em uma música, ele tossia muito. Tossia por uns cinco a dez minutos sem parar, como se tivesse bronquite ou coisa do tipo. Aí ele parava um tempo e depois essa tosse forte recomeçava. Eu ficava pensando: "Cara, você precisa parar de fumar erva." Eu não achava que era isso.

Você já conheceu alguma outra pessoa que tenha morrido de AIDS?

MC REN: Algumas pessoas com quem cresci descobriram depois disso.

DJ YELLA: Quando eu era mais novo, uma pessoa da minha rua morreu [de AIDS], mas passou meses doente e emagreceu muito. Não foi nada parecido com o que aconteceu desta vez. É assustador. Até abriu meus olhos. Se pegou ele, pode pegar qualquer um. Ele não era gay nem nada assim. Então isso prova uma coisa: essa doença não discrimina. Não importa quanto dinheiro você tenha nem nada.

Você foi ao funeral?

DJ YELLA: Eu fui o único [do N.W.A] que apareceu. Eu estava aqui em LA. Não tinha desculpa: eu fui. Não sei por que os outros não foram. Eu estava masterizando meu disco naquela semana. O disco é dedicado diretamente a ele. Senti que podia fazer isso, porque nunca virei as costas para ele. Eu estava lá no começo e joguei terra sobre seu caixão quando não havia mais ninguém ali.

[LIONEL RICHIE]

Nos anos 1970, Lionel Richie se apresentava com os Commodores, passando de saxofonista a vocalista quando o grupo mudou de pop com um tom de funk para as baladas. Entre o começo e a metade dos anos 1980, ele foi um dos cantores mais bem-sucedidos do pop, lançando cinco sucessos que chegaram ao primeiro lugar das paradas. Mas no final da década, Richie tinha desaparecido. Então, quando ele surgiu repentinamente anos depois, decidi descobrir por onde ele tinha andado.

O que o fez voltar à música depois de dez anos?

LIONEL RICHIE: Acordei um dia e percebi que meu poço estava cheio de novo. Saí porque não parava havia 16 anos, dos meus dias de Commodore até os dias solo. Existe uma palavra chamada *esgotamento*. E um dia, antes de chegar àquele ponto em que ia me extinguir completamente, eu estava saindo do palco com um Oscar nas mãos. Eu tinha acabado de cantar "We Are the World" e tinha acabado de me apresentar nas Olimpíadas diante de 1,6 milhão de pessoas. E disse: "Quer saber, vou tirar férias."

E seu poço se encheu novamente durante esse tempo de folga?
RICHIE: Tenho que admitir que só ia tirar um ano de folga e voltar ao trabalho, mas o que aconteceu comigo foi que durante aquele ano meu pai ficou muito doente. E eu não ia voltar ao trabalho porque queria ficar com ele durante a doença. Bom, a doença dele durou dois anos e meio. Quando ele morreu, passei por um divórcio. E dali, quando eu estava fazendo minha coletânea de maiores sucessos e planejando lançar um disco novo logo depois, meu melhor amigo vem até mim e diz: "Tenho AIDS e estou morrendo." Aquilo me deixou devastado, e eu não ia deixá-lo. Quando ele morreu, falei: "Preciso me reerguer, voltar ao trabalho e nunca mais usar a palavra férias."

Você pensou em colocar essas experiências em um livro?
RICHIE: Decidi escrever sobre o que eu vivi até chegar ao topo. E finalmente quando cheguei lá, eu descobri o que era o topo. Você sabe o que havia lá?

Não, não sei.
RICHIE: Nada. Nada mesmo. O que havia no topo eram todas as experiências que você tinha passado para chegar lá.

[CHUCK BERRY *CENA 2*]

Mais cedo você disse que queria falar algumas coisas.
CHUCK BERRY: Deixe-me ver, acho que não preciso dizer nada além de que sinto que preciso estar aqui. E quero fazer uma coisa que sei que vai durar depois que eu partir. Em outras palavras, quero fazer outro "Johnny B. Goode", algo tão poderoso quanto "Ding-A-Ling" e não — diga uma música que não valeu nada — "Blue on Blue." O Leonard Chess* batizou essa, sabe, e não valia nada.[...]

Então quais são seus planos para o novo disco?
BERRY: Sabe, por mais popularidade que eu tenha tido desde que meu último disco saiu, não acho que ia estourar como o Michael Jackson ou outras pessoas. Mas, rapaz, sem dúvida ia comprar pelo menos seis ou sete iates para as pessoas. Porque em todo lugar que vou, recebo aquele olhar — sabe, "É ele?". Seria bom para os meus filhos para o caso de eu não estar aqui.

* Com seu irmão, Phil Chess, Leonard fundou a Chess Records, a gravadora para a qual Bo Diddley e Chuck Berry, entre muitas outras lendas do blues e do rock, gravavam.

Digamos que isso acontecesse e o dinheiro viesse, qual seria a primeira coisa que você faria com o dinheiro?

BERRY: Que filhos? Eles fariam coisas diferentes, meu filho compraria uma Mercedes, sem dúvida. [Minha filha] a Ingrid ia comprar uma casa no Sul porque não gosta do clima daqui. Quem mais?

O que *você* faria?

BERRY: Ah, eu! Achei que você tinha perguntado o que meus filhos fariam. Em primeiro lugar, posso dizer o que não faria. Eu não colocaria em ações. Colocaria em imóveis... Ah, aqui, posso lhe dar as porcentagens: Dez por cento iriam para o Haiti.* Depois os próximos 10 por cento seriam para tentar desenvolver uma empresa que vou abrir. E as prisões precisam de muita coisa. Eu vi, sabe, vários prisioneiros** que precisam ser mortos imediatamente. Eu colocaria isso lá. Deixaria claro que quem não aproveitasse a oportunidade [da reabilitação], sabe, pena de morte nele! Pena de morte para ele ou ela. E depois, com a maior parte do resto, eu esperaria para descobrir se tinha alguma outra ideia.

[*Continua...*]

[ROADIES]

Para alguns, a ideia de ser um roadie invoca imagens atraentes de um passe permanente para os bastidores com mulheres devassas, fartura de drogas e eterna diversão irresponsável. Mas, depois de passar várias semanas em turnê disfarçado de roadie, descobri que a realidade é muito diferente da fantasia: quando você acorda às 8 horas para começar a montar um show e não para de trabalhar até a 1 hora da manhã, depois que a apresentação termina e o equipamento é recolocado nos caminhões, não existe muito tempo ou energia sobrando para a dissipação. E mesmo que haja, na maioria das noites o ônibus da turnê parte assim que o trabalho termina, em direção à próxima cidade, para proporcionar outra vez o sonho para mais 5 ou 50 mil pessoas.

Somente determinado tipo de pessoa escolhe uma vida de trabalho duro e estressante e constante deslocamento em vez da estabilidade de um emprego fixo e uma vida familiar normal. E uma dessas pessoas é Bill, que é gerente de produção

* Onde um terremoto recente matara cerca de 200 mil pessoas.
** Durante seu total de cinco anos na prisão.

— em outras palavras, chefe dos roadies, responsável por coordenar quase todos os detalhes da organização, montagem e desmonte de cada show — em grandes turnês há mais de duas décadas.

BILL: Estou com 51 anos. Estou ficando velho demais para isso.

Você pensa em parar?
BILL: Sempre. Mas agora é tarde demais para parar. Não sei o que mais eu faria. Às vezes acho que estou me tornando irrelevante e me pergunto o que vou fazer depois. Mas essa é a única coisa que sei fazer. Então me agarro a ela com unhas e dentes. Não dá para ter um minuto de paz porque tem uns cem caras de tocaia, prontos para apunhalar você pelas costas e roubar seu emprego.

Mas com todas as habilidades necessárias para o emprego, desde contabilidade a gerenciamento de pessoas e noção de produção, devem existir muitos trabalhos para você.
BILL: Não sei. Se eu for para o mundo real, nenhuma empresa vai me contratar com meu currículo de trabalho para bandas de rock. E eu não ia querer trabalhar na maioria dos lugares, porque não quero usar terno.

Então você prefere ficar na estrada...
BILL: Não tenho um caso de amor com a estrada. Adoraria ficar em casa o tempo todo, mas simplesmente não consigo. Não tenho motivo para voltar para casa. Ninguém me espera no aeroporto. Não tenho ninguém além dos meus cachorros. Esta [entourage da banda] é minha família. Mas não tenho ilusões: se eu deixar de ser útil para eles, não vão cuidar de mim quando eu estiver velho. Vão me colocar porta afora.

Você tinha alguma aptidão na escola quando era mais novo?
BILL: Tirei as notas mais altas do vestibular do estado de Missouri. Tirei 8 em matemática e 7,1 em inglês. Grandes faculdades tentaram me recrutar. Mas eu queria estar em uma banda de rock. E não me arrependo porque segui meu coração. Fui à reunião de 20 anos da formatura do ensino médio, e todo mundo estava gordo, chato e tinha família. Eu pensei: “Rá!” Mas vou ter de pagar o preço um dia desses. Agora, estou adiando. O Jeff [um técnico de guitarra] e eu sempre conversamos sobre envelhecer e acabar dividindo um apartamento com apenas uma lâmpada exposta pendendo do teto e nenhuma visita.

O que este emprego tem que faz os sacrifícios valerem a pena?

BILL: Eu ganho um bom dinheiro, uso camiseta e jeans para trabalhar, e as pessoas me levam a sério. Eu estava no banheiro do ônibus de manhã outro dia, tossindo e limpando os pulmões como você provavelmente me ouve fazer toda manhã. Então peguei um pouco de café e me preparei para começar o caos da manhã. É isso que eu amo, ir da solidão aos caos. Amo acordar às 8 horas da manhã e escutar o som das caixas descendo pelas rampas. E é idiota, mas você tem uma sensação de poder quando manda acender as luzes pouco antes do show e a plateia simplesmente enlouquece.

Você tem filhos?

Bill: Tenho uma filha que está com 31 anos. Ela tem dois filhos, e não temos um bom relacionamento.

E sua mulher?

BILL: Ela morreu.

Você a conheceu em um show?

BILL: Eu a conheci em um bar quando tinha 19 anos. Eu era de uma banda na época. Ficamos juntos por dez anos. Foi um relacionamento conturbado.

Por causa dela ou de você?

BILL: De mim. Não sou um homem de fácil convivência. Eu era jovem. Não estava pronto para me amarrar. Eu errei.

Agora você está pronto?

BILL: Acho que ainda não. Quando você vive sozinho o tempo todo, cria uma desconexão.

Você já se sentiu mal por não estar presente para sua filha?

BILL: Sempre. Mas minha ex-mulher se mudou com ela para a Flórida quando ela tinha 12 anos basicamente para me punir. Ela tentou nos manter afastados. Então [minha ex-mulher] teve linfoma de Hodgkin. Fiquei perturbado com toda a coisa da doença, e o afastamento dela tornou tudo mais constrangedor.

Você a viu ou tentou se reconciliar quando ela estava doente?

BILL: Bom, a doença dela entrou em remissão e a encontrei em um show no qual estava trabalhando. Aquilo me deixou muito perturbado. Ela queria conversar e fazer as pazes, e fiquei apavorado. Não consegui lidar com aquilo. Fui covarde. Eu tinha um show para fazer e perguntei se podíamos resolver aquilo depois. Então ela ficou bêbada durante o show e depois começou a me esculhambar na frente de todo mundo. Eu não aguentei, então fui embora.

Você a viu depois disso?
BILL: Nunca mais a vi. No dia seguinte, ela ligou se desculpando e disse que estava arrependida. Ela queria sair para jantar naquela noite. Mas inventei uma desculpa e saí da cidade no dia seguinte. Um ano depois, quando eu estava na estrada, um amigo ligou e disse que ela estava morta. Eu nem sabia que a doença tinha voltado.

Como você se sentiu quando ele contou isso?
BILL: Aquilo caiu sobre mim como uma tonelada de tijolos. Não senti que era responsável por sua morte, mas que ela tinha morrido achando que eu a odiava.

Agora você se arrepende de ter lidado assim com a doença da sua mulher?
BILL: Tenho de admitir que a morte dela me modificou. Foi quando encontrei a espiritualidade. Quatro anos depois daquilo, eu falava com ela todos os dias.

Em que circunstâncias você falava com ela?
BILL: No começo, eu falava com a minha mulher de qualquer lugar. Quatro ou cinco vezes por dia, e implorava a ela para escutar e implorava perdão por nunca termos conseguido nos reconectar. Eu realmente comecei a sentir que ela estava me ouvindo e que me perdoando (*pausa*). Não sei. Talvez eu esteja tentando racionalizar o que fiz para poder conviver comigo mesmo. Mas temos um relacionamento muito melhor agora do que tínhamos quando éramos jovens.

Você ainda fala com ela?
BILL: Quando aceitei o fato, passei a falar menos com ela. Já faz 13 anos, e em algumas épocas falo com ela de dois em dois dias, e em outras se passam meses. Nas noites de folga, a maioria dos caras não me liga para sair. E não quero deixá-los para baixo e agir de um jeito que eles não possam ser eles mesmos perto de mim. Então às vezes fico sozinho no meu quarto de hotel e falo com ela porque ela é a única pessoa que tenho para falar, a única que ouve. Quando minha mãe morreu, eu conversava muito com ela.

Você tinha esse tipo de conversa com ela quando estava viva?
BILL: Não sou bom de conversas. Nunca conversei com ela assim quando estava viva. Eu não a tratava bem. Achava que se alguém me amava tanto, devia haver

algo errado com ela. Sua morte provavelmente causou mais crescimento em mim do que qualquer outra coisa. Estou mais confortável comigo mesmo do que nunca. Acho que finalmente aceitei seu amor depois que ela partiu.

Você tentou se reconciliar com sua filha depois?
BILL: Tentei fazer as pazes com ela e nos reconectamos no funeral. Ela foi morar comigo por um tempo. Mas ela ficou com um cara esquisito parecido com o Eminem. E enquanto eu estava em turnê, ele vasculhou meu arquivo, pegou todos os meus dados e fraudou meu cartão de crédito.

Quando voltei para casa, eles tinham ido morar juntos. Fui até lá, o agarrei pela gola e estava pronto a causar um dano. Fiquei furioso. Mas minha filha disse: "Não o mate. Estou grávida." Aquilo me interrompeu de repente. Eu só disse a ela: "Me ligue quando se livrar dele", e fui embora.

Ela se livrou dele?
BILL: Ela ainda está com ele. Agora eles têm dois filhos. Só ouço falar dela quando ela precisa de dinheiro.

E você dá?
BILL: Sempre dou, tipo uns mil dólares. Dinheiro é a única coisa que ela não teve quando era mais nova e que posso dar agora. Ela não me deve nada: nunca estive presente.

Você conhece seus netos?
BILL: Nunca conheci os bebês. Ela não deixa. Eu gostaria de vê-los.

Acha que ela está fazendo isso por vingança?
BILL: Meu lado cínico diz que sim. Mas não desisti dela. Ainda espero que mude de ideia. Mas agora tenho nove filhos. Eu apadrinho crianças como parte de um fundo cristão para crianças. Faço isso há muitos anos. Você manda 28 dólares por mês para eles. Menos no aniversário, que você manda 50 dólares e recebe um cartão. É ótimo: uma maneira barata de aliviar um pouco da minha culpa.

Você já viu o filme *O lutador*?
BILL: Aquele filme realmente me tocou. Esse e *Amor sem escalas*.

De que forma?
BILL: Porque eu tentava sobreviver no mundo e encontrar alguém para gostar.

= [THE RED HOT CHILI PEPPERS] =

Quando os integrantes de uma banda — formada por delinquentes com um passado de muitas turnês e diversão pesada — crescem, ficam sóbrios, começam famílias e encontram a espiritualidade, como no caso do Red Hot Chili Peppers e seu baixista, Flea, algo inesperado começa a acontecer: o sonho do rock and roll se transforma em um emprego — muito cansativo.

É mais difícil fazer turnês agora que você tem família e está sóbrio?
FLEA: Eu gosto de tocar para as pessoas, mas o estilo de vida da turnê é uma droga. Sinto saudades da minha filha. Tenho a sensação desagradável de não ter raízes. Fisicamente, é muito pesado estar em uma cidade diferente a cada dia, viajando de ônibus e avião, fazendo shows toda noite. Para mim, fazer um show é um enorme esforço físico. Fazer isso noite após noite me deixa exausto e esgotado, e fico muito sozinho, triste e cansado. E essas palavras não formam um bom trio: eu preferiria amado, criativo e enérgico.

Existe um contraste interessante entre seu comportamento no palco, quando você mais parece um animal selvagem, e fora dele.
FLEA: É meio como bater punheta. Logo depois de gozar, acontece uma grande mudança de emoção: "Ah, é muito bom porque tem uma garota linda, ah, e ela está fazendo isso e ah, ah, ah, agora estou deitado no meu quarto com porra na barriga." É uma mudança rápida. Sair do palco pode ser assim às vezes (*pausa*). Você já fez feijão?

Não.
FLEA: Estou cozinhando e preciso de instruções.

Todas essas turnês afetaram de alguma forma a sua saúde?
FLEA: Sem dúvida estou sentindo os efeitos do desgaste físico, de usar muitas drogas e de ser louco o tempo todo achando que era o Super-Homem e podia aguentar qualquer coisa. Sou muito mais atento ao meu corpo agora e tento tratá-lo como um templo e tal. E as coisas que eu fazia antes — entrava na casa das pessoas e as roubava — sinto que são um carma ruim. Na verdade, vou tentar entrar em contato com as pessoas que prejudiquei e consertar as coisas pela minha própria sanidade.

Você já fez isso?
FLEA: Ainda não. Só fico falando disso. (*Para alguém ao fundo*:) Clara, tire o Mr. Salty dali. (*Para mim:*) Nosso gato, o Mr. Salty, estava a ponto de comer o Mr. Periwinkle.

Quem é o Mr. Periwinkle?
FLEA: Nosso peixe.

O que a letra "love and music can save us"*significa para você?
FLEA: Escrevi essas palavras — e nas críticas, as destacaram em especial como idiotas, cafonas, clichê e simplesmente ridículas. Não ligo para o que dizem, de qualquer forma. Acho que o amor e a música podem arruiná-lo se você tiver medo.

Como assim?
FLEA: As pessoas falam que o amor é doloroso, terrível e tal. Acho que só é doloroso e terrível se você tiver medo de si mesmo. Para mim, é aí que fica doloroso. Nas épocas da minha vida em que eu tinha medo de amar alguém, era porque temia sentir dor quando fosse deixado sozinho ou se a pessoa não me amasse tanto quanto eu queria. Eu passei por depressões terríveis por causa disso, mas é só porque tenho medo.

[MERLE HAGGARD]

Merle Haggard é o sonho americano em pessoa. Nascido em uma família pobre, ele perdeu o pai aos 9 anos, aos 13 já estava em reformatórios e foi preso aos 20 por tentativa de roubo a um bar. Três décadas depois, com cerca de quarenta músicas em primeiro lugar nas paradas, ele tinha se tornado um dos cantores de country mais lendários de seu tempo, e Ronald Reagan até perdoara seus crimes.

Qual foi a lição mais significativa que você aprendeu sobre a vida?
MERLE HAGGARD: Honestidade.

Por que honestidade?
HAGGARD: Não sei. Por algum motivo isso me ocorreu (*ri*). Só me pareceu a coisa certa a fazer.

---

* O amor e a música podem nos salvar. (*N. da T.*)

Já houve algum momento em que você foi menos honesto do que é hoje, como quando ficou na cadeia?
HAGGARD (*pigarreia*)**:** Não, eu sempre quis ser honesto. Desde minhas primeiras lembranças, eu sabia que isso era necessário.

Você teve dificuldade ou foi algo fácil?
HAGGARD: É meio como a gravidade. Na primeira vez em que menti para alguém, não consegui aguentar nem dez minutos. Tive de contar a verdade. Só não queria que aquilo acontecesse. E o outro problema é que não tenho uma memória muito boa. Sabe, se minto para alguém, sou obrigado a lembrar da mentira.

Então, em que momento da sua vida você aprendeu isso?
HAGGARD: Mais ou menos na mesma época em que aprendi sobre a gravidade.

Sério?
HAGGARD: É, foi bem nessa época. Eu era bem novo quando percebi. Meu pai foi meu primeiro ídolo, e o ouvi dizer que não tolerava mentirosos. E aquilo teve um grande impacto sobre mim.

Mas e aquelas mentiras brancas, como dizer a alguém que você está atrasado porque ficou preso no trânsito?
HAGGARD: Admito que conto essas e as usei para não magoar os outros e coisas assim. Mas realmente tenho trabalhado nessa área e acho que, quando você se dá ao trabalho de dizer a verdade, normalmente é mais interessante. E uma mentira é óbvia. Digo, se for bom demais para ser verdade, provavelmente não é.

Eu estava entrevistando o Chuck Berry e ele colocou isso de um jeito ótimo: "Não existe nada mais aprumado que a verdade."
HAGGARD: Ele está certo. Mentir é um pecado terrível e algo que não devemos fazer. E devemos ficar felizes por não fazê-lo. Como está a saúde do Chuck?

O Chuck está com uma saúde ótima. Ele é muito inteligente.
HAGGARD: Bom, ãhn, espero que o Chuck viva para sempre e espero conhecê-lo em breve. Ele influenciou tudo. Claro, sou fã desde que ele começou a se apresentar. Até mesmo antes que ele gravasse.

O que o fez se identificar com a música dele na primeira vez que a ouviu?
HAGGARD: Não tocavam música negra no rádio, então eu sabia que ele era influenciado pelas mesmas pessoas que eu, e *aquela* era a interpretação dele. Fi-

quei perplexo. Ele não me parecia negro. E quando descobri que ele era, pensei, "E daí?".

Certo. Porque...
HAGGARD: Foi assim que me senti. Não sou... não tenho nenhum problema com negros. E daí, sabe? O que isso tem a ver? A questão do Chuck Berry é que ele era tão louco quanto parecia.

[CHUCK BERRY *CENA 3*]

Uma das razões para Chuck Berry dar tão poucas entrevistas é porque ele ainda tem as cicatrizes psicológicas da época em que a opinião pública se voltou veementemente contra ele em 1959. Foi quando foi condenado por violar o ato Mann (que proibia o transporte de mulheres para fora das fronteiras do estado com propósito imoral), levando uma prostituta apache de 14 anos que tinha conhecido no Texas para trabalhar na chapelaria de seu *club* em St. Louis. Depois que ele a demitiu, ela acabou prestando queixa contra Berry em retaliação. Grande parte da imprensa e até mesmo o juiz em um dos julgamentos condenaram Berry não por causa da violação, mas por sua raça. Quando ele saiu da prisão, os Beatles, os Rolling Stones e os Beach Boys estavam levando suas músicas, melodias e riffs ao topo das paradas. Mesmo assim sua carreira e reputação — e psique — nunca se recuperaram totalmente.

Você estava dizendo que está ansioso para fazer o quê?
CHUCK BERRY: Ah, quero lançar aquele disco, sim. E quero tentar consertar parte das opiniões negativas que me aguardam na plateia. Digo plateia porque, se acontecesse um retorno, haveria coisas que eu poderia fazer. Como se fala isso, pessoas pobres, quando você dá...

Doações? Caridade?
BERRY: Caridade. Posso fazer caridade e pareceria que as coisas negativas passaram, sabe.

Eu entrevistei muita gente, e muitas dessas pessoas se preocupam com as opiniões e críticas negativas e escândalos. Mas se você não der atenção a essas coisas, elas desaparecem. As pessoas não se lembram por muito tempo. Só se lembram de que a música as afetou.

BERRY: Tudo bem, eu faço isso. Veja, mas quando você diz que as coisas desaparecem, alguém as traz de volta, sabe.

Mas não com julgamento. Quando as coisas ruins aconteceram, as pessoas julgaram. Mas quando trazem à tona agora, não são mais julgamentos, são histórias.
BERRY: Tudo bem, se elas se tornaram histórias, é melhor, muito melhor.

Porque você sobreviveu. Aqui está você...
BERRY: Eu não tenho problemas. Nem preocupações. Mas se elas voltarem, a outra coisa vai (*ri consigo mesmo*)...

Mesmo que essas coisas reapareçam, elas não têm mais poder. É só você continuar fazendo um ótimo trabalho. É a sua função.
Berry: Você está dizendo isso e eu estou *entendendo*. Estou entendendo. Então só faço um bom trabalho depois de uma má ação. É isso o que você está dizendo?

É exatamente isso. Tentam derrubar todo mundo que faz sucesso. Todo mundo.
BERRY: Ah, eu que o diga! O Obama que o diga. O prefeito de Washington que o diga. É. Sabe, às vezes parece que você quase chega ao fundo do poço, mas agora, depois desta conversa, estou mais animado.

Você percebeu todo mundo chamava o Michael Jackson de monstro, mas quando ele morreu de repente todo mundo voltou a amá-lo?
BERRY: É por isso que não me preocupo, porque sou apenas um homem. Quantos homens morreram antes de mim? Vou morrer também. É uma questão de tempo. E se vou morrer, que importância tem aquele incidente em que estou pensando? Esqueça! Não é nada. Na verdade, nossas maiores preocupações não são nada. É o seguinte: seria melhor do que não tê-las e não ter nada para fazer. É como ser o homem mais rico do mundo e não ter onde gastar o dinheiro.

Conheci essas pessoas ricas e elas não são felizes, porque estão muitos preocupadas em tentar continuar ricas. Quando mais você tem, mais se preocupa em perder.
BERRY: Por que você está trabalhando para a *Rolling Stone*?

Ah, pare com isso.
BERRY: Você tem outro emprego? Porque podemos fazer fama em Vegas.
JOE EDWARDS: Você vai querer mostrar o Berry Park a ele?*

---

* Berry Park é sua propriedade que fica a uma hora de St. Louis — ou trinta minutos, com Berry dirigindo.

BERRY: Do jeito que nossa amizade está, você pode levar alguém para lá quando quiser. [...] Sim, senhor, porque é logo ali e vou manter a grama cortada e tudo o mais. Sou milionário, mas corto a grama. E cada vez que a corto, é minha grama (*ri e bate palmas*). E isso é um prazer. Hm-mm-mmm.

É interessante porque cada trecho de grama tem uma história e você sabe as histórias.
BERRY: Ah, sim, cada folha. Uma folha é uma folha: quando é cortada ao meio, ela morre, com certeza. Mas a metade que não é cortada volta à vida.

Você inventou isso sobre a grama agora ou é alguma citação? Porque acho que isso vale para todos os obstáculos que você superou.
BERRY: Não, me veio à mente.

É uma ótima metáfora. Muito profunda.
BERRY: Como eu disse, podemos fazer fama em Vegas.

[*Continua...*]

[BO DIDDLEY *CENA 1*]

Mesmo sofrendo por causa de diabetes, problemas nas costas e um divórcio iminente, Bo Diddley estava cheio de energia quando rodou Manhattan de táxi, visitando lojas de guitarras e som para comprar novos equipamentos. Ele estava em Nova York para comemorar o quinquagésimo aniversário de seu primeiro single, "Bo Diddley", que ajudou a impulsionar o rock and roll e popularizou seu ritmo mais popular, conhecido como batida Bo Diddley. Ao contrário de Chuck Berry e Jerry Lee Lewis, o incansavelmente criativo Diddley não enfrentou grandes escândalos que tiraram sua carreira dos trilhos. Mas isso não significa que era mais feliz com sua sorte.

Você acha que recebeu o crédito que merece por seu papel no início do rock and roll?
BO DIDDLEY: Eu estava vendo uma coisa na TV hoje de manhã e disseram o nome de várias pessoas, começando pelo Elvis. O Elvis não foi o primeiro. Eu fui o primeiro filho da mãe a aparecer. Eu e o Chuck Berry. E estou cansado dessa mentira. Sabe, já superamos aquela besteira de negros e brancos, e essa foi a

razão para o Elvis receber todo reconhecimento que recebeu. Eu sou o cara que ele copiou. E nunca sequer sou mencionado, e ainda estou aqui, com 76 anos, me sentindo bem e trabalhando. Mas não sei por quanto tempo mais consigo ficar parado vendo outra pessoa ganhar toda a glória que tiraram de mim.

Você recebeu royalties por suas gravações?
DIDDLEY: Estou nessa há cinquenta anos, cara, e nunca vi um cheque de royalties. Não existe um filho da puta nos Estados Unidos que seja honesto e pague direito. Acho que é a mentira americana. Não sei que outro nome dar a isso. Mas o Elvis não inventou o rock and roll. Ele não começou o rock and roll. Ele apareceu dois anos e meio depois de mim. Olhe, o Little Richard disse que inventou o rock and roll. O Richard está três anos depois de mim. Ele é meu amigo e eu o amo até o fim, mas o Richard só fala.

Como você se sente quando liga o rádio e ouve sua batida sendo tocada por uma banda?
DIDDLEY: Que não estou recebendo um centavo por isso, e estou cansado. Estou cansado disso. Arranjei um advogado que chamo de meu pit bull porque ele tem uma fileira a mais de dentes, se é que você me entende. Não vou ser bonzinho quando decidir soltá-lo.

Você já verificou se sua batida pode ter direitos autorais?
DIDDLEY: *Boom bi didem boom ba didem bad did dump* é algo que inventei. Dizem: "Ah, é domínio público." Isso me incomoda, porque eu era jovem e idiota e não entendia o que estava acontecendo. Disseram que os direitos autorais não valem para a batida. Mas é a vida. Direitos autorais só valem para o que pode ser escrito.

Quando você era mais novo, com que dinheiro sobrevivia?
DIDDLEY: Trabalhando, como estou trabalhando agora. É assim que se sobrevive. Tenho um pedaço de terra, mas ainda estou esperando alguém encher minha caixa de correio. Mas depois de cinquenta anos, isso não vai acontecer. Sei de algumas pessoas, e não posso dizer nenhum nome no momento, mas elas sabem que é melhor se prepararem porque estou chegando. Veja, não quero apenas royalties atrasados, quero juros — da porra de cinquenta anos. Não importa se foram apenas 10 dólares no primeiro ano, quero juros sobre os 10 dólares. Até os milhões que tenho certeza de que me devem. Imagino que eu poderia colocar no bolso de 15 a 20 milhões. Depois de cinquenta anos, alguém está vivendo bem do que roubou de mim e dos outros músicos.

Você é um homem inteligente e acho que sempre teve bom-senso e desafiou as convenções...

DIDDLEY: Exatamente. Sou mais inteligente do que as pessoas comuns.

Então como acabou sendo tão explorado?

DIDDLEY: Eu passei por isso. Digo aos músicos jovens: "Não confie em ninguém além da sua mãe. E, mesmo assim, vigie-a bem." Você não tem tempo suficiente para conversar comigo sobre as coisas que sei. Alguns dos envolvidos são legítimos ladrões. Eles vivem de explorar você. Mas, sabe, todos os meus netos estão crescendo e quando eu for embora e for "Adeus, Bo Diddley", alguém vai ter problemas, porque eles são mais agressivos do que eu era.

[*Continua...*]

[JOHN HARTFORD]

Certa tarde, John Hartford estava sentado na cozinha de sua casa em Nashville, cercado por um metrônomo, um microfone, um gravador e três jovens músicos de bluegrass. Através das pequenas janelas do cômodo, tudo o que se via era um trecho do Cumberland River de Nashville. Hartford era uma lenda do bluegrass, piloto de barco fluvial e apresentador de TV, mais conhecido por escrever uma das músicas mais populares do country, "Gentle on My Mind", tocada por mais de duzentos artistas.

Teria sido o momento perfeito se não fosse por uma coisa: os médicos de Hartford tinham dito que ele não tinha muito tempo de vida. Complicações de um linfoma (um câncer no sistema imunológico), combinadas com anemia, uma operação de sínus e um problema no joelho o tinham exaurido. No pouco tempo que lhe restava neste planeta, Hartford tinha escolhido se concentrar em uma coisa: tocar violino.

JOHN HARTFORD: Tentei ficar bem saudável há uns vinte ou trinta anos, e acho que é por isso que tenho problemas de saúde hoje em dia. Tentei ser vegetariano e toda essa bobagem. Acho que isso me prejudicou: um dos meus maiores problemas agora é a anemia. Meu pai era médico e na época me disse para ter muito cuidado, e suas palavras se tornaram realidade. O câncer me deixou praticamente sozinho. E também tenho essa doença.

Você planeja fazer alguma coisa para promover seu novo disco ou isso não tem importância agora?

HARTFORD: Não acho que vou fazer turnê desta vez. Provavelmente tenho dois anos de vida, e promover um disco é muito menos importante do que me divertir ao máximo com o que me resta.

Defina "se divertir ao máximo".

HARTFORD: Eu amo tocar. Isso me levanta e me faz seguir em frente. O que faço é me sentar aqui nesta mesa e trabalhar com esse gravador.* Estou nessa área porque adoro tocar e explorar possibilidades. O que acontece é que você esbarra em um muro quando toca, começa a tatear e encontra uma porta. Você a abre, existe um lindo jardim do outro lado, você passa por ela e de repente todas as músicas que conhece se tornam outra vez uma nova experiência.

JOVEM VIOLINISTA (*brinca*): Onde posso encontrar essa porta?

HARTFORD: Existem muitas. [...] E, para ser completamente sincero com você, sofro muito com meus discos, todos eles. Desde que fizemos *Good Old Boys*, há uns seis ou oito meses, encontrei todo tipo de portinha. Na verdade, eu gostaria de voltar atrás e regravar tudo.

Você poderia passar a vida refazendo o mesmo disco.

HARTFORD: Meu maior objetivo é alugar meus discos em vez de vendê-los. Assim, quando eu superar um problema, posso recolhê-los e dizer: "Nós remodelamos esse material."

O que o atrai para a música além da solução de problemas?

HARTFORD: Eu amo a mecânica da música. O Roy Buchanan e eu fizemos um show para o Don Kirshner** e ficamos muito amigos. O Roy tinha acabado de sair do palco e tocado na guitarra a música mais triste e solitária que já ouvi na vida. Eu ia pegar meu casaco porque estava ficando com muito frio. Eu disse: "No que você pensa quando toca guitarra desse jeito?" Ele olhou para mim e respondeu: "No túmulo da minha mãe." E estava falando sério. Mais ou menos um ano depois ele se suicidou com um tiro ou se enforcou.***

Um banjoísta local entra na casa e se aproxima de Hartford com a intenção de apertar sua mão. Mas Hartford o cumprimenta com um aceno. Ninguém consegue

---

* Ele quer dizer que grava a música no gravador depois a toca e analisa.

** O *Don Kirshner's Rock Concert* foi um popular programa de televisão que transmitia shows de rock ao vivo antes da era do clipe de música.

*** Depois de ser preso por embriaguez em público, Buchanan, um dos maiores guitarristas de blues de sua geração, foi encontrado enforcado com a camisa em sua cela da prisão.

se lembrar da última vez que Hartford deu um aperto de mãos. Ele tem medo de que machuquem ou quebrem seus ossos. Entre as outras excentricidades de Hartford estão seu estilo de escrita (ele dá autógrafos escrevendo com ambas as mãos simultaneamente em uma letra linda) e sua preferência por conversar pelo telefone e não em pessoa (porque, ele explica: "É mais semelhante a falar no microfone").

HARTFORD: Comecei a tocar violino em bailes quando tinha 13 ou 14 anos. Depois, quando fiquei mais velho, comecei a tocar em bares. E era ali que você via coisas violentas: gente armada e brigas. Vi muito isso. Vi um cara sair de uma taverna e juro que ele ia comprar uma arma e matar o [banjoísta] Doug Dillard. No jornal da manhã seguinte, lemos que ele estava bêbado e tinha comprado uma arma, voltado e entrado no bar errado e matado alguém que não sabia de nada.

Depois da entrevista, o grupo que estava na casa de Hartford passa mais três horas tocando e escutando discos raros de bluegrass dos anos 1950. Quando os músicos jovens vão embora, Hartford continua sentado sozinho, cercado por seu microfone, metrônomo, toca-fitas e instrumento, ainda tentando acertar depois de quase cinquenta anos de violino.

HARTFORD: Hoje fiquei pensando em me apoiar totalmente no ritmo, mais ou menos como fazer esqui aquático me segurando no ritmo.

Uau, você nunca desiste.
HARTFORD: Essa é a tristeza da vida de um homem que se considera um músico medíocre.

Pouco depois desta entrevista, durante uma turnê no Texas, Hartford perdeu o movimento das mãos. Ele continuou a fazer reuniões musicais, a que assistia em vez de participar, até sua morte alguns meses depois no Centennial Medical Center em Nashville. Ele tinha 63 anos.

[LEONARD COHEN]

Uma das vantagens de ser um jornalista de música é conhecer artistas que você respeita e ouvir músicas que ainda não foram lançadas. Especialmente artistas como Leonard Cohen, que pode levar um ano para escrever uma música e outros cinco ou dez para lançá-la.

Quando eu estava na sua casa, você tocou uma música fantástica. Acho que se chamava "Tell me that you love me then".
LEONARD COHEN: É, toquei essa para você. Não toquei "Lullaby", não é?

Não.
COHEN: Elas funcionam muito bem agora. Não sei por quê. Parece que as músicas estão um pouco mais relevantes. Tenho essa "Lullaby" aqui no laptop. Posso ir pegá-lo. Quer que eu pegue?

Eu adoraria.

Cohen sai rapidamente da sala e volta instantes depois com um MacBook preto, abre o iTunes, e toca um canção triste e lenta...

"Through a net of lies, I will come to you.
When our dead arrive, I will wait there too.
If your heart is torn, I don't wonder why.
*If the night is long, here's my lullaby."**

Quando a música termina, Cohen fica vários segundos em silêncio antes de falar novamente.

COHEN: Achei que "Lullaby" é exatamente o que todo mundo precisa para dormir nestes tempos turbulentos.

Outro dia perguntei ao meu pai se ele tinha vivido uma época pior e mais assustadora que o presente, e ele disse que não.
COHEN: Concordo com o seu pai.

Você já viu algum período como este?
COHEN: Não sei o que dizer. Eu componho sobre isso e tudo o que componho parece mais autêntico, embora não necessariamente mais exato ou verdadeiro do que qualquer conversa casual.

---

* Através de uma rede de mentiras, vou alcançar você.
Quando nossos mortos chegarem, também vou estar esperando.
Se seu coração estiver ferido, não me pergunto por quê.
Se a noite for longa, aqui está minha canção de ninar. (*N. da T.*)

now in amazing

COLOR

THE TELEVISION OF THE FUTURE

Never leave home again with this new home entertainment system styled for the whole family

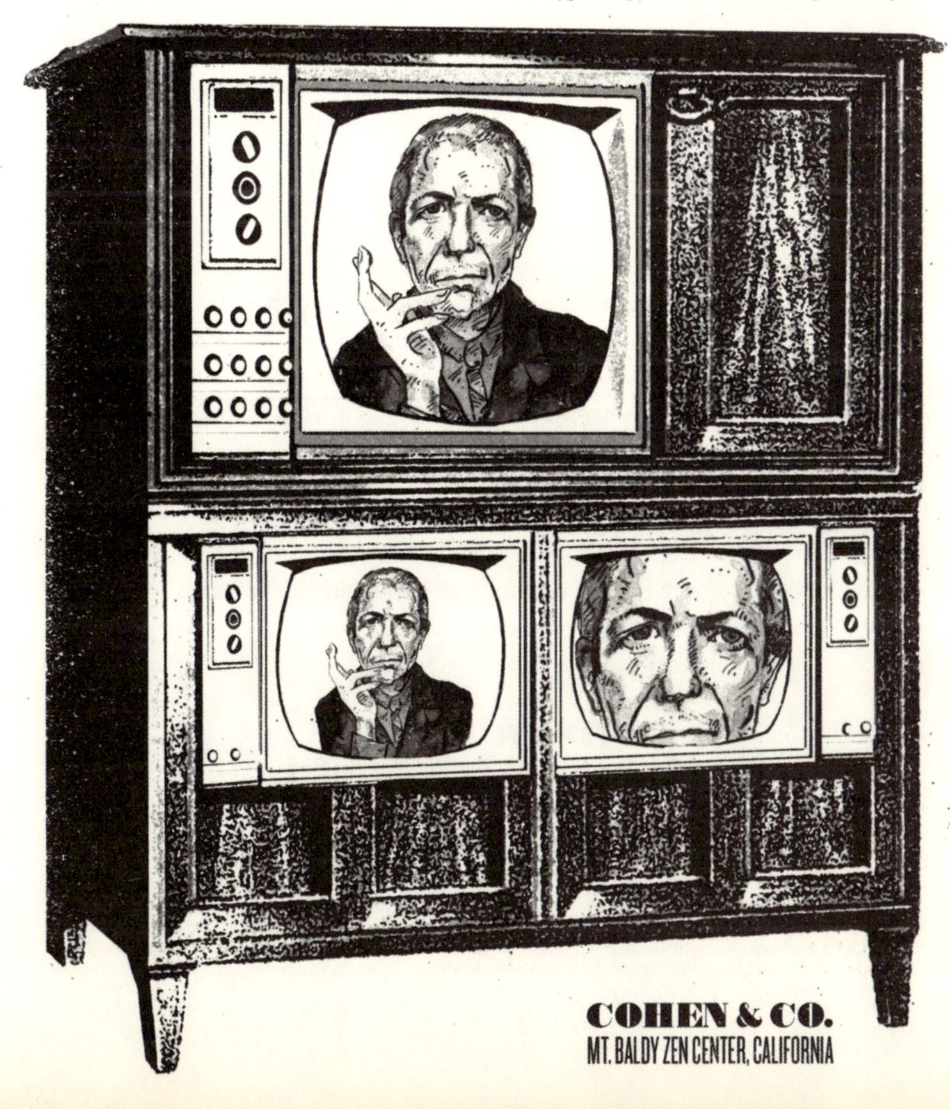

Em vários sentidos, [seu disco de 1992] *The Future* captou o que estava no ar e se tornou quase profético.

COHEN: Acho que a sensibilidade não é algo que se possa invocar, mas ela surge se você estiver sempre revelando a música e tentando enxergar por trás do slogan — seja o slogan emocional ou o slogan político. Não há nada de errado com muito do trabalho que escuto, mas grande parte dá a sensação de um slogan ou de um objetivo previamente definido. É um ótimo slogan, e tem variações interessantes. Mas se você estiver interessado em se formar através de seu trabalho, o que acho mais interessante, precisa continuar revelando e descartando aqueles slogans até chegar a alguma coisa. A coisa fica interessante quando você tem aqueles momentos em que se dá conta de algo que não estava na cara.

Você gosta do processo de compor em si?

COHEN: Eu me sinto muito distante quando estou compondo. Sinto que existe alguém do outro lado da sala preenchendo as lacunas de um questionário com muito cuidado. É difícil (*pausa*). Ouça isto.

Cohen toca mais duas músicas novas.

Todos os problemas legais já foram resolvidos e deixados para trás?

COHEN: Sim, praticamente, praticamente. Se nos encontrarmos em particular algum dia, e espero que isso aconteça mais para a frente, eu lhe conto a história. Teve um final muitíssimo interessante e O. Henryesco. Você vai a LA algum dia?

Eu moro lá agora.

COHEN: Me ligue ou apareça.

Aliás, eu queria agradecer por você me indicar aquele site de filmes.*

COHEN: E alguns dos canais de pornô também são incríveis.

[CHUCK BERRY *CENA 4*]

Depois de três horas de conversa, Berry fez uma pausa para encontrar um advogado porque estava sendo processado por causa de shows que tinha cancelado.

* Eu já tinha me encontrado com Cohen uma vez. Um amigo em comum me levou ao apartamento dele, onde Cohen estava assistindo a um documentário de Michael Moore em um site de streaming grátis que ele me mostrou.

Por incrível que pareça, depois ele queria me encontrar novamente no Blueberry Hill para conversar ainda mais. Quando nos sentamos de novo naquela noite, ele tinha baixado totalmente a guarda, e o Chuck Berry sobre quem tinham me alertado — amargo e intratável — não existia.

CHUCK BERRY: Não tenho nada contra bichas. Só não mexam comigo! E também não só as prostitutas, mas mulheres (*procurando a palavra*)... lésbicas. Sabe, eu acharia interessante entender por que elas gostam do próprio tipo. [...] Quero falar disso porque quero saber, alguém pensa como eu penso sobre sexo?

Vou lhe dizer uma coisa: todo mundo pensa.
BERRY: Hã?

Todo mundo pensa em sexo como você, mas ninguém admite.
BERRY: É, mas como podemos saber se o que você está dizendo é um fato?

O livro que escrevi, *O jogo*...
BERRY: Fala disso?

É *só* sobre isso.
BERRY (*soca a mesa*)**:** Ah, eu vou gostar (*ri e bate palmas*). Vou pagar alguém para ler esse livro para mim.

O tópico é sempre interessante.
BERRY: Mmm, esta entrevista vai ser boooooa!

Mas o sexo ainda é um grande tabu na sociedade.
BERRY: Mas em Hollywood, o decote está cada vez mais baixo, e isso nos últimos seis meses. Alguns homens nem sequer notam. E, quando uma mulher se senta, sabe, você vê um relance — whoosh! Agora mesmo, porque quando uma mulher se inclina, você percebe que o câmera se aproxima para você ver o que quer ver. Ah, cara (*bate palmas*)!

Já percebeu que se uma mulher coloca silicone nos seios, não se incomoda em mostrá-los, já que são algo que ela comprou e não que nasceu com ela?
BERRY: Cara, eu gostaria que nós começássemos uma discussão sobre TV, porque poderíamos abrir a categoria de pensamentos que são permitidos, sabe. Porque tiram você da TV se você for muito ostensivo. É essa a palavra.

Sim, ostensivo ou explícito.
BERRY: Mas se todo mundo fizesse isso, quem ia impedir? Eu sei que tipo de homem você é, (*baixa a voz*) é isso que estou me preparando para dizer. Eu sei que você pensa e você sabe que eu penso, porque não existe nada (*soca a mesa*) mais aprumado que a verdade.

Essa categoria devia ser muito mais fechada quando você era mais novo.
BERRY: Meu pai fazia trabalho de carpinteiro por todo o sul de St. Louis. E na parte sul de St. Louis, muitos homens trabalham longe de casa e as mulheres ficam em casa. E o engraçado é o seguinte: quando eu era jovem, eu era ótimo.

Não como agora.
BERRY: Estou falando de ótima *aparência*! Enfim, eu ajudava meu pai a consertar uma fechadura, e as mulheres traziam laranjas ou coisa do tipo. Não todas as mulheres, mas algumas eram atiradas. A princípio, meu pai as ignorava. Eu não sabia por que ele não ria quando elas riam. Elas flertavam com meu pai e faziam comentários sobre mim, e tentavam encorajá-lo a dizer alguma coisa de mim. E ele nos ensinou a não dizer nada e a não sorrir. Se você fizesse isso, quebravam seu pescoço. Você ia para a cadeira. Quando eu tinha 5, 8 e 10 anos, as relações não eram assim. Você ainda nem tinha nascido. Estou falando de antes do seu tempo. Mas ele queria nos manter vivos.

Imagine como era quando seu pai nasceu.
BERRY: Ah, quando ele nasceu, bem, eles não podiam responder. Enforcavam você em um minuto. Sabe, eu não sabia que você era culto... quer dizer, sofisticado. Sua sofisticação está ficando aparente, por assim dizer. Você sabe muita coisa!

Obrigado.
BERRY: Literalmente, você sabe muita coisa. Existe muita coisa na vida que as pessoas não falam. Mal falamos sobre música desde que começamos, sabe, mas cara, quando começamos a coisa do sexo (*ri*), falamos mesmo. E posso lhe ensinar algumas coisas, porque é totalmente diferente do que você deve ter [aprendido na] universidade. Qual é a sua empresa?

Rolling Stone.
BERRY: *Rolling Stone*! Essa é uma revista sofisticada. Não tão dedicada ao sexo quanto a *Playboy*, mas muito mais que a *Discovery.*

É verdade...
BERRY: Sabe, qual é aquela revista amarela que parece um dicionário?

***National Geographic*?**
BERRY: Isso! Mas dá para ver um pouco de alguma coisa lá. Eu ficava olhando aquela (*soca a mesa e ri*). Eles mostram um pouco, porque me lembro de olhar um monte delas. E claro, a *Playboy*. Todos os jovens olhavam a *Playboy*. Era muito explícito! Mostra exatamente o que você quer ver. Imagine um mamilo ocupando uma página inteira? Mas aquilo foi *muito* interessante. Eu nunca tinha chegado tão perto (*ri*). Ah, cara, poderíamos escrever um livro sobre isso.

[*Continua...*]

[LORETTA LYNN *CENA 2*]

Como você cantou sobre contracepção e outras questões femininas, já pensou em fazer uma música sobre implantes de silicone para os seios depois de sua experiência negativa com eles?
LORETTA LYNN: Bom, é o seguinte, minha secretária tinha feito. E entrei no meu escritório um dia e ela disse: "Olhe isto, não preciso mais usar sutiã!" Eu morro de vergonha que as alças do meu sutiã apareçam ou coisa parecida, sabe. E ela falou: "Olhe como estão grandes agora!" E eu disse: "Não quero que os meus fiquem maiores." Ela respondeu: "Bom, você nunca mais vai ter de usar sutiã se fizer isso." Então eu fiz. Eles começaram, mas encontraram tumores sangrentos e uma úlcera, então não terminaram. E quanto tentaram reconstruir o outro lado para ficar igual, acho que usaram um material prejudicial à saúde.

Silicone?
LYNN: É, acho que foi isso. E estourou e foi para o meu braço direito, por todo o braço e os ossos. Tiveram de raspar das minhas costelas e de todo lado. Isso ainda me preocupa, porque aquela garota hoje tem câncer e está fazendo quimioterapia. O dela nem sequer estourou. Mas veja, ela operou três ou quatro vezes. Eu não desejaria que uma das minhas meninas experimentasse isso.

E isso não a motiva a escrever uma música sobre o assunto?
LYNN: Bom, sabe, eu não tinha pensado nisso, mas é uma boa ideia. Eu poderia chamá-la de "Não acha que já são grandes o bastante?" (*ri alto*).

[BO DIDDLEY
CENA 2]

"Se eu largasse a guitarra hoje ou amanhã, não morreria de fome", disse Bo Diddley enquanto me conduzia por sua casa em Gainesville, Flórida — cheia de instrumentos e jogos que ele tinha inventado — até seu estúdio caseiro. "Sei muitas coisas. Sei decorar. Sei cozinhar. Entendo de eletrônica, fios e qualquer tipo de elétrica. Eu consigo resolver qualquer coisa."

No estúdio, Diddley se sentou atrás de uma mesa coberta de equipamentos de gravação, ligou uma máquina de ritmos e passou quase duas horas cantando rimas obscenas em um microfone, fornecendo um raro vislumbre da mente que ajudou a inventar o rock and roll.*

BO DIDDLEY (*canta*)**:** Duas senhoras estavam brincando na areia / Uma disse à outra: "Queria que você fosse um homem." / A outra disse: "Não sou homem / Mas calma, querida, vou fazer o melhor que puder." (*Para mim*:) Era isso que eu fazia na infância.

De onde é a letra?
DIDDLEY: Um amigo da escola escreveu a música para mim em um pedaço de papel pautado de caderno. Minha mãe encontrou e disse: "Venha aqui." Eu dei alguns passos em direção a ela. Ela falou: "Chegue mais perto." Eu cheguei mais perto, mas com um pé atrás para poder fugir. Ela disse: "Se você fugir, vai ser duas vezes pior."

Então ela bateu em você?
DIDDLEY: Isso mesmo, bateu. Agora, se você fizer isso, vai preso por maus-tratos à criança. Cara, minha mãe teria estado em todas as prisões. Ela me batia por qualquer erro meu (*pausa*). Mas funcionou.

A letra obscena que você estava cantando antes dessa, era de "Uncle John"?**
DIDDLEY: Era.

---

* Keith Richards sobre ver Bo Diddley em sua juventude impressionável: "Ele estava ali com aquela guitarra quadrada e não se continha. Eu o via sair do palco e só tinham sobrado duas cordas na guitarra. Também havia uma mistura da batida tribal e uma atuação que lembrava Nova Orleans. Ele tinha [sua guitarrista] a Duchess, naquele vestido dourado. Ela se aproximava e abraçava você: 'Ah, querido, eu amo você!'. Digo, ser imprensado entre aqueles peitos aos 19 anos... maravilhoso."

** Sua lendária música perdida, que foi reescrita e se tornou a menos indecente "Bo Diddley" para seu primeiro single.

BO DIDDLEY *says*

"You can be a famous inventor!"

INVENTORS INSTITUTE OF GAINESVILLE

Name: ______________________ Age: ______

Street: ____________________ Phone: __________

City, State, Zip: ______________________________

Learn from the best: Johannes P. Revolver, Wilhelm Conrad Plastic, Alexander Graham Telephone, Rudolf Blowdryer.

*All courses conducted by mail.
Famous inventors will "evaluate" your patents before you submit them. Life insurance policy included.

Você deveria pensar em lançar essa versão dela um dia desses.
DIDDLEY: Ah, não, não posso fazer isso. É grosseira demais.

Se você parar para pensar, o maior sucesso do Chuck Berry foi "My Ding-A-ling", e é tão grosseira quanto essa.
DIDDLEY: Em vez disso, estou trabalhando em algo novo para o público. (*Pega uma guitarra e canta uma música mais obscena ainda, depois se interrompe para ver se estou gostando.*) Não faço isso para qualquer um.

Obrigado. Estou gostando.
DIDDLEY (*canta*)**:** Eu conheço um cara, um cara chamado Neil / Ele veio aqui para conversar comigo / Ele tem uma matéria e vai escrevê-la bem / E eu vou cantar, é assim que vai ser / Ele vai começar a andar comigo, Bo, Bo Diddley, fazer o que eu faço / Vou levá-lo para me ouvir cantar.

Ele aperta um botão em um sampler e um riff de guitarra de heavy metal ensurdecedor sai pelos alto-falantes. Ele começa a gritar imitando o estilo metal, mas não parece estar no clima. Então para, abre uma gaveta e tira uma peruca de cabelo comprido e preto estilo Nikki Sixx, que veste. Ele começa a fingir que está batendo cabeça enquanto grita a letra com energia renovada e comprometida.

Não imaginei que você era fã de heavy metal.
DIDDLEY: As pessoas ficariam surpresas se vissem o que sei fazer.

Quando a música acaba, ele tira a peruca e liga um de seus instrumentos de corda caseiros em um sintetizador de guitarra. Ele toca Bach, depois arranjos em tom menor de suas músicas com uma sonoridade gótica. Logo depois, uma protegida sua de 20 anos chamada Tiffany chega, e os dois começam a trabalhar em uma música nova.

DIDDLEY: Estou há cinquenta anos no negócio, e não parece que se passaram cinquenta anos. Me sinto muito bem e feliz. Tenho um probleminha com meu dedo do pé, da diabetes. Muita gente tem essa droga hoje em dia. Mas lhe digo uma coisa: alguém está alimentando isso. É uma doença, mas acho que vem do fast food. Toda a gordura e as coisas processadas que você come, mesmo no supermercado, têm algo a ver com isso.

Mesmo com tudo o que está acontecendo, sua disposição é impressionante.
DIDDLEY: Não estou tão bem. Aqui (*apontando para as pernas*), não aguento mais peso na parte superior do corpo. Mas daqui para cima (*indicando do torso à cabeça*), não mexam comigo.

Depois que a matéria foi publicada, Diddley ligou e me agradeceu em seu estilo inimitável. "Se você fosse uma garota", disse ele, "eu comeria você." Tentei convencer Diddley a lançar um disco com suas gravações caseiras, mas ele disse que estava em meio ao divórcio de sua quarta esposa e ainda não queria começar um projeto novo para o caso de ela ganhar parte dos lucros.

Menos de dois anos depois, Diddley desmaiou por causa de um derrame após um show em Iowa. Mais tarde, no mesmo ano, teve um ataque cardíaco do qual nunca se recuperou completamente. Ele morreu em sua casa no ano seguinte aos 79 anos.

[CHUCK BERRY *CENA 5*]

Depois de uma hora conversando quase exclusivamente sobre sexo, Berry pediu para mantermos contato.

CHUCK BERRY: Hoje você mencionou que podíamos nos encontrar outra vez. Vamos ter de fazer isso, porque vou fazer umas perguntas. Mas não uso e-mail.

Vou lhe dar meu telefone, e sempre que você quiser conversar...
BERRY: Ah, sim. Na verdade, posso mandar um fax.

Ótimo.
BERRY: Ah, sim, precisamos conversar. Temos um ótimo relacionamento aqui. Porque, como eu disse, vou perguntar algumas coisas para você. Se aquele livro falar o que eu acho que fala, oh ho! Aí eu vou saber que alguém escreveu sobre isso. Arrase o Berry e mande notícias para o Strauss!

Acho que o que faz a boa arte, a boa música e os bons livros é quando as pessoas falam sobre coisas que os outros têm medo de debater.
BERRY: Desde que seja divertido e inspirador, não vejo por que mais gente não deva saber. Se não existisse nada além de amor, não haveria guerras. Como pode? E eu gostaria de ver uma guerra de amor. Sabe, em vez de morte e destruição seria só — mm-mmm — todo mundo saindo da linha.

Talvez tenha sido isso que os hippies tentaram fazer.
BERRY: Ah, quer saber, muitos dos traços deles estão sendo compreendidos outra vez. Veja quanto tempo demorou para as minissaias aparecerem. Demorou dos

anos 1700 até os anos 1970. São mais de 250 anos. Houve um tempo em que as roupas das mulheres eram camadas e mais camadas, tudo escondido.

Como aqueles vestidos vitorianos.
BERRY: Não tem espaço para viver dentro deles (*ri e bate na mesa*). E eu pensei sobre isso! Whoo (*bate na mesa outra vez*)!

Acho que as fantasias sexuais das mulheres são mais loucas que as dos homens. Porque as fantasias dos homens são encorajadas, mas com as mulheres, os pais sempre dizem: "Não, não fale sobre isso — é ruim." É algo reprimido, e aí cresce cada vez mais...
BERRY: Como assim cresce cada vez mais? (*ri do próprio trocadilho*).

É o que acontece com os homens...
BERRY: Alguns homens me pareceram mais bonitos por terem peitos enormes (*ri*). Eu os chamo de peitudos. É isso o que é, mas é mole. Se é grande... eu nem quero falar sobre isso.

Não fale sobre isso. Não vamos entrar nesse assunto.
BERRY: É, deixe-me fazer uma pergunta. Não ria porque não é engraçado, e eu não... Sim, estou falando sério. Você não é maricas, é?

Não, não sou.
BERRY: Bom, é isso que quero ouvir. Quer dizer, eu conversei com homens maricas. Você conhece o Little Richard?

Não pessoalmente.
BERRY: Enfim, ele é mesmo. Eu sei porque ele me abordou... Ele me cantou uma vez, sabe. E simplesmente não faz sentido. Não consegui *acreditar*! E ele acredita nisso. O que estou dizendo é que ele não nega. Enfim, estou perguntando isso só porque você disse "Vamos conversar", sabe...

Ah, não!
BERRY: E também sou comediante. Eu deveria ter dito isso na hora, mas você continuou falando.

Viu, estraguei tudo. Já considerou fazer comédia profissionalmente?
BERRY: Ah, sim, eu queria muito ser comediante. E fazia tanta comédia no ensino médio que não conseguia arranjar uma namorada.

Você ainda quer?
BERRY: Toda vez que tenho uma chance. Ainda estou tentando!

Vou deixar você ir, mas me diverti muito. Foi uma das minhas entrevistas favoritas.
BERRY: Vamos repetir!

[GENTE VELHA]

Na igreja episcopal St. Paul's, no norte do estado de Nova York, mais de vinte pessoas mais velhas estavam sentadas em silêncio se preparando para comer. Guardanapos de papel foram distribuídos, seguidos por talheres e pequenas tigelas marrons de molho Thousand Island. Tudo estava acontecendo no ritmo dos mais velhos, até que David Greenberger puxou uma cadeira na cabeceira da longa mesa retangular e acabou com a serenidade deles.

Greenberger é editor do *Duplex Planet*, provavelmente a fanzine mais longeva do mundo, com centenas de edições consistindo unicamente dos resultados de suas entrevistas com pessoas mais velhas. Nisso, ele concedeu a muitos de seus entrevistados uma inesperada segunda carreira: como poetas, críticos de discos, artistas e celebridades cult. Eles publicaram livros, gravaram discos, escreveram para revistas e até criaram capas de discos (incluindo uma do R.E.M.) como resultado da amizade de Greenberger.

JAMES: Você vai nos fazer mais perguntas outra vez?

Greenberger tira uma folha de papel em branco de sua maleta e olha para a galeria de rostos enrugados da mesa.

DAVID GREENBERGER: Quem é o rei do amor?
JERRY (*sorri para a esposa*)**:** Leona.
LEONA: Eu não sou o rei.
JERRY: Ah, você não é o rei?
JAMES: Ela é a rainha do amor. (*Para Greenberger:*) responda você, quem é o rei do amor?
GREENBERGER: Não sei. Não existe resposta certa. Depende da opinião.
JAMES: Rita, quem é o rei do amor?
RITA: Nossa, não sei. Ainda não o conheci. Não sei onde ele se escondeu.

JAMES: Aguente firme, Ri. (*Para Greenberger:*) sem dúvida alguma não sou eu. Embora tenha ouvido uma música na televisão. Foi tirada do filme *Dusty.* Acho que era do Strait. Qual é o nome dele, afinal, Black Strait?

George?

JERRY: George Strait, é isso. Se chamava "No Greater Love Than My Love Is For You."* Era simplesmente linda.

MARIE: Sou cercada de amor.

ELEANOR: Nunca ouvi falar disso.

JERRY: Parece alguma coisa bíblica.

No carro de Greenberger, trinta minutos depois.

Qual é seu objetivo com essas entrevistas?

GREENBERGER: Quero ensinar às pessoas que envelhecer e se deteriorar é parte do negócio. É isso que vai acontecer mais tarde.

Você acha difícil ver as pessoas com quem trabalha morrerem?

GREENBERGER: É parte do processo. Eu estava encontrado um cara chamado Arthur Wallace. Eu sabia que ele estava morrendo. Ele era muito franco em relação ao seu passado político radical, mas nos últimos meses da vida, começou a confundir as coisas. Percebi que não era à toa. Parece que algum tipo de mecanismo de proteção toma o controle quando você envelhece. Por isso o que as pessoas dizem para de fazer sentido na velhice. De que outro jeito você pode enfrentar a morte a não ser que esteja meio confuso sobre a sua condição? Assim tudo fica um pouco mais suave.

[RAYMOND SCOTT]

De algum jeito, enquanto estava fazendo estágio no *Village Voice*, eu consegui convencer o editor de música a me mandar a Los Angeles para entrevistar Raymond Scott. Foi minha primeira grande chance. Eu mal sabia dirigir e nunca tinha estado em LA, mas essas eram as minhas menores dificuldades. A pessoa que eu deveria entrevistar mal conseguia falar.

* Esclarecimento: Na verdade, o filme se chama *Pure Country*, o personagem de Strait se chama Dusty, e a música é "I Cross My Heart".

Durante a maior parte da vida, Scott foi um homem muito à frente de seu tempo. Mas, quando o conheci em sua casa em Van Nuys para sua primeira — e última — entrevista em décadas, o tempo o tinha alcançado.

Embora o nome de Scott possa não ser familiar para a maioria das pessoas, sua música sem dúvida é: assista praticamente a qualquer desenho do Pernalonga e do Patolino e vai ouvir a orquestra tocando seus riffs de jazz sincopados, quase mecânicos, especialmente se houver uma cena com coisas se movendo por uma esteira rolante.

Scott ficou famoso como líder de uma excêntrica banda de jazz do final dos anos 1930 chamada Raymond Scott Quintette, gravando evocativos sucessos de swing com títulos como "Reckless Night on Board an Ocean Liner" e "Dinner Music for a Pack of Hungry Cannibals". Cada novo 78, que personificava sua filosofia musical de "pegá-los pelos ouvidos", esgotava-se em questão de semanas. Ele acabou tendo uma das carreiras mais variadas da música: começou a primeira banda de rádio racialmente integrada, comandou uma orquestra na NBC, escreveu um musical da Broadway para Yul Brynner, trabalhou para a Motown Records, compôs jingles para empresas como Gillette e Pepsi e se tornou inventor e pioneiro da música eletrônica. Nos anos 1950, ele montou um sintetizador, sequenciador e máquina de composição com inteligência artificial que chamou de electronium.

A garagem da casa de Scott em Van Nuys era cheia de evidências meticulosamente reunidas de sua carreira ao melhor estilo Zelig, incluindo uma gravação sua fazendo uma audição (e rejeitando) um jovem Bo Diddley. Sentada na sala de estar deles, a esposa de Scott, Mitzi, discutiu o ressurgimento do interesse por ele.

MITZI SCOTT: Fiquei muito surpresa pelo interesse que as pessoas demonstraram. O Raymond recebeu duas cartas de fãs e três pedidos de fotografias desde que o CD saiu. As cartas dos fãs eram de pessoas jovens. Uma veio com um pão de nozes. (*Scott entra na sala de estar usando seu robe.*) É um repórter do *Village Voice*. Ele vai escrever uma matéria sobre você.

Scott se senta em silêncio ao lado da esposa.

Posso fazer algumas perguntas a ele?

MITZI: Ele tem dano cerebral e não consegue se comunicar. Teve quatro derrames. Acho que as habilidades mentais ainda estão em algum lugar lá dentro, e sei que ele sabe que teve dano cerebral. E está muito triste com isso. Ele fica frustrado porque sabe o que está acontecendo. De certa forma, o Raymond é muito infantil. Se não consegue o que quer, tem um chilique. Não existem inibições.

RAYMOND SCOTT: D-d-desculpe.

Ele está fazendo algum tipo de reabilitação?
MITZI: Quando ele teve o primeiro derrame, levei-o ao pronto-socorro e ele estava totalmente lúcido, brincando com as enfermeiras. Enquanto estava no hospital, ele teve um segundo derrame. Esse causou um grande dano cerebral. Quando estava se recuperando em casa, seu vocabulário começou a voltar. Ele estava reaprendendo a escrever. Então teve um terceiro derrame que causou mais danos. Ele estava fazendo progresso depois disso, e aí teve outro derrame em julho. Agora não sei se vai conseguir se recuperar algum dia.

Ele se lembra das coisas que fez?
MITZI: Aqui existe uma estação de rádio que toca muita música das grandes bandas. Às vezes tocam as músicas dele. Se ele ouvir, diz: "Essa é minha." É terrível que tudo isso tenha acontecido com ele. Era um homem muito inteligente.
RAYMOND: Quem é esse?
MITZI: O nome dele é Neil Strauss. Ele é do *Village Voice* de Nova York.
RAYMOND: Ah, é?

Mostro a ele a capa do CD.

Estou aqui para escrever sobre seu CD.
RAYMOND: Isso... isso é meu. É m-m-maravilhoso.

Sua música é muito boa. Muitos jovens a estão ouvindo hoje em dia.
RAYMOND: D-d-desculpe. N-n-não consigo falar.

Ele ainda estava compondo para orquestra e jazz antes dos derrames?
MITZI: Ah, sim. Quando ele se sentava ao piano e compunha, tocava algo para mim e dizia: "Isso é familiar para você?" E, se eu dissesse: "Bom, essa parte aqui parece um pouco com isso ou aquilo", ele descartava. Se parecesse minimamente com algo que outra pessoa tivesse composto, ele não usava.

Você sabe muito sobre os instrumentos eletrônicos que ele inventou?
MITZI: Ele sempre foi interessado em eletrônica. Na verdade, ele queria ser engenheiro. Mas, quando se formou na Brooklyn Tech, seu irmão [o maestro da orquestra da CBS] Mark Warnow achou que ele tinha tanto talento como músico que o subornou a ir para a Juilliard com um piano de cauda Steinway. Mas ele nunca perdeu o interesse por engenharia. Acho que foi isso o que o levou à música eletrônica.

E ele fez música eletrônica para a Motown por um tempo?
MITZI: Ele foi chefe de pesquisa e desenvolvimento da Motown. O que aconteceu foi que ele construiu o electronium, e fizeram uma matéria sobre isso em um dos jornais de Long Island, e de alguma forma um exemplar foi parar na mesa do [fundador da Motown] Berry Gordy. Então o Berry Gordy foi com uma entourage de limusines e pessoas para ouvir o electronium, que era incrível. Não tinha nenhuma estrutura, só fios por todo canto. Ele disse que queria um e contratou o Raymond para fazer para ele.

Como era o som?
MITZI: Ah, o som era maravilhoso. E quando minha mãe, que não gostava de música eletrônica, o ouviu tocando uma música linda e triste, ela disse: "Meu Deus, parece o [Duke] Ellington." E parecia. Era mesmo uma máquina incrível e é uma pena ele tê-la desmontado. Ele tirou tantas partes que nunca mais conseguiu montar. Se não tivesse mexido, ainda poderia tocar. Mas agora é uma casca vazia.*

Como ele se sentiu quando foram lançados os sintetizadores e os programas de computador produzidos em massa e que podiam fazer música?
MITZI: Um ano antes do primeiro derrame, ele tinha comprado um computador, uma impressora e um teclado. E disse: "Sabe, tudo o que eu fazia com o electronium posso fazer com isto."

Existe alguma maneira de ouvir as novas músicas dele?
MITZI: Aquela música ainda está naquele computador em algum lugar e ninguém sabe como encontrá-la.

Raymond Scott fica agitado, se levanta e começa a sair da sala.

RAYMOND: L-l-louco.

Um ano e meio depois, Raymond Scott morreu de pneumonia em uma casa de repouso perto dali.

---

* Durante uma entrevista com Les Paul, o músico que ajudou a desenvolver a guitarra elétrica e a popularizar a gravação multicanal, mencionei Raymond Scott e sem querer provoquei um longo discurso. Evidentemente, os dois eram inovadores rivais. "Ele está anos-luz atrasado", disparou Paul. "Ele ia a minha casa para aprender sobre o multicanal. Ele tinha um [gravador] de sete canais e não o entendia. Mas tinha muitos equipamentos. Eu o invejava."

[ZAPP]

Durante a entrevista com Lenny Kravitz em Nova Orleans, ele me levou à House of Blues para ver o Zapp, a lendária banda de irmãos do funk. O uso pioneiro do líder Roger Troutman da *talk box* — um dispositivo eletrônico que usava para criar o efeito de vocais de sonoridade robótica — influenciou incontáveis sucessos e rappers como Snoop Dogg, Dr. Dre e Eazy-E. Anos depois do show, entrevistei Troutman para o *New York Times*.

De repente, você está em todos os raps. Como se sente em relação à música?
ROGER TROUTMAN: Faço questão de reconhecer que o hip-hop é uma forma de arte. Nunca permiti que a geração mais velha — ou a geração desligada, porque eles não se ligam no hip-hop — influenciasse minha opinião sobre o hip-hop. Mas quando me conhecem em pessoa, descobrem que não bebo, não fumo e não uso drogas. Me visto e me comporto para passar uma imagem específica.

Que tipo de imagem é essa?
TROUTMAN: Não completa e totalmente heterossexual. Não estou tentando parecer um cara mais velho que já está mais para lá do que para cá, mas também não tenho a aparência de um homem jovem. Uso cores escandalosas e as melhores roupas, e não só algo confortável. Coisas que me impressionariam quando eu era criança seriam guitarristas com uma guitarra chamativa ou sapatos muito brilhantes. E eu amava ir ao circo quando era pequeno.

Eu soube que você tem uma empresa de construção que contrata jovens da vizinhança para construir casas populares...
TROUTMAN: Era a nossa ideia — minhas e dos meus irmãos Larry, Tony e Lester. Era sem fins lucrativos, para retribuir. Cada um dos caras do grupo é extremamente capaz de fazer uma casa. Sua ocupação principal é subir ao palco e dominá-lo, então aprenderam isso no tempo livre. É preciso ficar limpo se você quiser ter uma ótima aparência e assumir a responsabilidade de ser famoso. Eu aceito minha responsabilidade e a levo muito a sério.

E que responsabilidade é essa?
TROUTMAN: Fazer o quê? Quero ser o próximo herói negro.

[GENTE MORTA
CENA 2]

A maior lição que se aprende ao escrever obituários é que não importa quão famoso, obscuro, bom, mau, feliz, triste ou saudável alguém seja. Em um segundo, tudo pode mudar.

ROGER TROUTMAN

Roger Troutman, um renomado inovador do funk que gravava com seus irmãos na banda Zapp no começo dos anos 1980, morreu no domingo no Good Samaritan Hospital and Health Center em Dayton, Ohio. Ele tinha 47 anos e morava em Dayton.

O Sr. Troutman foi baleado várias vezes no torso e morreu durante a cirurgia, segundo o Sgt. Gary White da polícia de Dayton. No mesmo dia, o irmão mais velho do Sr. Troutman, Larry, ex-companheiro de banda e sócio, foi encontrado morto com um tiro aparentemente autoinfligido em um carro que estava nos arredores. A polícia disse que está investigando a possibilidade de um assassinato seguido de suicídio...

MARK SANDMAN

Mark Sandman, líder do Morphine, o peculiar trio de rock de Boston, morreu no sábado durante uma apresentação no Giardini del Principe em Palestrina, perto de Roma. Ele tinha 46 anos.

A causa da morte foi ataque cardíaco, segundo a Associated Press. O Sr. Sandman desmaiou diante de milhares de fãs durante a apresentação no segundo dia de um festival de três dias que era parte da turnês da banda pela Europa...

RANDY CALIFORNIA

Randy California, o principal guitarrista da banda de rock psicodélico dos anos 1960, Spirit, aparentemente morreu no dia 2 de janeiro, na ilha havaiana de Molokai. Ele tinha 46 anos.

O Sr. Califórnia estava praticando bodysurf com o filho de 12 anos, Quinn, quando uma corrente o levou para o mar, segundo o porta-voz do departamento de bombeiros de Maui. Segundo ele, apesar das buscas terrestres, marítimas e aéreas feitas pelo departamento de bombeiros e pelos amigos do Sr. Califórnia, o corpo não foi encontrado. As buscas foram suspensas por falta de resultado. O Sr. Califórnia está desaparecido e presume-se que está morto.

Nascido em Los Angeles como Randy Wolfe, o Sr. Califórnia começou a tocar em bandas folk e country no começo da adolescência. Em uma viagem a Nova York com a família aos 15 anos, o Sr. Califórnia mudou o sobrenome e começou a se apresentar com Jimi Hendrix (então conhecido como Jimmy James). Quando o Sr. Hendrix foi para a Inglaterra, o Sr. Califórnia voltou a Los Angeles e conheceu seus futuros companheiros de banda em uma manifestação pacífica à qual tinha levado o padrasto...

MICHEL-MELTHON LYNCH

Michel-Melthon Lynch, baixista e baterista do Boukman Eksperyans, a banda haitiana que mais vendeu no mundo, morreu no dia 4 de junho em sua casa em Port-au-Prince, Haiti. Ele tinha 25 anos.

Segundo seu agente, Dan Behrman, a causa da morte foi meningite.

Embora a meningite tenha cura, amigos e familiares do Sr. Lynch não conseguiram encontrar no Haiti os antibióticos que poderiam ter salvado sua vida. Os remédios enviados de Nova York por pessoas preocupadas nunca chegaram...

JEFF BUCKLEY

Jeff Buckley, cantor de folk, rock e pop e filho do músico folk Tim Buckley, morreu na quinta-feira em Memphis, de acordo com a polícia. Ele tinha 30 anos.

O Sr. Buckley se afogou enquanto nadava no porto de Memphis, segundo a tenente Brenda Maples, do departamento de polícia de Memphis. Seu corpo foi resgatado na noite de quarta-feira depois de ser visto por uma balsa fluvial.

O Sr. Buckley e um amigo tinham parado no porto a caminho de um estúdio de ensaio na semana passada. O Sr. Buckley estava nadando quando uma lancha passou, criando uma onda. O amigo, Keith Foti, disse que se virou para proteger o som e quando olhou o Sr. Buckley tinha desaparecido. A polícia e a patrulha do porto procuraram o Sr. Buckley com helicópteros, mergulhadores e grupos de busca em terra.

Seu corpo não foi encontrado até um passageiro da balsa vê-lo flutuando no porto perto da via principal da cidade, a Beale Street.

O Sr. Buckley nasceu em Orange County, Califórnia. Seu pai, que ele se lembrava de ter encontrado apenas uma vez, era um influente, eclético e introspectivo cantor de folk que morreu de overdose aos 28 anos em 1975...

SHANNON HOON

Shannon Hoon, vocalista do grupo de rock Blind Melon, morreu sábado, no ônibus da turnê da banda, em um estacionamento em Nova Orleans. Ele tinha 28 anos.

Aparentemente, a causa foi uma overdose de drogas, disse Chris Jones, o empresário da banda. Uma autópsia foi realizada na manhã de ontem, mas os resultados foram inconclusivos. Recentemente, o Sr. Hoon tinha voltado a morar em sua cidade natal, Lafayette, em Indiana, com Lisa Crouse, sua namorada há dez anos, e a filha Nico Blue, que nasceu neste verão...

[PAUL NELSON]

"Sua solidão, que ele parece carregar consigo para todo lugar, até mesmo para o palco, de certa forma era muito mais comovente do que a aceitação entusiasmada de seu trabalho pela plateia."

— Paul Nelson, escrevendo sobre Leonard Cohen, 1975

Algumas pessoas consideram Paul Nelson o primeiro crítico de rock do país. Outras, o melhor. Embora esse tipo de título raramente possa ser provado, uma coisa é certa: a influência de Nelson sobre a crítica de rock e sobre o próprio rock é extraordinária. Quando estava na faculdade, ele emprestou os discos de Woody Guthrie a um jovem cantor medíocre chamado Bob Dylan, e eles determinaram o curso de toda a sua sonoridade, estética e carreira. Quando trabalhava na Mercury Records, não só serviu de mentor para Rod Stewart e David Bowie, como deu a largada para o punk rock contratando o New York Dolls. E como jornalista da *Rolling Stone*, suas críticas literárias iniciaram a carreira de Willie Nelson, Jackson Browne e dos Sex Pistols.

reminder:

CREATE BEFORE YOU'RE DESTROYED!

**a public service announcement from
the office of the
U.S. SURGEON GENERAL**

U.S. PUBLIC HEALTH SERVICE
1798

Mesmo assim, nos últimos 15 anos de sua vida, Nelson não publicou uma única palavra. Pelo contrário, ele saiu de cena e trabalhou na obscuridade em uma locadora de vídeos de Nova York até que, aos 70 anos, morreu de fome em seu apartamento. Seu corpo ficou se decompondo durante vários dias antes de ser encontrado.

Preocupados, seus amigos e fãs se perguntaram como um ícone tão talentoso, que tinha contribuído tanto para a cultura e era tão respeitado podia morrer daquele jeito. Então algumas semanas depois que seu corpo foi encontrado, comecei a recompor a história de seus anos perdidos, começando com o fim de seu período como editor na *Rolling Stone.*

KIT RACHLIS [ex editor-chefe da revista *Los Angeles*]: Não tenho a menor dúvida de que o Paul foi o primeiro crítico de rock and roll. Ele precedeu todo mundo.

DAVID BOWIE: Ele era o RP [relações-públicas] da Mercury quando o conheci. Ele meio que me recebeu quando saí do avião quando fui a Nova York pela primeira vez. Acho que isso deve ter sido por volta de 1971, algo assim. Acho que foi nesse ano, porque um dos discos que ele me deu foi o *Loaded* do Velvet Underground. Às vezes você conhece por acaso alguém que lhe causa uma forte impressão, e o Paul causou uma forte impressão em mim. Ele foi um dos homens mais gentis e generosos que conheci dentro ou fora do meio musical.

JANN WENNER [editor da *Rolling Stone*]: Ele era um cara muito querido, mas vivia em um canto misterioso do escritório, onde era seu um pequeno santuário e ninho. Ele era nosso amigo, mas ficava em um mundo diferente. Era solitário naquela época, mesmo quando estava cercado por todo o seu grupo de colegas. Mas começou a perder a motivação e se tornou menos confiável.

GREIL MARCUS [crítico de rock e autor]: Paul raramente ficava satisfeito com o que tinha escrito e nunca achava que fazia justiça a quem quer que fosse. Então não sei se ele desistiu completamente de escrever ou se perdeu a capacidade de escrever de um jeito que satisfizesse seus próprios padrões.

TOM PACHECO [músico folk]: Conversamos pelo telefone e ele me disse que estava saindo da *Rolling Stone.* Tinha algo a ver com não gostar da música nova e especificamente odiar o novo disco de Billy Joel, fosse qual fosse.

KURT LODER [ex-editor da *Rolling Stone* e correspondente da MTV]: Na última vez que o vi, ele estava saindo do escritório [da *Rolling Stone*] com umas cem fitas de vídeo em branco, dizendo que queria encontrar um emprego no qual não precisasse mais pensar. Acho que desistiu e estava pronto para ir.

DAVE MARSH [crítico de rock e autor]: Se você me perguntar em que ponto o Paul Nelson encontrou problemas como escritor, foi no dia em que comprou seu primeiro Betamax, porque aí os filmes que ele amava deixaram de ser algo que você assistia uma vez por semana no New Yorker [Theater]. Você podia assisti-los todas as noites. [...] Ele mantinha uma distância dos seres humanos que não mantinha de discos e filmes. E os filmes que ele gostava passavam tarde. Então ele saiu ainda mais da sintonia, e em termos das suas tendências claramente obsessivo-compulsivas, é o seguinte: o resto do mundo se torna menos interessante do que ficar sentado no escuro.

Além desses fatos, a mãe de Nelson fora recentemente diagnosticada com um linfoma no pescoço.

MICHAEL SEIDENBERG [vendedor de livros usados]: Eu o conheci no meu sebo. Ele tinha ido lá para vender livros porque sua mãe estava doente, e todo o dinheiro que tinha economizado da demissão da *Rolling Stone* era para o hospital. Ele voltou um dia para pegar 30 dólares que estava devendo, e a loja estava vazia. Eu lhe dei o dinheiro, mas ele disse: "Por que você não usa esses 30 dólares para fazer propaganda?" Fiquei muito tocado por ver alguém em uma situação desesperadora ajudando outra pessoa daquele jeito. Depois disso, ele continuou indo ao sebo. Éramos apenas dois fracassados.

JONATHAN LETHEM [escritor]: A mãe dele morreu, e ele gastou muito dinheiro com isso. Parece que ele tropeçou nesse obstáculo: ele faliu com as contas médicas. E quando saiu daquele mundo, começou a dizer que não gostava de música o suficiente para escrever sobre ela.

Um dos lugares preferidos de Nelson era o Evergreen Video. Embora tecnicamente fosse uma empresa que enviava vídeos pelo correio para fãs de cinema, de vez em quanto um fã obstinado de cinema entrava ali.

STEVE FELTES [dono da Evergreen Video]: O Paul acabou sendo uma das pessoas que estava na rua e entrou aqui. Então um dia, estou verificando os filmes que ele estava alugando e disse: "Por acaso você é o Paul Nelson que publicava a *Little Sandy Review*?* Eu era um dos seus assinantes". Então, em 1988 ou 1989, nos mudamos para o Village, e eu disse ao Paul que havia um emprego ou ele me

* Uma newsletter de música folk que Nelson e seu colega de quarto, Jon Pankake, começaram a publicar enquanto estavam na faculdade.

perguntou se havia um emprego disponível. Então o Paul começou a trabalhar para mim à noite.

BILL FLANAGAN [ex-editor da revista *Musician*]: Ele pareceu aliviado por poder simplesmente ir para uma locadora descolada no Greenwich Village e receber um pagamento por fazer isso sem arranjar uma úlcera. Eu tenho de concordar: se chegar ao ponto em que escrever está fazendo um buraco no seu estômago, vá fazer outra coisa. Eu o via na Carmine Street com bastante frequência, porque ele estava sempre lá fumando um cigarro Nat Sherman, usando óculos escuros e uma boina.

GREIL MARCUS: Fui vê-lo na Evergreen Video para lhe dar um exemplar de um dos meus livros. Para mim, havia uma enorme tristeza no silêncio de Paul. Certa vez, ele disse algo sobre a família que abandonou. Havia uma outra vida que ele deixara para trás e para a qual não podia voltar. E aquilo o dominava. Ele era uma pessoa extremamente sozinha. Eu dizia solitário, mas ele era sozinho.

Embora poucos de seus amigos de Nova York soubessem, em sua juventude em Minnesota, Nelson se casara com a rainha do baile de sua escola e tinha um filho, Mark, com ela.

DORIS HOPER [ex-mulher de Nelson]: Nós nos mudamos para o Queens, mas as coisas não deram certo entre mim e o Paul. Então fui embora em 1969 e voltei para minha cidade natal, e ele ficou lá. O Paul manteve contato por bastante tempo, depois imagino que simplesmente nos esqueceu. Acho que era porque ele estava em Nova York. Ele se perdeu em si mesmo, mas não era uma má pessoa. [...] Não dava para conhecer realmente o Paul Nelson. Nem mesmo eu o conhecia de verdade. Descobri mais sobre ele lendo o que escrevia.

JON PANKAKE [colega de quarto de Nelson na faculdade]: Eu me lembro de que pouco antes de perdermos o contato, ele disse algo muito triste: tudo o que ele realmente queria era ver o filho crescer, mas não achava que ia ser possível.

MARK NELSON [filho]: Não o vi muito durante a minha adolescência. E na faculdade, decidi procurá-lo para saber se ele queria me ver. Eu estava morando em Minneapolis com a minha mãe e viajei para vê-lo. Até entrar no avião, não tinha me ocorrido que eu não sabia como ele era e ele não sabia como eu era. Então decidi que quando saísse do avião ia procurar a pessoa mais constrangida que conseguisse achar, e era ele.

STEVE FELTES: Fiquei no apartamento dele por um tempo depois que me separei da minha mulher. O Paul tinha coberto a janela de tábuas e pintado tudo na cozinha de preto porque dormia das 4 ou 5 horas da manhã até o final da tarde. Eu me lembro de que na geladeira havia uns quatro ou cinco engradados de Coca-Cola e o resto do espaço era ocupado por Peanut Butter Cups da Reese's. E a pia da cozinha era cheia de livros velhos. O Paul gostava de colecionar primeiras edições, vendê-las quando estava sem dinheiro e depois comprá-las novamente quanto estava com grana.

Em 1993, Kit Rachlis, que editava o LA Weekly *na época, tentou levar Nelson para Los Angeles, esperando que um pouco de trabalho e uma mudança de ares fossem ajudar. Ele deu a Nelson duas matérias sobre seus artistas preferidos, Lucinda Williams e Leonard Cohen. Nelson fez as entrevistas, depois voltou para Nova York.*

KIT RACHLIS: O prazo de entrega passou. Liguei uma semana depois, e na outra semana — e nunca recebi uma notícia do Paul. Continuei ligando duas vezes por semana, dizendo: "Tudo bem, só me diga como você está ou onde está. Se não puder fazer essas matérias, nossa amizade vai continuar a mesma." Então, uma noite, lá pelas 22h30, o telefone tocou era o [crítico de cinema] Jay Cocks dizendo: "Kit, estou ligando pelo Paul. Ele está envergonhado. Está aflito. Mas nunca vai terminar aquelas matérias."

MICHAEL AZERRAD [jornalista e editor de música]: Propus que ele escrevesse sobre seu mais recente amor musical, o bluegrass, e ele recusou. Era muito dinheiro, e eu sabia que ele precisava. Perguntei por quê, e ele disse que simplesmente não conseguiria fazer justiça ao gênero.

Enquanto isso, Nelson também estava ficando descontente na Evergreen.

MICHAEL SEIDENBERG: O que irritou o Paul foi quando a Evergreen Video se mudou para uma loja de rua e ele teve de lidar com gente mais convencional. Ele ficou cansado de ouvir as pessoas dizerem "Não quero pensar" ou "Não quero assistir a um filme em preto e branco". Ele ficou devastado ao perceber quantas pessoas assistiam aos filmes como um tipo de distração da vida em vez de parte dela.

Além disso, morar na cidade se tornou mais difícil para Nelson. Ele foi assaltado enquanto voltava andando para casa, e também ficou preso na loja. O ladrão perguntou: "O que eu devo fazer com você?" E Nelson sugeriu: "Você pode me trancar no banheiro." Então foi isso o que aconteceu.

STEVE FELTES: Quando ele tinha 65 anos, o mandei tirar uma identidade e o ajudei a abrir uma conta no banco para poder receber sua aposentadoria. Mais ou menos nessa época, ele desmoronou pela primeira vez. Ele estava ficando muito mesquinho com os clientes, especialmente quando pediam os filmes errados. Ele estava arquivando as coisas nos lugares errados e ficava cada vez mais irritado porque as pessoas gostavam menos de filmes *noir* do que dez anos antes. Falei que ele devia tirar umas férias. Ele não gostou.

MICHAEL SEIDENBERG: Ele ia a minha casa quatro ou cinco vezes por semana. Como estava perdendo a memória recente, ele ia me ver para ter um pouco de equilíbrio. Ele tinha certa segurança financeira porque o Steve tinha cuidado da sua aposentadoria. Mas tinha vivido com o mínimo por tanto tempo que era difícil entender que aquele cheque chegava e resolvia tudo.

STEVE FELTES: Certa vez, ele me ligou e disse que estava trancado fora do apartamento. E tinha passado as últimas duas ou quatro noites dormindo em um banco do parque. Ele estava em uma sublocação ilegal que pertencia ao irmão do Michael, e em determinado momento encontrou o senhorio e o senhorio descobriu. Uma semana e meia depois, ele recebeu uma carta do advogado dizendo que estava sendo despejado.

MICHAEL SEIDENBERG: Quando ouvi isso, soube que os dias dele estavam contados. Eu ia ter de encontrar um lugar para ele morar. E eu não tinha mais nenhuma ideia. Ele não estava melhorando, e eu não achava mais que ele podia viver sozinho.

Um dia, Nelson apareceu na casa de Seidenberg com um exemplar do Little Sandy Review, *uma matéria de capa sobre Warren Zevon que tinha escrito para a* Rolling Stone *e um exemplar impresso de uma entrevista mais recente que fizera para o rockcritics.com.*

MICHAEL SEIDENBERG: Ele via a matéria do Zevon como sua maior realização, e levou o rockcritics.com para mostrar que não fora esquecido. Ele me disse que passava a noite acordado relembrando todos os eventos importantes da sua vida. Não conseguia parar. Ele não sabia o que aquilo significava. Estava vivendo no passado de uma forma muito vívida. Agora entendo que ele estava fazendo uma revisão, mesmo que eu não tenha percebido isso na época.

STEVE FELTES: Liguei para o Michael porque o Paul não aparecia aqui havia duas ou três semanas, e o Michael disse que não o tinha visto. Ele comia todos os dias no Dallas BBQ, aí ligamos e eles não o tinham visto. Ele não tinha telefone, então fui ao apartamento do Michael e pegamos a chave do apartamento do Paul. Batemos na porta e ninguém respondeu, então usamos a chave e destrancamos a porta. Estava travada por uma corrente. Estávamos a ponto de arrombar quando o Paul apareceu e abriu.

MICHAEL SEIDENBERG: Ele estava muito magro. O Paul era totalmente careca, e desde que o conhecera só o vira três vezes sem chapéu. Ele se sentou diante do seu som, que era onde ele se sentava. Perguntamos se estava comendo e ele disse que sim. Mas não o viam no Dallas BBQ. Era como se ele estivesse em um transe, mas estava lúcido o bastante para mentir para mim. Então o Steve e eu esvaziamos nossos bolsos e lhe demos o que achamos que ele precisava.

STEVE FELTES: Foi uma semana ou uma semana e meia depois que encontraram o corpo de Paul, então ele deve ter morrido logo depois daquele dia. O legista disse que eu não podia entrar porque o corpo estava irreconhecível. Foi a onda de calor, e ele morava no último andar com um telhado de metal, então era um forno. Havia fezes de ratos, então talvez os ratos o tenham comido. Encontraram a exata quantia de dinheiro que tínhamos deixado. Isso significa que ele não comeu mais nada.

Quando eles voltaram ao apartamento depois que o corpo de Nelson tinha sido removido, Seidenberg e Feltes notaram algo inesperado: um par de sapatos de bebê pendurado perto da cama. Pertenciam ao filho de quem ele se distanciara, Mark.

MARK NELSON: Na última vez em que nos falamos, eu disse que ia me casar. Fico triste por achar que ele não sabia que tinha um neto quando morreu.

DAVID BOWIE: Nos últimos 18 meses, eu vinha pensando em tentar entrar em contato com ele. Só queria perguntar como andava sua vida, sabe, porque a vida passa. Eu o tinha localizado em um locadora de vídeos onde ele estava trabalhando, mas nunca o encontrei. E fico com raiva de mim mesmo como sempre fazemos quando esse tipo de coisa acontece. Fiquei muito abalado quando soube que ele tinha morrido, especialmente quando ouvi que estava sozinho. Fiquei perplexo por seus companheiros escritores não terem mantido contato com ele.

ROD STEWART: Há quanto tempo ele morreu? ... Minha nossa. Onde ele estava quando morreu? ... Eu perdi o funeral e tudo? ... Não. Ele morreu de fome de propósito? ... Hoje em dia não é mais possível morrer de fome. Demorou um tempo antes de o encontrarem? ... Isso é horrível, horrível mesmo. Meu Deus, é impressionante como alguém pode se desligar da vida, e você pensa: "Onde será que ele está agora?" E descobre que ele estava trabalhando em uma locadora de vídeos. Ele era um escritor muito talentoso.

Nos anos anteriores a sua morte, muitos dos ex-colegas de Nelson o procuraram ou o encontraram por acaso. E quando perguntavam no que ele estava trabalhando, ele sempre dizia a mesma coisa: em um roteiro.

MICHAEL SEIDENBERG: É uma grande dúvida para todos que eram próximos a ele: o que era exatamente? Será que existia? Ele me contava detalhes do roteiro, e depois ficava furioso e dizia: "Se quiserem colocar o Brad Pitt, eu cancelo." Depois ele decidiu que ia simplesmente escrever e não se importar com o que aconteceria. No final, as respostas não importam. O que importa é que o roteiro existia para lhe fazer companhia. Ele estava escrevendo todas as noites. E pela primeira vez, estava escrevendo para si mesmo.

[CORTINA]

EPÍLOGO

Em vinte anos escrevendo, nunca tive tanta dificuldade com uma história quando com a matéria da *Rolling Stone* sobre Paul Nelson. Quando era escravo do *New York Times*, eu entregava grandes matérias em uma questão de horas. Mas esse artigo em particular — que foi escrito como uma matéria muito mais longa, não no formato de entrevistas usado aqui — levou três meses. Perdi prazo atrás de prazo. Cada palavra, cada parágrafo, até mesmo o ato de me sentar para escrever era uma dificuldade.

Por um lado, isso se deve ao meu respeito por Nelson e a minha noção de que todos os jornalistas e críticos que eu tinha admirado desde que era um adolescente leriam aquela matéria. Por outro, e mais importante, cada palavra me aproximava da moral da minha própria história — ou da de qualquer escritor, pessoa criativa ou seguidor dedicado da arte, do entretenimento ou da cultura. Porque isso nos faz questionar: no final das contas, vale a pena?

Afinal, aquele era um homem com um gosto melhor que o da maioria de nós, um escritor melhor que a maioria de nós, um crítico melhor que a maioria de nós — e melhor não significou mais feliz. Todos aqueles livros e vídeos que ele passou a vida colecionando e consumindo acabaram simplesmente como lixo para colocar em caixas e doar para a caridade. Quanto a sua estética meticulosa, ela sobrevive apenas através de matérias que são quase impossíveis de encontrar, a maioria ligada a produtos culturais que não são mais significativos quanto pareciam na época.

Os sapatos de bebê pendendo da cama de Nelson continuam a me assombrar, porque como alguém que sacrificou relacionamentos pessoais para se dedicar à cultura e à carreira, sei o que eles simbolizam: o arrependimento de uma pessoa que passou a vida inteira com as prioridades erradas. Nelson não viveu à toa — a simples extensão e influência de seu trabalho prova isso. Mas morreu sem nada, tão sozinho quanto as baladas de Leonard Cohen e os detetives fictícios que ele admirava. Pode ser romântico em certo nível, mas em todos os outros níveis é solitário e trágico.

Ao reportar, editar e ler as entrevistas incluídas neste livro — e examinar quem era infeliz, quem era feliz, e por que — acabei aprendendo tanto sobre mim mesmo e minhas escolhas de vida quanto sobre a vida e a filosofia dos artistas e celebridades que estava retratando. Como nunca fiz terapia, normalmente usava essas sessões com pessoas mais sábias, mais velhas ou mais experientes que eu para resolver meus próprios problemas e dilemas. Revendo as conversas, consigo perceber dúvidas específicas que estava tentando resolver para mim mesmo em diferentes estágios do crescimento. E a maioria tem a ver com o propósito da vida e o segredo da felicidade.

Felizmente, é muito mais fácil e menos doloroso aprender com os erros dos outros do que com os seus. E as pessoas que estão nestas páginas cometeram praticamente todos os erros que existem. Ler as histórias delas é um lembrete da importância de se distanciar da nossa vida cotidiana — e das nossas ansiedades, objetivos, obrigações, arrependimentos e paixões — e ter certeza de que estamos fazendo a coisa certa sob a perspectiva adequada com o pouco tempo que nos resta. Elaborando algo que a Jewel disse em sua entrevistas, é terrível chegar ao final de sua vida e perceber que você estava só um pouquinho fora de curso e que suas prioridades estavam erradas.

Então, além das lições óbvias — não se case com sua prima de 13 anos, não chute a cabeça de seguranças, não empreste dinheiro à Courtney Love e tome cuidado para não se envolver com aquelas "cinzas hinduístas de boa sorte" — aqui estão algumas instruções de vida que foram compiladas das experiências destas entrevistas:

1. *Esqueça o passado.* Muitas das pessoas que consideramos lendas, como Jerry Lee Lewis e Chuck Berry, continuam tão marcadas por escândalos, injustiças e arrependimentos que aconteceram décadas antes, que mal conseguem apreciar suas realizações. Embora seja preciso lidar com cada problema no momento em que acontece, quando ele se resolve não há mais nada que você possa fazer. Então se concentre em ser bom no que gosta, como John Hartford. E é por isso, no final das contas, que você será lembrado. A não ser que você seja o Ike Turner.

2. *A fama não o fará se sentir melhor em relação a si mesmo.* Muitas celebridades que trabalham duro pelo sucesso acreditam que fama e dinheiro vão resolver seus sentimentos de insignificância, insegurança, inutilidade ou desconexão. Mas, como Eric Clapton e Brian Wilson, elas logo descobrem que em vez de eliminar os defeitos de alguém, a fama — e o "salto de consciência" necessário para lidar com ela — os amplifica. Sobretudo quando as drogas são grátis.

3. *O segredo da felicidade é o equilíbrio.* As pessoas que passam o tempo todo trabalhando, como o Paul Nelson, ou se divertindo, como o Rick James, tendem a acabar em crise. No melhor dos casos, chegam a determinado ponto na vida, olham em volta e se veem sozinhas. No pior, têm um colapso nervoso e acabam na cadeia ou morrem em circunstâncias trágicas. Quase todos os que atingem o platô onde se sentem felizes e confortáveis dizem que é porque encontraram o equilíbrio, criaram limites e dedicaram todas as semanas a uma mistura de trabalho, diversão, exercício, socialização e família — além de um pouco de tempo sozinhos para fazer algo contemplativo, criativo ou educacional.

4. *Resolva seus problemas agora, porque quando mais velho você fica, piores eles se tornam.* Outro tema dessas entrevistas é que as pessoas que crescem em lares estáveis com amor incondicional, como Sacha Baron Cohen e Jay Leno, tendem a não se meter em confusões, enquanto outros que sofrem traumas, abandono ou negligência na infância — e que nunca resolvem essas questões — em geral acabam sabotando sua carreira e sua vida.

5. *Obtenha sua autoestima dentro de si, não nas opiniões dos outros.* Os artistas mais infelizes são aqueles que passam tempo demais lendo — e acreditando — no que a imprensa diz sobre eles. Não importa quão maus ou bons, certos ou errados os outros possam ser, você entrega a chave da sua felicidade a estranhos quando deixa as palavras deles controlarem seus sentimentos. O que Jack White e Trent Reznor não perceberam ainda é que quando as pessoas falam mal de alguém, o objetivo delas não é denegrir aquela pessoa, mas se sentir bem consigo mesmas.

6. *Diga sim a coisas novas.* A maioria das pessoas ricas e famosas deste livro acabou assim por uma completa coincidência. O simples fato de experimentar algo novo um dia, responder a um anúncio de classificado ou trabalhar duro por pouco colocou em ação uma cadeia de eventos e as levou a se tornar nomes conhecidos. Então, em vez de encontrar razões para não fazer as coisas, adote a máxima de Stephen Colbert de dizer sim para tudo. E então, quando você ficar famoso, evite se esgotar, adotando a máxima de Neil Young de dizer não para tudo além de sua arte.

7. *Viva a verdade.* Isso não significa apenas ser honesto com os outros, como o Merle Haggard e o Chuck Berry, mas ser verdadeiro com você mesmo e com quem você é. Os artistas que duram mais aprendem a aceitar a si mesmos como seres humanos falhos, mas que lutam para melhorar. Mesmo se isso significar acreditar que você esteve na Lua conversando com amêndoas, logo vai descobrir que, como Lucia Pamela descobriu, as pessoas vão entrar no jogo e você vai morrer feliz. Ou em um hospício.

8. *Nunca diga nunca.* A vida tem muitas guinadas surpreendentes — algumas para pior, outras para melhor. Então nunca descarte nenhuma possibilidade, sobretudo se envolver aqueles clichês das pessoas bem-sucedidas — a não ser que, como Trent Reznor ou Ryan Adams, você queira engolir o que disse no futuro. Na maior parte do tempo, quando detestamos com veemência algo no comportamento de outra pessoa é porque reconhecemos parte daquilo em nós mesmos ou temos inveja em segredo.

9. *Confie em seus instintos.* Uma das músicas de Cher chegou ao primeiro lugar das paradas internacionais porque ela confiou nos seus instintos — e lutou por eles — enquanto James Talley perdeu o trabalho da sua vida por duas décadas porque ouviu outra pessoa. Mesmo que a sua decisão acabe se mostrando errada no futuro, pelo menos você vai saber que fez o que era certo e verdadeiro para você no momento, e será menos provável que tenha arrependimentos depois. Mas isso não é sempre fácil, porque é muito mais fácil culpar outra pessoa por um erro do que a nós mesmos.

10. *Seja feliz com o que tem.* Com frequência penso no Bo Diddley, que não apenas foi um dos músicos mais importantes do século XX, como também uma pessoa genuinamente doce. Ele morreu amargo por ter sido lesado em vez de apreciar a influência que teve e o dinheiro que ganhou. Ele não só ganhou a vida fazendo turnês pelo mundo e tocando para uma plateia que o venerava, mas teve casas, cavalos e dúzias de netos. Também correu o risco de perder tudo isso para sua litigiosa ex-mulher, mas essa é outra lição.

11. *Todo mundo te ama quando você morre.* Porque quando você está morto, sua felicidade e suas realizações não são mais uma ameaça para as crenças e autoestima dos outros. Você foi adequadamente punido.

Então façamos um brinde aos artistas, celebridades e gente louca do mundo — aos que foram presos do lado de fora de boates por dirigir bêbados, filmados gritando insultos raciais para membros da plateia e hospitalizados por atear fogo acidentalmente a si mesmo com cachimbos de crack. Obrigado não apenas por nos manter entretidos com seus erros, mas por nos lembrar de ficar felizes por ser quem somos.

LEGENDA

... = entrevistado foi cortado no meio da frase pela fala seguinte ou não completou um pensamento ou frase e se calou, mudou de assunto ou começou a falar com outra pessoa.

[...] = diálogo perdido ou um salto no tempo, geralmente porque o que aconteceu depois foi chato, prolixo ou fugiu do assunto, ou porque o tema foi melhor explorado em outra parte da entrevista.

(*comentário entre parênteses*) = descrição do que está acontecendo.

[palavras entre colchetes] = informação adicional que não é parte da entrevista, mas que pode ser necessária para entender o que está sendo discutido, em geral identifica detalhes de uma pessoa a quem o entrevistado está se referindo.

Na maioria dos casos, em vez de consultar matérias publicadas, as transcrições, gravações ou notas originais foram usadas para representar o ritmo da conversa e a atmosfera do momento. Muitos fatos e transcrições que não estavam certos nas matérias originais foram corrigidos. Em alguns casos, a gramática e a estrutura das frases foram retificadas para ficarem mais inteligíveis, e um pequeno número de frases que era repetitivo, vago ou fugia do assunto foi discretamente removido — assim como parte de minha própria gagueira.

AGRADECIMENTOS

As seguintes entrevistas foram originalmente feitas para: *Rolling Stone* (Christina Aguilera, At the Drive-In, Sacha Baron Cohen cena dois, Chuck Berry, Orlando Bloom, Russell Brand, Leonard Cohen, Stephen Colbert, Tom Cruise, Bo Diddley, Zac Efron, Game, Merle Haggard, PJ Harvey, Hugh Hefner, Incubus, Jewel, Lenny Kravitz, Lady Gaga, Hugh Laurie, Taylor Lautner, Jay Leno, Courtney Love, Madonna, Marilyn Manson, Meat Puppets, Paul Nelson, Pearl Jam, Tom Petty, Pink Floyd cena um, Andy Prieboy, Keith Richards, Chris Rock, Snoop Dogg, Soul Asylum, Ringo Starr, Gwen Stefani, Ben Stiller, Strokes, System of a Down, White Stripes, Who, Wu-Tang Clan); *New York Times* (Ryan Adams, Kazem Al Saher, Chet Atkins, Backstreet Boys, Sacha Baron Cohen cena um, Bon Jovi, David Bowie, Bruce Brown, Johnny Cash, Jackie Chan, Cher, Chic, Alex Chilton, Eric Clapton, Josh Clayton-Felt, Puffy Combs, Billy Connolly, namorada do David Koresh's, Disc Jockeys, DJ Jubilee, DJ Marlboro, Fleetwood Mac, Funerals, Kenny G, Grateful Dead, Lee Greenwood, Henry Grimes, Hanson, John Hartford, Robyn Hitchcock, Rick James, Jane's Addiction, Billy Joel, Ernie K-Doe, Khaled, Nusrat Fateh Ali Khan, Kraftwerk, Led Zeppelin, Jerry Lee Lewis, Love, Loretta Lynn, máfia, Branford Marsalis, Jimmy Martin, Mestres Músicos de Jajouka, Curtis Mayfield, Paul McCartney, Mingering Mike, Joni Mitchell, Alanis Morissette, N.W.A, Ozzy Osbourne, Dolly Parton, Pink Floyd cena dois, Pretty Things, Prince, ? and the Mysterians, racistas, Radiohead, Bonnie Raitt, Ravers, Red Hot Chili Peppers, R.E.M., Lionel Richie, Slayer, Slipknot, Smashing Pumpkins, Patti Smith, Sparklehorse, Britney Spears, Bruce Springsteen, Johnny Staats, Standells, Steely Dan, James Talley, Ali Farka Touré, Ike Turner, Otha Turner, Mike Tyson, Upright Citizens Brigade, Vanilla Ice, Wax Figures, Brian Wilson, Gary Wilson, Neil Young, Zapp), *Maxim* (Judd Apatow), *Esquire* (Neptunes, Justin Timberlake), *Spin* (Beck, Korn, Mötley Crüe, Nine Inch Nails, Oasis), *Blender* (Ludacris, Pink, Queens of the Stone Age), *Details* (Jordy), *New York Press* (Von Lmo, Monster Magnet, Lucia Pamela), *Option* (Ice-T, Charles Gayle), *Interview* (Moby), *Village Voice* (Fake Bootsy Collins, Velhos, Les Paul, Raymond Scott), and *The Source* (Snoop Dogg).

Um agradecimento especial a todos os editores de revistas e jornais com quem trabalhei, especialmente os que me deram uma chance quando eu ainda nem estava pronto: Carol Tuynman, David Laskin, Mark Kemp, Joe Levy, Barbara O'Dair e Jon Pareles.

Sempre obrigado a Ira Silverberg, Cal Morgan e Carrie Kania. Obrigado também às seguintes pessoas que, entre outras coisas, lerem centenas de recortes para ajudar a selecionar e leram as provas dos que foram incluídos no livro: Monique Sacks, Ingrid De La O, Krista Lauder, Kristine Miller, Randy Sacks, Christina Swing, Carolyn Berner, Sue Wood, Carola Madis, Gerda Sirendi, Kerli, Tiffany Sledzianowski, Aaron Berger, Jamie Sher, Miss Jones, Thomas Scott McKenzie, Chris Holmes, Matt Friedberg, Brian Schroeder e Alex Willging, Ama Birch, Britt Warner, Don Diego Garcia, Dr. Michael A. Turek, Dr. William Miller, Kristi Malenfant, Mark Fletcher, Matt Van Winkle, Nola Singer, Randall Mah, Ray Timmons, Ryan Smith, Selim Niederhoffer, Skylaire Alfvegren, Zoe Sara Allen, Zorine Rinaldi, Todd, IGS, MTG e especialmente Phoebe Parros que, em uma de suas façanhas mais impressionantes de pesquisa, descobriu a idade verdadeira de Loretta Lynn (e está corrigindo na Wikipédia neste momento).

ÍNDICE VISUAL

P. 120. P. 122. P. 125. P. 128.

P. 138. P. 158. P. 163 P. 165

P. 167. P. 169. P. 169. P. 180.

P. 183 P. 184 P. 192 P. 210

P. 212 P. 217 P. 223 P. 224

P. 228 P. 232 P. 240. P. 247

P. 250 P. 258 P. 272 P. 272.

P. 277. P. 279 P. 281. P. 283

P. 293 P. 295. P. 298. P. 315

P. 320 P. 334 P. 337. P. 340.

P. 345 P. 364 P. 389 P. 401.
P. 406. P. 418 P. 426 P. 429
P. 436 P. 438. P. 443 P. 449
P. 456 P. 462 P. 472 P. 474
P. 491. P. 493 P. 495 P. 515.

LEGENDAS DAS IMAGENS

[p. 003] Atenção, por favor, apreciadores de cerveja. Sem amargor desagradável. "Simplesmente o beijo dos Strokes." Promoção 5 por $1,20

[p. 027] Fumódromo do Snoop Dogg. Clínica de maconha totalmente licenciada pelo Estado. Avaliações médicas gratuitas. Médico no local. Receba prescrições no mesmo dia. Aberto de segunda a sexta das 13h às 23h. Sábados e domingos das 15h à 0h. Promoção $ 0,75

[p. 009] Venha para o lado sombrio. Venha ver. Circo Reno. Monstro enjaulado.

[p. 032] Este é o primeiro livro americano arranhe-e-ouça. Leitura obrigatória para todos os patriotas! À venda em todos os lugares. Edição de biblioteca (6 vols.), edição de estudante (4 vols.) e edição de bolso (2 vols.). Capa em marroquim ou couro de bezerro, disponível na Kenneth Gorelick Co. Ltda., Los Angeles & Seattle, e em todas as livrarias.

[p. 092] Oi! Eu sou a Britney! Eu bebo, eu canto, eu durmo, e você pode enrolar meu cabelo! Tenho uma pele maravilhosa de virgem! Ótimo preço! Apenas $2,50. Kit grátis para fazer cachos! Faça seu pedido hoje.

[p. 55] Liquidação de sofás de 25º aniversário. Divã clássico. Modelo sonho americano. Sofá-cama útil. Hanna's, no limite da cidade. Asbury Park, Nova Jersey.

[p. 73] Você ficou acordado a noite inteira se metendo em confusão? Matou alguém ontem à noite? Foi parado com um tijolo de cocaína? Por acaso assaltou o supermercado? Empréstimos de fiança Clarksdale. Nenhum empréstimo é grande ou pequeno demais para Ike Turner. Por que não se sentar e contar a ele seus problemas? Não fique apodrecendo na cadeia dia e noite se preocupando, chorando e querendo ir para casa ficar com a sua família. Ligue para o Ike. Amigos, o Ike chega em 15 minutos para tirar vocês da cadeia. Garantido.

[p. 76] Bagagem Lady Gaga. Se qualidade e durabilidade são importantes na sua lista de necessidades de viagem, experimente a bagagem Lady Gaga. É leve, mas aguenta muito peso, e tem um design que sem dúvida vai distinguir sua bagagem especial das bagagens comuns dos outros. Conjunto de cinco malas, $150,99. Disponível nas melhores lojas.

[p. 104] Grave em qualquer lugar. Microfone Trix com capa protetora.

[p. 107] Ministério do Jerry Lee. Todos são bem-vindos! Sermão desta noite: "*Escrevendo sobre coisas boas.*" Ministério do Jerry Lee. Esquina da Church St. com a Main St. Aberto de segunda a sábado das 8h às 15h. Domingo o dia todo.

[p. 152] "Treine seu cérebro com Brian." Você também pode ter uma memória fotográfica! Brian diz: "Faça o que eu faço." Por trás da simplicidade de Brian, existe uma poderosa força de criatividade, música e aprimoramento pessoal. Não subestime o potencial de Brian de surpreender, divertir e educar. Pense rápido, reaja de imediato e não se esqueça de aproveitar, aproveitar e aproveitar!

[p. 121] Apenas 10 centavos. A melhor coisa da história do mundo. As vendas são definitivas. Não aceitamos devoluções. Todas as alegações são falsas. Patente pendente.

[p. 139] Pastilhas de cocaína preparadas pela Manufatura Clapton Co. Para a fadiga da mente ou do corpo.

[p. 159] Injeção de ânimo 100% natural. "Eu mando bala." Pura energia. Companhia de engarrafamento. Minneapolis, MN, 55408.

[p. 177] Entre no mundo maravilhoso das incríveis artêmias. Garanta muita alegria. Elas querem tanto agradar que podem até ser "treinadas". As mundialmente famosas artêmias são tão surpreendentes que você não consegue parar de olhá-las e ouvi-las. Elas nadam, brincam, correm e fazem truques e proezas hilárias. São tão fáceis de criar que até uma criança de 8 anos pode fazê-lo sem a aprovação dos pais. Crie uma família de artêmias que inclui a Mãe, a Segunda Mãe e seus filhotes em uma casa de subúrbio como outra qualquer. Como elas comem pouco e não falam palavrões, raramente chamam atenção de ativistas religiosos. Se você gosta de animais de estimação, vai amar ter artêmias. O melhor de tudo é que lhe ensinamos como fazer parecer que elas obedecem aos seus comandos, seguem um feixe de luz, dão cambalhotas e até parecem dançar quando você toca um dos meus discos ou fitas. Promoção "devolvemos o seu dinheiro".

[p. 181] Faça você mesmo sua própria mira de foguete. Com um zoom de 90 metros no espaço. É segura! Usa água como combustível! Funciona com propulsão a jato! Ganhe essa mira de foguetes de longa distância vendendo 100 discos do Smashing Pumpkins a $7,99 cada. Pós-pago.

[p. 194] DIDDY CREAM. Delícias de sorvete. Nosso serviço é excelente. Quando você experimentar a frieza... vai saber que começou uma festa na sua boca. Companhia Diddy Cream. Nova York, Nova York.

[p. 211] Flocos de sabão Mötley Crüe. Os flocos dourados naturais com espuma duradoura. Um produto Feelgood.

[p. 262] Hotel Royal Palm. Swakopmund, Namíbia. O refúgio perfeito. Romanticamente iluminado e ventilado. Serviço de quarto disponível para todas as suas necessidades. Escreva-nos para receber o panfleto e os preços.

[p. 225] Incenso Missão. Usado para induzir um poderoso estado de dominação do mundo. Libera uma fragrância deliciosa que paralisa o tempo. Aprovado para invocações e comunicações com outros seres. Os incensos Missão só são vendidos em embalagens com nove unidades. Leia as advertências no rótulo.

[p. 233] Robô elétrico. Funciona a pilhas. Controle remoto. Os olhos acendem. Os braços se movem no ritmo. Anda para a frente e para trás. Fácil de montar. Instruções por apenas $1,00. Outro aparelho para poupar trabalho criado pelos seus amigos da Calculadora de Bolso Co. Düsseldorf, Alemanha.

[p. 252] Vai viajar para o exterior? Posso fornecer seguro de vida e contra acidentes. A apólice combinada Jackie Chan de seguro de vida e acidentes protege você, não importa quando, onde ou como. Chan's, Hong Kong. "Cobertura para os 206 ossos."

[p. 273] Os Neptunes orgulhosamente apresentam o novo ATENDOFONE. Serviço de secretária eletrônica pessoal. Inventado pelo estimado Dr. Kazuo Hashimoto. Nunca mais perca uma chamada telefônica com o novo ATENDOFONE, usando hoje a tecnologia do amanhã, com um avançado sistema magnético de gravação e reprodução. Agora você está livre para fazer uma longa pausa de almoço sem se preocupar em perder aquela importante chamada profissional ou ligação da patroa para lembrá-lo de comprar leite e manteiga no caminho de casa. Ligue para compra, instalação e um ano de garantia estendida. Se não conseguir falar com um técnico qualificado, por favor, deixe uma mensagem gravada. Para homens de negócios, profissionais, estudantes e diversão em família. Não compatível com todos os telefones.

[p. 307] Se você quer que seus nervos sejam saudáveis e fortes experimente as pílulas "Espiga de Milho". À venda em todas as farmácias. Cura acidez e fraqueza estomacal, arrotos, dispepsia, excesso de bílis, dor de cabeça nervosa, surdez, efeitos da devassidão e das noites maldormidas, cólera, constipação, diarreia, medo de palco, contusões, dor de dente, dor de ouvido, pés gelados e loucura.

[p. 327] Não importa sua forma ou silhueta - Compre. Cintas antiferrugem indestrutíveis da Warner Brothers. Previne desalinhamento dos ossos, perda da forma e manchas. Chique e elegante. Experimente grátis por sete dias por nossa conta. Faça uma visita hoje para tirar suas medidas gratuitamente.

[p. 294] "Para aqueles com os mais altos padrões." Aparelho de jantar 12 peças para uma pessoa. Design "Hejira" - vidro prensado, acabamento brilhante, padrões floral e medalhão, um conjunto por caixa, 13 kg. 1 xícara, 1 prato, 1 prato de pão, 1 prato de jantar, 1 taça, 1 jarra de leite, 1 açucareiro, 1 saleiro, 1 pimenteiro, 1 prato para legumes com 25cm, 1 travessa com 28cm, 1 caçarola com tampa com 25cm. Branco e azul. $5,50 por conjunto.

[p. 321] Atenção. Estamos convocando todas as mulheres solteiras entre 17 e 26 anos, de boa aparência, dicção precisa, com mais de 81cm de braço. Uma nova carreira as aguarda na telefonia. Inscreva-se hoje. Ligue para um ser humano de verdade no número 310-927-0192. Bom pagamento. Boas refeições. Bom ambiente. Boas condições de trabalho. O centro de telefonia Ser Vivente está procurando operadoras qualificadas. Não deixe máquinas como o Atendofone tirar os seres humanos da jogada. Torne-se parte deste movimento para trazer de volta o tranquilizador calor da voz humana para o serviço de recados.

[p. 335] Para o homem que é macho bastante para trocar de carro. Continue em frente. Novo ContVolt, da Automóveis Young. O ContVolt, que pesa duas vezes mais que o típico elétrico híbrido e usa a energia de uma microturbina da Capstone movida a biodiesel, é mais limpo e emite menos gases prejudiciais à camada de ozônio do que qualquer carro elétrico híbrido ou carro comum com uma economia de 130km por galão de gasolina. Algumas pessoas nos acusam de não parar de lançar modelos novos de carros. Mas não é isso o que fazemos aqui na Automóveis Young. Só reinventamos o mesmo carro de sempre. É apenas uma questão de perspectiva.

[p. 365] Quer se enturmar com o pessoal popular? Como? Com lombrigas esterilizadas. Essas amiguinhas vão ajudar você a perder peso para as pessoas conseguirem enxergar quem você realmente é: bonito, carismático, namorável. Não é necessária uma dieta rígida ou exercícios entediantes. Simplesmente engula essas mocinhas famintas e deixe que elas comam por você. A gordura que você consome não precisa acabar no seu corpo. Preparadas pela J & M Co. Detroit, Michigan. Escreva para receber um panfleto e mais detalhes sobre os ovos, eclosão e vermífugos.

[p. 390] Apresentamos nosso mundialmente famoso hambúrguer de panda. Meio quilo de pura carne de panda das florestas do sudoeste da China. Criados soltos, alimentados com bambu e grelhados à perfeição. Hambúrgueres exóticos do Sacha. Tente achar uma carne melhor que a nossa! Almaty, Cazaquistão. Staines, Inglaterra. Franquias disponíveis.

[p. 420] Não roube seu músico favorito! Saiba que tudo o que se segue é ilegal segundo a lei dos direitos autorais: Cantar "Parabéns para você" para seu filho em um restaurante. Assobiar uma música enquanto estiver andando pela rua. Fazer uma fita com um mix de músicas para seus amigos, amantes ou convidados do seu casamento. Pendurar pôsteres de seu astro pop preferido no seu armário da escola. Tocar música alta pela janela do carro ou na praia. Ir de porta em porta cantando canções de Natal com direitos autorais, como "Rudolf, a rena de nariz vermelho". Fitas caseiras são a morte da música.

[p. 427] Jogue paciência em qualquer lugar com meu tabuleiro patenteado de paciência. Com meu tabuleiro leve de plástico resistente, você nunca vai precisar se preocupar com cartas voando ou sendo rearranjadas por gente invejosa cheia de ódio. Serão horas de diversão, de forma que você nunca vai precisar se preocupar em obter educação superior ou um emprego. Incluída trilha sonora de 24 horas para jogar paciência.

[**p. 439**] Sopa de macarrão da Gwen. Engula! Basta adicionar água quente e servir.

[**p. 444**] Rejuvenescimento facial. Fique mais jovem com o rejuvenescimento facial. Quinze exercícios fáceis para ajudar a prevenir ou corrigir os efeitos danosos de ser mortal, imperfeito e narcisista. Incrivelmente eficiente — usado há muito pelas mais belas celebridades. Experimente você mesmo. Funciona! Enrijece importantes músculos do rosto, pescoço e queixo. Se você tem mais de 21 anos, precisa deste folheto de rejuvenescimento facial. Apenas $1,00.

[**p. 475**] Lavador e separador de ouro Pioneiro. Um novo aparelho que poupa trabalho aos mineiros e oportunistas.

[**p. 503**] Bo Diddley diz: "Você pode ser um inventor famoso!" Aprenda com os melhores: Johannes P. Revólver, Wilhelm Conrad Plástico, Alexander Graham Telefone, Rudolph Secador de Cabelo. *Todos os cursos são por correspondência. Os famosos inventores vão "avaliar" suas patentes antes que você as inscreva. Apólice de seguro de vida incluída. Instituto de inventores de Gainesville.

[**p. 497**] Agora com cores incríveis, a televisão do futuro. Nunca mais saia de casa com este novo sistema de entretenimento doméstico feito para toda a família. Cohen & Co. MT. Baldy Zen Center, Califórnia.

[**p. 516**] Lembrete: Crie antes de se destruir. Um anúncio de utilidade pública do escritório do cirurgião geral dos Estados Unidos.